PAMÄTNICA
ANTONA BERNOLÁKA

PAMÄTNICA ANTONA BERNOLÁKA

Zostavil
JURAJ CHOVAN

MATICA SLOVENSKÁ 1992

Edícia: Teória a výskum
Séria: Vedecké zborníky

Lektorovali: Prof. PhDr. Eduard Gombala, CSc.
            PhDr. Ján Doruľa, CSc.

ISBN   80-7090-224-8

PAMÄTNICA ANTONA BERNOLÁKA

Pojmu pamätnica ako osobitne sa profilujúcemu typu publikácie prisudzujeme v porovnaní s tradičnou predstavou knižného pamätníka ideovo-intencionálnejší charakter, než býva obvyklý dokumentárny ráz takéhoto diela. Lebo nejde len o časovo uzavierajúci sa súbor dokumentov, odkladajúci sa „ad acta", ale o ich trvalý odraz v živote národa, ako „memorandum", čiže povinnosť mať niečo neustále na pamäti.

Aj táto pamätnica sleduje podobný cieľ, a to aj napriek tomu, že už ubehol dlhší čas od tých formálne oslavných podnetov, akými boli aj bernolákovské výročia roku 1987, keď sme si vecne i sviatočne pripomenuli dvojsté výročie prvého uzákonenia spisovnej slovenčiny. Na tento rok pripadlo totiž dvojsté výročie Bernolákovej programovo kodifikačnej rozpravy o slovenskej reči, ktorá vyšla pod názvom Dissertatio philologico-critica de literis Slavorum, a zároveň aj 225. výročie narodenia jej autora.

Týmto dielkom sa po prvýkrát v našich novodobých dejinách nastolilo praktické používanie vlastnej národnej reči vo funkcii spisovného jazyka, historický to pokyn na dlho čakaný exodus Slovákov zo zajatia národnej anonymity, do ktorej sme sa dostali akoby onou anatémou dejín, aká obyčajne postihuje národy, čo „vyháňajú a kameňujú svojich prorokov". Lebo práve týmto sa prehrešili aj predstavitelia našich predkov voči žiakom našich sloviensky učiteľov.

Preto ani naša pamätnica nechce vyjadriť iba takúto formálnu pripomienku oných jubilejných dát, ale skôr sa chce zamerať na ich význam, presahujúci medze času, na ich ontologický zástoj v slovenskom národnom bytí. Lebo tieto jubileá si vyžadujú viac, ako je iba zaužívaná pozornosť tzv. okrúhlosti a časovej aktuálnosti výročí. A hoci aj naším východiskom k nim bola takáto aktuálnosť, chceli sme ju využiť na spoločensky oveľa strategickejšie ciele. Vyjadroval ich už charakter osláv, pripomínajúci tie sviatočno-pracovné dni nášho ľudu, keď svoje najvýznamnejšie práce na poli a vo viniciach začínal vo sviatočných odevoch.

Oslava týchto jubileí bola teda pracovná. Predstavovala ju vedecká konferencia, ktorú organizoval Jazykovedný ústav Ľudovíta Štúra, Matica slovenská a ostatné spoločenskovedné ústavy SAV, ale aj rozhlasové a televízne relácie i na toto jubileum osobitne zostavené odborno-populárne pásmo, ktoré sa pod názvom Rodostrom slovenčiny s veľkým úspechom predvádzalo vo viacerých mestách na Slovensku, ba i v dvojhodinovom programe televízie. Tu akoby sa metonymicky predstavovali hlavné komponenty národného života, za ktorý Ľ. Štúr označil práve slovenčinu, a to korene,

5

kmeň i koruna v účinnej kompozícii odborného obsahu a pútavej formy (ľudového rozprávania v príslušnom nárečí, spevu, tanca a muziky). Symboliku koreňov predstavili tri hlavné nárečové oblasti Slovenska, pričom kmeňom tohto stromu, spájajúcim korene s korunou bol ľud vo svojich typických krojoch, zastúpený tridsiatimi piatimi účinkujúcimi zo všetkých nárečových oblastí Slovenska. A korunou stromu bola pochopiteľne ona − spisovná slovenčina, ktorá spájala jednotlivé časti programu do pestrého organického celku. Jeho scénickým dokomponovaním bolo predstavenie osobnosti Antona Bernoláka, vodcu prvej generácie slovenských obrodencov-bernolá-kovcov, ktorých básnik Tichomír Milkin apostrofoval slovami:

> Vy stvorili ste povedomie prví,
> že národom sme, a nie dáke mrvy
> a že sme v právach rovní iným kmeňom;
> že samostatní
> sme jak ostatní −
> so svojskou rečou, so svojským tiež menom!

Avšak ani Bernolák ani celá tá nadšená skupina jeho stúpencov neobjavila sa tu náhodne, bez predchádzajúcich podnetov a podmieneností, pretože v tomto hnutí zákonite dozreli a do konkrétnej podoby vyústili všetky tie národnoideové sporadické prejavy, čo sa postupne hromadili, počnúc od Vavrinca Benedikta z Nedožier, Jakuba Jakobea a Martina Sentivániho, pokračujúc Danielom Sinapiusom Horčičkom, Bene-diktom Sőlöšim, Matejom Belom, Pavlom Doležalom a Jánom Hrdličkom i ďalšími osobnosťami slovenského cítenia. Ba nemožno nespomenúť ani ten kvázi živelný normotvorný jazykový proces, v ktorom sa spontánne začali uplatňovať naše tri hlavné nárečia vo funkcii vyššieho, kultúrneho či administratívneho štýlu reči.

Bernolákovo vystúpenie bolo teda zákonitou reakciou na tento všeličím síce zvonka aj retardovaný, no prirodzene a nezadržateľne sa utvárajúci proces, ba dôsledkom tej spoločensko-politickej „plnosti časov", keď už vec dozrela natoľko, že sa vyšší spoločenský úzus týchto nárečí žiadalo už len podoprieť náležitou gramatickou a pravopisnou normou. Bernolák tu prirodzene nadviazal na jemu pôsobením najbližšiu a v tom čase najvýraznejšiu kultúrnu tradíciu západoslovenského nárečia s charakteristic-kou mäkkou výslovnosťou. Táto podoba západoslovenčiny sa vyvíjala najmä pod vplyvom vtedajšieho kultúrneho centra s univerzitou a tlačiarňou, kde pôsobilo veľa osobností aj zo stredného a východného Slovenska, teda z nárečových oblastí s mäkkou výslovnosťou.

Za fakultatívne možno označiť azda iba to, že bol to práve Anton Bernolák (a nie niekto iný), a že sa to udialo v práve v tom čase a práve v tej sociálnej konštelácii či ideovo-politických udalostiach (a nie v možných iných), až napokon došlo k takejto kvalitatívnej zmene stavu používania vlastnej národnej reči.

V každom prípade treba však pokladať za veľmi pozitívnu, ba určujúcu okolnosť, že v Bratislave vznikol jeden z troch tzv. generálnych seminárov, kde sa mohlo po prvýkrát v našich dejinách zísť toľko mladej slovenskej inteligencie z najrozličnejších kútov Slovenska, a že všetci títo mladíci svojím povolaním boli prinútení viac ako kedykoľvek predtým riešiť otázku najprimeranejšieho, a najmä jednotného pastoračného jazyka. Preto bola táto skupina schopná dať tomuto hnutiu naozaj celoslovenský charakter a pokúsiť sa sformovať to, čo sa v histórii iných národov utváralo dlhodobo a už dávno predtým za oveľa priaznivejších spoločenských a politických podmienok.

Pamätnica Antona Bernoláka je teda zároveň aj pamätnicou slovenčiny, ba i samého národnoobrodenského hnutia. Takto sa ponímalo už predchádzajúce dvojsté výročie Bernolákovho narodenia, keď pri tejto príležitosti v roku 1962 Historický ústav SAV zorganizoval prvú, komplexne poňatú konferenciu pod názvom K počiatkom slovenského národného obrodenia, a takouto bola aj konferencia v roku 1987.

Program konferencie, ktorá tvorí podstatnú časť tejto pamätnice, navodzuje širokú škálu spoločenskovednej problematiky, nadväzujúcej na poznatky prvej, ako aj ďalších výskumov. Pravda, najväčšia pozornosť sa tento raz venovala jazykovedným aspektom Bernolákovho diela. Ale ani tu sa ešte nevyčerpala problematika v jej relatívnej úplnosti.

Bolo by sa žiadalo napríklad venovať viac pozornosti najmä fonologickým otázkam bernolákovskej slovenčiny, a to nielen ako jednej z kľúčových otázok výskumu melodickej osnovy Hollého metrického verša (ako sa o tom hovorilo v súvislosti s výročím Jána Hollého na konferencii v roku 1985), ale aj v akom zmysle by si to bola vyžadovala už aj sama jubilujúca Bernolákova dizertácia. Lebo tu sa neriešila otázka slovenských písmen, ale hlások, ich delenia a prízvukov. V určitom zmysle tu teda ide o prvú štúdiu s fonologicky poňatou problematikou slovenčiny. Jednako obidve konferencie podstatne posunuli dopredu naše poznanie, najmä vecí, ktoré sú aktuálne v súčasnom trende výskumu, čiže vecí ležiacich na pomedzí jednotlivých vedných disciplín a spoločenských javov.

Tieto otázky však vytlačili z programu potreby prezentácie hlbšieho osobnostného profilu aj samého Bernoláka. Ešte stále nám totiž chýba monografické spracovanie tejto zakladateľskej osobnosti. Viaceré nové poznatky o Bernolákovi zostávajú naďalej roztrúsené po rozličných štúdiách. Chýba najmä ich komplexné zhrnutie a zhodnotenie. Pri tomto úsilí bude iste bádateľom na pomoci obsiahla bibliografia, ktorú v tejto pamätnici uverejňujeme. No tu by sa bola žiadala už naznačená štúdia, ba aj spresnenie viacerých čiastkových otázok, týkajúcich sa jeho diela. Často ešte zotrvávame v mylnom domnení, že sú to iba nepodstatné a už všeobecne známe veci, avšak niekedy i zdanlivo izolované problémy veľmi inštruktívne dokážu poslúžiť pri širšom, interdisciplinárnom bádaní a presnejšej diagnostike spoločenských javov a faktov. Pritom Bernolák patrí k osobnostiam takého základného významu, ktoré by už z obyčajnej piety mali podnecovať naše výskumné úsilia o čo najpodrobnejšie a zároveň aj najexaktnejšie informácie o jeho živote a diele. Zatiaľ sa však ešte stále stretáme s viacerými fakmi dokazujúcimi opak, ako sú napríklad ešte stále opakujúce sa nepodložené tvrdenia o Bernolákovom štúdiu na gymnáziu v Ružomberku, a už priam ostentatívne tvrdenia o jeho spoluautorstve s Fándlym pri zostavovaní polemík Ňečo o epigrammatéch a Ešče ňečo o epigrammatéch, keď je dokázateľné (i dokázané), že Bernolák je jediným autorom len prvej, kým druhej, a opäť jediným autorom, je iba Fándly.

Viaceré informácie o Bernolákovi ostávajú teda aj dnes založené iba na počiatočných hypotézach, uvedené do výskumu bernolákovskej problematiky pred viac než štyridsiatimi rokmi, keď ideové (ba dnes už aj odborné) vývodiace postavenie v bernolákovskom hnutí sa niektorí bádatelia usilujú presúvať od Bernoláka bližšie k Fándlymu.

Toto je však dokladom neznalosti faktov, lebo z hľadiska odbornosti Fándly dlho ani bernolákovčinu dobre neovládal. Pri prvom diele (Dúvernej zmluve...) mu korektúry robili študenti generálneho seminára, pri ostatných jeho vydaniach texty do bernolákovčiny prepracúval jeho priateľ Matej Kyselý, pričom aj k jeho spoločenskej aktivite v bernolákovskom hnutí ho inšpirovali prevažne osobné (literárne a spoločenské) ambície. Tieto ambície z Fándlyho až potom urobili fyziokratického horlivca, lebo – ako to vyplýva z jeho hodnotenia v Palkovičovej kanonickej vizitácii – predtým sa ani poľnému hospodárstvu nejako osobitne nevenoval („sed neque oeconomiae rurali supra modum dedictus est" – ako doslova o ňom píše dekan Palšovič). A podľa poslednej kanonickej vizitácie Jána Albrechta nevynikol dokonca ani ako „domajší hospodár". Apelujeme teda na väčšiu úctu k faktom a na potrebu neuspokojovať sa iba na prvý pohľad ľúbivými tvrdeniami a hypotézami, ktoré sú dobré iba ako pomocný prostriedok na ceste k faktom a nie ako ich náhrada.

Preto k portrétu Antona Bernoláka pokladáme za potrebné na úvod tejto pamätnice zhrnúť ešte niekoľko základných biografických poznámok.

Tento bernolákovský rod zo Slanice patril k nebohatým oravským zemanom, ktorí sa popri poľnohospodárstve zaoberali spracúvaním ľanu, ako väčšina Oravcov. Šľachtický titul Bernolákových rodičov nie je zaevidovaný ani v matričnom zázname o jeho krste, ktorý sa uskutočnil 3. októbra 1762, a to v námestovskom kostole, pretože Slanica nemala stáleho kňaza a bola filiálkou námestovskej farnosti. Tento dátum krstu sa potom prakticky prevzal aj ako dátum narodenia, ktorého opodstatnenosť vyvoláva však oprávnené pochybnosti.

Vyplývajú z dvoch ďalších údajov o jeho narodení, ako sú dáta 4. októbra 1762 a 5. októbra 1762. Údaj o 5. októbri je zjavnou chybou, keďže už krst bol 3. októbra. – Išlo najskôr o zámenu číslice 3 za číslicu 5, ktoré sú typograficky veľmi blízke, takže u tlačiara (sadzača) mohla sa takáto zámena ľahko stať. Údaj o 4. októbri je prevzatý z Bernolákovho Slovára z r. 1825, a je rovnako nelogický ako v už uvedenom prípade, kde však ešte jasnejšie prichádza do úvahy len ďalšia zámena číslice, a to 1 za 4, ktoré sú z typografického hľadiska ešte splývavejšie. Z toho by nasledovalo, že Bernolák pri svojom mene (pod heslom Slanica) mal v úmysle spresniť dátum svojho narodenia, t. j. 1. októbra 1762, ale pri korektúrach chybu editori nezbadali a Bernolák sám už na vec dohliadnuť nemohol, pretože 15. januára 1813 zomrel. Dátum 1. októbra 1762 ako skutočný deň Bernolákovho narodenia by potvrdzovala aj okolnosť, že to bol piatok a teda najvhodnejší čas na to, aby sa mohli porobiť prípravy na krst a oslavu s tým spojenú, ktorá u zemianskych rodín na Orave nikdy nechýbala a ktorá by sa sotva dala urobiť v jeden deň za predpokladu, že by sa Bernolák narodil v deň krstu. Teda krstili ho v nasledujúcu nedeľu, t. j. 3. októbra 1762, čo bol aj primeraný čas na tradičné krstiny, ktoré bývali na Orave v nedeľu.

Anton Bernolák sa narodil ako siedme dieťa rodičov Juraja Bernoláka a matky Anny, rod. Holmikovej. Mal teda šesť starších súrodencov, a to Jána, Martina, Gábora, Júliu, Marínu a Mateja-Alojza. Údaje o narodení (krste) sú známe iba pri posledných dvoch súrodencoch (Mária r. 1757 a Matej-Alojz r. 1760). Do roku 1757 nevieme o matrike tejto lokality.

Najstaršie záznamy o bernolákovskej rodine v Slanici (dnes zatopená obec) sú z roku 1681 a viažu sa na Mateja Brnulu, ktorý dostal od Leopolda I. zemianske výsady pre seba i potomkov. Preto sa A. Bernolák podpisoval aj svojím šľachtickým atribútom „nobilis Slanicensis". Priezvisko Brnula v priebehu času pribralo charakteristickú koncovku -ák a na jeho výslednú podobu vplývali neskôr aj dobové (módne) tendencie vokalizácie spoluhláskových skupín Brnolák – Bernolák. Táto tendencia sa v jednom prípade prejavila ešte aj u Bernolákovho synovca – Andreja Radlinského (Radolínskeho) syna dcéry najstaršieho Bernolákovho brata Jána, Alžbety. Aj Anton Bernolák si od roku 1782 osvojil túto vokalizovanú podobu mena, keď ako poslucháč filozofie v Trnave uverejnil svoju prvú prácu Divus rex Stephanus…

Tento tvar priezviska zjavne súvisel s prejavom vyšších spoločenských ambícií jeho nositeľov. Pred ním ako významná osobnosť s týmto priezviskom bol známy profesor Trnavskej univerzity Andrej Bernolák, jezuita, mineralóg, brat Bernolákovho otca. Menej známi sú dvaja členovia tzv. Bratstva farárov na hornej Orave z roku 1760 – Pavol Bernolák a Ján Bernolák. Známi sú aj ďalší významní nositelia tejto podoby priezviska, ako bol jeho starší brat Matej-Alojz, advokát Kráľovskej miestodržiteľskej rady, a najmä jeho syn Anton Bernolák ml., ktorý bol spoluzakladateľom Spolku milovníkov reči a literatúry slovenskej v roku 1834. (Ďalšie osobnosti tohto priezviska eviduje Slovenský biografický slovník.)

O prvých školských rokoch Antona Bernoláka poznáme sprostredkované údaje od dolnokubínskeho farára Jozefa Kohútha. Podľa neho základné triedy začal navštevovať v rodnej obci. Pokračoval pravdepodobne v Námestove. Doterajšie údaje o jeho štúdiách v Ružomberku sa nezakladajú na pravde, lebo tu v rokoch jeho možných stredoškolských štúdií (1755–1777) niet o ňom zmienky v zachovaných protokoloch ružomberského gymnázia (1729–1822), ktoré sme kvôli tomuto údaju podrobne preštudovali. Preto je najpravdepodobnejšie, že Anton Bernolák gymnázium študoval v Bratislave, kde bol prijatý do tzv. malého seminára, zvaného Emericianum. V Bratislave študoval poetiku a rétoriku (1778–1780). V nasledujúcich dvoch rokoch absolvoval štúdium filozofie v trnavskom seminári, zvanom Stephaneum (1780–1782). V r. 1783 sa stal alumnistom viedenského seminára (Pázmánea) a začal študovať teológiu na viedenskej univerzite. Tu však absolvoval iba prvý semester škol. r. 1783/84, druhý semester pokračoval už na novoutvorenom bratislavskom generálnom seminári (1784). Štúdium ukončil v r. 1787 a ordinovaný (vysvätený) bol 17. 8. 1787 v Trnave.

Na svoje prvé kaplánske miesto nastúpil do obce Čeklís 1. 12. 1787, ktorá je dnes pomenovaná podľa neho (Bernolákovo). V tejto obci vo svojej „kaplánke" pracoval na svojich základných jazykovedných dielach.

Keď bol dekrétom Jozefa II. pozbavený funkcie prefekta generálneho seminára Ondrej Sabo (13. 1. 1788, lebo práve sa začal v seminári uplatňovať jansenistický kurz v generálnom seminári), Anton Bernolák dostal ponuku na prevzatie jeho funkcie. Túto ponuku však Bernolák neprijal. Okrem možnej solidarity so svojím bývalým a obľúbeným predstaveným v tomto odmietnutí iste zohrali úlohu dôvody ideové. Ondrej Sabo, neskorší biskup v Košiciach, bol odstránený z tejto funkcie ako prívrženec opozičného tábora na čele s prímasom Uhorska Batánim, ktorý bol orientovaný tradicionalisticky, protijansenisticky. Toto ovplyvnilo rozhodnutie cirkevnej vrchnosti vymenovať Antona Bernoláka za arcibiskupského tajomníka v Trnave, kde nastúpil 1. 7. 1791. V Trnave okrem tejto funkcie tajomníka vykonával aj úlohu diecézneho censora a archivára, začas aj notára ústrednej cirkevnej stolice. Popri týchto úlohách pokračoval vo svojich jazykovedných prácach. Do tlače pripravil počiatočné heslá svojho slovníka, ako o tom svedčí zachovaný odpis jeho pôvodného rukopisu-predhovoru k tomuto slovníku z roku 1796. Z tohto predhovoru vyplýva, že Bernolák nemal vhodné podmienky pre svoju literárnu prácu, pretože bol príliš zaťažený úradnou robotou. V r. 1797 sa Bernolák prihlásil na konkurz o miesto farára v Nových Zámkoch. Z 36 kandidátov na toto miesto Bernolák bol 29. 4. 1794 investovaný za farára a 5. 5. 1797 potvrdený dekrétom. Zároveň bol ustanovený aj do funkcie dekana (30. 5. 1799). Úrad prevzal dňom 1. 6. 1797. Tu vykonával aj funkciu správcu mestskej školy. Okrem toho vyučoval náboženstvo vo svojej farnosti, ktorá bola národnostne zložená zo Slovákov, Maďarov a Nemcov. Pracovné podmienky pre Bernoláka sa však ani tu nezlepšili. Medzitým pokračoval v práci na dokončení a úpravách slovníka, ktorý bol kompletne hotový do tlače okolo roku 1806.

Veľa starostí mal aj s napoleónskymi vojnami. Ako dekan musel zabezpečiť vystrojenie 14 jazdcov a finančné prostriedky na ich udržiavanie, čo činilo 2680 zlatých.

Najväčšie rozčarovanie Bernolákovi iste spôsobil neúspech s vydaním slovníka, keďže v plánovanom roku vydania (1796) nevyšla ani jeho úvodná časť a márne boli pokusy s jeho vydaním aj neskôr, pretože na vydanie slovníka nemal dostatok vlastných prostriedkov. Vydanie slovníka neskôr stálo 20 000 zlatých. Anton Bernolák zomrel sotva 52-ročný, keď ho pri holení stihla srdcová porážka. Konfliktové situácie, v ktorých sa Bernolák nachádzal, najlepšie odzrkadľuje text jeho závetu, ktorý písal 9. 12. 1809, a vzhľadom na jeho vek (mal vtedy iba 47 rokov) ho možno pokladať za predčasný.

Najväčšie sklamanie mu pripravil mestský magistrát v jeho oprávnenej požiadavke, aby mu uhradili všetky náklady, ktoré vynaložil zo svojich prostriedkov na opravu cirkevných budov a záhrad (plotov a brán), ktoré prevzal v dezolátnom stave a čo sa žiadalo už v zázname Batániho kanonickej vizitácie z roku 1779. Išlo o dosť vysokú sumu a Bernolák v nádeji, že túto kauzu sa najskôr podarí vyriešiť pre brata Mateja-Alojza, odkázal mu v závete nielen všetky peniaze vynaložené na opravu, ale aj prosbu, „aby v jeho veci neustal pracovať dovtedy, kým všetky jemu odkázané prostriedky vynaložené na opravu nedostane".

Bernolák možno dúfal, že aj takýmto včasným testamentárnym avízom právneho riešenia sporu podarí sa mu kompetentné vrchnosti primäť k urýchlenejšiemu zadosťučineniu spravodlivosti. Spravodlivosti sa však nedožil ani on ani obdarovaný, najmä potom, čo väčšina ním zreštaurovaných objektov zhorela pol roka po napísaní testamentu, 9. mája 1810. Bernolákom vynaložené prostriedky takto zničené požiarom právnu stránku ešte viac skomplikovali. Preto likvidátor testamentu biskup barón Imrich Perényi, mohol o to ľahšie tento bod testamentu anulovať s odvolaním sa na príslušné právne normy a zvyklosti, že kto stavia na cudzom, nestavia pre seba („...quod qui in fundo alieno aedificat, non sibi, sed alteri aedificat.") Litere zákona a „diecezálnym zvyklostiam" sa síce učinilo zadosť, menej však duchu spravodlivosti. Preto sa tu vynára otázka, či v tomto nie práve najhumánnejšom postoji prefekta Perényiho neostalo niečo z rezíduí právneho sporu niekdajšieho trnavského farára baróna Perényiho, ktorý svojho času prehral svoj právny spor s Jozefom I. Bajzom, keď v cirkevnom konzistóriu v Trnave Bernolák zastával funkciu arcibiskupského tajomníka a notára ústrednej cirkevnej stolice.

V doterajšej odbornej literatúre sa prejavili tendencie spájať Bernoláka s vtedajším jansenistickým prúdom, ktorý sa vo svojich politických plánoch usilovalo využiť aj jozefínske hnutie, využívajúc cirkevno-doktrinárske nezhody jansenistov s pápežom na podporu svojho autonomistického, národnocirkevného hnutia. Podstata jansenizmu však iba z tejto okrajovej stránky mohla poslúžiť jozefínskemu hnutiu. Hlásaním tézy o samospasiteľnosti katolíckej cirkvi (čo oficiálne cirkev s odvolaním sa na Tomáša Akvinského zavrhla) jansenisti nemohli pochopiť ani ducha tolerantnosti známeho patentu Jozefa II. Mylne sa teda spájajú myšlienky súdobého synkretizmu či tzv. kresťanského osvietenstva s jansenizmom. Na čele tohto synkretického hnutia stáli také osobnosti, ako bol u protestantov Leibniz a u katolíkov Ľudovít Anton Muratori. A preto ideový profil Antona Bernoláka treba spájať s osobnosťou Muratoriho, ktorý sám bojujúc za národné práva Talianov proti súvekému pápežskému štátu, vo svojom diele O správnom postoji vzdelancov vo veciach náboženských („De ingeniorum moderatione in religionis negotio") tiež odsúdil jansenistov. Bernolák tento svoj vzor učenca akceptoval nielen vo svojom dielku „Toto maličké písmo...", kde do úst hlavnej dialogickej postavy − Lamindovi Pritánskemu (pseudonym L. A. Muratoriho) vložil výpovede základných ideových stanovísk, ale nadviazal aj na jeho podnet zakladať spolky učencov, ktorý v r. 1708 ako prvý vyslovil túto osvietenskú myšlienku.

V štúdiu bernolákovskej problematiky ostáva teda ešte veľa otázok, ktoré dokážeme objasniť iba zintenzívnenou súčinnosťou výskumu viacerých disciplín, k čomu sa usiluje prispieť aj táto pamätnica.

Zostavovateľ

Poznámka redakcie:

S prihliadnutím na rôznosť názorov jednotlivých prispievateľov na písanie cudzích mien sme ponechali pravopis priezvisk v podobe, ako ich ten-ktorý autor napísal.

Redakcia

BIOGRAFICKÉ KALENDÁRIUM
ANTONA BERNOLÁKA

1762

Narodil sa pravdepodobne 1. 10. (piatok) v Slanici na Orave ako siedme dieťa manželom Jurajovi Bernolákovi a Anne, rodenej Holmíkovej; 3. 10. (nedeľa) – deň krstu, krstný obrad vykonal františkánsky kňaz Felix Jozef Gulečka (v staršej literatúre sa uvádza nesprávny tvar priezviska Kulečka). Dosiaľ sa dátum narodenia najčastejšie uvádzal v zhode s dátumom krstu, t. j. 3. 10.; v niektorých slovenských i maďarských prameňoch sa stretávame aj so 4. a 5. októbrom ako dňom narodenia Antona Bernoláka. V oboch prípadoch išlo o typografickú zámenu 1 a 4, 3 a 5.

1774

V Námestove ukončil vyššie triedy ľudovej školy, nižšie triedy vychodil v rodisku a gymnázium pravdepodobne absolvoval v Bratislave. Dosiaľ uvádzané údaje o štúdiu na gymnáziu v Ružomberku (napr. Encyklopédia slovenských spisovateľov. Bratislava, Obzor 1984) matrika ružomberského gymnázia vyvracia.

1778–1780

Štúdium poetiky a rétoriky v bratislavskom seminári Emericianum.

1780–1782

Štúdium v seminári Stefaneum v Trnave, záujem o štúdium filozofie; február 1782 zmena mena z pôvodného Brnoliak na Bernolák; v Trnave vychádza (r. 1782) Bernolákova prvá latinsky tlačená práca Divus Rex Stephanus... (Svätý kráľ Štefan...).

1782–1784

Štúdium teológie na univerzite vo Viedni (býval v Pázmánovom seminári); pobyt v Pázmáneu, univerzitné štúdium a viedenské prostredie priaznivo vplývali na Bernolákovo osvietenské myslenie i slovansko-slovenské uvedomenie; pravdepodobne na viedenských štúdiách začal pracovať na bibliografii Nova Bibliotheca Theologica selecta dokumentujúcej jansenistické vplyvy na A. Bernoláka.

1784

Príchod z Viedne do bratislavského generálneho seminára, kde absolvoval tri posledné školské roky.

1785

V Devíne u svojho priateľa – kňaza Michala Szalakyho dopísal bibliografiu Nova Bibliotheca..., ktorú však pravdepodobne pod vplyvom antijansenistu Szalakyho nevydal; začína prvé prípravné práce na Dizertácii...

1787

V máji vydáva prácu Dissertatio philologico critica de litteris Slavorum s pripojeným návrhom pravopisu Orthographia; ukončenie bohosloveckých štúdií, odchod do seminára v Trnave, kde po nižších sväteniach za subdiakona (10. 8.), diakona (15. 8.) bol ordinovaný za kňaza (17. 8.); 29. 11. vymenovaný za kaplána v Čeklíse (dnešné Bernolákovo), kam odchádza 7. 12. (v Čeklíse účinkuje do leta 1791); v októbri začína práce na zostavovaní Slovníka.

1788

Práce na diele Grammatica Slavica.

1789

Vydáva v Bratislave dielo Grammatica Slavica; zve-

13

rejňuje polemický obranný spis Toto maličké písmo má sa pánovi Anti-Fándlymu... odevzdať... ako odpoveď na Bajzov spis Anti Fándly (Halle 1789); pokračuje na zostavovaní Slovníka, začína pracovať na diele Ethymologia vocum Slavicarum...

1791
V Trnave vydáva Etymológiu, vykladá v nej kmeňoslovie, tvorenie kmeňov a nových slov pomocou prípon a zloženín, pripája aj gramatické názvoslovie, ktoré sa však v praxi neujalo;dokončil prácu na Slovníku; 1. 7. bol povolaný k ústrednému úradu ostrihomského vikariátu do Trnavy, kde šesť rokov vykonával funkciu kancelára a zároveň tajomníka, okrem toho tri roky bol archivárom, cenzorom kníh a istý čas aj prísažným notárom ústrednej cirkevnej stolice.

1792
Začína činnosť Slovenské učené tovarišstvo (založené už r. 1789 v bratislavskom generálnom seminári), ktorého prvým predstaviteľom bol Anton Bernolák.

1794
Anonymne vydáva polemický spis Ňeco o epigrammatéch anebožto máloriadkoch J. I. Bajzi ako reakciu na Bajzove Epigrammata.

1795
V Trnave vydáva kázeň O vážnosti a ucťivosťi stavu kňažského...

1796
Vydáva v Trnave Katechizmus s otázkami a odpoveďami k vynaučováňú krajinskéj mládeži...; napísal poslednú verziu predhovoru k Slováru.

1799
29. apríla investovaný za farára v Nových Zámkoch; 30. mája vymenovaný za dekana novozámockého dištriktu; 1. júna prichádza do Nových Zámkov, kde zastáva aj funkciu správcu hlavnej mestskej školy a učiteľa náboženstva.

1799–1800
V čase napoleónskych bojov zabezpečuje výstroj 14 jazdcov a 2680 zlatých pre Nitriansku stolicu.

1803
V Trnave vychádza jeho príležitostná kázeň Na smrť mnohovelebného pána Sztocsko Gurka (prednesená na pohrebe 26. 11. 1797).

1808
Posledný pokus Antona Bernoláka o vydanie Slovára.

1809
Vyšli dve príležitostné kázne v maďarčine: Bé iktató beszéd... a Hallotta beszéd..., dielo Allocutio, qua serenissimum...; 9. decembra píše svoj testament.

1810
9. mája vypukol v Nových Zámkoch veľký požiar, pri ktorom zhoreli Bernolákovi zadné stavy; biskup Perényi vzniknutú škodu (v hodnote 4000 zlatých) odmietol uhradiť.

1813
15. januára pri holení umiera na porážku.

K. Chovanová

14

Ku genealógii rodiny Bernolákovcov

PAVEL HORVÁTH

Úvodom treba uviesť, že podať za dnešného stavu výskumu ucelenejšiu genealógiu rodiny Bernolákovcov nie je ešte možné. Chýbajú k tomu potrebné pramene (najmä matriky, ktoré sa nám zo starších čias nezachovali) a aj preštudovanie ostatných druhov materiálu si vyžaduje dlhší čas, a ten sme, žiaľ, na vypracovanie tohto referátu nemali. Ide preto skôr iba o príspevok ku genealógii rodiny Antona Bernoláka, ktorý nemá ešte definitívnu podobu a jeho údaje bude potrebné ďalším výskumom doplniť alebo aj korigovať.

Keď r. 1787 vyšiel v tlačiarni Jána Michala Landerera v Bratislave Bernolákov spis Dissertatio philologico-critica de litteris Slavorum (Filologicko-kritická rozprava o slovenských písmenách), v ktorom vyložil zásady slovenského spisovného jazyka a pripojil k nemu aj príručku slovenského pravopisu (Ortographia), vstúpilo jeho meno do povedomia súdobej kultúrnej a odbornej verejnosti doma i v zahraničí. Od tej doby sa datuje aj záujem o jeho život a dielo, a to nielen ako prvého kodifikátora spisovnej slovenčiny (v r. 1790 vyšla jeho Gramatica Slavica, v r. 1791 Etymologia vocum Slavicarum a v r. 1796 sa pokúšal už aj o vydanie päťjazyčného Slovára), ale aj ako o významného kultúrno-organizačného činiteľa a zakladateľa Slovenského učeného tovarišstva.

Bernolákovej Dizertácii venoval už v r. 1787, krátko po jej vydaní, pozornosť peštiansky literárny časopis Merkur von Ungarn, redigovaný osvieteným učencom Martinom Jurajom Kovačičom (1743–1821), rodákom zo Šenkvíc a prvýkrát objektívne a kladne (aj keď prirodzene stručne) zhodnotil jeho jazykovedné práce uhorský literárny historik Alexej Horányi (1736–1809) vo svojom diele Nova memoria Hungarorum, vydanom v r. 1792, a toto jeho

hodnotenie malo potom priaznivý ohlas aj v radoch slovenských vzdelancov. Aj v správe o prípravách vydania Bernolákovho Slovára z r. 1799, uverejnenej v literárnej prílohe Literärischer Anzeiger peštianskych nemeckých novín Courier aus Ungern, sa jeho autor charakterizuje ako zaslúžilý a usilovný pracovník v oblasti slovenskej jazykovedy (um die slowakische Sprach-Kunde verdiente ungemein fleissiger Herr Anton Bernolak).

Z domácich slovenských vzdelancov a Bernolákových spolupracovníkov už v r. 1790 vysoko hodnotil jeho jazykovedné dielo Juraj Fándly (1750–1811). Bernolák bol podľa neho prvý, kto zaviedol spisovnú slovenčinu a patrí mu preto aj *„prvá chvála za našu čistotnú slovenskü dobropísebnost a dobrovýmlúvnost“*. Anton Bernolák sa stal však už za svojho života aj vedúcou a uznávanou osobnosťou počiatočnej fázy slovenského národného obrodenia. Túto jeho vedúcu úlohu v národnobuditeľskej a kultúrno-organizačnej činnosti najlepšie vystihol člen Slovenského učeného tovarišstva Jozef Valentíni a po ňom znovu aj Juraj Fándly, keď o ňom na stránkach 3. zväzku svojho Pilného hospodára v r. 1800 napísal: *„Stál nám do predku vysokoučený a mnohovelebný pán Anton Bernolák, písma vúdce, národu verný rodák, on volá, mňa nasledujte Slováci… Na slovo Bernoláka hlavy zdvihli Slováci, aby sve umení pozdvihli, aby svoj národ krísili písmami.“*

Prvé literárne správy o Bernolákovi sa teda týkali prevažne jeho jazykovedného diela a jeho národno-kultúrnej činnosti, zatiaľ čo o jeho živote poskytovali len málo údajov. Už súčasníci o ňom, pravda, vedeli, že pochádzal zo zemianskej rodiny z oravskej Slanice (čo uvádzal aj v tituloch svojich prác), že bol najprv kaplánom v Čeklísi (teraz Bernolákovo), neskôr tajomníkom vikariátnej kancelárie v Trnave a napokon katolíckym farárom v Nových Zámkoch. V kanonických vizitáciách novozámockej fary z r. 1804 a 1811 sa síce uvádzali aj jeho štúdiá, tie však boli známe iba jeho blízkym spolupracovníkom a cirkevným predstaveným. Základné životopisné údaje o Bernolákovi publikoval až plodný kultúrny publicista Karol Juraj Rumy (1780—1847) v nekrológu o ňom r. 1813 uverejnenom v časopise Wiener Literatur-Zeitung a krátku správu o Bernolákovej smrti priniesol aj bratislavský Juraj Palkovič (1769—1850) v tom istom roku vo svojom Týdenníku.

Prvú širšiu akciu na zhromaždenie údajov o živote a diele Antona Bernoláka i na vypracovanie jeho biografie rozvinul až známy organizátor slovenského literárneho a kultúrneho diania v 30. rokoch 19. storočia, jeho mladší spolurodák Martin Hamuljak (1789—1859). Hneď po založení Spolku milovníkov reči a literatúry slovenskej v r. 1834 pozýval do jeho radov aj vtedy už 80-ročného bratislavského kanonika Jozefa Ignáca Bajzu (1755—1836) a zároveň ho prosil aj o napísanie životopisu Antona Bernoláka. Staručký Bajza v r. 1835 členstvo v novozaloženom spolku s radosťou prijal, finančne prispel aj na jeho fundáciu, o Bernolákovi mu však mohol podať iba veľmi stručnú správu.

Ešte v tom istom roku (1835) sa Martin Hamuljak obrátil aj na najvýznamnejšieho básnika bernolákovskej školy Jána Hollého (1785—1849), ktorý už v r. 1825 napísal básnický Chválospev na Antona Bernoláka, s prosbou o napísanie Bernolákovho životopisu pre almanach Spolku Zora. Hollý mu ešte v tom istom roku odpovedal, že napísať životopis Bernoláka nie je v stave, pretože ho (na rozdiel od Bajzu) nikdy nevidel a ani nepoznal. Vedel o ňom iba toľko, „že bol v Čeklísi kaplán, v Trnave sekretár a v Nových Zámkoch farár a vicearchidiakon" (dekan). Nevedel však, v ktorých rokoch na týchto miestach účinkoval a nemohol sa to ani dozvedieť, pretože „už všetci jeho spolužáci pomreli". Už dávnejšie však vedel, že Bernolák zomrel v Nových Zámkoch 15. januára 1813 ráno, keď ho pri holení postihla srdcová mŕtvica („15. ledňa pri holeňú bradi šlakem porazení v Kristu zesnul"). V liste Hamuljakovi vyjadril aj obdiv nad Bernolákovou pracovitosťou a prekvapovalo ho, „že tolko, predca velmi mnohimi a ustavičnimi pracami zaňesení, popísat mohel".

Medzitým venovali životu a dielu Antona Bernoláka pozornosť, pravda, aj iní bádatelia. Pavol Jozef Šafárik (1795—1861) už v r. 1826 vo svojich po nemecky vydaných Dejinách slovanských literatúr oboznámil s Bernolákovými prácami a náhľadmi európsku učenú spoločnosť a v domácom prostredí vcelku veľmi kladne zhodnotil význam jeho jazykovedného a kultúrno-organizačného diela Jozef Miloslav Hurban (1817—1888) vo svojej známej stati Slovensko a jeho život literárny uverejnenej v Slovenských pohľadoch v r. 1847. Stručné heslo o Bernolákovi vyšlo potom už aj v 1. zväzku Riegrovho náučného slovníka v r. 1860 a v 2. zväzku známej Slovenskej čítanky Emila Černého (1839—1913) z r. 1865 bol už aj prvý ucelenejší obraz o živote a diele Antona Bernoláka, zostavený na základe dovtedajších poznatkov o ňom.

Podstatnejší obrat v rozvoji bádania o Bernolákovom živote a diele znamenal však až rok 1890, keď vyšla kniha Jaroslava Vlčka (1860—1930) Dejiny literatúry slovenskej. Zo strany katolíckych vzdelancov sa tomuto, ináč veľmi záslužnému dielu, vyčítalo nedocenenie bernolákovskej a vôbec staršej katolíckej spisby v slovenskej literárnej minulosti. Preto sa kultúrni a literárni historici katolíckej konfesie podujali pod vedením Františka Richarda Osvalda (1845—1926) korigovať a doplniť obraz staršej slovenskej literatúry. Robili tak najskôr na stránkach Osvaldom vydávaných Literárnych listov (od r. 1891) a neskôr najmä v troch zväzkoch almanachu Tovarišstvo (1893, 1895, 1900), ktorého prvý zväzok vyšiel na počesť 100. výročia založenia Slovenského učeného tovarišstva. Vedúcu úlohu v tejto práci mal hneď od začiatku literárny historik Jozef Kohúth (1828—1900), oravský rodák, od r. 1856 kat. farár a neskôr aj dekan v Dolnom Kubíne.

Hoci bol Jozef Kohúth publicisticky činný už od 50. rokov 19. storočia, ťažisko jeho významu vo vývine slovenskej literatúry je až v poslednom desaťročí jeho života, keď sa sústredene venoval literárnohistorickej práci. V tomto čase zozbieral a spracoval množstvo biografického i bibliografického materiálu k bernolákovskej epoche a výsledky svojich výskumov publikoval v Literárnych listoch (1891—1893) a v prvých dvoch zväzkoch almanachu Tovarišstvo. Aj keď sa nevenoval iba Bernolákovi, ale celému bernolákovskému hnutiu, biografické poznatky o ňom i o jeho diele zaujímajú ústredné miesto v jeho práci a znamenajú oproti minulosti podstatný prínos. Už v Literárnych listoch uverejnil základné údaje k životopisu Antona Bernoláka, o jeho rodisku Slanici, o mieste jeho smrti v Nových Zámkoch, ako aj o Slovenskom učenom tovarišstve (K životopisu Antona Bernoláka, Kolíska a hrob Antona Bernoláka, Učené slovenské tovarišstvo čili takzvaná škola bernolácka), ktoré potom podrobnejšie rozviedol a rozpracoval v almaňachu Tovarišstvo.

16

Jozef Kohúth nemohol všetky svoje výskumy týkajúce sa bernolákovského hnutia urobiť prirodzene sám, ale mal k tomu celý rad pomocníkov z radov katolíckych kňazov, ktorí mu spisovali a posielali údaje o bernolákovskej literatúre nachádzajúcej sa vo farských knižniciach. Základné údaje k životopisu Antona Bernoláka z matrík fary v Námestove, kam jeho rodná obec ako filiálka patrila, mu posielal tamojší farár Jozef Hoblík (1851—1901), najmä však jeho kaplán Jozef Vojtíček (1861—1916), ktorý pomáhal Kohúthovi zbierať aj materiál k jeho historickým prácam o Orave. O literárnej tvorbe Antona Bernoláka mu podrobné údaje poslal regionálny historik a publicista Ján Klempa (1839—1894) z Trnavy, ktorý ich získal od cirkevného historika Alojza Zelligera (1863—1942), práve v tom čase pripravujúceho dielo o literárnej činnosti kňazov ostrihomského arcibiskupstva. Kohúth si však vedel nájsť pomocníkov aj medzi Slovákmi v Nových Zámkoch; napríklad tamojší mešťan Juraj Brno ho v liste z r. 1892 podrobne informoval o cintoríne, kde Bernoláka pochovali a odkiaľ pri jeho zrušení preniesli jeho pozostatky do kaplnky sv. Trojice, kde sú i dnes.

Okrem Jozefa Kohútha chcel v r. 1893 pri príležitosti 100. výročia založenia Slovenského učeného tovarišstva napísať životopis Antona Bernoláka aj známy slovenský publicista a politik Ján Mallý-Dusarov (1829—1902), vtedy už 67-ročný ostrihomský kanonik. Na jar v tomto roku sa aj on obrátil na námestovského farára Jána Hoblíka s prosbou, aby poskytol z matrík k tomu potrebné údaje, pretože chce zostaviť „celý rodostrom Bernolákových predkov a vôbec famílie bernolákovskej". Ján Mallý-Dusarov mal v tom čase v slovenskom verejnom a kultúrnom živote značnú autoritu a Jozef Hoblík sa skutočne pustil excerpovať preňho námestovské matriky a informoval o tom v listoch aj Jozefa Kohútha. Bola to práca skutočne namáhavá a únavná, pretože, ako napísal Kohúthovi, „na každej 2.—3. strane treba hľadať Bernolákovcov, či už čo rodičov, či už čo krstných otcov". Prácu mu sťažovala aj skutočnosť, že rodina Bernolákovcov bola v 18. storočí rozšírená už aj v Bobrove, Zubrohlave a v Kline a mnohí jej členovia mali okrem priezvisk ešte aj početné prezývky.

Aj keď sa Ján Mallý-Dusarov po prvom liste Hoblíkovi už neozval, ten ďalej pokračoval v práci a nakoniec chcel sám zostaviť rodostrom Antona Bernoláka. V r. 1893—1894 prezrel všetky matriky a „kde len jedného Bernoláka našiel, všetko si poznačil". Žiaľ, ani Jozef Hoblík nestačil svoj úmysel dokončiť, spočiatku, ako sám uviedol, „pre ľahostaj-

nosť dr. Mallého", neskôr aj sám stratil vôľu do práce a nakoniec jeho vrchnostenské „napádania a prenasledovania zmarili všetko". Bola to iste škoda, pretože podľa vlastného priznania mal už „dobrý prehľad po celej famílii bernolákovskej, zvlášť o rode Antona Bernoláka". V r. 1895 svoje poznámky a výpisy nemohol už ani nájsť a nevedel už ani s istotou povedať, ako nasledujú za sebou Bernolákovi bratia a sestry. Možno iba ľutovať, že sa nám tieto Hoblíkove výpisy nezachovali, pretože pochádzali zo starých námestovských matrík (od r. 1711), ktoré dnes už neexistujú. Jozef Hoblík sa však už v r. 1893 usiloval zozbierať aj iné ešte existujúce pamiatky po Bernolákovi a zistiť aj jeho rodný dom, hoci Bernolákovci v Slanici v tom čase už nežili. Na základe písomných prameňov a svedectiev ešte žijúcich starých pamätníkov sa mu podarilo určiť, že predkovia Antona Bernoláka (starý otec i otec Juraj), bývali v dome, ktorý patril potom rodine Galasovcov a ľudovo sa nazýval „Galasovka".

Po vydaní troch zväzkov zborníka Tovarišstvo (v r. 1893—1900) záujem o výskum života a diela Antona Bernoláka značne poklesol. Jeho neúnavný životopisec Jozef Kohúth zomrel už v r. 1900 a o rok po ňom (v r. 1901) aj Jozef Hoblík (iba 50-ročný). Námestovský kaplán Jozef Vojtíšek sa ešte v r. 1893 stal farárom v Zakamennom, a tak na Orave už nemal kto pokračovať v ich výskumoch. Pred prvou svetovou vojnou priniesol niekoľko novších poznatkov k životným osudom Antona Bernoláka iba liptovský rodák Štefan Mišík (1843—1919) v príspevku uverejnenom pri príležitosti 100. výročia jeho smrti v Slovenských pohľadoch. K novému rozvoju bádania o Bernolákovom živote a diele prišlo potom až po prevrate v r. 1918, jeho výsledky sa však výrazne prejavili až okolo r. 1937 pri príležitosti 150. výročia vydania jeho Dizertácie. V najvýznamnejšej miere prispel k nim Anton A. Baník (1900—1978) svojimi štúdiami o spolupracovníkoch Antona Bernoláka pri jeho obrodeneckom diele, Pavol Florek (1897—1963) novými príspevkami o Bernolákovom pôvode a rodisku a Ján Stanislav (1904—1977) publikáciou o jeho jazykovednom diele.

Po druhej svetovej vojne dosiahlo bádanie o Bernolákovi a bernolákovskom hnutí, ale i o počiatkoch slovenského národného obrodenia nový kvantitatívny, ale hlavne kvalitatívny rozvoj. Už v r. 1957 vyšla Bibliografia Bernolákovcov a v r. 1964 zborník K počiatkom slovenského národného obrodenia, ktorý bol výsledkom vedeckej konferencie konanej v r. 1962 pri príležitosti 200. výročia narodenia Antona Bernoláka. V slovenskom preklade vyšlo v r. 1968 celé Bernolákovo jazykovedné dielo aj s jeho podrobným rozborom.

Už dovtedy, ale aj potom však vyšiel o Bernolákovi aj jeho dobe aj celý rad vedeckých štúdií a príspevkov a podarilo sa objaviť aj niektoré nové pramenné materiály o jeho účinkovaní v Nových Zámkoch. Výskum života a diela Antona Bernoláka neprebiehal však ani v tomto období bez problémov a vyskytol sa aj ojedinelý názor, čo Bernoláka na základe niektorých jeho výrokov, ktorými hľadal iba taktické možnosti vydania svojho Slovára, obviňoval tendenčne a nehistoricky z maďarónstva. Vo vedeckej polemike sa však podarilo aj tento názor uviesť na správnu mieru.

Na výskume života a diela Antona Bernoláka, bernolákovského hnutia a počiatkov slovenského národného obrodenia sa v tomto čase podieľali už mnohí významní historici (J. Butvin, J. Tibenský, M. Vyvíjalová a i.), literárni historici (I. Kotvan, A. Maťovčík, I. Sedlák a i.) a jazykovedci (K. Habovštiaková, R. Krajčovič, E. Pauliny a i.), ktorých početné práce a štúdie netreba na tomto mieste už podrobnejšie uvádzať, pretože sú zachytené v dostupných bibliografiách. Aj keď tento výskum nie je ešte ani dnes ukončený, možno povedať, že sa im spoločným úsilím podarilo presvedčivo osvetliť úlohu a význam Bernoláka i bernolákovského hnutia ako organickej súčasti slovenského národného obrodenia.

Napriek bohatej literatúre o živote a diele Antona Bernoláka možno za dnešného stavu výskumu a bádania podať iba predbežnú a neúplnú genealógiu jeho rodiny. Jej pôvod siaha už do polovice 16. storočia, keď jeden z bratov rodiny Klaudiovcov, pochádzajúcej z dolnooravskej Kňažej, priviedol do Slanice prvých osadníkov a stal sa ich šoltýsom (dedičným richtárom). Podľa vtedajšieho zvyku dávali šoltýsom mená podľa dedín, ktoré spravovali, a tak šoltýsi v Slanici mali priezvisko Slanický. V rokoch 1619–1622 bol napr. tamojším šoltýsom Michal Slanický a v r. 1677 Juro Slanický, ktorý mal už 12 „spoločníkov", čo znamená, že na šoltýskej usadlosti žilo už dvanásť rodín tohto mena. Preto z nich oravské panstvo v tomto roku určilo štyroch, „aby dedinu spravovali a davky vybirali", ostatní boli povinní platiť každoročne panstvu po jednom toliari.

Už v polovici 17. storočia mala jedna zo šoltýskych rodín Slanickovcov prímenie či prezývku Brnuľa. Prvý záznam o jej predstaviteľovi sa nám zachoval v kanonickej vizitácii námestovskej farnosti, ktorú v r. 1658 vykonal superintendent Joachim Kalinka, keď táto farnosť i Slanica boli ešte evanjelické (katolícky-

mi sa stali až v 70. rokoch 17. storočia). Vo vizitácii sa uvádzajú aj rozličné náboženské priestupky farníkov, ako napr. znesväcovanie nedieľ a sviatkov, a v tejto súvislosti sa uvádza, že „Brnula na Slanici v nedeľu navial veliku hrbu ovsa". Z tejto rodiny Brnuľovcov či Brnuliakovcov vyšlo potom iste viacero potomkov. Z nich sa v r. 1677 uvádza Matej Brnuľa, ktorý mal od oravského panstva v prenájme tri poľany. Práve tohto Mateja Brnuľu, iným menom Slanického (aliter Slanicky) povýšil v r. 1681 cisár Leopold I. do zemianskeho stavu spolu s manželkou Zuzanou, rod. Bencúrovou, so synmi Martinom, Jurajom, Jánom, Mikulášom a Eliášom a s dcérami Zuzanou a Žofiou. Toto povýšenie do zemianskeho stavu sa teda vzťahovalo iba na rodinu Mateja Brnuľu a jeho potomkov a nie na ostatných Brnuľovcov či Brnuliakovcov, ktorých mohlo byť v tom čase v Slanici už aj viac.

Zemiansku listinu v r. 1682 vyhlásili (publikovali) na zhromaždení Oravskej stolice a znovu ju prerokovali aj v r. 1715 pri revízii zemianstva na Orave. Na jej základe vydali v r. 1773 aj svedectvo o zemianskom pôvode Antona Bernoláka a jeho brata Mateja (vlastne Alojza Mateja), keď ako 10–12-ročný chlapci odchádzali na stredoškolské štúdiá. Žiadateľom svedectva bol prirodzene ich otec Juraj Bernolák, potomok bernolákovskej zemianskej rodiny.

Nevieme zatiaľ veľa povedať o tom, aké boli osudy početných synov jej zakladateľa Mateja Brnuľu či Brnoliaka. Aj keď v čase povýšenia ich otca do zemianskeho stavu (v r. 1681) boli iste už odrastení a starší z nich iste už aj dospelí, existenčné pomery sa nevyvíjali pre nich dobre. Už v r. 1683 bola Orava a najmä Slanica spustošená oddielom litovského vojska, ktoré oneskorene tiahlo za poľským kráľom Jánom Sobieskym na pomoc Viedni obľahnutej Turkami. Vojsko Slanicu vypálilo a vyrabovalo a po jeho odchode tu bola ešte aj v r. 1686 iba polovica obrábaných a obývaných usadlostí a spustla aj polovica šoltýstva. Sotva sa pomery začali naprávať, veľa škôd na začiatku 18. storočia (v r. 1704–1711) napáchalo povstalecké vojsko Františka II. Rákociho a morová epidémia. Počas týchto nepokojných čias stratila Slanica takmer polovicu obyvateľstva, ostatní zahynuli, zomreli na mor, alebo sa roztratili po svete. Niet preto divu, že z piatich synov Mateja Brnoliaka tieto udalosti prežili a zostali v Slanici iba traja – Juraj, Mikuláš a Eliáš.

Po utíšení vojenských a politických nepokojov na začiatku 18. storočia sa zdalo, že pomery sa budú pre nich vyvíjať už priaznivejšie. Opak sa však stal pravdou, pretože hneď v rokoch 1715–1716 postihla Oravu prírodná katastrofa. V týchto rokoch boli veľmi drsné klimatické pomery (aj v lete mrzlo a padal sneh), v dôsledku čoho sa nič neurodilo a ľudia sa dostali do veľkej biedy. Pred hroziacim hladom sa zachraňovali útekom a sťahovaním do južných častí krajiny. Oravu vtedy opustilo 1450 rodín a Slanicu 43, medzi nimi i zemianske rodiny Mikuláša a Eliáša Bernolákovcov, takže tu zostal už iba Juraj Bernolák. Dozvedáme sa o tom zo spisov o dokazovaní šľachtictva, ktoré sa v prvej polovici 18. storočia konalo po skončení nepokojov aj v Oravskej stolici. Je to jediný prameň, z ktorého možno čerpať informácie o osudoch potomkov Mateja Brnuľu (Brnuliaka), pretože cirkevné matriky sa nám z farnosti Námestovo (kam Slanica ako jej filiálka patrila) zachovali až od polovice 18. storočia.

Juraj Bernolák, ktorý zostal po roku 1716 v Slanici jediným predstaviteľom zemianskej rodiny Bernolákovcov, zomrel okolo 1730, zanechal však v Slanici štyroch synov, a to Mateja, Mikuláša, Jána a Jakuba. Pri ďalšom dokazovaní šľachtictva v roku 1755 sa podávali svedectvá iba o potomkoch Mateja a Mikuláša, pretože Ján zomrel mladý bez potomstva a ani Jakub nezanechal žiadnych synov. Matej a Mikuláš sa uvádzajú ako zemania aj v roku 1751. V roku 1755 Matej už nežil, zanechal však v Slanici dospelého syna Juraja, ktorý sa pred rokom 1757 oženil a stal sa neskôr otcom Antona Bernoláka. Mikuláš zomrel až po roku 1755 a zanechal v Slanici syna Jána a ten mal potom synov Jozefa a Jána. Tí sa v poslednej tretine 18. storočia v Slanici aj oženili, obaja zomreli však ešte na konci tohto storočia a veľmi mladí, bez mužského potomstva. Nimi vymrela v Slanici aj predposledná zemianska rodina Bernolákovcov a zostali už nažive iba synovia Juraja Bernoláka.

Zápis o sobáši Juraja Bernoláka sa nám nezachoval (sobášna matrika existuje až od r. 1778), a preto nepoznáme ani rodné meno jeho manželky a matky Antona Bernoláka. Zo staršej krstnej matriky (od r. 1757) poznáme iba mená jeho detí, v nej sa však rodné priezvisko matky nikde neuvádza a zapísané je všade iba jej krstné meno Anna. Zo skutočnosti, že krstnými rodičmi (kmotrami) pri narodeniach detí Juraja a Anny Bernolákovcov boli vždy príslušníci rodiny Holmíkovcov, Jozef Kohúth usudzoval, že aj matka Antona Bernoláka pochádzala z tejto rodiny a volala sa teda Anna, rod. Holmíková. Tento (ináč dosť pravdepodobný) predpoklad sa v literatúre ustálil ako skutočnosť a doteraz nikto o nej nepochyboval. Možnosť k pochybnostiam dávalo až v roku 1962 objavenie a publikovanie Bernolákovho testamentu z r. 1809. V ňom sa medzi inými spomína aj dcéra Bernolákovho ujca (matkinho brata) Katarína

Timčáková, čo znamená, že aj jeho matka sa tiež volala Anna, rod. Timčáková. Priame svedectvo o tom máme, pravda, aj v šľachtických spisoch o zemianskej rodine Bernolákovcoch z roku 1774 v archíve Oravskej stolice. V nich sa Bernolákova matka po smrti svojho manžela Juraja Bernoláka koncom roku 1773 ako vychovávateľka jeho zemianskych detí uvádza už iba svojím rodným menom ako Anna Timčáková (Anna Timcsak).

Nezemianskych rodín Bernolákovcov bolo v Slanici vždy viacej ako zemianskych a dlhšie sa tu aj udržali. Ich mená sa v písomných prameňoch uvádzajú aj vo formách Brnuliak, Brnoliak, najčastejšie však Brnolák. Forma Bernolák sa však objavila už v súdobom zozname oravského bratstva farárov. Po spustošení Slanice na konci 17. a začiatku 18. storočia sa v urbárskom súpise z roku 1715 uvádzajú ešte tri nezemianske rodiny, menovite Andrej, Matúš a Juraj Brnuliakovci. Po živelnej pohrome v rokoch 1715—1716 ich počet klesol na dve. V roku 1730 boli v Slanici znovu už tri nezemianske rodiny (Ján, Martin a Juraj Brnoliakovci) a v druhej polovici 18. storočia ich počet stúpol už na päť rodín (Jozef, Gabriel, Matej, Martin a Ján Brnolákovci). Na začiatku 19. storočia sa ich počet znížil na tri (iní Ján, Martin a Gabriel) a po roku 1839 sa aj nezemianske rodiny Bernolákovcov zo Slanice celkom vytratili.

O súrodencoch Antona Barnoláka sa u nás od roku 1893 ustálilo popri niekoľkých hodnoverných údajoch aj viacero nesprávnych konštatovaní. Tie sa priebehom ďalšej doby iba v malej miere naprávali a odstraňovali, skôr sa ešte rozmnožovali. Jozef Kohúth sa pri skúmaní potomstva Bernolákových rodičov nemohol venovať zdĺhavému štúdiu matrík a iného archívneho materiálu. Musel sa opierať o svedectvá ešte žijúcich pamätníkov a o poznatky, ktoré títo získali od svojich predkov. Hoci na konci 19. storočia nijakí Bernolákovci v Slanici už nežili, starí obyvatelia dediny si ešte na ich posledných členov pamätali, ba vedeli označiť aj domy alebo miesta, kde bývali. V prvých desaťročiach 19. storočia bývali ešte v Slanici tri bernolákovské rodiny, a to Ján, Martin a Gabriel Bernolákovci. Keďže iných Bernolákovcov tu nebolo a ich predstaviteľov bolo možno označiť za rovesníkov Antona Bernoláka, pokladal ich aj Jozef Kohúth za jeho bratov. V Literárnych listoch v roku 1893 o tom napísal: „Rodičia nášho Antona mali štyroch synov, Jána, Martina, Gábora a Antona." Za najstaršieho pokladal Jána Bernoláka, ktorý mal za manželku Júliu, rod. Grígeľovu, z Oravských Hámrov.

Tento Kohúthov predpoklad o bratoch Antona

Bernoláka sa potom v literárnohistorických prácach všeobecne ujal a pretrval vlastne až dodnes. Tým, že sa napr. Ján Bernolák pokladal za brata Antona Bernoláka, jeho neskorší vzdelaní synovia sa označovali za Bernolákových synovcov a dcéry za jeho netere. S takýmito konštatovaniami sa možno stretnúť nielen v prácach Kohúthových nasledovníkov, ale ešte aj v súčasných biografických slovníkoch a v literárnych encyklopédiách. Je pritom zaujímavé, že tento stav nenarušilo ani objavenie a publikovanie Bernolákovho testamentu v roku 1962. Skôr ho iba skomplikovalo. V testamente sa ako brat Antona Bernoláka uvádza Matej, resp. Matej Alojz Bernolák. Ním sa však existencia predpokladaných Bernolákových bratov neodstránila, ale naopak o jedného rozmnožila. K predchádzajúcim trom Bernolákovým bratom (Jánovi, Martinovi a Gabrielovi) sa pridal štvrtý – Matej. Urobil tak už editor testamentu K. Markovič v roku 1962, keď v jeho úvode napísal, že Anton Bernolák mal štyroch bratov, Jána, Martina, Gabriela a Mateja. Podobné tvrdenia vychádzajúce z existencie štyroch Bernolákových bratov sa vyskytujú až do súčasnosti.

V skutočnosti popri dvoch sestrách mal Anton Bernolák iba jedného brata Mateja, narodeného v roku 1768. Všetci ostatní jeho domnelí alebo predpokladaní bratia boli iba jeho vzdialení menovci a nepochádzali ani zo zemianskej rodiny Bernolákovcov.

Rodičom Antona Bernoláka sa síce už v roku 1760 narodil syn, ktorému dali pri krste meno Matej, ten však v detskom veku zomrel, a preto aj ďalšiemu synovi narodenému v roku 1768 dali to isté meno. Azda preto ho potom v živote volali Matejom Alojzom, prípadne len Alojzom alebo iba Matejom a tieto podoby jeho mena sa potom striedavo vyskytovali aj v písomných prameňoch. Popravde treba povedať, že osobnosť tohto jediného Bernolákovho mladšieho brata v podobe Alojz Bernolák bola známa už aj Jozefovi Kohúthovi. Zaznačil si ju aj vo svojich výpiskoch zo stoličného protokolu z roku 1792, keď si Alojz Bernolák už ako advokát pri kráľovskej súdnej kúrii v Pešti vyžiadal od Oravskej stolice erbovú listinu svojho rodu. Kohúth však pritom nevedel a nikdy sa nedozvedel, že išlo o brata Antona Bernoláka. Až po Kohúthovej smrti publikoval v roku 1912 správca Čaplovičovej knižnice v Dolnom Kubíne Dezider Rexa príspevok o oravských zemianskych rodinách a v ňom uviedol, že už v roku 1773 Oravská stolica na základe armálnej listiny pre Mateja Brnuľu, ináč Slanického, z roku 1681 vydala synom Juraja Bernoláka Antonovi a Matejovi svedectvo o ich zemianskom pôvode. Tento príspevok ušiel však celkom pozornosti slovenských bádateľov, a tak až publikovanie testamentu Antona Bernoláka vynieslo na svetlo aj jeho jediného mladšieho brata Mateja, resp. Mateja Alojza.

Vieme o ňom povedať zatiaľ pomerne málo. Narodil sa 27. marca 1768 v Slanici a tam, prípadne v neďalekom Námestove chodil aj do základnej školy. O mieste jeho stredoškolských štúdií doteraz nevieme, nechodil však (podobne ako jeho brat Anton) do gymnázia v Ružomberku. Vysokoškolské štúdium absolvoval na kráľovskej právnickej akadémii v Bratislave v rokoch 1787–1791. V prvých dvoch školských rokoch študoval filozofiu a v ďalších dvoch právo. V roku 1792 bol už advokátom kráľovskej súdnej kúrie v Pešti. Uplatňoval sa ako právny poradca viacerých zemepánov na okolí pri riešení ich majetkových sporov, čo mu umožnilo aj hlbšie vniknúť do otázok hospodárenia. To možno viedlo k tomu, že neskôr začal aj sám hospodársky podnikať. Roku 1798 si prenajal od rodiny Revickovcov v Tapióšápe pri Pešti väčší majetok a začal na ňom samostatne hospodáriť. Nemal však pritom úspechy a vždy, keď bolo treba splatiť nájom, požičiaval si peniaze od svojho brata, ktorý bol v tom čase už farárom a dekanom v Nových Zámkoch.

Po smrti matky sa snažil udržať aj rodičovský majetok, aj keď iste iba za pomoci cudzích nájomcov. Svedčí o tom napríklad aj súpis slanických hospodárov z konca 18. storočia, medzi ktorými sa uvádza aj jeho meno (nobilis Aloysius Brnolak). Anton Bernolák mu v testamente z roku 1809 odkázal značnú finančnú náhradu za svoje investície do farského hospodárstva, tú mu však cirkevná vrchnosť po jeho smrti v roku 1813 odmietla vyplatiť. V súvislosti so svojím hospodárskym podnikaním udržiaval v rokoch 1808–1811 korešpondenciu so svojím bratom a ešte aj v roku 1814 sa s ním stretávame pri vymáhaní jeho testamentárneho odkazu. Z jeho písomnej pozostalosti zachovanej v archíve Peštianskej stolice sa nakoniec dozvedáme, že umrel už v roku 1819 ako 51-ročný. Nevieme však, či bol ženatý a či zanechal nejaké potomstvo. V listoch adresovaných bratovi Antonovi Bernolákovi sa o svojej rodine vôbec nezmieňuje, z čoho by bolo možno usudzovať, že zostal slobodný.

Anton Bernolák mal okrem jedného brata aj dve sestry, Máriu a Júliu. Jozef Kohúth venoval pozornosť iba mladšej sestre Júlii, pretože o nej zachytil ešte na konci 19. storočia tradíciu, že za slobodna bola chyžnou u svojho brata v Nových Zámkoch. Po jeho smrti potom v Kline, kam sa vydala, vraj dlho opatrovala ako pamiatku naňho drahé šaty, ktoré jej kúpil a tie potom opatrovali ešte aj jej potomci. Táto tradícia, aj keď mala historické jadro, sa však nevzťahovala na Bernolákovu sestru Júliu, ale na dcéru už spomínanej Kataríny Timčákovej, ktorá sa volala tiež Júlia a bola uňho v Nových Zámkoch skutočne chyžnou, ako nám to dosvedčuje aj Bernolákov testament z r. 1809. Sestra Antona Bernoláka Júlia sa narodila v Slanici 21. novembra 1765 a žila tam potom pri rodičoch až do roku 1786, keď sa ako 22-ročná vydala do Klina za 26-ročného zemana Imricha Klinovského. Ten pochádzal z rozvetvenej škultétskej rodiny a keď sa chcel neskôr s manželkou osamostatniť, musel si postaviť nový dom. Všetky finančné náklady na jeho stavbu, ale aj vyplatenie gruntu od Imrichových príbuzných niesol Anton Bernolák, ktorý sa tak stal aj jeho vlastníkom. Vo svojom testamente dom aj s príslušnou časťou škultétskeho majetku potom veľkoryso daroval svojej sestre Júlii a jej potomkom. Zdá sa, že Imrich Klinovský bol značne vzdelaný a Anton Bernolák udržiaval s jeho rodinou až do smrti úprimné priateľstvo. Ešte v roku 1810 išiel v Bernolákovom záujme až do Pešti, aby tam vybavil potrebnú záležitosť s jeho bratom Matejom Alojzom.

Druhá sestra Antona Bernoláka Mária bola zo všetkých súrodencov najstaršia. Narodila sa 1. septembra 1757 a okolo roku 1777 sa vydala za bohatého slanického roľníka a obchodníka s plátnom Mateja Šuvadu. Jeho predkovia pochádzali z Jablonky, už na konci 17. storočia hrali významnú úlohu v politických nepokojoch na Orave a do Slanice sa dostali až na začiatku 18. storočia. V manželstve s Matejom Šuvadom sa Márii, rod. Bernolákovej, narodili dve dcéry, Mária a Anna, ktoré sa potom dožili dospelého veku. Ich otec Matej Šuvada zomrel už v roku 1786 len ako 31-ročný a matka sa po roku znova vydala za slanického obyvateľa Mateja Matkovčíka. Obe dcéry Bernolákovej sestry z manželstva s Matejom Šuvadom sa potom vydali za slanických plátenníkov, Mária za Jána Gallasa a Anna za Andreja Kaviaka. Vnučka Márie Gallasovej sa neskôr vydala za Andreja Kavuljaka, starého otca oravského historika rovnakého mena.

Príslušníci rodiny Bernolákovcov sa takmer od jej počiatkov zaoberali popri roľníctve obchodom s plátnom. Peňažný zisk z tohto obchodu im umožňoval posielať synov aj na štúdiá. Tí sa potom v rôznych povolaniach uplatňovali už mimo Oravy. Ale aj sami plátenníci z bernolákovských rodín, ktorí sa na cestách za obchodom dostávali do vzdialených krajov Slovenska i ostatného Uhorska, sa tam často usadzovali. Tak sa dostali Bernolákovci už veľmi skoro do mestečka Diós-Jenő v maďarskej časti Novohradskej stolice, ale aj do Budína, Pešti, Pilíša, Košíc, Gelnice, Rimavskej Soboty, Šiah, Banskej Bystrice a aj do Modry. Z bernolákovských rodín vyšlo postupne množstvo vzdelancov, právnikov, lekárov, vojenských dôstojníkov, stoličných úradníkov a i. Aj keď sa už mnohí nenarodili v Slanici, všetci po predkoch odtiaľ pochádzali. V cudzom prostredí stratila väčšina z nich, najmä v druhej polovici 19. storočia, už aj slovenské národné povedomie. Zistiť genealogický pôvod bernolákovských rodín, a najmä vypracovať ucelenú genealógiu rodiny Antona Bernoláka, zostáva aj naďalej úlohou nášho výskumu.

Pramene

Písomná pozostalosť Jozefa Kohútha. Štátny ústredný archív SR v Bratislave.
Daňové súpisy a urbárske spisy Oravskej stolice a oravského panstva. Štátny oblastný archív v Bytči.
Listy Martina Hamuljaka I. (Na vydanie pripravil A. Maťovčík.) Martin 1969.
Korešpondencia Jána Hollého. (Na vydanie pripravil J. Ambruš.) Martin 1967.

Literatúra

KAVULJAK, A.: Historický miestopis Oravy. Bratislava 1955.
KOTVAN, I.: Bibliografia bernolákovcov. Martin, MS 1957.
MAŤOVČÍK, A.: Anton Bernolák. Život a dielo. In: K počiatkom slovenského národného obrodenia. Bratislava, Veda 1964, s. 113–142.
TIBENSKÝ, J.: K starším i novším názorom na A. Bernoláka, bernolákovské hnutie a slovenské národné obrodenie. Historický časopis, 14, 1966, s. 329–371.
VYVÍJALOVÁ, M.: Novšie poznatky k Bernolákovmu Slováru a jeho predhovoru z roku 1796 a 1825. Historický časopis, 16, 1968, s. 475–522.
ZELLIGER, A.: Egyházi írok csarnoka. Esztergom-Főegyházmegye papság irodalmi munkasága. Bio-és bibliographiai gyüjtemény. Trnava 1893.

Bernolákovci
v kontexte európskeho osvietenstva

MÁRIA VYVÍJALOVÁ

Národnoobrodenské hnutie vychádzalo z ideových zdrojov európskeho osvietenstva, ktoré zohralo dôležitú úlohu pri formovaní svetonázorového a spoločenského myslenia. Úzko súviselo s reformnou politikou Jozefa II., ktorú si vynútil rozvoj pracovných síl najmä v manufaktúrach a rast kapitalistického spôsobu výroby v medziach feudalizmu. Jozefínsky cirkevný reformizmus otváral cestu k ďalším reformám, ktoré slúžili uvoľňovaniu síl pre nové podnikanie a upevňovanie buržoázneho vlastníctva. Stredoveký názor na štát božského pôvodu zmenila filozofia práva na názor, že je prirodzeným útvarom a má byť usporiadaný v zhode s ľudskou prirodzenosťou. Kategória štátu a kategória štátneho prospechu sa uznávali za najvyššiu hodnotu. Jozefínsky štát si osvojil úlohu nástroja a katalyzátora aj osvietenského myslenia. Služba štátu vyžadovala rátať s aktívnou účasťou kňaza pripraveného v štátnom generálnom seminári na pastoračnú a osvetovú činnosť, aby bol schopný, podľa jozefínskeho slovníka, plniť úlohu učiteľa ľudu. Štátny záujem si vynútil dovoliť mladým kňazom pestovať reč ľudu. Na program dňa sa dostal záujem o živý národný jazyk, ktorý, aby sa stal nástrojom osvetového vzdelávania, bolo treba najprv pestovať a kultivovať. Záujem o rozvoj ľudového jazyka prerástol do hnutia celospoločenského významu a aktivizoval národnoobrodenský proces.

Slovenský národoobrodenský proces úzko súvisel s osvietenským myšlienkovým hnutím, ktoré bolo formou ideového boja proti feudalizmu. Zvýšený záujem o pestovanie ľudového jazyka sa nevyhnutne spájal s predstavou, že pospolitý ľud, zbavený ľudskej dôstojnosti, žije v neľudských pomeroch, je objektom útlaku a exploatácie. Keďže nositelia záujmu o živý národný jazyk pochádzali prevažne z roľníckych a remeselníckych vrstiev, sprevádzala ich myšlienka na duchovnú, materiálnu a sociálnu porobu slovenského ľudu. Dynamika národnoobrodenskej ideológie závisela od dynamiky osvietenského myslenia jej nositeľov. Bola závislá od ich ideovej pripravenosti, od rozsahu a kvality vzdelanosti sprostredkovanej reformovaným teologickým štúdiom a osvietenskou filozofiou, s cieľavedomou orientáciou na službu cirkvi, spoločnosti a štátu.

Mladej slovenskej generácii na čele s Antonom Bernolákom sa dostalo solídne vzdelanie už na gymnáziu. Program skúšok v humanitných triedach nitrianskeho gymnázia z r. 1779 a trnavského hlavného gymnázia z r. 1780 dokazuje úroveň jednotnej učebnej osnovy. Z predmetu rímske starožitnosti, pod ktorými sa rozumela organizácia spoločnosti a štátneho života, učilo sa o republikánskom období, o pozemkovej reforme Gracchovcov, o pôvode a zložení senátu. Čítali sa diela Plauta, Terentia, Ciceróna, Terentia Varróna, polyhistora z čias, keď štúdium rímskych starožitností bolo v rozkvete, historika Valeria Maxima, ktorému sa dnes pripisuje vplyv na novodobé historické myslenie. Prekladali sa texty z Ciceróna a z Vergíliovej Aeneidy. V mimoriadnych predmetoch sa preberal Horácius a N. Boileau, estetické názory Ch. Batteauxa, zakladateľa francúzskej estetiky, ďalšieho Francúza J. B. Du-Bosa a Nemca J. J. Bodmera. Skúšalo sa na tému, v čom Batteaux videl podstatu poézie, čo rozumel pod pojmom krásne v prírode, čo si Du-Bosa a Bodmer predstavovali pod obrazotvornosťou, aké zásady básnického opisu stanovil Horácius a na rozdiel od neho Boileau, čo o etike učil všeobecne Aristoteles a čo špeciálne Horácius. Bernolák skončil humanitné triedy na bratislavskom hlavnom gymnáziu, kde bol profesorom estetiky Slovák Juraj Sklenár. Juraj Palkovič a Šimon Valentovič skončili na trnavskom gymnáziu, kde učili Karol Zachar a Tomáš Dávid Slabigh, obaja slovenského pôvodu. Karol Rippel a pred ním Alexander Rudnay študovali na nitrianskom gymnáziu. Trnavská tlačiareň vydala pre gymnáziá r. 1777 učebnicu gramatických základov slohu a r. 1778 učebnicu kultivovanejšieho slohu, spracovanú podľa J. G. Heineckeho, nemeckého odborníka v rímskej klasickej jurisprudencii. R. 1776 vydala Cicerónove reči v náklade 3000 výtlačkov. Myšlienky Ciceróna, teoretika rímskej demokracie, prenikali do povedomia bernolákovcov. Rudnay preložil Cicerónove listy do slovenského jazyka. Sentencie rímskeho právnika rezonovali vo Fándlyho diele, aj v učebnici Juraja Lessáka, učiteľa slovenskej ľudovej školy v Bratislave.

Novodobú filozofiu bernolákovci povinne študovali dva roky na filozofickej fakulte trnavskej akadémie a od roku 1784 na bratislavskej akadémii. Prednášalo sa podľa učebníc Jána N. Horvátha, prvého skutočného fyzika a profesora trnavskej univerzity, ktorý od r. 1777 pôsobil na budínskej univerzite. Po Horányiho spise zo všeobecnej filozofie a o Franklinovej teórii o elektrine z r. 1768 trnavská tlačiareň vydala r.1776 Horváthove učebnice zo všeobecnej fyziky, o základoch logiky a o základoch metafyziky a r. 1777 ďalšiu učebnicu zo všeobecnej a špeciálnej fyziky. V Trnave vyšiel osvietenský spis Friedricha Baumeistera o základoch morálky, prirodzeného práva, etiky a politiky. Podľa K. J. Rumyho Rudnay nazýval roky filozofického štúdia na trnavskej akadémii (1777–1779) „najšťastnejšími rokmi svojej mladosti". Bernoláka počas štúdií na trnavskej akadémii (1780–1782) zaujala oblasť prirodzeného práva a spis A. F. Kollára z r. 1764, v ktorom vymedzil hranice medzi svetskou a cirkevnou mocou, pokúsil sa prekonať dualizmus štátu a cirkvi a potvrdiť tradíciu, že štát má aj v cirkevných veciach najvyššiu moc.

Prvé ročníky teologického štúdia do r. 1784 bernolákovci absolvovali na viedenskej univerzite a na budínskej tereziánskej akadémii (ktorou bola presťahovaná trnavská univerzita). V Budíne študovalo z územia Slovenska vyše dvesto študentov (A. Rudnay, A. Jordánsky, J. Bélik, K. Reiner a i.) a vo Viedni tridsaťpäť (A. Bernolák, J. Palkovič, M. Ružička a i.). Vo Viedni a aj v Budíne sa učilo podľa študijného plánu Štefana Rautenstraucha, pôvodne benediktína, hlavného organizátora teologickej fakulty za Jozefa II. Dôraz sa kládol na jozefínsku kanonistiku, ktorá hlásala rovnosť, toleranciu a rovnoprávnosť vierovyznaní. Limitovala hranice medzi mocou štátu a cirkvi, popierala vplyv ultramontanizmu, zdôrazňovala autonómnosť biskupskej moci a jej podriadenie štátnym záujmom. Cieľom jozefínskeho cirkevného reformizmu bolo upevniť moc štátu nad cirkvou a postaviť ju do služieb štátu. Palkovič a Bernolák boli na viedenskej univerzite poslucháčmi profesora cirkevného práva Ferdinanda Stögera, slobodomyseľného učenca, stúpenca jozefínskych reforiem. Študenti v Budíne povinne navštevovali prednášky kanonického práva na právnickej fakulte vtedajšej novozriadenej peštianskej univerzity, kde pôsobili osobnosti juhoslovanského pôvodu Matej Anton Marković a Juraj Žigmund Lakić, prví svetskí profesori cirkevného práva už na právnickej fakulte trnavskej univerzity. Na čele katedry kanonického práva bol Vojtech Barić, tiež juhoslovanského pôvodu, stúpenec galikanizmu. Marković bol jedným z prvých právnikov v Uhorsku, ktorí vyzdvihovali autoritu historického právnika Adama Františka Kollára, Slováka, ktorého právne a sociálne názory si získali domovské právo v osvietenskom myslení. Jeho historické zdôvodnenie zákonodarnej moci panovníka vo veciach cirkevných, odhalená falzifikácia pápežskej buly Silvestra II., ktorú od 16. storočia vyhlasovali za svedectvo z r. 1000 o tom, že Uhorsko bolo zverenským právom podriadené rímskej kúrii, ďalej ostrá kritika Verböczyho feudálneho Tripartita, dôkazy o jeho prekrúcaní textu zákonných článkov, tendenčné obídenie Corpus juris Hungarici a najmä obraz sociálnej a materiálnej poroby nevoľného ľudu ako krikľavý kontrast v porovnaní s luxusným životom šľachty zvýhodnenej výsadou nezdaniteľnosti, prenikali do povedomia slovenských študentov aj vďaka Markovićovým prednáškam. Doktorská habilitácia bola právnym aktom a významným svedectvom reformovaného teologického štúdia. Medzi prvými slovenskými študentmi hodnosť doktora teológie obhájil A. Rudnay. Doktorský diplom mu podpísal za teologickú fakultu dekan a profesor František Krammer z Gajár a za peštiansku univerzitu rektor Michal Schoretić, profesor lekárskej fakulty, predtým pôsobiaci na trnavskej univerzite.

Bratislavský generálny seminár pod štátnou správou zriadený ako teologická fakulta pričlenená k viedenskej univerzite, kde sa robili rigorózne skúšky na dosiahnutie doktorátu, bol v r. 1784–1790 základnou bázou vzdelanosti, etickej výchovy a národného uvedomenia bernolákovcov. R. 1784 študovalo v ňom popri iných 311 poslucháčov z územia Slovenska. Podľa sociálneho pôvodu 154 pochádzalo z roľníckych, 38 z remeselníckych, 115 zo zemianskych rodín a 4 z vyššej šľachty. Z nich 240 študentov, takmer

80 %, hovorilo len po slovensky, alebo si znalosť slovenského jazyka uviedlo na rovnakom stupni ako nemeckého, prípadne aj maďarského jazyka.

Z profesorov generálneho seminára (F. Bertoni, J. Frank, M. Horváth, F. Hubert, A. Kasanický, F. Krammer, M. Kratochvíla, I. Percel, A. Szabó, L. Tompa, A. Vizer) významne sa podieľali na rozvoji reformovaného teologického štúdia Juraj Frank, Michal Kratochvíla, František Krammer, Adam Kasanický a Matúš Pankl. Frank, pôvodom z rumunského mesta Oradea Mare (Veľký Varadín), odchovaný viedenskou univerzitou, vo funkcii rektora a riaditeľa stal sa spiritus movens generálneho seminára umiestneného v paláci a v prístavbe Tereziána Bratislavského hradu. Radikálny osvietenec Ignác Martinovič si ho vážil pre vysoké odborné znalosti z cirkevných dejín a pre rečnícky talent ho nazýval druhým Demosténom. Frank prednášal aj predmet občianskej a konfesionálnej tolerancie. Kratochvíla, pôvodom z remeselníckej rodiny v Komárňanskej stolici, pôsobil v Budíne a r. 1783 ho Jozef II. dekrétom vymenoval za riadneho profesora v Záhrebe. Tam bol svedkom chorvátskeho národného hnutia pod vedením Maximiliána Verchovaca. Krammer, pôvodom z Gajár, bol odchovancom viedenského profesora cirkevného práva J. A. Rieggera. Prednášal tiež predmet prirodzené (racionálne) náboženstvo, čo sledovalo spoločenskú účelnosť. Kasanický, pôvodom z Gôtovian, profesor orientálnych jazykov, získal uznanie aj od Rautenstraucha. Pankl bol chorvátskeho pôvodu, učil prírodné náuky a medicínu. Bol profesorom teoretickej a experimentálnej fyziky na filozofickej fakulte bratislavskej akadémie. Prednášal o klasických newtonských zásadách filozofie. Podľa B. Franklina, objaviteľa atmosferickej elektriny, objasňoval elektrické experimenty, na ktoré mal solídne vystrojený prírodopisný kabinet. V knižnici generálneho seminára, ktorá mala vyše 5000 zväzkov, bolo osobitné oddelenie prírodovednej literatúry od popredných európskych odborníkov (J. F. Blumenbach, G. L. Buffon, J. G. Gleditsch, H. J. Crantz, J. A. Scopoli, G. A. Suckow a i.). Pankl bol stúpencom fyziky Jána N. Horvátha. Jeho spisy ako aj spisy ďalšieho peštianskeho profesora Pavla Makóa, pôsobiaceho predtým aj na trnavskej univerzite, figurovali medzi učebnicami generálneho seminára. Odporúčali sa vo výberovom katalógu Nova bibliotheca theologica selecta, ktorý sa zachoval v Bernolákovom a aj vo Valentovičovom rukopise. Vysoko sa tam hodnotil Horváthov spis z mechaniky a ďalší z filozofie, ktorý vydali viaceré európske univerzity a vyšiel aj v Paríži. Od Makóa sa vyzdvihovala učebnica zo všeobecnej filozofie a ďalšia o elektrine, kde objasňoval vzdušnú elektrinu podľa Franklinových objavov. Túto učebnicu vtedy rátali medzi najpokrokovejšie v Uhorsku. Franklinova teória a nové objavy na poli elektriny urýchľovali rozvoj mechaniky, ktorá ovplyvňovala filozofické myslenie a pôsobila na formovanie osvietenského svetonázoru. Aj politický výdobytok Franklina, bojovníka za nezávislosť severoamerických krajín, a jeho súčasníka T. Jeffersona, pôvodcu deklarácie nezávislosti od anglickej koloniálnej politiky, našiel ohlas v Prešpurských novinách šesť rokov pred uverejnením Belnayovho spisu Reflexiones civium non nobilium. Súvislosti treba hľadať aj na Panklovej katedre fyziky.

V štátnom generálnom seminári mali bernolákovci bohatý výber európskej literatúry katolíckej, ba aj protestantskej, dokonca prohibitnej, a to proveniencie francúzskej, talianskej, anglickej, nemeckej, rakúskej, uhorskej, českej, španielskej, belgickej a dánskej, ako to potvrdzuje katalóg Nova bibliotheca theologica selecta. V jeho úvode sa zdôrazňovala myšlienková sloboda, v ktorej sa mal formovať osvietenský katolícky svetonázor. Spisy propagujúce myšlienky galikanizmu, jansenizmu, stúpencov Pascala, Quesnela, Muratoriho kresťanský humanizmus, Febroniovo učenie o podriadenosti cirkvi štátu dopĺňala literatúra z oblasti svetskej jurisprudencie (P. Concinna, H. Grotius, S. Puffendorf, osvietenský hallský profesor Ch. Thomasius), politických dejín, z oblasti prírodných náuk, medicíny, estetiky a hudby. Knihovník Juraj Palkovič objednával pre knižnicu generálneho seminára dôležitú literatúru aj z Benátok, významného sídla katolíckeho reformizmu. Myšlienkovú slobodu v seminári potvrdzuje údaj v Palkovičovom denníku, podľa ktorého v aule boli postavy európskeho osvietenstva v životnej veľkosti, Voltaira, kritika spoločenského zriadenia v rozpore so zdravým rozumom, Rousseaua, predstaviteľa osvietenskej výchovy, a personifikácia Goetheho hrdinu z diela Utrpenie mladého Werthera. Postavou študenta Werthera sa pravdepodobne symbolizovalo básnikovo varovanie, že vášeň a nesplniteľná túžba zapríčiňuje mladému človeku zúfalstvo a smrť, zatiaľ čo cieľavedomé vzdelávanie sa stáva zdrojom radosti. S Voltairom sa študenti oboznamovali aj v Prešpurských novinách, keď bratislavský kníhkupec predával Voltairov životopis a preklad jeho diela Henriáda. V apríli 1785 písali noviny o veľkej odozve na Voltairove divadelné hry vo francúzskych cirkevných kruhoch. Informovali v tom zmysle, že autorovu snahu stať sa veľkosťou ducha svetlom a pýchou storočia tieto kruhy pokladajú za príliš nebezpečnú a vopred varujú, aby jeho spisy vydávané v cudzine nespôsobili revolúciu vo Francúzsku. Podľa rozpomienok Györgya Fejéra, Bernolákovho mladšieho kolegu maďarského pôvodu, voltairizmus zapustil hlbšie korene medzi študentmi, ktorí sa pretekali v písaní básní na francúzskeho kritika a satirika. Vyučovala sa aj francúzština a na ten účel sa objednávali francúzske osvietenské spisy. Svedectvo o tom podáva aj Bernolákova knižnica so značným počtom kníh z významnej francúzskej osvietenskej literatúry. Podľa Fejéra sa myšlienková sloboda a osvietenské názory šírili najmä po zrušení duchovných spirituálov, ktorých nahradili študijní prefekti a ktorí už boli absolventmi generálneho seminára. Boli medzi nimi Karol Reiner zo Stupavy a Jozef Bélik z Dubovej, označený za rigorózneho pascalistu, obaja roľníckeho pôvodu, ďalej Dominik Benedict remeselníckeho pôvodu z Bratislavy, Tadeáš Pisťavský zo Sobotišťa, Jozef Osvald z Bratislavy a Ladislav Bernáth z Jasova, všetci traja zemianskeho pôvodu. Okrem Osvalda, ktorý po slovensky nevedel, a Benedicta, ktorý vedel čiastočne, Bélik a Pisťavský si uviedli znalosť slovenského jazyka na prvom mieste, Reiner na rovnakom stupni ako nemeckého a Bernáth na rovnakom stupni ako maďarského.

Rozsah vplyvu európskej literatúry na myslenie bernolákovcov preukazne dokazuje zoznam spisov, ktoré, keď si v generálnom seminári r. 1789 založili Slovenské učené tovarišstvo, si chceli dať prekladať a na vlastné náklady aj vydávať. Boli medzi nimi diela C. Jansena, A. Natalisa, F. P. Messenguiho, A. Godeaua, P. Nicoliho, C. Fleuryho, L. A. Muratoriho a ďalších osvietenských autorov, pedagóga Ch. G. Salzmanna, dielo S. Storchenaua Philosophie der Religion a od J. H. Campeho, stúpenca Rousseaua, hlavné dielo Allgemeine Revision des gesamten Schul- und Erziehungswesens.

Predmet kanonické právo, prednášané svetským odborníkom Tadeášom Pleinerom, doktorom oboje-ho práva z právnickej fakulty bratislavskej akadémie, v duchu belgického právnika Z. B. van Espena a stúpencov jozefínskeho reformizmu (J. V. Eybela, J. J. Pehema, J. A. Rieggera), v sprievode prednášok z oblasti racionálneho prirodzeného práva a civilného práva, formoval nový vzťah štátu voči cirkvi a úlohu kňaza v službe štátu, spoločnosti a cirkvi. Palkovičov denník z r. 1785–1788 informuje o reformovanom teologickom štúdiu v generálnom seminári, ktorý v jozefínskom slovníku nazývali štepnicou intelektuálneho vzdelávania a etickej výchovy kňazského dorastu. Doktorský diplom z reformovaného štúdia obhájeného na viedenskej univerzite získal Bernolá-

kov kolega Karol Reiner zo Stupavy. Podpísali ho za teologickú fakultu profesor F. Giftschütz a riaditeľ Š. Zippe a za viedenský generálny seminár riaditeľ M. Lorenz. Skúšky urobil z predmetov kanonické právo, praktická katechetika a metóda normálnych škôl, v ktorej hrala významnú úlohu sokratovská metóda spracovaná nemeckým pedagógom Salzmannom v Schnepfenthale. Bernolák r. 1811 po štvrťstoročnom odstupe verejne priznal, že v Bratislave tri roky študoval novátorské náuky (partes scientiarum neologicarum), medzi nimi kanonické právo, a skúšky vždy zložil s výborným prospechom (constanter cum calculo eminentiae). Rudnay sa r. 1802 vyjadril podobne, že vždy s výborným prospechom obstál pri skúškach z filozofických a teologických disciplín (absolutis cum perpetua eminentiae nota philosophicis et theologicis disciplinis). Osvietenským racionálnym myslením, osvojeným počas reformovaného teologického štúdia v bratislavskom štátnom generálnom seminári pričlenenom k viedenskej univerzite, v ktorom hrala významnú úlohu najmä jozefínska kanonistika, sa bernolákovci líšili od myslenia tej časti uhorského duchovenstva, ktoré neštudovalo v generálnom seminári. V Jágri totiž generálny seminár ostal naďalej pod vplyvom uhorského prímasa J. Batthyányho, odporcu jozefínskych reforiem a myšlienky tolerancie. Š. Rautenstrauch počas vizitácie r. 1785 našiel v ňom smrť a onedlho z neho študentov presťahovali inam.

V Prešpurských novinách, ktoré vychádzali v r. 1783–1787, mali bernolákovci dôležitý informatívny zdroj o verejnom dianí v rakúskych krajinách a na európskom kontinente. Uverejňovali sa v nich stručné aj obsažnejšie správy o reformách cirkevných, politických a sociálnych na území rakúskom, belgickom a benátskom, s výnimkou Uhorska, o ktorom písať, ako sa realizujú reformy, bolo tabu. Z vysokého školstva venovali pozornosť bratislavskej akadémii a častejšie generálnemu semináru. Informovali o jeho poslaní, vnútornej organizácii, profesoroch, knižnici, skúškach a o prejavoch národného uvedomovania. Táto skutočnosť potvrdzuje, že redaktor novín bol so slovenskými študentmi v dôvernej známosti od ich príchodu do Bratislavy. Vďaka redaktorovi sa zachovali vzácne údaje, ktoré objasňujú skutočnosti predchádzajúce vyjdenie Dizertácie; objasňujú teda významnú etapu slovenského národnoobrodenského procesu, úzko spätého so študovňami na Bratislavskom hrade.

Prešpurské noviny boli totiž v rukách redaktora, ktorý sám mal záujem o pravopisnú reformu, na ktorú sa z podnetu širšieho kruhu slovenských vzdelancov podujal Bernolák. Okolnosti vzniku novín dokazuje nový archívny materiál a redakčné pozadie sa objasňuje priamo na ich stránkach. Keď v januári 1785 redaktor bilancoval obsah novín za predošlý rok, kde sa veľa písalo o sedmohradskom sedliackom povstaní pod vedením Horu a Klosku v tých najtemnejších farbách, žiadal čitateľov o prepáčenie. Odvolával sa na novinára so skratkou mena W (Vyskydenský) a prosil o prepáčenie, že tento „posavád tak velice omylné noviny pouštěl do světa", že „všelijakých nepořádných zmatenín do ních namíchal", ba doslova, že „neměl vždycky všeckých doma". V registri k obsahu práve tohto tretieho ročníka bol menovite uvedený novinár Less(t)ák. Redakcia novín bola totiž od samého začiatku v rukách Juraja Lessáka, a nie kantora a organistu Jána Lešku, ako sa doteraz mylne traduje. Leška bol len občasným dodávateľom správ z vidieckeho cirkevného života, bol totiž poverený jazykovým dozorom, aby sa noviny písali biblickou češtinou. Cenzorom novín bol spočiatku Pavel Manigay z právnickej fakulty bratislavskej akadémie. Jeho ideový dozor vystriedal Ján Vyskydenský, kantor a organista, keď zo Šamorína prešiel do Bratislavy, inak podľa vlastného životopisu pestovateľ génia maďarčiny. Redaktorstvo ďalšieho a len predstieraného Štefana Krompu Lessák vtipne objasnil v oznámení pod názvom Zavírka a punktum.

Juraj Lessák (nie Leššák) je predbežne známy len ako autor niekoľkých školských učebníc. V júni 1783, keď začal redigovať Prešpurské noviny, bol štyridsaťtriročný, katolík, od r. 1771 učiteľ slovenskej ľudovej školy pri Suchom mýte (ludimagister scholae Slavicae dictae ad Portam sicci telonii). Bol skončeným filozofom (absolutus philosophus). Nevedno, kde štúdium filozofie skončil. Ovládal jazyk slovenský, latinský, nemecký a maďarský. V spise bratislavskej Miestodržiteľskej rady ho uvádzali ako učiteľa a súčasne ako profesora. Podľa vlastného vyhlásenia vydal na podnet Miestodržiteľskej rady v Trnave slovenskú gramatiku a syntax pre normálne školy okolo r. 1766. V Bratislave mu r. 1775 vyšla známa učebnica aritmetiky. Vzhľadom na nízky učiteľský plat bol od r. 1772 korektorom v dvoch kníhtlačiarňach u F. A. Packu a J. M. Landerera. U tohto sa neskôr spoznal s Danielom Tállyaym, na náklad ktorého začali Prešpurské noviny vychádzať r. 1783 práve v Landererovej kníhtlačiarni. V nej vychádzali bernolákovské tlače vydané v Bratislave (Dissertatio-Orthographia 1787, Dúverná zmlúva 1789, Grammatica Slavica 1790) aj Bajzove spisy (René I 1783, René II 1785, Právo o živení faráruv 1787). Lessák bol korektorom v obidvoch kníhtlačiarňach aj r. 1792.

Prešpurské noviny sa pôvodne mali písať v slovenskom jazyku. Tállyay v žiadosti Dvorskej kancelárii vo Viedni sa uchádzal o povolenie novín v slovenskom jazyku (in Slavonica lingua). Aj v dobrozdaní bratislavskej Miestodržiteľskej rady, kde boli vysokými úradníkmi jozefinisti, sa konštatovalo, že niet nijakých prekážok udeliť povolenie novín v slovenskej reči, ktorou sa v Uhorsku najviac hovorí (in Slavonica lingua in Hungaria frequentissima). V priebehu dvoch mesiacov Dvorská kancelária noviny povolila. V konečnom rozhodnutí však uviedla výhradu, že noviny sa budú písať v češtine pre verejnosť v Čechách a na Morave. Táto okolnosť sa odrazila aj v záhlaví novín, kde bol uhorský znak a pod ním český lev a moravská orlica. Na túto okolnosť sa poukázalo aj v oznámení datovanom 29. marca 1783, že noviny začnú vychádzať od júna, sú určené pre Čechy a Moravu, pre verejnosť označenú ako slovanskú. Aj noviny sa nazývali slovanskými, vychádzajúcimi v českej redakcii v Bratislave. Z čitateľov v Uhorsku sa spomenuli len „Prešpurčania". O Slovákoch, pre ktorých boli noviny pôvodne žiadané, nebola nijaká zmienka. Dezorientujúci obsah tohto marcového oznámenia redaktor paralyzoval novým oznámením, ktoré uverejnil až 12. decembra 1783. Verejnosť informoval: „snad ještě nikdy takového času nebylo, v němž by slavnému slovenskému národu náše noviny tak vdačné a príjemné býti měly, jako jest tento nynější." Redaktor vedome použil pojmy slovenský národ, slovenské noviny a seba nazval slovenským novinárom. Oboznámil aj s tým, že mnohí z čitateľov odmietli noviny, pretože sú „dílem proti slovenské opravdové dobropisebnosti, dílem proti přirozené našeho vznešeného jazyka výslovnosti a dobromluvnosti". Čitateľov oslovovaných „milovníkmi slovenčiny" ubezpečoval, že po získaných jazykových skúsenostiach bude môcť správy o verejnom dianí sprostredkúvať „naším milým Slovákům ... v slovenčine ... způsobněji".

Pri vzniku Prešpurských novín zohralo úlohu politické pozadie vo Viedni. V ňom vedú konexie od Josefa Valentina Zlobického, profesora češtiny na viedenskej univerzite, k najvyššiemu kancelárovi Leopoldovi Kolowratovi vo viedenskej Dvorskej kancelárii, kde noviny povolili. Zlobický, pôvodom z Velehradu, ktorý rozvíjal úsilie za jednotný jazyk Moravanov a Slovákov, hneď po vyjdení Dizertácie r. 1787 organizoval kampaň proti jazykovému osamostatneniu sa Slovákov. Mylne ho stotožnil s prejavom separácie Slovákov od Moravanov a Čechov a označil to dokonca za takú politickú skutočnosť, ktorá škodí aj štátnym záujmom. Politické dôsledky vyvodené z reformy slovenského pravopisu naznačujú, že vo Viedni sa rodila myšlienka austroslavistickej podoby. Za jej stúpenca možno označiť Zlobického, ktorý pôsobil aj vo funkcii adjunkta registratúry na najvyššom justičnom úrade. Výsledkom jeho konexií s najvyšším kancelárom Kolowratom priamo alebo sprostredkovane cez Eugena Vrbnu, najvyššieho maršala, s ktorým Zlobický udržiaval styky, bola podmienka uvedená v konečnom rozhodnutí Dvorskej kancelárie, že noviny sa musia pre českú a moravskú verejnosť písať po česky. Naproti tomu novinárovi Lessákovi a ani Bernolákovi idea austroslavistickej podoby nemohla byť prijateľná, lebo sa neuznávala osobitosť slovenského jazyka a národná svojbytnosť Slovákov. Realizáciu podmienky vydávať noviny pre českú a moravskú verejnosť zverila Dvorská kancelária osobe v Bratislave, ktorá mala vzťah k viedenskému centrálnemu úradu. Stopa vedie k Jozefovi Bencúrovi, bývalému profesorovi bratislavského evanjelického gymnázia, ktorého Dvorská kancelária r. 1774 presadila prijať do bratislavského mestského magistrátu, a zrejme aj r. 1783 ho poverila úlohou dbať o dodržanie podmienky v súvislosti s novinami. Keď totiž Dvorská kancelária v júni 1784 vymenovala Bencúra za registranta do Uhorskej komory, čo Lessák v novinách oznámil v tom čísle, kde sa zmienil aj o Kolowratovi a Vrbnovi, o pár týždňov sa definitívne odstránil zo záhlavia novín uhorský znak, český lev a moravská orlica. Bencúr totiž krátko po svojom vymenovaní zomrel. Odvtedy pribúdalo v novinách oslovovanie verejnosti ,,milý náš slovenský národ" a jazyka ,,milá naša slovenčina". Redaktor zverejňoval citové prejavy národného uvedomovania, pozýval do spolupráce v záujme slovenskej veci, do povedomia dával myšlienku pestovať slovenskú materinskú reč, zveľaďovať slovenskú literatúru.

V marci 1784, keď sa blížil príchod slovenských študentov, ktorých z Viedne a Budína mali presťahovať do Bratislavy, Lessák uverejnil stručné pravopisné pravidlá ako predbežnú pomôcku pre tých, čo ,,slovenské reči a zvláště dobropísebnosti nepotupují" a sú im ,,náše slovenské grammatyky to jest dobrovslovnosti anebo neznámé anebo nesrozumitedlné". Štyridsaťštyriročný Lessák v máji aktualizoval myšlienku pestovať ,,slovbohatý" jazyk, slovenskú materinskú reč, čerpať aj zo zdroja zabudnutých výrazov a podľa vzoru ostatných národov v Uhorsku obohacovať jazyk novými slovami. Zdôraznil, že také náročné dielo, akým je očista jazyka, snaha vrátiť mu stratený pôvab a znova získať vážnosť, nemožno ukladať jednému človeku, vyžaduje to širšiu spoluprácu, niekoľkých realizátorov, ktorým ostatní budú pomá-

hať. Záujem o pestovanie materinského jazyka sa datuje od príchodu slovenských študentov do Bratislavy v apríli 1784. Dvadsaťdvaročný Bernolák, poslucháč druhého ročníka teológie, bol svedkom toho, ako sa Prešpurské noviny stávali prostriedkom komunikácie so vzdialenými slovenskými vzdelancami. Boli však písané zastaraným pravopisom bibličtiny, ktorý nerešpektoval slovenskú výslovnosť. Bibličtina nevyhovovala slovenským katolíckym vzdelancom používajúcim nárečie vlastného rodiska a toho regiónu, kde pôsobili. Inteligencia duchovného stavu bola orientovaná na jazyk domáceho ľudu, medzi ktorým pastoračne pôsobila.

Vnovinách nastolená myšlienka pestovať materinskú reč bola motivovaná širšou spoločenskou potrebou. Nevyvolal ju dekrét povoľujúci zaviesť ľudový jazyk do cirkevných obradov, vydaný o dva roky neskôr, ktorý napokon pre odpor uhorského prímasa Batthyányho nebol ani realizovaný. Pri vzniku národnoobrodenského procesu v Bratislave zohrali podstatnú úlohu dve významné skutočnosti. V novozriadenom štátnom generálnom seminári bolo v júni 1784 z celkového počtu 311 len z územia Slovenska zapísaných 240 študentov, ktorí popri latinčine hovorili len po slovensky alebo slovenskú reč ovládali na vyššom stupni ako nemeckú, prípadne aj maďarskú. Podľa jazyka možno u prevažnej väčšiny rátať s príslušnosťou k slovenskej národnosti. Záujem o pestovanie materinskej reči sa medzi slovenskými študentmi teda viazal na významné spoločenské zázemie v generálnom seminári. Lessákove noviny odoberali vzdelanci, ktorí súhlasili s pestovaním slovenského jazyka. Aj keď počet odberateľov nebol veľký, jednako predplatiteľov prevyšoval počet čitateľov, medzi ktorými noviny kolovali. Noviny pôsobili na vznik záujmu o spoločnú slovenskú vec vo viacerých krajoch na území Slovenska. V Bratislave pôsobili viacerí vzdelanci slovenského pôvodu (J. Lessák, M. Kratochvíla, A. Kasanický, F. Krammer, J. Sklenár, J. Bučánsky, Ž. Kunič, M. Kunič, v mestskej rade advokáti A. Kevický a I. Mikovíni) alebo osobnosti podporujúce slovenské snahy (M. Pankl, J. I. Felbiger). Prvé úspechy na poli národného uvedomovania, ktoré sa dosiahli v študovniach na Bratislavskom hrade a boli Lessákom bezprostredne zverejňované v novinách, stimulovali záujem o pestovanie jazyka v širšom spoločenskom zázemí. Tento záujem sa stal hybnou silou v úsilí najprv vypracovať jednotnú pravopisnú normu. Dokazujú to Bernolákove slová, podľa ktorých ho na túto úlohu mnohí muži, usilujúci sa o verejné dobro, povzbudzovali, žiadali a rozličným spôsobom stimulovali.

Bernolák počas štúdií na filozofickej fakulte trnavskej akadémie bol svedkom vydávania učebníc pre slovenské ľudové školy. Trnavská kníhtlačiareň, filiálka budínskej univerzitnej kníhtlačiarne, vydala r. 1780 Prívod k dobropisebnosti a Prívod k dobromluvnosti, ktoré sa označujú za Lessákove učebnice, a Čtiři gruntovni tabule, všetky po 3000 výtlačkoch, ďalej abecedárku slovenskú, abecedárku latinsko-slovenskú a slovenský katechizmus, všetky po 2000 výtlačkoch. V jednom roku vyšli slovenské učebnice dovedna v náklade 15 000 výtlačkov. Táto skutočnosť nútila uvažovať o ortografickej a jazykovej stránke školských kníh, v ktorých sa už prejavovali náznaky zasahovať do úzu bibličtiny. Bernolák mal vo Viedni príležitosť viesť debatu o otázke jazyka s vysokoučeným terchovským krajanom A. F. Kollárom, kustódom viedenskej dvorskej knižnice. Kollár ešte r. 1763, keď európsku verejnosť informoval o obrovskej rozlohe Slovanov v rakúskej ríši, prihovoril sa k svojim rodákom: „Zapáčilo sa mi napísať kvôli našim Slovákom, aby svoj jazyk a národ nikdy o nič menej nemilovali ako doteraz." V súkromnej inštrukcii pre vyučovanie v humanitných triedach z r. 1775 zdôraznil myšlienku zdokonaľovania materinského jazyka podľa vzoru gréčtiny a latinčiny. Už vtedy tvrdil, že „latinské a grécke náuky sa budú na školách vyučovať v materinských jazykoch". Bernolák, pravdepodobne prostredníctvom Kollára, osobne poznal viedenského profesora Zlobického, v ktorom našla Dizertácia vášnivého odporcu. Naproti tomu Juraj Ribay, pôsobiaci vo vzdialenej Cinkote, aj keď síce nedôveroval v perspektívu slovenského pravopisu, jednako u bernolákovcov na Bratislavskom hrade si osobitne cenil to, že venovali pozornosť materinskej reči a oboznámili s ňou aj iných. Na cestách po slovenských krajoch sa presvedčil o tom, že „katolícki Slováci sa vôbec pridržiavajú nárečia", a tak zdôvodnil, že „to robia kvôli obľúbenosti medzi ľudom, a aby zachovali reč jednoduchého človeka". Bernolákov zmysel pre ľudové vzdelávanie postrehol aj jeho profesor, rektor generálneho seminára Juraj Frank. Keď sa ho r. 1788 pokúsil získať za študijného prefekta, v liste trnavskému vikariátu uviedol, že „od Bernolákovej múdrosti, ušľachtilých mravov a ozaj ľudového vzdelávania sa dá očakávať veľa užitočného, blahodarne pôsobiaceho na správnu výchovu" (a prudentia, morum gravitate et haud vulgari litteratura domini Bernolák multum utilitatis in bonam junioris cleri educationem redundaturum sperari possit). Vyzdvihol u Bernoláka pestovaný zmysel pre ozajstné ľudové vzdelávanie.

V úvode k Dizertácii sa Bernolák prezentoval rímskou klasickou vzdelanosťou, dôkladnou znalosťou európskej literatúry o Slovanoch, etikou občana a vlastenecky zmýšľajúceho filológa usilujúceho sa o verejné dobro a prejavujúceho pátos národne povedomého vzdelanca v snahe dať slovenskej spoločnosti slovenskú pravopisnú normu. Ako študent si osvojil zásadu, že nečinný život bez vzdelávania sa rovná smrti a hrobu zaživa; cieľ ľudských snáh videl v pomoci človeku a v práci pre spoločnosť. V Dizertácii kritizoval predsudky tých súčasníkov, ktorí tvrdošijne zotrvávali na prežitých tradíciách. Odmietol ich nasledovať, lebo ich pokladal za také, čo sú v rozpore so zdravým rozumom. Suverénne si nárokoval myšlienkovú slobodu, nezávislosť od vlády autority. Súhlasil s konaním v duchu novej doby – prijímať podnety a impulzy novodobých mysliteľov. Potvrdzuje to aj Lessák, ktorý v novinách písal o pozitívnom vzťahu študentov voči profesorským osobnostiam v generálnom seminári: „Mládež svému učiteli téměř se klaní, když vidí, že jejich rozumu na cestu osvícení dopomocy chce; nenávidí a utíká od takového učitele, kterému ono potvrzujícy slovo jurandum in verba magistri, z očí hledí." Bernolák vychádzal z presvedčenia, že „vo zvykoch netreba väzieť ako v kremeni, aby sme vopred nevymedzovali ľudskému rozumu pevné hranice". Lessák v novinách prízvukoval: „Starých věcí a obyčejů nemáme proto prosto zavrhovati, že staré jsou, ale ani se pak zubami nechtami držeti proto, že sme se jich až posavad přidřeli... Co lepší jest, buďli bude nové neb staré, toho se držeti třeba." Bernolák si pravdivosť javu neoveroval časovým trvaním, ale kvalitou nového myslenia. V duchu novej etiky a vzdelanosti odsúdil predsudky tých súčasníkov, ktorí lipli na pravopise biblickej češtiny. Pokladal ho za archaický a jeho vznik datoval od vynájdenia kníhtlače. Týmto súčasníkom adresoval výrok, v ktorom oznámil zavedenie novej ortografie: „Nech nás nikto nezahŕňa nenávisťou, že slobodne opúšťame zavedený zložitý a chybný spôsob písania a na základe nepodvratných dôkazov odvodených zo samej podstaty veci ustaľujeme nový, jasnejší a správnejší." Lapidárne to zdôvodnil tým, že „všeobecné a základné pravidlo pravopisu" vyžadovalo „pravidlá písania vyvodiť zo slovenskej výslovnosti". Ľahko osvojiteľnú ortografiu predložil slovenskej verejnosti s úvodným dvojverším z Horáciovho listu Ad Pisones: „Hocakú radu ak dávaš, buď stručný, aby ju ihneď pochopil vnímavý človek a dlho si uchoval v hlave." Ak sa Bernolák dovolával práva tvoriť nové slová, našiel pre to povzbudenie aj u Horácia, ktorý radil básnikovi: „Ak... treba vyjadriť doteraz neznámy pojem a utvoriť slovo, ktoré nik z predkov nepočul ešte, máš právo a voľnosť sám si ho stvoriť, len citlivo siahaj po takom práve... Veď bolo a vždy bude možné vytvárať slová, čo nesú pečať súčasnej doby."

Bernolák si osvojil aj teoretické poznatky o jazyku. V súlade s dobovou prírodovedou, ktorá vtedy hľadala a nachádzala zákony prírody, zdôrazňoval prírodné zákony ako nevyhnutné aj pri objasňovaní javov súvisiacich s jazykom. Poukazoval na zákony prírody (naturae leges) a odvolával sa na G. Berkeleya, ktorý bol priekopníkom anglického novovekého empirizmu. Bernolák dával dôraz na prirodzené zvuky podľa zásady zákonov prírody (soni naturales ad praescriptas naturae leges), na prirodzené zdroje (naturales fontes), na to, čo je v zhode s podstatou veci a so zdravým rozumom (quod rei natura et recta ratio suadet), čo je v súlade so zásadami zdravého rozumu a s princípom filologickej kritiky (secundum rectae rationis et philologiae criticae principia). Odvolával sa na kritérium analógie v duchu Berkeleyovho učenia. Rozlišoval medzi tým, čo je v zhode s analógiou jazyka (secundum analogiam linguae) a čo je v rozpore s ňou (contra analogiam linguae). Bernolák poznal dielo anglického filozofa Berkeleya The Principles of Human Knowledge (Rozprava o základoch ľudského poznania), kde písal aj o analógii. Oboznámil sa aj s dielom An Essay concerning Human Understanding (Rozprava o ľudskom rozume) od ďalšieho anglického filozofa Johna Locka. Preštudoval si v ňom filozofickú stať O slovách, ktoré predchádzal autorov výrok: „medzi ideami a slovami jestvuje také úzke spojenie a naše abstraktné idey a všeobecné slová majú k sebe navzájom taký trvalý vzťah, že nie je možné jasne a zreteľne hovoriť o našom poznaní, ktoré sa skladá výlučne z výrokov, ak nepreskúmame ustrojenie, používanie a význam jazyka." A. F. Kollár už r. 1772 vo viedenských novinách Privilegierte Anzeigen hodnotil neoceniteľný význam tejto Lockovej state o jazyku. Anglický filozof písal v deviatich kapitolách všeobecne o slovách alebo o jazyku, o význame slov, o všeobecných výrazoch, o menách jednoduchých ideí, o menách zmiešaných modov a relácií, o menách substancií, o časticiach, o abstraktných a konkrétnych výrazoch a o nedokonalosti slov. Bernolákov pasus v úvode k Slováru, kde písal o časoch, rodoch, modoch a vidoch potvrdzuje, že študoval Lockovu partiu o časticiach zo siedmej kapitoly. Výrok, v ktorom poukázal na oceán javov a pojmov, čo vyžadujú názvy a pomenovania, dokazuje zasa poznatky z tej časti, kde Locke vznik a význam výrazov pripisoval jednoduchým ľuďom a nie filozofom. Bernolák si to adaptoval na požiadavku, že táto úloha patrí filozofom, filológom a zostavovateľom slovníka. Bernolák žiadal nové slová tvoriť z vlastného fondu jazyka (proprio linguae fonte) a zo samej podstaty veci (natura). Pokladal to za vec v zhode s ľudským rozumom, a aj s prirodzeným právom. Právo tvoriť nové slová podľa vzoru klasických a európskych jazykov priznával aj slovenčine. Predslov k Slováru uviedol mottom, kde citoval tiež verš z diela De rerum natura od antického básnika. T. Lucretia Cara. V motte vyzdvihol, že s nevýslovne namáhavou prácou sa dal raziť slovenskú cestu a veršom rímskeho básnika ju označil za takú, ktorú „ešče ňikdo... svími ňešlápal pati" (Avia Pieridum peragro loca, nullius ante trita solo). Symbolicky vyznačil, že tak ako Lucretius Caro začal orať nové pole, keď podľa Demokritovho učenia objasnil podstatu prírody, človeka oslobodil od strachu pred bohmi a zbavil povier, tak aj on začal raziť novú cestu Slovákom, keď z podstaty veci vypracoval ortografický systém na základe slovenskej výslovnosti, súčasníka lipnúceho na nevyhovujúcom zastaranom pravopise zbavil predsudku a oslobodil od ťažkostí súvisiacich s jeho zložitým a chybným spôsobom. Bernolák sa hlásil k duchovnému dedičstvu osvietenského storočia. Prezentoval sa ideovým myslením osvietenského racionalistu a empirika a nedištancoval sa ani od antického živelného materialistu Lucretia Cara.

Na osvietenské myslenie bernolákovcov významnou mierou vplývali Prešpurské noviny. Prebúdzali v nich sociálny vzťah k dobovému dianiu. Úzke styky slovenských študentov s redaktorom Lessákom od príchodu do Bratislavy dokazuje skutočnosť, že noviny, ktorým pre nedostatok predplatiteľov hrozil zánik už v druhom kvartáli r. 1784, pomohli naďalej udržať. Lessák im ako „vlastencom" ďakoval za to, že namiesto tých, čo noviny odriekli, „naverbovali" nových predplatiteľov. Keď sa redakcia zbavila Vyskydenského ideového dozoru, prejavilo sa to v novinách väčšou slobodou písania. Lessák to naznačil poznámkou, že „akosi mátohy poutíchli: patrných sice jest dosti". R. 1786 v prvom čísle podporovateľom novín prízvukoval: „není tak krásně když kdo jsa Slovákem umí slovenský, jak škaredě když neumí, jakož i onen znamenitý řečník Cicero o latinské řeči byl pověděl: Non tam praeclarum est scire latine, quam turpe nescire." V noticke o Thamovom spisku Obrana jazyka českého vysvetlil, že jeho cieľom je vzbudiť záujem o pestovanie češtiny, a súčasne vyjadril želanie, aby sa čistá slovenčina ujímala medzi Slovákmi. V súvislosti s Thamovou príručkou češtiny poúčal, že je to učebnica „česko-slovenské řeči", ktorou hovoria súčasní Česi. Jána Lešku označil za „horlivého milovníka jazyka česko-slovenského", akí

29

sa „v naší vlasti velmi po řídku nalezají". V súvislosti s knihou D. Lehockého o výchove detí pre slovenských rodičov pripomenul, že autor nedovoľuje učiť deti v materinskom jazyku. Pri správe prevzatej zo štajerských novín Bauernzeitung uviedol, že sú to noviny písané pre sedliakov a súčasne poučil, aký veľký význam má pestovanie materinskej reči. Pri inej príležitosti pripomenul: „milí Slováci! budemeli my náši mateřinskou řeč též tak vydělávati, tedy ona z roka na rok okrášlenější... bude."

Redaktor Lessák šíril v novinách informácie o významných udalostiach z kruhu slovenských vzdelancov. Pri úmrtí A. F. Kollára vo Viedni upozornil slovenskú verejnosť na význam jeho osobnosti. Informoval o vyjdení Sklenárovho spisu Vetustissimus Magnae Moraviae situs a v poznámke upozornil na poznatok, že autor v ňom odhalil falošné bájky uhorských kronikárov. Recenzoval tri spisy J. I. Bajzu vydané u Landerera, kde bol Lessák korektorom. Poukázal na cudzozemskú reedíciu latinského básnického diela Jána Pannonia. Písal o osvietenskom pedagógovi J. I. Felbigerovi, o ktorom odporcovia v cudzine rozširovali nepravdivé chýry, slovenských vzdelancov ubezpečoval, že sa v kruhu bratislavských priateľov teší dobrému zdraviu. Predstavil profesora Kratochvílu a verejne ho nazval priekopníkom myšlienky pestovania odborných náuk v materinskom jazyku a podporovateľom slovenskej literatúry. Slovák Kratochvíla mal v hodnosti dekana v Bratislave takú autoritu, že nikto z nacionálnej nevraživosti sa mu neodvážil škodiť. V máji 1785 Lessák písal, že pri skúškach, ktoré sa robili v materinských jazykoch, istý znamenitý Slovák zo všetkých odborných predmetov odpovedal po slovensky a smelo polemizoval. Skúšky, čo sa v marci 1786 skladali u Kratochvílu po slovensky, označil za neobyčajnú poctu slovenčine a za dôkaz toho, že sa v nej dajú prednášať vyššie náuky. Povzbudzoval, že už táto skutočnosť dokazuje, že nejestvuje dôvod na to, aby sa niekto hanbil za slovenský pôvod.

Keď v lete 1786 Kratochvíla z pozície svojej autority písomne vyzval slovenských vzdelancov z rozličných krajov spolupracovať na pestovaní slovenského jazyka, Lessák v novinách nadviazal na túto akciu celospoločenského významu. V štyroch listoch od dopisovateľov z viacerých krajov sa rozvinula polemika o tom, ktorým slovenským nárečím písať. V prvom liste dopisovateľ z Bratislavskej stolice navrhoval: „pište po slovenski, jako mi okolo Prešpurka, okolo Skalici, alebo okolo Trnavi rospravame... ne treba ti vyhledovat teho, kereho jakživ nebylo slovenského Cicerona stilus, mi Slovaci...

v každej stolicy inač a inač hovorime, vravime, mluvíme, rozpravame." V druhom liste datovanom v Bratislave pisateľ vysvetľoval: „My píšeme čisto slovensky, na spůsob biblí, podlé písma a jak novináři někdy svobodněji, ale však předce srozumitedlně." V treťom liste dopisovateľ radil písať uhorskoslovenským nárečím. Redaktor Lessák k tomu dodal: „pár čtenářů našich na skrze chtějí míti, abychom tak po slovensky psali jako v obecném obchodě (styku) v Uherské krajině mluvíme." Naproti tomu dopisovateľ žijúci v peštianskom kraji v štvrtom liste konštatoval: „větší díl čtenářů... jsou milovnější čisté nežli obecné slovenčiny. Tí... kteří vás na toto posledňější namlouvají, znáti dávají, že se s uměním jazyků málo obírali a ani v slovenčině naskrze vyučováni a cvičeni nebyli. Kdo to slýchal, aby se všecko tak písalo, jako se v obecné každodenní řeči mluví?"Ako vzdelanec používajúci bibličtinu navrhoval, „aby se s Čechy, jazykem a řečí, krom toho již s nimi spřízněni jsouce, spřátelili a jejich... spůsob mluvení a psání nasledovali". Radil ku kompromisu: „Nepravím, aby ho naskrze přijali a při tom na slovenčinu nic nedbali; než raději slovenčinu užívajíce, nechť ji do roucha českého... obláčejí." V dvoch listoch z Bratislavskej stolice a v ďalšom z Bratislavy a zo vzdialenej lokality v Peštianskej stolici boli vyjadrené rozdielne stanoviská k otázke spisovnej reči. Prvé stanovisko svedčilo o Fándlyho autorstve. Navrhoval písať nárečím z okolia Trnavy, Skalice a Bratislavy. Druhé stanovisko možno pokladať za Lessákovo, ktorý objasnil vlastný postup v novinách. Písal síce biblickým pravopisom, avšak, aby bol jazyk slovenskej verejnosti zrozumiteľný, používal hojne slovenské výrazy. Tretie stanovisko Lessák uviedol v mene Bajzu, a práve tu vyzdvihol želanie pestovať jazyk ľudu. V štvrtom stanovisku možno rátať s účasťou Jána Hrdličku, dva roky účinkujúceho v Maglóde v Peštianskej stolici, ktorý radil písať českým pravopisom a slovenské výrazy prispôsobovať českým. Polemike v novinách predchádzal spontánne vyjadrený súhlas Ondreja Mésároša z Dubnice v Trenčianskej stolici, ktorý odpovedal v liste z 5. augusta 1786 profesorovi Kratochvílovi: „nemožno dostatočne oceniť a vynachváliť predsavzatie... vysokoučených mužov o vypestovanie nášho slovenského jazyka. Požadovala to istým právom už dávno oddanosť k nášmu národu aj k materinskému jazyku... súril to príklad pokročilejších národov, ktoré svoje jazyky na vrchol slávy vypestovali... Preto najväčšia vďaka... preznamenitým mužom, našim rodákom, že im prišla na um tá myšlienka, aby na spôsob iných jazykov vypestovaný bol aj náš jazyk."

Vyjdenie Dizertácie v máji 1787 uvítal Lessák v novinách veľkou pochvalou tým, ktorí sa „o svou řeč... tak zmužile a skutečně zaujímají". Vlasteneckým filológom adresoval želanie, nech „vždy dále a dále pokračují a tak zahanbí těch Slováků v Uhřích, kteří jinakší, než jejich jest, slovenčinu většmi schvalují, nežli ji skutkem fedrují a o ní se zaujímají". S posledným júnovým číslom novín redakcia odoslala predplatiteľom tridsaťšesť výtlačkov Dizertácie, z ktorých polovicu venoval kníhtlačiar Landerer a polovicu bernolákovci, čitatelia novín v generálnom seminári. Išlo zrejme už len o tých predplatiteľov z radu katolíckych vzdelancov, ktorí boli za pestovanie slovenského jazyka.

R. 1787 s Bernolákom v piatom ročníku štúdium skončilo 38 poslucháčov. Z nich si 26 uviedlo znalosť slovenského jazyka na prvom mieste alebo na rovnakom stupni ako nemeckého, prípadne aj maďarského. Z nich sa 9 stali členmi Slovenského učeného tovarišstva znova založeného r. 1792: J. Akay z Hradnej, A. Bánik z Ostrihomu, Š. Bobkovič z Trnavy, M. Gallovič z Bzovíka, J. Kontil z Papradna, J. Krpelec z Krpelian, A. Kubica zo Žiliny, J. Madunický z Ostrova a Š. Šefčík z Tvrdošína. O rok nižšie s Bernolákom študovalo z územia Slovenska 36 študentov, štúdium skončili r. 1788. Z nich si 31 uviedlo znalosť slovenského jazyka na prvom mieste alebo na rovnakom stupni ako nemeckého, prípadne aj maďarského. Z nich sa ôsmi stali členmi znova založeného Slovenského učeného tovarišstva: J. Bélik z Dubovej, J. Cuk zo Zliechova, P. Červeňanský zo Starej Turej, I. Lieb z Trnavy, J. Palkovič z Veľkých Chlievan, J. Peťko z Valče, M. Urbanec z Banskej Štiavnice a J. Vurum z Bratislavy. Počet 57 študentov iba v dvoch ročníkoch, ktorí sa hlásili k slovenčine a 18 sa stali členmi Slovenského učeného tovarišstva, dokazuje, že v generálnom seminári na Bratislavskom hrade boli priaznivé podmienky na rozvoj jazykového hnutia.

V bratislavskom generálnom seminári v r. 1784—1790 bolo z územia Slovenska dovedna zapísaných 594 študentov. Z tohto počtu bolo 286 študentov, t. j. 52,19 %, ktorí ovládali slovenský jazyk na rovnakom stupni ako nemecký, prípadne maďarský, 156 študentov, t. j. 28,47 %, hovorilo len po slovensky. Dovedna 442 študentov, t. j. 80,66 %, hovorilo po slovensky. Okrem toho 31 študentov, t. j. 5,66 %, vedelo popri nemčine a maďarčine čiastočne aj po slovensky. Z počtu 594 študentov bolo 42,93 % pôvodu roľníckeho (ignobilis), 19,86 % remeselníckeho (civis), 2,36 % z rodín oslobodencov (libertinus), 34,17 % zemianskeho pôvodu (nobilis) a 0,67 % z vyššej šľachty (praenobilis). Dovedna bolo zapísaných z ľudových vrstiev 65,15 % študentov. Pochádzali zo stolíc: Abovskej (9), Bratislavskej (145), Gemerskej (15), Hontianskej (22), Komárňanskej (25), Liptovskej (14), Nitrianskej (124), Novohradskej (5), Oravskej (24), Ostrihomskej (1), Spišskej (37), Šarišskej (16), Tekovskej (46), Trenčianskej (87), Turčianskej (5), Turnianskej (3), Užhorodskej (1), Zemplínskej (2) a Zvolenskej (13). Najväčší počet zapísaných študentov bol z Bratislavskej a Nitrianskej, dovedna 269. Členmi znova založeného Slovenského učeného tovarišstva sa stalo 119 bývalých študentov generálneho seminára. Pochádzali zo stolíc: Trenčianskej (27), Bratislavskej (24), Nitrianskej (26), Oravskej (9), Tekovskej (6), Hontianskej (7), Zvolenskej (3), Liptovskej (2), Turčianskej (2), Spišskej (2), Gemerskej (2), Komárňanskej (1), Novohradskej (1), Šarišskej (1), Abovskej (1), Ostrihomskej (1) a ďalší 4.

Prešpurské noviny v redakcii vzdelaného a národne povedomého Lessáka boli katalyzátorom osvietenského myslenia. Ako učiteľ jedinej slovenskej školy v Bratislave poznal diskrimináciu zo strany školskej vrchnosti, aj niektorých členov mestského magistrátu. Zocelený bojom o existenciu vlastnej rodiny a o udržanie slovenskej ľudovej školy bol odvážnym novinárom, bojujúcim proti tmárstvu a duchovnej a hmotnej porobe. V medziach možností písal o všetkom, čo prinášalo spoločenský pokrok. Napriek cenzorskému dozoru, ktorý v Bratislave málo rešpektoval jozefínsky dekrét o zliberalizovanej cenzúre, podarilo sa Lessákovi prepašúvať mnohé vzácne dobové údaje do správ o počasí alebo o živelných pohromách. Z jeho pera pochádzalo spravodajstvo, do ktorého medzi riadky ukrýval dobové pálčivé otázky a aktualizoval ich nápravu. Keď sa r. 1783 Krištof Nický, spriaznený s chorvátskym prostredím a stúpenec jozefínskych reforiem, stal predsedom Miestodržiteľskej rady v Bratislave, získal Lessák významného ochrancu a noviny viac slobody na vyjadrenie mienky. Od r. 1786, keď bratislavský mestský magistrát obvinil v Miestodržiteľskej rade, v tom čase už so sídlom v Budíne, redakciu pre protifeudálne výroky, Lessákovi sa dostalo zo strany predsedu Nického takej ochrany, že sa mohol slobodnejšie vyjadrovať dokonca aj na adresu uhorskej šľachty sabotujúcej jozefínske reformy, ba aj niektorých málo tolerantných členov bratislavského mestského magistrátu. Odvtedy pribúdali mozaikové správy o prejavoch národného uvedomovania v študovniach na Bratislavskom hrade.

Lessák v novinách zainteresúval bernolákovcov

na dobovom dianí. V správe o vzbure poddaných v ružomberských osadách poukázal aj na jej príčinu a poddaným dával za pravdu. Písal o vzbure v Tekovskej stolici, kde sedliaci odopreli šľachte platiť dane, a tá mohla ich odpor zdolať len ozbrojenou mocou. Zmienkou o vysokých dôchodkoch cirkevnej vysokej šľachty doplnil obrazom chudoby a biedy sedliakov. Informoval, že v tej oblasti Sedmohradska, kde „pred rokom ta rebellie byla", panuje nevýslovný hlad a ľudia jedia brezovú kôru. Na korene a dôsledky feudalizmu poukázal v slovnej hre s hlbokým sociálnym obsahom: „mier plodí bohatstvo, bohatstvo povýšenosť, povýšenosť opovrhovanie, opovrhovanie vojnu, vojna biedu, bieda poníženosť, poníženosť mier." Dodatkom, že zriedka býva šťastím doby, aby človek mohol myslieť to, čo cíti a hovoriť to, čo si myslí, vyjadril sa aj k duchovnej porobe. K narážke o prírodnom bohatstve v Uhorsku, v ktorom nič nechýba, dodal: len „svoboda obmezená v myšlení a v mluvení." Na cirkevnú cenzúru v Bratislave poukázal v stručnej noticke, ktorú zostavil podľa obšírneho článku v štajerských novinách Bauernzeitung. Podrobnejšie sa v ňom opisovalo balamutenie sedliakov poverami o anjeloch. Lesák k tomu dodal: „do těchto pak novin to tak z uplna položiti nám cenzúra nedopustila." Stručnú správu o zrušení neopodstatneného cirkevného sviatku na Sicílii doplnil poznámkou: „ostatní vytřela cenzura v Prešpurku." O uhorskom prímasovi Batthyánym, odporcovi reformiem, r. 1785 informoval, že Jozef II. mu zakázal pobyt v Bratislave.

Lessák v novinách r. 1784 kritizoval zaostalé pomery v Uhorsku z viny feudálnej šľachty v článku pod názvom Vyskoumání a vynaleznutí běžícího století. Ocenil v ňom význam Linného systému pre prírodovedné náuky, veľký podiel Leibniza, Newtona a Eulera na pokroku v matematických vedách, objavenú Halleyovu kométu v astronómii, veľkú moc kníhtlače, ktorá podkopáva základy rezidencie ultramontanizmu, obrovskú silu jedného pera, čo rozdelený svet dovedna spája – a predsa, konštatoval, výsledky prevratných objavov sa neprejavili v Uhorsku; ono ešte neprekročilo prah filozofického myslenia na úrovni Bacona Verulamského. Technický pokrok, hybná páka hospodárstva, nepreniknol do organizácie práce a človek ešte stále tak ako primitívny tvor pred tisícmi rokmi vedie boj s prírodou. Lessák informoval o zjazde svetových chemikov, mineralógov a geológov a odborníkov v baníctve a hutníctve, ktorý sa konal r. 1786 v Sklených Tepliciach pod predsedníctvom chýrneho a vo Viedni žijúceho chemika I. Borna, za účasti profesorov banskoštiavnickej

akadémie A. Ruprechta a M. Podu a lekára J. Hoffingera. Správu uviedol tak, ako by ju bol prevzal z mníchovských novín, ktoré ju mali z Banskej Štiavnice. Zmienil sa aj o Bornových experimentoch s amalgamáciou v Sklených Tepliciach. O Maximiliánovi Hellovi, pôvodom z Banskej Štiavnice, svetochýrnom astronómovi a riaditeľovi viedenského observatória, ktorého protivníci predstavovali ako bývalého jezuitu, Lessák vyhlásil, že patrí medzi tých, čo sa „k předešlému tovarišství velmi studeně mají". Uverejnil celý text patentu o zrušení nevoľníctva, ktorého vydanie uhorská šľachta štyri roky brzdila. Oslobodenie sedliakov od služobnosti pokladal za takú skutočnosť, ktorá nie je v rozpore s uhorskými zákonmi. V zhode s A. F. Kollárom dokazoval, že sedliaci od vzniku uhorského štátu mali všetky slobody, ktoré im prirodzené právo, vtedajšie vnútorné pomery a ďalšie okolnosti dovoľovali. Vznik nevoľníctva datoval až do času po likvidácii Dóžovho sedliackeho povstania. V duchu Kollárovho zdôvodnenia objasnil maďarské slovo „jobbágy" vo význame poddaný a verejnosť informoval, že jozefínsky dekrét zakázal používať toto potupné slovo. Písal o reformách, ktoré presadili vo Francúzsku, že tam parlament odhlasoval zrušenie privilégií cirkevnej šľachty a zdanenie majetku, že robotnú rentu zmenili na peňažnú. Uverejnil výňatok z textu nemenovaného uhorského zákonného článku, v ktorom sa sedliakom povoľovala sloboda sťahovania za určitých splnených podmienok. Podal predstavu o poľskom sneme, ako by sa tam prerokúval návrh na nové zákony, zákon o rozšírení moci, nariadenie o všeobecnom zdanení a o prostriedkoch na podporu obchodu. Oboznámil verejnosť s parlamentom s dvoma snemovňami, ktorý jestvoval vo philadelphskej republike. Upozornil na severoamerické krajiny, ktoré si vybojovali nezávislosť, a pripomenul, že tam ešte pretrvávajú nepokoje, lebo „pospolitý lid dosavád tím se těšil, že tam bude demokratická svoboda, totiž že nejvyšší moc všemu lidu náležeti bude". Slovenskú verejnosť informoval, že ľud môže byť nositeľom zvrchovanej moci.

Lessákove noviny, zdroj informácií o priebehu a význame jozefínskych reforiem, o spoločenskej premene v európskych krajinách, kde sa stavovská spoločnosť demokratizovala, pomáhali slovenským študentom plebejského pôvodu formovať spoločenské myslenie a sociálny vzťah k dobovému dianiu. Obraz materiálnej a sociálnej poroby ľudu a kritický hlas volajúci po náprave stimulovali ich ochotu prispievať svojou hrivnou na hmotné zlepšenie postavenia ľudových vrstiev. Lessák upozornil na školský dekrét, v ktorom sa nariaďovalo pri udeľovaní štipendia dbať „ne více na rod, ale jen toliko na dobrá talenta" a dávať ho iba tým, čo sa preukázali vysvedčením o svojej chudobe. Patent o zrušení nevoľníctva napĺňal študentov ľudového pôvodu sebavedomím o spoločenskej prospešnosti roľníckych a remeselníckych vrstiev. Pribúdali študenti, ktorí si sociálny pôvod označovali ako libertíni, oslobodenci od určitej časti služobnosti zemepánovi. Idea nescudziteľného prirodzeného práva, ktorým sa obhajovala ľudská dôstojnosť človeka, občan s osobnou slobodou a vlastníctvom, nachádzala v radoch slovenských študentov ľudového pôvodu silnú ozvenu. Idea občianskej tolerancie, ktorá sa aj ako predmet vyučovala, humanizovala vzťah študentov zemianskeho pôvodu voči kolegom z plebejských vrstiev. Bernolák to prízvukoval slovami, že „chudobní rod a chudobné pokolení na oči sa vistrkovať nemá". Osvojil si názor, ktorý chudobu nepokladal za dôvod spoločenskej diskriminácie. Uplatňovalo sa nové kritérium posudzovania hodnoty človeka. Tá sa už nevyvodzovala z rodovej výsady, z príslušnosti k majetkovej vrstve, ale výlučne z vlastnej zásluhy o vzdelanostný a mravný rozvoj osobnosti. Bernolák to výstižnejšie zdôraznil: „Ne rod, ne pokolení, ne zemánstvo, ne bohatstvo človeka statečním, dobrím a vzácním robí, ale vlastné jeho dokonalosti a čnosti."

V lete 1785, necelý mesiac pred vydaním patentu o zrušení nevoľníctva v Uhorsku, uverejnil Lessák predstavu o tom, ako by sa súčasná a biedou „vykričaná" Orava mohla zmeniť, keby sa racionálne využili prírodné podmienky a pracovité ruky ľudu. Poukazoval na lesné bohatstvo a na splavnú riečku Oravu vhodnú pre vývoz dreva a dreveného náradia, na výnosnejšie pestovanie ľanu a konopí, na rozšírenie výroby plátna a na obchod s jeho výrobkami. Vyžadovalo by to založiť vyššiu hospodársku školu vybavenú knižnicou. Tu by sa školili hospodárski odborníci a vzdelával sa ľud pre racionálnejšie dorábanie plodín a pre rozličné remeselné odvetvia. Lessák oboznamoval s myšlienkou, ako by sa Oravská stolica zo „zpustatilej divokej Syberii" stala prekvitajúcou oblasťou s rozvinutými remeslami a obchodom. Dával do povedomia význam školskej vzdelanosti a ľudovej osvety v hospodársky zaostalých krajoch, a zdôrazňoval myšlienku, ktorú si bernolákovci osvojili, a v prostredí svojho pôsobenia potom realizovali. Noviny prebúdzali záujem o šírenie osvety ako jednej z foriem boja proti tmárstvu a duchovnej zaostalosti. Šírili predstavu osvietensky vychovaného kňaza, ktorý má byť učiteľom ľudu. Pôsobili na vznik spoločenskej zodpovednosti za mravnú a osvetovú výchovu ľudu. Noviny boli v r. 1783—1787 katalyzátorom osvieten-

ského myslenia a významnou oporou slovenského národnoobrodenského hnutia. Pôsobili na rozširovanie spoločenského zázemia pre spoločnú vec, na integráciu slovenskej inteligencie duchovného a svetského stavu, ochotnej pracovať v záujme osvietenskej výchovy ľudu. Aj vďaka novinám získalo Slovenské učené tovarišstvo, znova založené r. 1792, spoločenskú bázu s vyše štyristo odberateľmi slovenských kníh z územia celého Slovenska. Na čele národnoobrodenského hnutia bol Bernolák, pôsobiaci vo sfére ideovej a organizačnej. Fándly mal na starosti historické vzdelávanie inteligencie, osvetovú výchovu ľudu a hospodársku stránku Slovenského učeného tovarišstva. Obaja zohrali rozhodujúcu úlohu pri formovaní národnoobrodenskej ideológie. Bernolák vo funkcii kancelára trnavského vikariátu vykonával aj úlohu ideového dozoru, schvaľoval slovenské spisy do tlače. V období jeho kompetencie Slovenské učené tovarišstvo vydalo deväť spisov.

Skutočnosť, že vtedajšie úradné postavenie neprekážalo Bernolákovi, aby bol na čele národnoobrodenského hnutia, objasnil jeho kolega zo štúdií Alexius Jordánsky v súvislosti s novými pomermi na trnavskom vikariáte. V období, keď latinčinu vystriedala nemčina ako administratívna reč, vydávali sa v nej aj dekréty v politicko-cirkevných veciach, a keď sa pri dôležitom rozhodovaní prísne žiadalo rozlišovať medzi hranicami svetskej a cirkevnej moci, za Jozefa II. vymenili vtedajších dvoch generálnych vikárov v Trnave a v Ostrihome, lebo na novú úlohu nestačili ani jazykovými znalosťami, ani spôsobom starého myslenia. Toto označil bernolákovec Jordánsky za hlavný dôvod, prečo Jozef II. namiesto biskupov Š. Nagya a L. Lužinského vymenoval Jozefa Vilta za nového generálneho vikára v Ostrihome a neskôr aj v Trnave. Ten r. 1786 pozval na trnavský vikariát bernolákovca Alexandra Rudnaya, odchovaného reformovaným teologickým štúdiom a zorientovaného v jozefínskej kanonistike, na vybavovanie agendy s činiteľmi viedenskej štátnej moci. Potom ho r. 1788 ešte raz povolal do Trnavy, kde vo funkcii kancelára vikariátu a sekretára konzistória pôsobil do polovice mája 1789. Tú istú funkciu počas Viltovho pôsobenia zastával aj Bernolák od r. 1791. Vilt, dosadený Jozefom II., bol stúpencom jeho reforiem. Podľa Jordánskeho a Palkoviča mal zmysel pre humánny vzťah voči nižším vrstvám, bol tolerantný, svojho času pastoračne pôsobil medzi národnostne zmiešanými robotníkmi novohradskej manufaktúry J. Forgácha. Uprednostnil Rudnaya pri nástupe na faru v Krušovciach, ktorú získal na základe konkurzu. Na tomto konkurze sa zúčastnil aj Fándly a skúšky vykonal z kanonického práva a ďalších troch predmetov. V písomnom osvedčení datovanom 5. mája 1789 mu skušobná porota potvrdila absolvované štúdium z filozofie a teológie a znalosti zo slovenského materinského jazyka, z nemčiny a čiastočne z maďarčiny. V osobitnej poznámke sa konštatovalo, že pri vizitácii naháčskej fary sám Batthyány ocenil Fándlyho znamenitú katechetickú prax a verejnou pochvalou ho dal za vzor ostatným farárom. Poznámku dodali v čase, keď sa Fándlyho Dúverná zmlúva u Landerera už tlačila. Vilt r. 1797 presadil, aby Bernolák získal faru v Nových Zámkoch, kde žilo aj slovenské obyvateľstvo, hoci Batthyány mu pôvodne určil faru v čistomaďarskej Drégely-Palánke. Pri vydávaní osvietenských spisov nemal Bajza r. 1787 ani Fándly r. 1789 na trnavskom vikariáte nijaké nepríjemnosti vtedy, keď ho spravoval Vilt a Rudnay bol kancelárom. Rudnay sa práve v tom období nazýval Viltovým veteránom v úrade a jeho chráneneom (veteranus quoque cliens). Fándly, ktorý v tom čase pracoval na Dúvernej zmlúve, kde schvaľoval cirkevný reformizmus, mal zasa ochranca v osobe Rudnaya. Ten v kontakte s viedenskými štátnymi úradmi sprostredkoval prepustenie spisu viedenským cenzorským úradom, datované 2. januára 1789.

Fándly v tomto spise odmietol atomistiku, skotistiku a vyjadril súhlas s tým, že aj probabilizmus zo škôl odstránili. Osvedčoval sa myslením, ktoré neverilo na biblické sny, len na také, čo sú „podľa náchilnosti našich telesnich smislov a podľa náturi človeka". Hlásil sa medzi tých, čo neuznávali vrodené idey (nullas innatas ideas), proti ktorým vystúpil J. Locke v spise bojujúcom proti Descartovmu učeniu o vrodených ideách. Rátal sa medzi „včilajších osvíceného sveta pravdi milovníkov". Schvaľoval činnosť viedenskej cirkevnej komisie, ktorej poslaním bolo odstrániť bludy, povery a tmárstvo. Rehole bez spoločenskej účelnosti nazýval zbytočnou záťažou, ich majetky ujmou spoločnosti a kveštujúcich mníchov bremenom chudobných. V jozefínskej kanonistike súhlasil s poprením pápežského primátu a vplyvu ultramontanizmu pri voľbe biskupov. V duchu Kollárových názorov potvrdil, že dávne cirkevné privilégiá sa nedajú porovnať s panovníkovou právomocou v cirkevných veciach. Odvolával sa na názory viedenských radikálnych stúpencov reformizmu (J. V. Eybela, L. V. Haschka, V. Schanzu, M. A. Wittolu, J. J. Pehema, J. A. Rieggera), aj na Žigmunda Lakića, ktorý svojho času na trnavskej univerzite mal primát svetského profesora racionálneho prirodzeného práva. Tvrdil, že Dúvernú zmlúvu schválili aj „páni farári, kteří sú ze včulajšího osvíceného sveta pravdi milovníci". Práve

medzi týchto možno rátať bernolákovca Rudnaya a jeho predstaveného Vilta, dosadeného Jozefom II. Pre Dúvernú zmlúvu a ani pre rukopisný spisok, kde uhorskými zákonnými článkami dokazoval slobodu sťahovania sedliakov, nemal totiž Fándly na trnavskom vikariáte nepríjemnosti do marca 1790. Obviňovanie pre údajné poburovanie ľudu proti cirkevnej šľachte sa začalo v polovici r. 1790, a to už odlišnej situácii. Krátko po smrti Jozefa II. dňa 20. februára sa obnovila cirkevná právomoc Batthyányho a z jeho poverenia v trnavskom konzistóriu zavážil posudok najmä M. Görgeya a Fándlyho odsúdili na trest väzením. V nových podmienkach, keď sa v určitom smere obnovovali cirkevné poriadky z čias Márie Terézie, nemohol Vilt vec zachrániť. Jednako však, keď dal rozsudok Fándlymu doručiť, poslal mu aj súkromný list, v ktorom priateľské napomenutie vystriedalo strohú úradnú prísnosť.

Ťažkosti s vydaním Bajzovho druhého zväzku René mláďenca tiež dokazujú zásah cirkevnej cenzúry v období, keď ešte Vilt nepôsobil na trnavskom vikariáte. Prvý zväzok zamietnutý cenzorom Pavlom Manigayom z právnickej fakulty bratislavskej akadémie prepustil do tlače sekretár viedenského cenzorského úradu J. Hoffinger a vyšiel u Landerera r. 1783. S druhým zväzkom, ktorý r. 1785 prepustil do tlače viedenský cenzor Atanasij Sekereš (južnoslovanského pôvodu), mal už Landerer ťažkosti, a to práve pre zásah vtedajšieho trnavského vikára Š. Nagya, ktorý konal z Batthyányho poverenia. Lepšie na to upozornil Lessák v novinách, ktorý ako korektor v Landererovej kníhtlačiarni bol o tom dobre informovaný. V júni oznámil, že vyjde druhá časť Reného, v ktorej duchovná osoba sprevádza hrdinu, a ten pomocou jej vysvetľovania súčasný beh sveta, postavenie ľudí a pomery „příjemnou, ale ostrou myslí považuje". V auguste písal o odchode cenzora Manigaya z Bratislavy a v októbri o tom, že Jozef II. povolil Batthyánymu pobyt v Bratislave. Zrejme v týchto nových podmienkach trnavský vikár Nagy zakročil, aby vysádzaný druhý zväzok Reného nevyšiel a výdavky za sadzbu dal Landererovi uhradiť z cirkevných peňazí. Zväzok jednako v tom roku vyšiel, avšak vo veľmi zmenšenom rozsahu. Naproti tomu Bajza nemal nijaké prekážky pri vydaní spisu Právo o živení faráruv, ktorý napísal v duchu jozefínskeho reformizmu a vydal r. 1787, keď bol generálnym vikárom Vilt. Lessák v novinách nielenže oznámil predaj knihy u Landerera, ale aj autorovi vyslovil pochvalné uznanie. Oboznámil s obsahom spisu, vyzdvihol, že predmetná „věc je gruntovně proukázaná", historicky zdôvodnená a upozornil na významnú časť, kde sa písalo o existenčnom zabezpečení kňazov. Pochválil aj reč spisu a nazval ju panónsko-slovenskou, „jakouž verejnosť... a... farári katholičští v svých kázňech užívají". Pokladal ju za takú zrozumiteľnú, že ju „i ten nejsprostější zrozuměti může". Tomu, komu sa vo všetkom nebude páčiť, radil, aby si ju napravil. Upozornil aj na to, že Bajzov spis sa už prekladá do nemčiny. Z informácie sa dá vyrozumieť, že Bajzov spis bez uvedenia miesta tlače vyšiel v Landererovej kníhtlačiarni a že Bajza vtedy nemal ideovú nezhodu s bernolákovcami, a tí zasa tolerovali jeho jazyk poplatný určitému kompromisu.

K ideovému konfliktu medzi Bajzom a bernolákovcami došlo až po zverejnení Fándlyho Dúvernej zmlúvy, napísanej v radikálnom duchu cirkevného reformizmu. Bajza, poplatný názorom umierneného osvietenstva z čias Márie Terézie, nesúhlasil s Fándlyho rigorizmom, najmä v otázke rušenia rádov a kláštorov a urobil ho terčom osobných útokov. Učená spoločnosť na pestovanie slovenčiny (Societas excolendae linguae Slavicae), v skutočnosti Slovenské učené tovarišstvo, prvý raz založené bernolákovcami v generálnom seminári na Bratislavskom hrade približne začiatkom r. 1789, keďže vydala Dúvernú zmlúvu na náklady svojich členov, musela sa ujať aj obrany autora. Pri vzniku učenej spoločnosti možno rátať s účasťou Ignáca Várоša a Karola Rippela a ich kolegov v štvrtom ročníku v počte 24, ktorí sa nazývali panónskymi Slovákmi (Pannoniae Slavi) a hlásili sa k slovenčine (Slavicam profitentes). Všetci si uviedli najvyššiu znalosť slovenského jazyka na prvom mieste. Z nich sa 13 stali členmi Slovenského učeného tovarišstva znova založeného r. 1792: A. Dzian z Velčíc, A. Basilides z Čadce, J. Horváth z Dolného Dubového, J. Kmeth zo Smoleníc, M. Kovalčik z oravského Veselého, P. Kreskay z Moravského Jána, Š. Marič z Kočkoviec, K. Rippel z Rišňoviec, G. Rumpl z Rajca, A. Riba z Nových Zámkov, J. Teml zo Španej Doliny, J. Turzo z Veľkých Kostolian a I. Vároš zo Žiliny. Poslaním členov učenej spoločnosti bolo po Bajzovom nechutnom osobnom útoku presvedčiť Fándlyho, že sa s ním zhodujú aj v otázke jazyka, aj v názoroch na cirkevný reformizmus. Na úlohu sprostredkovateľa sa podujal tajomník Rippel, ktorý v liste zo 14. decembra 1789 Fándlyho posmeľoval, aby si naďalej „zachoval onoho slovenského ducha", lebo „jeho štýl sa im páči a je im vlastný". Takto sa učená spoločnosť, známa ako prvý raz založené Slovenské učené tovarišstvo, osvedčila nielen organizačnou, ale aj obrannou aktivitou.

Bernolákovci vzhľadom na osvietenskú vzdelanosť, ktorú nadobudli reformovaným a zlaicizovaným štúdiom a filozofickou prípravou aj pod vplyvom novodobej fyziky, mechaniky a rozvíjajúceho sa prírodovedného bádania, za pomoci Lessákových novín, čo sprostredkovali demokratické tradície a poznatky o spoločenskom pokroku, osvojili si svetonázorové a spoločenské myslenie a vypestovali sociálny vzťah k dobovému dianiu. Od dynamiky osvietenskej erudície závisela dynamika ich národnoobrodenskej ideológie. Ich zapojenie do národnoobrodenského procesu znamenalo nadviazanie na osvietenské myšlienkové hnutie, ktoré bolo formou ideového boja proti feudalizmu.

Bernolákovci, pochádzajúci z ľudových vrstiev a z chudobného zemianstva, poznali v prostredí rodného kraja z vlastnej skúsenosti bremeno feudalizmu, útlak a vykorisťovanie slovenského ľudu. Táto skutočnosť sa odrážala v ich predstave ideového boja proti atribútom feudálnej spoločnosti. Postavili sa na obranu ľudskej dôstojnosti človeka, ktorého nevoľnícke vzťahy zbavili osobnej slobody a vlastníctva a putom služobnosti prikovali k pôde zemepána. Argumentovali pritom nescudziteľným prirodzeným právom. Pri vzniku štátneho spoločenstva sa odvolávali na spoločenskú zmluvu a na kontinuitu všeobecného spoločenského vývoja. Fándly radil predovšetkým vzdelávať sa v tých náukách, „ktorých základom sú zákony prirodzené a politické", lebo v nich sú „zásady pre dobrý a prospešný život". Na obhajobu slobodného pôvodu človeka prevzal staršiu tézu o Jafetovi, o ktorom sa v biblii tradovalo, že bol „vyňatý z okov otroctva". Takto sa potom zdôvodňovalo, že nepodliehal zvrchovanej moci prarodiča, narodil sa v stave prirodzenosti. Bernolák na prvého človeka vzťahoval ius divinum, čo sa vo filozofickom slovníku stotožňovalo s prirodzeným právom. Podľa prirodzenoprávnych teoretikov pod stavom prirodzenosti rozumeli bernolákovci usporiadanie prvotnej spoločnosti na demokratických zásadách rodov. Pri prechode do civilizovanej spoločnosti rátali so spoločenskou organizáciou, ktorá zabezpečovala právnu rovnosť (osobnú slobodu a vlastníctvo) a účasť ľudu (demokratického prvku) na verejnej moci. Podobne ako stúpenci prirodzenoprávnej teórie aj Fándly a Bernolák rátali s prirodzeným stavom ako s historickým opisom minulosti. Demokratický princíp rodovej spoločnosti pokladali za normu prirodzeného práva a pripisovali mu hodnotu historického faktu. Touto argumentáciou zdôvodňovali požiadavku reformovať feudálnu stavovskú spoločnosť na občiansku a žiadali zaviesť právnu rovnosť občanov pred zákonmi.

K veľkomoravskému dedičstvu sa bernolákovci hlásili nielen ako k apologetickému arzenálu na dokazovanie rovnocenného postavenia Slovákov v Uhorsku, ale priamo sa stotožnili s názorom, že veľkomoravská minulosť je súčasťou spoločenského vývoja a historického procesu Slovákov. Fándly podobne ako pred ním Matej Bel predstavil slovenskej verejnosti Svätopluka ako najvýznamnejšiu politickú postavu v dejinách veľkomoravskej spoločnosti a štátu. Aj napriek tomu, že bol značne závislý od nekritickej literatúry, v ktorej sa nezachovával chronologický sled, písomné pramene historickej hodnoty sa miešali s legendami tendenčného obsahu, staršie udalosti sa adaptovali na mladšie deje. Jednako podal Svätoplukove charakteristické črty v zhode s dobovými faktmi historickej hodnoty. Svätopluka pochopil ako osobnosť veľkého formátu, vynikajúcu rozumom a schopnosťou vojensky a civilne spravovať spoločnosť a štát. Nenašiel uňho vinu na zrade veľkomoravských záujmov. Vykreslil historické deje od jeho sporu s franským Karolmanom, uväznenie, prepustenie a ďalší vývoj udalostí až po veľké víťazstvo v bitke s Karolmanovým vojskom pri Devíne. Víťaznú bitku pochopil ako dôležitú historickú udalosť, ako rozhodujúci medzník, od ktorého sa datoval rozvoj veľkomoravskej spoločnosti a štátu. Veľkomoravskú historickú minulosť rátal za súčasť slovenských dejín. V nich videl zdroj živej sily aj pri upevňovaní národného povedomia súčasných Slovákov. Vypracoval sériu otázok a odpovedí k veľkomoravským dejinám, v ktorých dával do povedomia obraz o územnom rozsahu Veľkej Moravy, významné osobnosti a ich podiel na víťazstvách, pamätihodné historické udalosti. Radil poznávať slávnu historickú minulosť a činy predkov napodobňovať. Burcoval slovenských vzdelancov: „spoznávanie historických udalostí... vo vás zapáli fakle a podnieti k činom hodným dlhodobej pamäti." Pôsobil na rozvíjanie historického vedomia a národného povedomia. Ondrej Mésároš spájal s Veľkou Moravou atribúty politickej moci. Rátal s politicky organizovanou spoločnosťou v rámci nezávislého štátu. Aj Fándly ju pokladal za právne organizovaný štát, kde sa popri hmotnom rozvoji pestovala duchovná vzdelanosť sprostredkovaná Cyrilom a Metodom. Veľkomoravských Čechov a Slovákov rátal za dva samostatné a svojbytné celky s dvoma rozdielnymi jazykmi. Územie Veľkej Moravy medzi riekou Moravou, Dunajom a Hronom pokladal za historické dejisko, na ktorom spoločenský vývoj nepretržite pokračoval, mal kontinuitu v období pred vznikom uhorského štátneho spoločenstva.

Fándly a Bernolák pokladali ranouhorské štátne spoločenstvo za viacnárodnostné od samého vzniku a jeho založenie zdôvodňovali princípom spoločen-

skej zmluvy. Z dôkazu, že Slovania na tomto území uzavreli s Arpádom spojenectvo, vyvozoval Fándly štátnu príslušnosť v období Štefana I. Aj Bernolák našiel u Bonfiniho údaj o tom, že Slovania boli známi uzatváraním priateľstva a spojenectva. Poukazoval na starobylý pôvod Slovanov, na ich migračné pohyby, na duševné schopnosti, telesnú zdatnosť a vojenské víťazstvá, o čom sa poučil u viacerých autorov, najmä u J. K. Jordana, ktorý čerpal aj z diela vtedy ešte žijúceho Mateja Bela. Dokazoval, že Slovanov si pre spomenuté vlastnosti zrejme vážili aj Maďari, lebo je známe, že Slováci, osvedčení v službách verejného života, najmä v najvyšších súdoch a pri riešení sporov, pôsobili v úlohe súdnych poradcov. Odkazoval na slovo „pristaldus" vyskytujúce sa v dekrétoch Kolomana I., v ktorom nachádzal slovanský pôvod (pristav). Z toho vyplývalo, že Slováci od vzniku Uhorska pôsobili v každom postavení na poli súkromného a verejného života. Schopnosťami aj postavením sa vyrovnali Maďarom, boli im rovnocenní. Okrem toho Fándly a Bernolák dokazovali rovnosť Slovákov aj odkazom na ich dôstojný pôvod, že sa narodili v stave prirodzenej rovnosti. Argumentovali spoločnou pôdou, zdedenou po predkoch, ktorú nepretržite obývali a účasťou predkov v boji pri obrane Uhorska, z čoho im vznikol nárok na významné postavenie. Dôkaz o spoločnej pôde prevzali z reálií starovekej rímskej spoločnosti. Z právnej formulácie „narodiť sa na spoločnej pôde a trvale na nej bývať" vyplývala totiž autochtónnosť a právny nárok na štátne občianstvo. Rovnocenné a rovnoprávne postavenie Slovákov s Nemcami a Maďarmi v Uhorsku Fándly dokazoval výrokom, podľa ktorého „pijú tú istú vodu, dýchajú ten istý vzduch... podliehajú tým istým zákonom, život si chránia v tej istej slobode a majetok si bránia tým istým zákonom". Predstavou spoločnej vody a vzduchu prevzatou od Senecu vyzdvihoval rovnosť Slovákov v stave prirodzenosti, v rodovej spoločnosti organizovanej na demokratickom princípe. V tomto princípe videl normu prirodzeného práva a v ňom zasa nárok na uplatnenie občianskej rovnosti na základe pozitívnych zákonov, ktoré zabezpečujú ochranu osobnej slobody a súkromného vlastníctva.

V predstave o území Slovenska v rámci Uhorska si bernolákovci osvojili poznatky najmä z geografického diela Mateja Bela, zo spisu Compendium Hungariae geographicum, kde bol na základe Notícií globálne zostavený súhrn poznatkov o kvantite slovenského osídlenia v jednotlivých stoliciach, ktoré poskytovali obraz kompaktného slovenského etnika. Bel označil za čisto slovenskú stolicu Liptovskú, Oravskú, Trenčiansku (s nepatrným počtom Maďarov), Turčiansku a Zvolenskú (obe s nepatrným počtom Nemcov). Za stolice s osobitne silnou prevahou slovenského obyvateľstva rátal Nitriansku, Tekovskú, Malohontiansku, Veľkohontiansku a Zemplínsku. Za stolice s prevažujúcim slovenským obyvateľstvom označil Novohradskú, Spišskú a Šarišskú. V stolici Bratislavskej zhruba vyznačil silnú slovenskú a maďarskú populáciu a v Gemerskej približne vyrovnaný počet Slovákov a Maďarov. Na základe získaných poznatkov Bernolák tvrdil, že nejestvuje stolica v Uhorsku, kde by sa slovenským jazykom nehovorilo. Slovenskú populačnú vitalitu dokazoval najmä Martin Schwartner, spišský Nemec, profesor histórie a štatistiky na peštianskej univerzite. Oboznámený s Notíciami Mateja Bela, ktorého si vážil ako zakladateľa novovekej geografie v Uhorsku, propagoval vo svojom diele poznatky o slovenskom osídlení. Vo výroku o populačnej vitalite Slovákov r. 1798 vyzdvihol, že tam, ,,kde raz zapustia korene medzi maďarskými a nemeckými obyvateľmi, títo v priebehu niekoľkých generácií celkom vymiznú".

Pod spoločnou pôdou rozumeli bernolákovci územie obývané dávnymi Slovanmi a po nich Veľkomoravanmi v rámci nezávislého štátu. Z tejto historickej skutočnosti vyvodzovali pre Slovákov, potomkov obyvateľov Veľkej Moravy, autochtónne postavenie a štátnu príslušnosť, ktorej pokračovanie rátali aj v neskôr založenom Uhorsku. Obhajovali rovnoprávne a štátoprávne postavenie Slovákov v Uhorsku, ktoré sa z feudálneho stavovského štátu malo zmeniť na právne organizovaný štát. Pre územie novodobých Slovákov v historických hraniciach Veľkej Moravy si zvolili názov Panónia s politickým obsahom. Bola v ňom zahrnutá kontinuita územia a historických tradícií Veľkej Moravy, kde žili predkovia Slovákov. Bernolák podobne ako pred ním Bel a Kollár prijal k menu prídomok Pannonius s politickým obsahom, pretože si pod ním vysvetľoval príslušníka novodobého národa žijúceho na území, ktoré malo kontinuitu z čias veľkomoravského štátu. Pojem Panónec, skrývajúci široký obsah, unikol tak pozornosti stúpencov prepjatého nacionalizmu a slovenskí vzdelanci, ktorí ho používali, zasa ostňom ich nacionálnej neznášanlivosti a nevraživosti. Bernolák používal pojem ,,panónsky" dôsledne v celom diele. Slovákov nazýval Panóncami, panónskymi Slovákmi a ich reč panónsko-slovenskou. Vyznačil územnú, historickú a jazykovú kontinuitu z Veľkej Moravy, ktorú v úvode k Slováru aj historicky dokazoval. Pojem Panónia u bernolákovcov pretrvával aj v dvadsiatych rokoch 19. stor. a len postupne ho zamieňali konkrétnym názvom Slovensko.

V otázke jazyka vychádzali bernolákovci z vlastnej materinskej reči, ktorú žiadali povýšiť na spisovný jazyk. Lessák v Prešpurských novinách v máji 1784 vystúpil s myšlienkou pestovať slovenskú materinskú reč. O dva roky neskôr Mésároš poukazoval na príťažlivý vzor pokročilých európskych národov a žiadal pestovať slovenčinu v úlohe národného jazyka. Bernolák urobil rozhodujúci krok, keď nevyhovujúci zložitý pravopis nahradil slovenskou ortografiou adekvátnou slovenskej výslovnosti, predložil širšiemu kruhu vzdelancov na diskusiu a po rešpektovaní zásadných pripomienok zdôvodnil v Dizertácii a vydal v Ortografii. Pri štúdiu cudzojazyčnej odbornej literatúry a najmä pri skúškach konaných v materinskom jazyku spoznal, že slovenčina má schopnosť stať sa náučným jazykom. Počas príprav ku Slováru sa presvedčil o tom, že slovenčina má predpoklady dosiahnuť úroveň ostatných európskych jazykov. Vyjadril to výrokom, že ju chce vypestovať ,,na najvyšší vrchol... aby sa dokonalosťou vyrovnala ktorémukoľvek z najvyspelejších jazykov". Žiadal čerpať slovnú zásobu z domácich zdrojov, nevypožičiavať si výrazy zo susedných jazykov. Navrhoval tvoriť nové slová a zdôrazňoval to aj technickým pokrokom prinášajúcim nové javy, čo vyžadujú názvy a pomenovania. Bol presvedčený o tom, že slovenčina je schopná dosiahnuť všestrannú vypestovanosť, stať sa jazykom náučným, administratívnym a vyučovacím na všetkých stupňoch škôl aj na univerzite. Veril, že môže plniť úlohu nástroja osvety, vzdelanosti a kultúry. Priznal slovenčine schopnosť stať sa národným jazykom sprostredkujúcim národnú vzdelanosť.

Myšlienka protifeudálneho boja zohrala u bernolákovcov významnú úlohu. V predstave občianskej spoločnosti sa rátalo so slobodným občanom. Roľnícky a remeselnícky ľud bol však v okovách nevoľníctva, zbavený osobnej slobody a vlastníctva, putom služobnosti dedične prikutý k pôde zemepána. Feudálna šľachta maďarského pôvodu podmaniteľskou teóriou o násilnom zaujatí územia si nárokovala vlastnícke právo na slovenské územie a všetko jeho obyvateľstvo. Fándly z dávneho spojenectva medzi Slovanmi a Arpádom vyvodzoval rovnocenné postavenie, ktoré nedovolilo vznik služobnej závislosti, dedičného nevoľníctva. V dekréte Kolomana I. našiel dôkaz o tom, že sedliaci mali slobodu sťahovania aj vlastníctvo. Otázku sťahovacieho práva rozpracoval v rukopisnom spisku, do ktorého z Corpus juris Hungarici prevzal významné zákonné články, čo feudálny právnik Š. Verböczy tendenčne obišiel. Sedliakom sa v nich povoľovala sloboda sťahovania a poskytovala ochrana pred útlakom šľachty. Fándly použil najmä Žigmundove zákonné články z r. 1460, ktoré neskôr potvrdil a doplnil podmienkami v prospech sedliakov aj Matej Korvín r. 1471. Prinášali totiž významnú zmenu vo vzťahu k sedliakovi. Panovník povoľoval slobodu sťahovania, ak boli splnené stanovené podmienky. Súčasne nariadil aj kontrolu výkonu sťahovacieho práva stoličným úradníkom. V prípade, ak zemepán pri výkone robil prekážky, stolica mohla proti nemu zakročiť ozbrojenou mocou. Fándlyho súhlas s jozefínskou cirkevnou reformou súvisel s jeho aprobáciou aj ďalších spoločenských premien. Žiadal zákonmi donútiť šľachtu, aby platila dane a počas vojny hradila výdavky na vojsko. Podľa neho celá spoločnosť sa mala podieľať na povinnostiach a spoločných bremenách, prispievať pre verejné blaho. Navrhoval z cirkevných fundácií vydržiavať školy a z kláštorných majetkov sociálne ustanovizne pre chudobných. Mésároš vysvetlil obsah pojmu „servitus" ako služobnosť, rozumel pod ňou povinnosť nevoľníka konať robotu zemepánovi. Lessák v novinách zdôrazňoval, že sedliaci mali slobodu sťahovania, ktorá im bola odňatá až po likvidácii Dóžovho sedliackeho povstania r. 1514. Oboznamoval s prípadmi, keď uhorská šľachta nerešpektovala jozefínske dekréty vydané na ochranu sedliakov, robila prekážky pri vymeriavaní pôdy, ktoré malo byť základom rovnomerného zdanenia, sabotovala opatrenia sociálneho postavenia ľudu. Požadoval zdaniť cirkevnú šľachtu, robotnú rentu zmeniť na peňažnú. Fándly vystúpil aj na obranu remeselníckych a kupeckých vrstiev. V Kolomanovom dekréte našiel dôkaz o tom, že vtedajší kupci rozličnej národnosti slobodne vykonávali živnosť. Žiadal obnoviť ustanovenie z r. 1729, v ktorom sa zakazovalo diskriminovať remeselníkov inej národnosti a robiť prekážky pri vstupe do cechu. Radil zrušiť alebo aspoň obmedziť výsady cechovej organizácie, ktorá diskrimináciu pripustila. Vystúpil na obranu slovenských vzdelancov ľudového pôvodu. Použil argumentáciu zo spisu Reflexiones civium non nobilium, v ktorom Juraj Belnay r. 1790 obhajoval práva meštianstva a sedliactva. Belnay vyzval uhorskú šľachtu vzdať sa výsadného práva pri obsadzovaní úradov. Poučil ju o tom, že účelom zákonodarnej moci nie je súkromný prospech jednotlivca, ale verejné blaho všetkých a že najvyšším zákonom je blaho ľudu, a to, čo mu stojí v ceste, treba likvidovať. Fándly žiadal, aby sa mládeži roľníckeho a remeselníckeho pôvodu umožnilo štúdium na nižších aj vyšších školách a Bernolák zasa, aby ju pripustili študovať na akadémii a na univerzite. Obaja vystúpili s požiadavkou poskytnúť mladej slovenskej inteligencii existenčné postavenie vo všetkých nižších i vyšších úradoch.

Bernolákovci sa zapojili aj do obrany rečového práva. Fándly žiadal zaviesť do škôl slovenskú vyučovaciu reč. Zdôvodnenie pre to našiel v 67. zák. čl. z r. 1791, kde sa za Leopolda II. navrhlo založiť vedeckú ustanovizeň v Uhorsku, ktorá by popri latinčine pestovala aj ostatné domáce jazyky potrebné pre všeobecné vzdelanie. Fándly rátal slovenčinu medzi ostatné domáce jazyky a navyše jej priznal popredné miesto aj preto, lebo ju pokladal za jednu z najstarších rečí v Uhorsku. Suverénne vyhlásil, že Slováci si budú uplatňovať uznanie vlastného jazyka aj na budúcom sneme, lebo ich oprávňuje na to jeho rovnocennosť s ostatnými domácimi jazykmi potrebnými pre všeobecné vzdelanie. Žiadal zaviesť slovenskú vyučovaciu reč do stredných škôl, aby sa roľnícka a remeselnícka mládež v materinskej reči učila cudzie jazyky a mohla úspešne pokračovať vo vyššom štúdiu. Bernolák dával podmienku zaviesť slovenčinu na akadémiu a univerzitu. Obidvaja nastolili požiadavku zaviesť na slovenskom území do úradov slovenčinu vo funkcii administratívneho jazyka, vybavovať úradné veci slovenského obyvateľstva v jeho materinskej reči.

Bernolákovci pripravení na pastoračnú a osvetovú činnosť medzi ľudom rátali s tým, že úspešná osvetová výchova môže nasledovať len vtedy, ak jej predchádza dobrá základná školská príprava. Preto venovali pozornosť ľudovej škole a žiadali jej vyššiu úroveň. Lessák v novinách kritizoval vtedajší stav zaostalých elementárnych škôl. Príkladmi z pokročilejších rakúskych krajín upozorňoval na racionálnu organizáciu ľudového školstva. Dal do povedomia jozefínsky dekrét s podmienkami, že na stavbu školských budov má zemepán poskytnúť stavebný materiál a remeselník a roľník ručnú robotu a záprah. Učiteľom sa môže stať len ten, kto skončil normálnu školu. Učiteľom v rodisku sa nemožno stať „dedične". Po určitom čase majú žiaci dostávať učebnice a školské pomôcky zdarma. Rodičov treba viesť k tomu, aby deti pravidelne posielali do školy, počas vyučovania im nezverovali dobytok, pre tento účel má byť obecný pastier. Bez základného školského vzdelania nikto nemôže zastávať úrad obecného richtára a prísažného. Lessák pri náprave ľudovej školy zdôrazňoval aj existenčné zabezpečenie učiteľa. V škole ho pokladal len za nájomníka, ktorý sa nemôže naplno venovať žiakom. Pre nízky plat si musí z existenčných dôvodov privyrábať mimoškolskou činnosťou a vyučovanie zanedbávať. Navrhoval, aby sa ročný plat učiteľa namiesto školného vyberaného od žiakov zvýšil príspevkom z cirkevného fondu. Podľa cudzozemského vzoru radil založiť spoločnú školskú pokladnicu, do ktorej by prispievali rodičia, čo nemajú žiakov do siedmeho roku. Lessák kritizoval aj zastaranú výchovnú metódu. Žiadal nápravu vo vzťahu učiteľa ku zverencom, odstrániť surové zaobchádzanie s nimi. Žiakom treba dať viac voľnosti, čo povzbudí aj ich chuť do učenia a aj spoločnosti to viac prospeje, ak získa duševne vyrovnaného jednotlivca. Žiadal, aby riaditeľom školského dištriktu bola pedagogicky vzdelaná osoba, ovládajúca nielen cudzie reči, ale aj hlavné domáce jazyky, mala zmysel pre objektivitu a bola národnostne nezaujatá. Fándly, ktorý z praxe poznal duchovnú zaostalosť dediny, zdôrazňoval význam elementárnych škôl pre základné vzdelanie ľudu. Na príklade richtára, ktorý nevie čítať a písať, poukazoval na ujmu a škodu, ktorá tým vzniká dedine. Zhruba v čase, keď v spise Compendiata historia gentis Slavae žiadal zaviesť slovenskú vyučovaciu reč do škôl, Lessák viedol v Bratislave boj o udržanie vyučovania v slovenskom jazyku na ľudovej škole pri Suchom mýte. Miestny riaditeľ Anton Mészáros hrozil totiž odstrániť slovenský jazyk zo školy. Slovák Lessák, osvietensky vzdelaný pedagóg, prichádzal do konfliktu s netolerantnými členmi školskej vrchnosti. Vážne názorové nezhody mal s ňou už v r. 1781–1784. Ku kritike zaostalého ľudového školstva ho nútili aj vlastné skúsenosti v učiteľskom povolaní. Počas búrlivých udalostí v Bratislave (in turbulento anno 1790) patril medzi tých, ktorí nerešpektovali školskú vrchnosť a odopreli plniť jej príkazy.

Lessákova kritika ľudových škôl na stránkach Prešpurských novín mohla byť tiež jedným z impulzov pre Bernolákovo rozhodnutie vybudovať slovenský ortografický systém, ktorý mal prospieť aj učiteľom ľudovej školy. Na titulnej strane Dizertácie sa totiž konštatovalo, že ortografia pre panónskych Slovákov bola prispôsobená tej sústave ľudových škôl, ktorá bola zavedená v rakúskych krajinách. Bernolákova pravopisná sústava a gramatické pravidlá sa uzákonili v spisoch vydávaných Slovenským učeným tovarišstvom v Trnave. Stali sa záväznou normou aj v šlabikári vydanom r. 1790 v Trnave. Bernolákovčina v elementárnej učebnici však narazila na odporcu. Bol ním Ján Široký, učiteľ zmiešanej hlavnej školy v mestečku Pukanci, ktorý r. 1793 kritizoval nekultivované plebejské nárečie, a najmä nový pravopis v šlabikári. Za podpory hlavného riaditeľa bratislavského školského dištriktu si v Miestodržiteľskej rade vynútil vydanie šlabikára prispôsobeného biblittine. Napriek tomu riaditeľ budínskej univerzitnej kníhtlačiarne Lakić presadil v centrálnom úrade, že šlabikár upravený Širokým vyšiel až potom, keď sa celý náklad bernolákovského šlabikára rozpredal. Vďaka Lakićovi, ktorý dobre poznal slovenské nárečie okolo Trnavy a bol jeho podporovateľom, náklad bernolákovského šlabikára, vydaného pravdepodobne v bežnom počte 2000 výtlačkov, sa dostal do slovenských ľudových škôl. Ďalší rukopisný šlabikár, preložený Vojtechom Šimkom, Bernolákovým kolegom zo štúdií a neskôr v Nových Zámkoch, svedčí o úrovni bernolákovčiny z r. 1799. V tomto prípade Lakić z úradnej kompetencie pravdepodobne nevedel zabezpečiť jeho vydanie. Rukopis nevydaného šlabikára poukazuje na spoločenské pozadie, v ktorom sa prekážalo vydávať elementárne učebnice písané slovenským pravopisom a v bernolákovčine.

Popri starostlivosti o slovenské elementárne učebnice, čo súviselo s rozvojom základného vzdelania na ľudových školách, bernolákovci podporovali aj ďalšiu myšlienku takisto celospoločenského významu. Odchovaní ideou konfesionálnej, občianskej a nacionálnej tolerancie vypestovali si zmysel pre etiku občanov. Hrala v nej úlohu znášanlivosť s občanmi bez ohľadu na rozdielnu sociálnu, konfesionálnu a národnostnú príslušnosť. Bernolák sa stotožnil s predstavou občianskej spoločnosti. Seba nazýval občanom (civis) a ostatných spoluobčanmi (concives), u ktorých rátal s rovnosťou pred zákonmi. V predstave občianskej spoločnosti, realizovanej v právne organizovanom štáte, rozlišoval práva spoločnosti (iura societatis) a práva občianstva súvisiace (iura concivilitatis) s občianskou spoločnosťou. Rozlišoval medzi príslušnosťou k spoločnosti a k štátu. Pri premene stavovského štátu na občiansky štát rátal s realitou „štátneho národa", lebo s ním sa viazala predstava občianstva.

Bernolákovci vychovaní v duchu idey občianskej tolerancie boli ochotní prispieť k urýchlenému sformovaniu občianskej spoločnosti, pod ktorou rozumeli buržoázny spoločenský vývoj. Myšlienka integrácie občianskej spoločnosti zaujala Bernoláka natoľko, že sa rozhodol realizovať ju pomocou svojho slovníka. S ideou sa oboznámil v Belovom predhovore k Doležalovej slovansko-českej gramatike, odkiaľ ju doslova prevzal do predhovoru svojej slovenskej gramatiky. Vyzdvihol neoceniteľnú zásluhu tých, čo uľahčujú občanom osvojiť si znalosti z domácich národných jazykov, a tak pomáhajú národom odcudzeným len v dôsledku jazykovej rozdielnosti, zjednotiť sa, politicky „splynúť vo vzájomné a ľudskej prirodzenosti vrodené spoločenstvo" (in mutuam et insitam naturam humanae socialitatem coadunaret). Bernolák v zhode s Belom vyjadril predstavu politického splynutia v občiansku spoločnosť, ako ju podal anglický filozof a politik J. Locke v spise Two Treatises of

Government (Dve rozpravy o vláde) v súvislosti s utvorením občianskeho spoločenstva. Sprostredkovateľov jazykových znalostí pokladal Bernolák za takých, ktorí na úrovni parlamentárov prinášajú mier odcudzeným a znepriateleným národom. V úlohe parlamentára mienil vystúpiť aj Bernolák, keď v úvode k Slováru r. 1796 vyhlásil, že občanov troch rozdielnych národností v Uhorsku latinčinou chce naučiť konverzovať po slovensky, po nemecky a po maďarsky. Bol toho názoru, že ak si občania navzájom osvoja vedomosti zo svojich národných jazykov, budú sa pomocou nich rozumieť, ustúpi ich odcudzenie spôsobené len jazykovou rozdielnosťou, nastane ich zbližovanie, čo podporí integráciu občianskej spoločnosti. Prostriedok na dosiahnutie integrácie nazval „communio labii" a pod obsahom pojmu rozumel komunikáciu pomocou ústneho dorozumenia. Pre nepochopený obsah pojmu sa Bernolák svojho času dostal do podozrenia, ako by bol chcel ním sledovať cieľ, protichodný slovenským národným záujmom. Ak však sledujeme pôvodný prameň, odkiaľ pojem prevzal, vystúpi do popredia jeho skutočný obsah. Pochádzal od J. Locka, politického teoretika občianskej spoločnosti. V jeho filozofickej stati o jazyku sa Bernolák poučil o tom, že jazyk má byť „hlavným nástrojom a putom spoločnosti" a že „pri komunikácii je hlavným poslaním jazyka to, aby sa ľudia rozumeli". V stati našiel aj Lockov pojem „communication of thoughts", čo v preklade znie komunikovanie myšlienok, komunikácia pomocou slov. Bernolák si podľa anglického pojmu utvoril latinský v podobe „communio labii", čo je veľmi výstižný preklad. Význam pojmu „komunikácia pomocou artikulovaných zvukov čiže slov" pre použitie v občianskom živote Locke názorne vysvetlil: „ Pri občianskom používaní mám na mysli takú vzájomnú komunikáciu myšlienok a ideí prostredníctvom slov, ktorá slúži na udržiavanie bežného rozhovoru a styku, súvisiaceho s každodennými záležitosťami a potrebami občianskeho života v ľudskej spoločnosti." Podobne Bernolák význam komunikácie pomocou slov alebo ústneho dorozumenia zdôrazňoval pre občiansky život. Vyjadril to výrokom, v ktorom osvojenie znalostí z domácich jazykov viazal s používaním pri každodennom styku spoluobčanov (patriarum domesticarum linguarum… quibus quotidie cum concivibus… uti posset). Osvedčil sa predsavzatím: „občanov…ktorých jedna a tá istá pôda živí…a spoločné práva zdobia a spájajú, ešte aj komunikáciou pomocou ústneho dorozumenia spojiť tesnejším zväzkom a trvalejším putom" (cives, quos una eademque terra sustentat…communia iura…ornant iunguntque, relate ad labii communio-

nem etiam…intimiore nexu certioreque foedere consociare). Vyjadril predstavu o tom, že mal v úmysle občanov štátu, ktorým zo spoločnej pôdy vyplýval nárok na autochtónnosť a štátnu príslušnosť, a občanov spoločnosti rozdielnej národnosti, ktorým zákony zabezpečovali ochranu osobnej slobody a vlastníctva, ešte tesnejšie spojiť aj komunikáciou pomocou ústneho dorozumenia. Uhorsko, na rozdiel od anglického národného štátu s jedným národným a súčasne štátnym jazykom, bolo však viacnárodnostným konglomerátom, v ktorom latinčina zastupovala administratívnu reč, bola spoločným putom spoločnosti. Bernolák mal v úmysle svojím viacrečovým slovníkom pomocou latinčiny naučiť konverzovať Nemcov po slovensky a po maďarsky, Maďarov po slovensky a po nemecky a Slovákov po nemecky a po maďarsky. Pomocou latinčiny chcel sprostredkovať občanom troch národov znalosti z ich národných jazykov tak, aby sa rozumeli. Vychádzal z presvedčenia, že komunikáciou pomocou ústneho dorozumenia nastane zblíženie medzi národmi, odstránia sa nacionalistické tendencie, povyšovanie sa jedného národa nad iný národ, čo bola tiež jedna z prekážok integrácie občianskej spoločnosti.

Bernolákovci sa hlásili aj k myšlienke slovanskej jednoty, ako ju nastolil český osvietenský vzdelanec Josef Dobrovský v prejave, ktorý v septembri 1791 predniesol v Českej učenej spoločnosti v Prahe za prítomnosti Leopolda II., pokračovateľa v jozefínskej politike. Fándly doslova preložil nemecký text prejavu do latinčiny a uverejnil r. 1793. Dobrovský v ňom Čechov, Moravanov a Slovákov zapojil do slovanského komplexu a Slovanov predstavil v historickej jednote. U Slovanov v rakúskej ríši nevyzdvihol význam jazykovej rozšírenosti, ale priamo zdôraznil ich mohutnú živú silu, schopnosť „štátne" jestvovať. Túto myšlienku jasne vyznačili Bernolák aj Fándly, keď Slovákom priznali atribúty svojbytného národa a žiadali im zákonodarne zabezpečiť politické práva.

V osvietenskej ideológii bernolákovcov do r. 1800 vystupovali hlavné zložky národnoobrodenskej ideológie.

Významnú zložku reprezentoval protifeudálny program. Dominovala v ňom myšlienka oslobodiť človeka z pút materiálnej a duchovnej poroby a idea premeny feudálnej spoločnosti na spoločnosť občanov rovných pred zákonmi. Bernolákovci vychádzali z predstavy o prechode zo stavu prirodzeného do občianskeho, keď sa spoločenskou zmluvou utvorí občianska spoločnosť, v ktorej občania svoje práva prenesú na vládu a ponechajú si spôsob ich výkonu.

Táto idea spolu s teóriou o deľbe moci na zákonodarnú, výkonnú a federatívnu pochádzala od J. Locka, ktorý aj v inom smere vplýval na Bernolákovo politické myslenie. Locke stotožnil účel štátu s ochranou osobnej slobody a vlastníctva nadobudnutého prácou. Za najvyšší zákon pokladal blaho ľudu a rozumel ním verejný prospech všetkých občanov. Bernolákovci v predstave premeny stavovskej spoločnosti na občiansku spoločnosť vychádzali z Lockovej všeobecnej tézy, že jestvujúce spoločenské zriadenie, ak nezabezpečuje ochranu základných atribútov človeka, sami ľudia môžu spoločenskou zmluvou zmeniť na spoločnosť rovnoprávnych občanov a zaviesť formy štátneho zriadenia. Bernolákovci v občianskej spoločnosti rátali s právnou rovnosťou občanov bez ohľadu na konfesionálnu, sociálnu a nacionálnu príslušnosť. Zrovnoprávnené meštianstvo, sedliactvo a inteligenciu ľudového pôvodu pokladali za základnú spoločenskú zložku, priznali jej podiel v hospodárskom a kultúrno-spoločenskom živote a na politickej moci.

Novodobá idea národa tvorila jednu zo základných zložiek národnoobrodenskej ideológie bernolákovcov. Vyrástla z predstavy, obsahujúcej konštitutívne črty formujúceho sa národa dokazovaním spoločného pôvodu, reči, územia, etnickej jednoty a pod. Predstava teritoriálnych hraníc veľkomoravského územia s historickou minulosťou stimulovala formovanie kvalitatívne nového povedomia národnej príslušnosti, vedomie národnej svojbytnosti a jazykovej osobitosti. Bernolákovci vychádzali z historických faktov o veľkomoravskom nezávislom štáte, z neho im vyplývalo právo na autochtónnosť a štátnu príslušnosť v Uhorsku. Z neho vyvodzovali teritoriálnu, historickú a jazykovú kontinuitu a dokazovali štátoprávne postavenie. S predstavou národného územia spájali živý národný jazyk a uznali ho schopným rozvíjať sa do spisovnej podoby. Spisovnej slovenčine priznali schopnosť plniť spoločenskú funkciu, stať sa komunikatívnym prostriedkom vo všetkých oblastiach občianskeho a štátneho života. Národnému jazyku v rámci národného územia priznali úlohu sprostredkovateľa národnej vzdelanosti a kultúry.

Otázka štátoprávneho zabezpečenia národnej suverenity bola tiež zakomponovaná do národnoobrodenskej ideológie bernolákovcov. Novodobú predstavu národa viazali s realitou, že jeho existencia sa realizuje v rámci rakúskej ríše, ktorá bola mnohonárodnostným súštátím. Z premeny stavovského štátu na občiansky štát vyplýval vznik „štátneho národa" v politickom zmysle. Dospeli k predstave, že národ na vlastnom národnom území, s vlastným národným jazykom a národnou kultúrou má schopnosť „štátne" jestvovať, tvoriť súčasť „štátneho národa". V predstave slovenského národa rátali s jeho štátotvorným postavením. Jeho schopnosť ako štátotvorného faktora dokazovali historickou existenciou nezávislého veľkomoravského štátu a zdôvodňovali kontinuitou autochtónnosti a štátnej príslušnosti v Uhorsku. Z myšlienok bernolákovcov o existencii novodobého slovenského národa v rodine početných národov v rakúskom súštátí (Čechov, Nemcov, Maďarov, Chorvátov a i.) možno rekonštruovať predstavu o tom, že všetky národy žijúce v spoločnom štáte majú politickú ústavu a spoločný štátny jazyk suplovaný latinčinou. Každý národ na vlastnom národnom území slobodne používa vlastný materinský jazyk, má vlastné školy a sociálne a kultúrne ustanovizne na pestovanie národnej vzdelanosti. V predstave bernolákovcov o novom občianskom štáte vystupovala myšlienka únie založenej na federatívnom princípe. V tomto spoločenskom komplexe v rámci rakúskeho súštátia bernolákovci rátali so svojbytným slovenským národom, ktorý na svojom národnom území má vlastné školy s národným vyučovacím jazykom, vlastné sociálne a kultúrne ustanovizne pre rozvoj národnej vzdelanosti a kultúry.

Literatúra

VYVÍJALOVÁ, M.: Novšie poznatky k Bernolákovmu Slováru a jeho predhovoru z r. 1796 a 1825. Historický časopis (ďalej HČ), 16, 1968, s. 475–522.

VYVÍJALOVÁ, M.: Snahy slovenských vzdelancov o rozvoj spisovného jazyka v 18. stor. In: Historické štúdie, 14, 1968, s. 237–250.

VYVÍJALOVÁ, M.: Bernolákov autentický slovníček spred r. 1790. Bratislava 1969.

VYVÍJALOVÁ, M.: Sociálne a politické myslenie bernolákovcov. HČ, 26, 1978, s. 227–258.

VYVÍJALOVÁ, M.: Veľká Morava ako slovenská štátna tradícia v Uhorsku. HČ, 27, 1979, s. 369–397.

VYVÍJALOVÁ, M.: Anton Bernolák a osvietenstvo. HČ, 28, 1980, s. 75–111.

VYVÍJALOVÁ, M.: Vydavateľská činnosť trnavskej tlačiarne v r. 1777–1783. In: Kniha '77. Martin 1980, s. 112–128.

VYVÍJALOVÁ, M.: Formovanie ideológie národnej rovnoprávnosti Slovákov v 18. stor. In: HČ, 29, 1981, s. 373–403.

VYVÍJALOVÁ, M.: Osvietenský program Adama Františka Kollára. In: Literárnomúzejný letopis 16. Martin 1982, s. 55–112.

VYVÍJALOVÁ, M.: Stánok vzdelanosti a národného uvedomenia bernolákovcov v Bratislave. In: Vlastivedný časopis, 36, 1987, s. 168–176.

VYVÍJALOVÁ, M.: Svätopluk Jána Hollého. V tlači.

VYVÍJALOVÁ, M.: Trnava v období slovenského národnoobrodeneckého hnutia. In: Trnava 1988. Zborník materiálov z konferencie Trnava 1238–1988. Zost. J. Šimončič. Bratislava 1991, s. 89–117.

VYVÍJALOVÁ, M.: Študenti generálneho seminára na Bratislavskom hrade v r. 1784–1790 (monografia v rukopise).

VYVÍJALOVÁ, M.: Geografický a historický obraz územia Slovákov v diele Mateja Bela (štúdia v rukopise).

Pramene

BERKELEY, G.: Pojednání o základech lidského poznání. Preložil J. Brdíčko. Praha 1938.

BERNOLÁK, A.: Úvod ad Dissertatio-Orthographia. Úvod ad Grammatica Slavica. In: Gramatické dielo Antona Bernoláka. Vyd. a prel. J. Pavelek. Bratislava 1964.

BERNOLÁK, A.: Predhovor k Slováru z roku 1796. Vyd. a prel. J. Chovan. In: Literárny archív 1967. Martin 1967, s. 49–92.

FÁNDLY, J.: Compendiata historia gentis Slavae. Tyrnaviae 1793.

FÁNDLY, J.: Výber z diela. Editor J. Tibenský. Bratislava 1954. Korrespondence Josefa Dobrovského. Vyd. A. Patera. Vzájemné dopisy J. Dobrovského a J. V. Zlobického. Zv. 3. Praha 1908. Vzájemné dopisy J. Dobrovského a J. Ribaye. Zv. 4. Praha 1913.

LOCKE, J.: Dvě pojednání o vládě. Prel. J. Král. Praha 1965.

LOCKE, K.: Rozprava o ľudskom rozume. Prel. J. Letaši. Bratislava. 1983. Materiál z archívu Miestodržiteľskej rady a Uhorskej dvorskej kancelárie vo Viedni. Fondy v Magyar Országos Levéltár v Budapešti.

Nova bibliotheca theologica selecta. Rukopis v Pamätníku slovenskej literatúry Matice slovenskej v Martine.

PALKOVIČ, J.: Diarium privatum (1785–1788). Rukopis. Prešpurské noviny, 1–5, 1783–1787.

Obraz školských pomerov a vzdelanosti na Slovensku na prelome 18. a 19. storočia

EVA KOWALSKÁ

Keď Pavol Valaský vypracúval periodizáciu dejín literatúry a v širšom zmysle vzdelanosti v Uhorsku, za jednoznačný medzník stanovil rok 1776. Zrušenie jezuitského rádu dalo možnosť všestrannejšieho vývoja vzdelanosti, ale až Ratio educationis, vydané o 3 roky neskôr uzákonilo cestou kráľovského rozhodnutia na tie časy moderný, komplexne prepracovný systém školstva, ktorý sa stal východiskom a oporou nového typu vzdelania. Význam tohto kroku podčiarkuje aj Kovačičovo poňatie „literárneho" časopisu Merkur von Ungarn, ktorého oba ročníky boli venované priebehu školských reforiem. Akokoľvek by sa mohlo zdať, že v priebehu zavádzania školských reforiem išlo väčšinou len o organizačno-politické zásahy, ich výsledkom bolo vytvorenie úplného, hierarchicky usporiadaného školského systému, vrátane prepracovania jeho obsahovej a metodickej zložky. Tento krok bol v rámci dobových osvietenských zásahov do školských záležitostí ojedinelý či do šírky záberu. Zatiaľ čo napr. vo Francúzsku sa pristupovalo k riešeniu jednotlivých zložiek školstva a výchovy skôr z teoretického hľadiska, v Poľsku k akcentovaniu stredného a vysokého školstva v duchu potrieb národnopolitického programu šľachty, či v Prusku k budovaniu moderných foriem vzdelávacích inštitútov, v Habsburskej monarchii sa podarilo zavŕšiť vydaním Všeobecného školského poriadku a Ratio educationis reformné úsilie vo všetkých zložkách.

Východiskom vzťahu osvietenských reformátorov ku škole sa stala právna teória o prirodzenej rovnosti všetkých ľudí a ich rovnakých úlohách. Na všetkých typoch škôl sa začala jednoznačne presadzovať myšlienka užitočnosti vzdelania, spojenia školskej výchovy a vzdelávania s potrebami praktického uplatnenia. Podarilo sa utvoriť jednak pomerne širokú sieť ľudových škôl, poskytujúcich základy vzdelania masám dedinského a mestského obyvateľstva, jednak sa zjednotil, podstatne rozšíril a skvalitnil obsah vzdelávania na úrovni stredného školstva, a zlepšila sa príprava odborníkov na vyšších školách a na univerzite. Pritom je pozoruhodné, že podstatnými zmenami prechádzali v tomto období rovnako katolícke, ako i nekatolícke školy, na ktoré sa nevzťahovala povinnosť prijať predpísaný učebný plán a učebnice.

V evanjelickom školstve sa trvalo prejavovala tendencia zavádzania pokiaľ možno čo najvyššieho typu školy, často bez ohľadu na miestne potreby a možnosti.[1] Obsah vyučovania bol stále určovaný miestnou cirkevnou vrchosťou a zotrvával v tradičnom poňatí latinskej vzdelanosti. Profesori a učitelia len s ťažkosťami presadzovali do vyučovania nové prvky. Príkladom môže byť Matej Bel v Banskej Bystrici i v Bratislave, kde sa napokon čiastočne aj upustilo od ním navrhovaného učebného plánu. Až neskôr sa v Bratislave Beerovou reformou zavádzajú dejepis a zemepis ako nové, samostatné vyučovacie predmety. V roku 1764 sa zemepis a dejepis vyučovali predbežne v 1. a 2. humanitnej triede, v rámci štyroch gramatických tried sa venovala pozornosť „reáliám" len v rámci čítania tlače a referovania o rozličných udalostiach. O dva roky neskôr sa už vyučovanie zemepisu rozšírilo aj do 3. a 4. ročníka a zvýšená pozornosť sa venovala aj dejepisu.[2] Ani zavádzanie dejepisu a zemepisu však ešte neznamenalo celkový prelom v charaktere vyučovania. Zotrvávanie na obsahu a zásadách latinskej vzdelanosti vo všeobecnosti sa začalo považovať za anachronizmus najmä pod vplyvom rozvoja prírodných vied a techniky, ktorý našiel odraz v úsilí centrálnych štátnych orgánov o urýchlenie rozvoja hospodárstva v Habsburskej monarchii.[3] Neudivuje preto, keď zo strany samých evanjelikov vychádza kritika ich školstva, dopĺňaná zároveň úsilím o zjednotenie obsahu a foriem vyučovania v rámci celého Uhorska. Až do vydania Ratia educationis sa však k realizovaniu podobných návrhov prikračovalo len ojedinele, v rámci menších regiónov.[4] Úspešnejší boli jezuiti a piaristi, kde sa jednotná úprava študijných otázok riešila formou nariadenia generála resp. provinciála rádu.

O tom, že už v polovici 18. storočia nemohli postačovať čiastočné zmeny v obsahu vzdelávania, svedčí zápas o nový charakter stredoškolského, gymnaziálneho vzdelávania, ktorý sa viedol po roku 1773 na pôde Študijnej dvorskej komisie. Jednoznačnú prevahu nadobudla koncepcia reálneho zamerania vyučovania, nastolená piaristom G. Marxom, oproti neohumanistickému poňatiu A. F. Kollára.[5] Avšak už v Ratio educationis, kde, ako sa predpokladá, sa v tejto oblasti školstva plne uplatnil Kollárov vplyv, sa popri klasických predmetoch kladie zvýšený dôraz na prírodopis, fyziku, mechaniku, zemepis a dejepis. Zmenami obsahu vyučovania sa katolícke a evanjelické školy začali postupne navzájom približovať, pričom zo strany štátu sa táto tendencia vedome podporovala a čiastočne i presadzovala najmä za Jozefa II.

Ak si chceme urobiť základnú predstavu o vzdelanostnej úrovni obyvateľstva Slovenska koncom 18. storočia, nevyhneme sa niekoľkým štatistickým údajom. V prvom rade treba venovať pozornosť elementárnemu vzdelaniu. V jeho rámci sa príslušníkom ľudových vrstiev mala poskytnúť suma vedomostí primeraná ich postaveniu a zahŕňajúca základné poznatky pre orientáciu v živote. Obsahom vyučovania zostalo trívium, ale oproti minulosti podstatne rozšírené o rozličné praktické návody. Felbigerov model ľudovej školy sa podarilo v Uhorsku prostredníctvom Ratia presadiť najmä na úrovni hlavných a normálnych škôl, t. j. v mestách. Zatiaľ čo roku 1778, keď pôsobili len normálky v centrách školských obvodov, chodilo v slobodných kráľovských mestách do škôl (bez rozlíšenia ich typu) spolu 2779 katolíckych žiakov, roku 1780 už len do hlavných a normálnych škôl v týchto mestách chodilo vyše 3600 žiakov (údaje pre bratislavský a košický školský obvod, bez údajov z banskobystrického školského obvodu). V šk. roku 1780/81 ich bolo už vyše 4600 a počet žiakov neustále narastal. Na prelome 80.–90. rokov chodievalo do školy 7000–7700 žiakov v školopovinnom veku, hranica 8000 žiakov ročne sa dosiahla koncom 90. rokov.

Stredoškolské latinské vzdelanie však napriek cieľavedomej podpore ľudového školstva na úkor stredného nestratilo svoju príťažlivosť. Nebola to len tradícia pôsobenia mnohých latinských škôl v celom rade miest, ale najmä zmeny obsahu vyučovania, ktoré prispeli k všeobecnej preferencii tohto typu školstva. Zo strany štátu však bolo do veľkej miery nerentabilné podporovať zo študijného fondu množstvo stredných škôl v celom rade takých lokalít, kde bola prehustená sieť stredných škôl alebo hospodárske pomery neumožňovali uplatnenie sa so širším latinským vzdelaním.[6] Zároveň so zrušením latinskej školy a jej nahradením primeraným typom ľudovej školy prešla totiž starostlivosť o finančné zabezpečenie na mestskú pokladnicu, zatiaľ čo gymnáziá boli dotované zo študijného fondu. Podarilo sa tak dosiahnuť pokles počtu žiakov gymnázií: 1785/86–947, v nasledujúcich rokoch len 760, 666 a 751 v mestách bratislavského školského obvodu (bez Bratislavy), Latinské školy, rovnako 3-ročné gramatické ako aj 5-ročné gymnáziá priťahovali aj takých záujemcov, ktorí potom odišli po jednom-dvoch rokoch štúdia. Vyučovací plán najmä vyšších gymnázií zahŕňal totiž okrem obligátnej výučby latinčiny aj prírodopis, uhorské dejiny, zemepis, niekde aj gréčtinu, geometriu a základy prirodzenoprávnej náuky. V Bratislave sa napr. už roku 1778 na mimoriadnych hodinách učila experimentálna fyzika, geometria, základy prirodzeného práva, gréčtina a grécka literatúra a čítanie novín.[7] Z oblasti prírodných vied vyšiel dokonca súbor pojednaní niekoľkých študentov z prírodopisu Uhorska.[8]

Príťažlivosť stredoškolského vzdelania pre obyvateľstvo miest na Slovensku sa potvrdila po smrti Jozefa II. Mestá, kde boli predtým zrušené gymnáziá (Skalica, Krupina, Pezinok, Brezno, Ružomberok), sa usilovali o ich obnovenie, no pritom už neprotestovali proti existencii ľudových škôl pod správou štátu. Prudko sa zvýšil oproti minulým rokom počet žiakov gymnázií. V priebehu celých 90. rokov tak prešlo bránami stredných katolíckych škôl len v bratislavskom školskom obvode spolu vyše 12 700 žiakov. Nové impulzy dostalo v tomto období aj nekatolícke školstvo, pričom najmä vďaka uvoľnenej cenzúre a obnovenej možnosti zahraničného štúdia sa študenti mohli oboznamovať s najnovšími výsledkami vedy prostredníctvom prednášok, ktoré bývali kompiláciou odbornej literatúry.

Osvietenské školstvo bolo charakterizované aj úsilím o zdokonalenie foriem vyučovania. Na úrovni ľudového školstva sa vysoko hodnotilo už zavedenie hromadného a spoločenského vyučovania a metód, ktoré uľahčili niektoré vyučovacie postupy. Skutočný prelom však znamenalo až masové zavedenie jednotných učebníc, vypracovaných špeciálne pre jednotlivé predmety. Bez tejto podmienky sa nedal dosiahnuť základný cieľ – poskytnúť rovnaké elementárne vzdelanie jednotlivým sociálnym vrstvám obyvateľstva ako súčasť širšie poňatej centralizácie. No zatiaľ čo sa v krátkej dobe hneď začiatkom 80. rokov podarilo vydať učebnice pre jednotlivé predmety ľudových škôl, na stredné školy so širším spektróm vyučovacích predmetov a ich poňatím nebolo možné zabezpečiť hneď nové učebnice všetkých predmetov. Napr. niekoľkokrát bol vypísaný konkurz na zostavenie učebnice zemepisu namiesto diela J. Tomku-Sáskeho, no ešte začiatkom 90. rokov bolo aktuálne jeho nové vydanie. Podobná situácia bola však i v ďalších predmetoch. Nejednotnosť v používaní učebníc mala za sprievodný jav aj také formy výkladu, akými bolo napr. diktovanie učiva. Na druhej strane sa na gymnáziách udomácnilo používanie rozličných vyučovacích pomôcok, budovanie zbierok máp, nerastov a pod.[9]

Obraz vzdelanostnej úrovne na Slovensku v období začiatkov národného obrodenia by nebol úplný, ak by sme nespomenuli pôsobenie vysokého školstva. Nemalo síce taký dosah na príslušníkov národného kolektívu ako ľudové a stredné, no predsa vychovalo množstvo príslušníkov inteligencie. Ak necháme bokom pôsobenie seminárov, ev. lýceí, generálneho seminára a po ňom nasledujúcich lýceí, pozornosť utkvie na dvoch typoch vysokého školstva – Baníckej akadémii a kráľovských akadémiách v Trnave (neskôr v Bratislave) a v Košiciach. Doteraz sa neveľmi kládlo do popredia ich pôsobenie a význam hádam preto, že ich absolventi ako príslušníci vrstvy technickej či právnickej inteligencie nebývali priamo angažovaní v národnoobrodenskom procese. Bránami týchto škôl však ročne prechádzali stovky študentov, čo pri sledovaní vývoja vzdelanosti na Slovensku nemožno nechať bez povšimnutia. Na akadémiách obidvoch typov sa kládol dôraz na získanie odborného vzdelania vyššieho, resp. vysokoškolského typu. V nemalej miere sa tu však formovalo aj spoločenské myslenie značnej časti študentstva. Filozofická fakulta kráľovskej akadémie bola navyše povinná aj pre študentov biskupských a rádových seminárov. Riadnymi predmetmi tu boli uhorské svetské a cirkevné dejiny, filozofia a dejiny filozofie, etika, ale i prírodné vedy vrátane poľnohospodárskej náuky, hydrotechniky a architektúry. Z logiky, metafyziky (systematický výklad súčasnej filozofie), matematiky, dejín, architektúry a hydrotechniky skladali verejné skúšky rovnako svetskí i rádoví študenti, niektorí dokonca formou verejnej dišputy. Filozofické štúdiá tu absol-

vovali napr. Alexander Rudnay a Juraj Palkovič (začiatkom 80. rokov v Trnave). Štúdium klerikov sa obnovilo opäť po zrušení generálneho seminára – pred ustanovením biskupských seminárov (lýceí) začiatkom 90. rokov. Práve v tomto období sa bratislavská akadémia stala priamo centrom zápasu o udržanie pokrokového obsahu vyučovania v duchu zásad jozefínskej školskej politiky, ktorej exponenti boli zastúpení v profesorskom zbore akadémie. Nebol to len známy Juraj Belnay, ktorý vystúpil v prospech neprivilegovaných spoločenských vrstiev,[10] ale aj profesori logiky a kamerálnej náuky (Pavol Nagy a Ferdinand Clemens), ktorí sa verejne postavili proti praktikám Bratislavskej stolice zasahujúcej do riadenia školstva. Ich prednášky údajne obsahovali tvrdenia, narúšajúce verejný poriadok a ospravedlňujúce násilné činy proti nemu. V čase Veľkej francúzskej revolúcie a vzmáhajúcej sa šľachtickej opozície sa ich vplyv na študentov až zveličoval. Faktom však zostáva verejné vystúpenie 16 študentov práva v prospech odvolaného riaditeľa školského obvodu Gabriela Prónaya, ktorý predstavoval symbol osvietenského myslenia a tolerancie v uhorskom školstve. Tieto náznaky prúdenia v oblasti myslenia sa zároveň viazali na pomerne čulú vedeckú aktivitu viacerých profesorov, takže nie bez opodstatnenia členovia profesorského zboru vyzdvihovali úroveň svojej školy aj oproti univerzite. Evanjelické lýceá sa približovali úrovni právnických akadémií, keďže sa na nich prednášali obdobné predmety – prirodzené, medzinárodné (Ius gentium), uhorské verejné a súkromné právo atď. Opäť treba zdôrazniť, že teologickému štúdiu sa venovala len časť štutentov, pravda, z hľadiska rozvoja národnoobrodenského hnutia nevyhnutne vystupuje do popredia.

Kvalitu vzdelanosti neurčovali len stanovené učebné plány či učebnice. Mimoriadnu úlohu zohrávali pochopiteľne učitelia a profesori, ktorí boli v bezprostrednom styku so žiakmi. Prostredníctvom ich prednášok, učebníc, ale i nevydaných prác sa šírili najnovšie prírodovedecké a filozofické názory. Koncom 80. rokov sa napr. verejne prednášala Kantova filozofia a viedli sa verejné polemiky s jeho tvrdeniami. Chcem však upozorniť aj na úlohu škôldozorcov, ktorí sú najmä v prípade ľudového školstva neodmysliteľnou súčasťou školského systému. Od nich predovšetkým záviselo, či sa na škole zavedie predpísaný učebný plán a ustanoví sa učiteľ s požadovaným vzdelaním. Kňazi, odchovaní v generálnom seminári, kde sa prednášali zásady normálnej vyučovacej metódy spolu s názornými hodinami, sa totiž aj v neskoršom období presadzovania vplyvu cirkvi pri riadení školstva prezentovali ako stúpenci rozširovania vzdelávania ľudových vrstiev, stanoveného z hľadiska potrieb štátu. Netreba preto podceňovať aktivitu na tomto poli, ak si navyše uvedomíme, že ľudové školstvo malo v rámci školského systému vlastne jediné stanovené podmienky pre rozvoj v prospech tej-ktorej národnosti. V tejto súvislosti možno poukázať práve na Antona Bernoláka, ktorý sa vo funkcii škôldozorcu hlavnej školy v Nových Zámkoch pričinil o jej dobrú prácu. Napriek sporom s magistrátom sa mu napr. podarilo presadiť zriadenie samostatnej dievčenskej školy a zvýšiť počet žiakov na vyše 300 (oproti priemeru 230 v priebehu 90. rokov).

Obraz vzdelanostnej úrovne obyvateľstva na Slovensku je teda pomerne diferencovaný. Na jednej strane to bola relatívne nízka úroveň gramotnosti ľudových vrstiev, ktorej vzrast bol de facto umelo zabrzdený začiatkom 90. rokov spolu s obnovením pozícií cirkvi v riadení školstva a upúšťaním od racionalistického zdôrazňovania gramotnosti ako predpokladu pre úspešnú náboženskú a občiansku výchovu. Na druhej strane stredné a vyššie vrstvy, meštianstvo a šľachta mali možnosť štúdia na školách, kde sa prednášalo na úrovni dobovej vedy, hoci aj tu spoločenské podmienky často neumožňovali rozvoj pokrokových tendencií. Za takýchto podmienok vystupovala do popredia úloha rozvoja školstva a vzdelanosti najmä ľudových vrstiev, ktoré v demokratickom ponímaní bernolákovcov tvorili jadro národného kolektívu. Úlohy kladené na školstvo a osvetu nevy-plývali len z racionalistického osvietenského zakotvenia ideologického programu bernolákovcov, ale z poznania objektívnej potreby v prospech rozvoja národného hnutia.

Poznámky

[1] Takto hodnotí situáciu v evanjelickom školstve napr. spis Freymuthige Bemerkungen eines Ungars über sein Vaterland. Deutschland 1799, s. 235—237, SCHWARTNER, M.: Statistik des Königreichs Ungarn. Pest 1798, s. 537, 539—540, 545—546 a i.

[2] Magyar országos levéltár, Uh. dvorská kancelária — Kráľovská miestodržiteľská rada, 1768/592, fol. 22—25, 42—43.

[3] GALLO, J.: Dejiny stredných škôl v Gemeri do polovice 19. storočia. Martin 1977, s. 63—64.

[4] Tamže, s. 110.

[5] CSÓKA, L.: Das erste Zeitabschnitt staatlicher Organisierung des öffentlichen Schulwesens in Ungarn (1760—1791). In: A Bécsi magyar történeti intézet évkönyve 1939, s. 83; VYVÍJALOVÁ, M.: Osvietenský program Adama Františka Kollára. In: Literárnomúzejný letopis 16, 1982, s. 76.

[6] V mestách bolo ovládanie latinčiny v radoch meštianstva (vrátane remeselníckych vrstiev) značne rozšírené. Školské vyučovanie naproti tomu nekládlo nijaké základy odborného vzdelania. Pozri ŠPIESZ, A.: Slobodné kráľovské mestá na Slovensku v rokoch 1680—1780. Košice 1983, s. 241—242.

[7] Pressburger Zeitung, 10. 1. 1778.

[8] Tamže, 9. 4. 1780.

[9] Okrem Bratislavy najmä v Trnave, Trenčíne, ale i v ďalších mestách.

[10] VYVÍJALOVÁ, M.: Sociálne a politické myslenie bernolákovcov. Historický časopis, 26, 1978, s. 232—233.

Študijné roky Antona Bernoláka

ANTON BAGIN

Na 23. zasadnutí Tridentského koncilu rokovali jeho účastníci o kňazskej výchove a 15. júla 1563 prijali reformný dekrét „Quum adolescentium aetas", podľa ktorého každá diecéza, respektíve každá provincia je povinná mať svoj seminár alebo semináre na výchovu kňazského dorastu od útlej mladosti.[1] Teologické štúdiá mal diecézny biskup stanoviť podľa toho, ako sám za najlepšie uzná. Biskupi takmer všade vzali za základ študijný plán jezuitov v ústave „Collegium Romanum" (založenom r. 1551). Podľa neho po skončení gamnaziálnych štúdií nasledoval trojročný filozofický kurz a po ňom štvorročný teologický kurz, na ktorom bola hlavným predmetom scholastická teológia (dogmatika) prednášaná podľa teologickej sumy sv. Tomáša Akvinského. Pozornosť sa venovala exegéze Svätého písma a praktickým cvičeniam z „Casus conscientiae". Cirkevné právo a cirkevné dejiny sa spočiatku nevyučovali.[2]

Ostrihomský arcibiskup Mikuláš Oláh (1553–1568) sa na Tridentskom koncile osobne nezúčastnil, ale už roku 1566 zriadil v Trnave prvý potridentský seminár na slovenskom území.[3] Ďalší ostrihomský arcibiskup Peter Pázmány (1616–1637) založil roku 1623 vo Viedni seminár pre bohoslovcov z Uhorska, ktorý podľa neho dostal pomenovanie Pázmáneum.[4] Seminaristi z Pázmánea študovali na viedenskej univerzite (tamojšiu teologickú fakultu mali v rukách jezuiti).

Zásluhou arcibiskupa Petra Pázmányho vzniklo jezuitské gymnázium v Bratislave (r. 1630), kňazský seminár pre celé Uhorsko v Trnave (Stephaneum, r. 1632) a jezuitská univerzita v Trnave (r. 1635), ktorá mala teologickú fakultu.[5] Pázmányho nástupca ostrihomský arcibiskup Imrich Lósy zriadil v Bratislave malý seminár (Emericanum, r. 1642), ktorý mala

v rukách bratislavská družná kapitula sv. Martina. Maloseminaristi navštevovali jezuitské gymnázium.

Roku 1773 bola rehoľa jezuitov zrušená a osvietenská panovníčka Mária Terézia (1740–1780) premiestnila roku 1777 trnavskú univerzitu do Budína. V Trnave bola ako náhrada založená kráľovská akadémia s filozofickou a právnickou fakultou a zostala tam do roku 1784. Za vlády Jozefa II. preložili kráľovskú akadémiu do Bratislavy. V Bratislave ostrihomský arcibiskup Jozef Bathyány poveril kanonika Karola Dujardina vedením bývalého jezuitského gymnázia.[6]

Po zrušení rehole jezuitov dekan pražskej teologickej fakulty a benediktínsky opát František Štefan Rautenstrauch, autor právnických spisov písaných v osvietenskom duchu, vypracoval z poverenia Márie Terézie nový plán teologického štúdia v rakúskej monarchii. Podľa neho sa v jednotlivých ročníkoch teológie prednášali tieto predmety:

1. ročník: cirkevné dejiny a hebrejčina;
2. ročník: Starý a Nový zákon, patristika a dejiny cirkevnej literatúry;
3. ročník: morálka a prvá časť dogmatiky;
4. ročník: druhá časť dogmatiky a cirkevné právo (na právnickej fakulte);
5. ročník: polemika, kazuistika a pastorálka.[7]

Nový študijný plán sa značne odkláňal od jezuitského scholastického systému. Rautenstrauch zadelil filozofiu do študijného plánu stredoškolského, pravda, vo veľmi zúženom rozsahu.

V diecéznych seminároch trval teologický kurz iba štyri roky:

1. ročník: cirkevné dejiny, hebrejčina;
2. ročník: biblikum, patrológia, dejiny cirkevnej literatúry;

47

3. ročník: dogmatika;

4. ročník: morálka, pastorálka, cirkevné právo.[8]

Osvietenský panovník cisár Jozef II. (1780–1790) zrušil všetky diecézne i rehoľné semináre, ako aj teologické fakulty v celej monarchii a zriadil generálne semináre,[9] medzi ktorými bol tiež bratislavský generálny seminár. Výchova bohoslovcov v generálnych seminároch sa v duchu osvietenských zásad zameriavala na prípravu budúcich kňazov, aby účinkovali medzi pospolitým ľudom aj ako šíritelia osvety, takže bolo potrebné prehlbovať u kandidátov kňazstva znalosť ľudovej reči. Preto Jozef II. spočiatku odporúčal a neskôr bohoslovcom priamo nariadil vzdelávať sa v materinskom jazyku.

Začiatkom novembra 1784 sa začali prednášky aj v generálnom seminári umiestnenom v priestoroch Bratislavského hradu. Do Bratislavy prišli profesori z budínskej teologickej fakulty na čele s dekanom Františkom Krammerom, rodákom z Gajár, absolventom viedenskej univerzity, doktorom filozofie a teológie, autorom početných latinských teologických spisov. Profesori Adam Kasanický z Liptovskej Vrbice a Michal Kratochvíla z Komárňanskej stolice (v bratislavskom generálnom seminári spočiatku zastával funkciu prefekta) boli rodenými Slovákmi.[10]

V 1. ročníku prof. Juraj Frank, rozhľadený historik, prednášal cirkevné dejiny, prof. Adam Vizer v prvom semestri hebrejčinu, v druhom hermeneutiku Starého zákona.

V 2. ročníku prof. Adam Kasanický učil gréčtinu a hermeneutiku Nového zákona, prof. Ladislav Tompa teoretickú i praktickú patrológiu a dejiny teologickej literatúry.

V 3. ročníku prof. Imrich Percel prednášal prvú časť dogmatiky a prof. Florián Bertoni morálku.

V 4. ročníku prof. František Krammer učil druhú časť dogmatiky a poslucháči tohto ročníka navštevovali prednášky svetského profesora cirkevného práva Tadeáša Pleinera.

V 5. ročníku prof. Ladislav Tompa prednášal polemiku a prof. Michal Horváth pastorálku.

Cisár Jozef II. v tom istom školskom roku odvolal profesora Františka Huberta, ktorý mal v Bratislave prednášať liturgiku a tretiu časť dogmatiky.[11] Roku 1785 nariadil osvietenský panovník skrátiť čas vyučovania teologických disciplín na štyri roky a zaviesť nové predmety (prírodné a hospodárske vedy). Na konci školského roku 1785–1786 odišli z bratislavského generálneho seminára profesori Bertoni a Percel a na ich miesto nastúpil: Jozef Bjelik ako profesor morálky a Jozef Sayfert ako profesor pastorálky.

Prírodné vedy prednášal svetský profesor Matej Pankl (učil aj na bratislavskej kráľovskej akadémii).[12]

Študijné roky Antona Bernoláka, prvého kodifikátora spisovnej slovenčiny a významného organizátora národného hnutia spadajú do osvietenského obdobia, ktoré podľa cisára Jozefa II. dostalo pomenovanie jozefinizmus.

Anton Bernolák sa narodil 3. októbra 1762 v Slanici na Orave, dnes až na kostol zatopenej vodami Oravskej priehrady. Pochádzal zo zemianskej rodiny, ale jeho otec Juraj sa už venoval roľníctvu a plátenníctvu. Bol najmladším zo siedmich detí.

Základné vzdelanie nadobudol v rodisku, kde navštevoval ľudovú školu. Potom prešiel do námestovskej školy.[13] V jeho životopisoch sa jednotne spomína, že po skončení elementárnej školy v Námestove študoval na gymnáziu v Ružomberku. Pavol Stano vo fundovanej štúdii o piaristickom období ružomberského gymnázia však uvádza, že v katalógoch žiakov z tohto obdobia sa meno Antona Bernoláka nevyskytuje; podľa názoru Pavla Stana Bernolák najpravdepodobnejšie vychodil prvé štyri triedy gymnázia v Trnave.[14]

Vyššie dve triedy gymnázia absolvoval v Bratislave ako maloseminarista. Zachovali sa dva záznamy (z r. 1778 a 1779) o pobyte Antona Bernoláka v bratislavskom malom seminári (Emericanum):

V prvom zázname (z 28. októbra 1778) sa uvádza, že Anton Bernolák pochádza zo Slanice, z Oravskej stolice; je zemianskeho pôvodu; ovláda slovenčinu a maďarčinu; má 16 rokov a študuje rétoriku.

Z druhého záznamu (z r. 1779) sa dozvedáme, že Anton Bernolák prijal v kaplnke sv. Jána Almužníka (v dóme sv. Martina) spolu so Šimonom Kováčikom 16. augusta 1779 tonzúru a nižšie rády z rúk Štefana Nagya.[15]

Roku 1778 sú v Protokole Emericana zapísaní desiati maloseminaristi; šiesti z nich majú v rubrike znalosti jazykov na prvom mieste uvedenú slovenčinu. V nasledujúcom roku z desiatich maloseminaristov len Jozef Streiter, ostrihomský mešťan, ovládal nemčinu a maďarčinu; ostatní maloseminaristi majú v rubrike znalosti jazykov na prvom mieste uvedenú slovenčinu. Anton Bánik, rodák z Trnovca, bol Bernolákovým spolužiakom aj v Trnave vo veľkom seminári a neskôr v bratislavskom generálnom seminári; bol členom Slovenského učeného tovarišstva v rokoch 1792 a 1793. Jozef Streiter ako generálny vikár v Trnave vyzval 1. januára 1825 kňazov na predplatenie „Slowára" Antona Bernoláka.[16]

Po skončení gymnaziálnych štúdií prešiel Bernolák do Trnavy, kde absolvoval filozofiu (1780–1782); býval v tamojšom veľkom seminári sv. Štefana (Stephaneum). Zo zachovaného písomného záznamu o zadelení asistencie pre poslucháčov filozofie a seminaristov v Trnave (od decembra 1781 do marca 1782)[17] sa dozvedáme, že Anton Bernolák zastával funkciu prefekta asistencie a na Kvetnú nedeľu roku 1782 mal cvičnú kázeň. Na sviatok sv. Štefana (20. augusta 1782) patróna trnavského seminára predniesol slávnostnú kázeň po latinsky, ktorá vyšla aj tlačou pod titulom „Divus Rex Stephanus, Magnus Hungarorum Apostolus" (Jasný kráľ Štefan, veľký apoštol Uhrov).[18]

Antona Bernoláka ako výborného žiaka poslali predstavení na ďalšie štúdiá do Viedne. Býval v Pázmáneu a na viedenskej univerzite študoval teológiu. Na čele viedenskej teologickej fakulty bol v tom čase František Štefan Rautenstrauch, hlavný organizátor teologického štúdia v osvietenskom duchu.

Viedenské roky Bernolákových štúdií tvoria významné obdobie v živote prvého kodifikátora spisovnej slovenčiny. Talentovaný mladík získal vo Viedni pozoruhodné vedomosti z cirkevných dejín, z biblika a najmä z dejín teologickej literatúry. Nadobudol aj širší kultúrno-spoločenský rozhľad. Pobyt v Pázmáneu, kde bývali viacerí seminaristi slovenského pôvodu, ako aj z iných slovanských národností, štúdium na starobylej univerzite i atmosféra osvietenskej Viedne silne vplývali na formovanie Bernolákovho osvietenskeho myslenia a slovansko-slovenského povedomia.

Vo Viedni získal Bernolák širšie vedomosti aj z biblických jazykov a osvojil si čiastočne nemčinu a francúzštinu.[19] Zameriaval sa na zaobstarávanie kníh pre vlastnú knižnicu; v jeho knižnej pozostalosti sú najstaršie vlastnoručné exlibrisy práve z Viedne.[20] Vo voľných chvíľach neúnavne študoval v bohatých viedenských knižniciach a zbieral materiál pre obsiahly bibliografický súpis základnej teologickej literatúry, doplnený praktickou literatúrou z iných vedných odborov (medicíny, filozofie, filológie, estetiky, hudby, prírodných vied, ekonomiky a politiky).[21]

V Inventári novozámockej farskej knižnice je pod č. 191 zaznačený Bernolákov rukopis „Historia ecclesiastica" (Cirkevné dejiny). Rukopis sa síce nezachoval, no domnievame sa, že pravdepodobne ide o Bernolákove záznamy prednášok z cirkevných dejín, ktoré počúval ako poslucháč 1. ročníka teologickej fakulty na viedenskej univerzite. V knižnej pozostalosti Antona Bernoláka sa zachoval nemecký preklad francúzskych cirkevných dejín od Racina. Na viedenskej univerzite v jozefínskom období používali na katolíckej teologickej fakulte aj latinské cirkevné dejiny, ktorých autorom bol protestant J. M. Schröck.[22]

Anton Bernolák pokračoval v teologických štúdiách v bratislavskom generálnom seminári (1784–1787). Ako poslucháč 3. ročníka ďalej pokračoval na zostavení bibliografického súpisu teologickej literatúry a dokončil ho v lete roku 1785 na fare v Devíne, kde sa zdržiaval u svojho dobrého priateľa Michala Salakyho.[23] Zachovaný rukopis má titul „Nova bibliotheca theologica selecta" (Nová vybraná bohoslovecká knižnica) a je dokladom Bernolákovej ideovej orientácie.

Štúdiá v generálnom seminári v Bratislave absolvoval Bernolák s vynikajúcim prospechom. Z relácií predstavených sa zasa dozvedáme, že mal vzorné správanie, a bol neobyčajne usilovný. Cvičné kázne predniesol v slovenskom a maďarskom jazyku.[24]

V 5. ročníku zaujali Bernoláka prírodné vedy. Svedčí o tom zachovaný rukopis „De oeconomia rurali" (Náuka o poľnohospodárstve). Ide o Bernolákom upravené prednášky Matúša Pankla, doktora filozofie a slobodných umení, profesora bratislavskej akadémie, ktorý prednášal prírodné vedy aj poslucháčom generálneho seminára.[25]

V bratislavskom generálnom seminári bolo 311 poslucháčov zo slovenského územia a z tohto počtu 240 (takmer 80 %) hovorilo len po slovensky alebo si v rubrike znalosti jazykov na prvom mieste uvádzalo slovenčinu.[26] Slovenskí seminaristi prednášali cvičné kázne poväčšine v rodnej reči a študijní prefekti im pri cvičných repetitóriách niektoré časti dogmatiky a morálky vysvetľovali v národnom jazyku. Aj Prešpurské noviny uverejnili správu (24. marca 1786), že pri polročných skúškach slovenskí poslucháči 5. ročníka odpovedali u profesora Michala Kratochvíla z pastorálnej teológie vo svojej materinskej reči.[27]

Zo zachovaných dokumentov o štúdiách Antona Bernoláka sa dozvedáme nielen o ľudskom charaktere mimoriadne nadaného žiaka, ktorý mohol byť vzorom pre ostatných spolužiakov, lež obdivujeme v ňom aj presne vymedzený program, ktorý zámerne sledoval od študentských čias až po vyvrcholenie vo svojom obdivuhodnom diele, ktoré bolo korunované prvou kodifikáciou slovenského národného jazyka.

Poznámky

[1] ŠPIRKO, J.: Snem v Tridente. Košice 1947, s. 55 a n.
[2] ŠPIRKO, J.: Výchova kňazstva na území spišskej diecézy. In:

Spišský kňazský seminár v minulosti a prítomnosti. Spišská Kapitula 1943, s. 80 a n.

3 PÉTERFFY, S. C.: Sacra concilia ecclesiae Romanocatholicae in regno Hungariae celebrata. II. Viennae 1742, s. 185.

4 RIMELY, C.: Historia Collegii Pazmaniani. Viennae 1865.

5 ZLATOŠ, Š.: Z dejín trnavskej univerzity. In: Pamiatka trnavskej univerzity 1635—1777. Trnava 1935, s. 7—97.

6 BAGIN, A.: Budovy fakulty a seminára. In: Facultas theologica Sv. Cyrilli et Methodii Bratislavae 1936—1986. Bratislava 1986, s. 26.

7 ŠPIRKO, J.: Výchova kňazstva..., s. 94 a n.

8 Tamže, s. 95.

9 Entwurf zur Einrichtung der Generalseminarien in den k. k. Erblanden. Wien 1784.

10 VYVÍJALOVÁ, M.: Stánok vzdelanosti a národného uvedomenia bernolákovcov v Bratislave. Vlastivedný časopis, 36, 1987, č. 4, s. 169.

11 ZLATOŠ, Š.: Písmo sväté u Bernolákovcov. Trnava 1939, s. 91.

12 Tamže, s. 93.

13 MAŤOVČÍK, A.: Anton Bernolák. Život a dielo. In: K počiatkom slovenského národného obrodenia. (Zborník štúdií.) Bratislava 1964, s. 120.

14 STANO, P.: Piaristické obdobie ružomberského gymnázia. (Separát), s. 53 a n.

15 Protocollum venerabilis Seminarii S. Emerici ducis, procuratum Anno 1748 die 30. aprilis (nestránkovaný rukopis uložený v archíve katedry cirkevných dejín Cyrilometodovskej bohosloveckej fakulty v Bratislave).

16 Literárne listy III, 1893, č. 2, s. 29.

17 Záznam je uložený v archíve na r. k. farskom úrade v Jedľových Kostoľanoch pri Zlatých Moravciach, kde v rokoch 1789—1823 bol farárom Bernolákov spolužiak Andrej Lacko.

Pozri: MARKOVIČ, K.: Nové biografické údaje o A. Bernolákovi. Duchovný pastier, 37, 1962, č. 8, s. 144—148.

18 Prvú Bernolákovu tlač poznáme z Palkovičovho záznamu v Slovári A. Bernoláka (I. zv. Budín 1825, s. 6). Pozri: MAŤOVČÍK, A.: C. d., s. 121; KOTVAN, I.: Bibliografia bernolákovcov. Martin 1957, s. 15.

19 GAJDOŠ, J.: O Bernolákových rečových znalostiach. Duchovný pastier, 37, 1962, č. 8, s. 151—153.

20 GAJDOŠ, J.: Knižná pozostalosť Antona Bernoláka. Duchovný pastier, 37, 1962, č. 9, s. 179 a n.

21 M. Vyvíjalová (C. d., s. 169 a n.) zastáva názor, že autorom súpisu európskej literatúry pod názvom „Nova bibliotheca theologica selecta", ktorý sa zachoval v rukopise A. Bernoláka z roku 1785 a Š. Valentoviča z roku 1786, bol. Š. Rautenstrauch.

22 GAJDOŠ, J.: Rukopisy Antona Bernoláka. Duchovný pastier, 39, 1964, č. 1—2, s. 31.

23 Michal Salaky, rodák z Turca, pôsobil v Devíne v rokoch 1771—1790. V kanonickej vizitácii z roku 1781 (uložená v archíve na r. k. farskom úrade v Devíne) o ňom čítame, že ovládal nemecký a slovenský jazyk dobre, maďarský jazyk len prostredne. M. Salaky sa stal bratislavským kanonikom.

24 Protocollum II. F. E. No 5. Tri zošity z rokov 1785, 1786, 1787 v ostrihomskom prímaskom archíve. (Pozri: Markovič, K.: C. d., s. 145, pozn. č. 8.)

25 GAJDOŠ, J.: Rukopisy Antona Bernoláka..., s. 30 a n. Slovenský preklad rukopisného diela „De oeconomia rurali" vyhotovil J. Gajdoš a vyšiel knižne pod titulom „Náuka o poľnohospodárstve" roku 1964 v Nitre.

26 VYVÍJALOVÁ, M.: C. d., s. 169.

27 BAGIN, A.: Vybrané kapitoly zo slovenských cirkevných dejín. Portréty kňazov — buditeľov. Bratislava 1980, s. 8.

Ideovo-politické zakotvenie jozefinizmu

VILIAM ČIČAJ

Určite nepovieme nič nové, ak skonštatujeme, že 18. storočie patrí medzi najdôležitejšie obdobia v dejinách nášho národa. V tomto období dochádza vo vývoji spoločnosti k dôležitým kvalitatívnym a kvantitatívnym zmenám, ktoré sa zvyknú súhrnne označovať ako obdobie prechodu od feudalizmu ku kapitalizmu. Tento protirečivý a zložitý proces prechodu od jednej spoločensko-ekonomickej formácie k druhej prebieha vo viacerých oblastiach života spoločnosti súčasne, ale nie všade s rovnakou intenzitou. Ak sledujeme vývoj v 18. storočí, vidíme, že feudálna spoločnosť dosahuje svoj vrchol, ale zároveň sa objavuje celý rad symptómov, ktoré veštia skorý zánik tohto spoločenského poriadku. Jedným z týchto symptómov bol aj osvietenský absolutizmus, ktorého trvanie možno vymedziť polovicou 18. storočia a rokom 1790 – odvolaním jozefínskych reforiem. Cieľom nášho príspevku je poukázať na niektoré aspekty jozefinizmu, ako určitého vyvrcholenia politiky osvietenského absolutizmu počas desaťročného panovania cisára Jozefa II. v rokoch 1780–1790.[1]

Sledovať uvedený fenomén môžeme vo viacerých rovinách. Nezaškodí, ak sa na začiatku zmienime o hlavnej osobnosti, podľa ktorej bol pomenovaný. V histórii sa len vo veľmi výnimočných prípadoch stretneme so situáciou, keď sa panovník jednoducho zriekne svojho celoživotného diela. V podstate je to tragické priznanie vlastnej porážky, ktoré vyplynulo z precenenia možností panovníckej moci. Charakterizovať Jozefa II. nie je jednoduchá úloha. Ak vezmeme do rúk historické práce, ktoré sa zaoberali jeho osobnosťou, stretneme sa v nich s veľmi širokou paletou hodnotení. Bol prirovnávaný k reformátorovi, dokonca aj k revolucionárovi, k dobrosrdečnému a šľachetnému humanistovi, ale aj k chladnému

tyranovi a despotovi, ktorý šliape a gniavi staré zákony a tradície. Napriek týmto hodnoteniam nijaká historická práca nemôže poprieť veľkú popularitu Jozefa II., ktorú mal medzi prostým ľudom. Na jeho početných cestách vznikali rôzne historky, ktoré vytvárali okolo jeho osoby skutočný kult.[2]

Jozef II. sa narodil 13. marca 1741 ako štvrté dieťa Márie Terézie a Františka Lotrinského. Jeho narodenie vyvolalo nadšenie, lebo smrťou Karola VI. vymreli Habsburgovci po meči. Z niektorých kusých správ o jeho mladosti sa dozvedáme, že princ bol trochu tvrdohlavý a neústupčivý; radšej sa nechal zatvoriť a potrestať hladovaním, než by mal požiadať o odpustenie. Neústupčivosť však ostala silnou povahovou vlastnosťou Jozefa II. až do smrti. Jeho učiteľmi boli zväčša rehoľníci, ale takáto tradičná výchova neuspokojovala jeho intelektuálske nároky. V mnohých oblastiach sa musel prebíjať ako samouk. Z toho dôvodu niektoré predmety zanedbával a ignoroval, čo potom viedlo k tomu, že ho považovali za lenivého. V mladosti veľa čítal anglickú ekonomickú a francúzsku filozofickú literatúru. Siahol však aj po takých dielach, ktoré boli cirkevnou cenzúrou zakázané. Veľký vplyv naňho mal dvorný lekár a osvietenec Gerhard van Swieten a Jozef Sonnenfels, najznámejší teoretik kameralizmu. Takto sa mladý panovník oboznámil s najmodernejšími dobovými myšlienkovými prúdmi.

Rodičia prijali 14-ročného následníka do svojej spoločnosti, čo znamenalo, že mohol s nimi stolovať a cestovať. Neskôr dostal príležitosť zapojiť sa do vážnejšej politickej práce. Spočiatku sa oboznamoval s činnosťou štátnych orgánov a od roku 1761 sa zapojil aj do práce centrálnych orgánov v rámci štátnej rady. Dňa 18. augusta 1765 nečakane zomrel jeho otec

František Lotrinský, ktorý bol aj rímskym cisárom. Jozefovi II. svitla nádej, že získa celú moc do svojich rúk. Jeho nádeje sa rozplynuli, lebo Mária Terézia sa rozhodla vymenovať ho len za spoluvládcu. Jozef II. sa však nechcel uspokojiť s pasívnou úlohou, akú mal jeho otec. Od toho času dochádzalo k častým konfliktom a nezhodám s matkou v riadení štátu a v zavádzaní reforiem. Uvedená situácia zapríčinila aj určitú nedočkavosť a netrpezlivosť v Jozefovej reformnej politike, keď sa stal samostatným vládcom.

Aby predchádzal sporom a konfliktom, uskutočňoval dlhšie cesty po mocnárstve a do zahraničia (Francúzsko, Rusko, Taliansko, Sliezsko), ktoré mali „študijný" charakter. Nebolo to však jedinou príčinou, lebo v nich pokračoval aj po smrti matky. Cesty znamenali aj nový spôsob získavania skúseností a informácií, trvali niekedy aj niekoľko mesiacov a boli spojené s podrobným preskúmaním situácie v navštívenom regióne. Na cestách sa často predchádzalo formalitám, stýkal sa a neformálne zoznamoval so svojimi „poddanými". Nečudo, že sa o ňom šírilo množstvo príbehov medzi prostým ľudom. Z nášho hľadiska je zaujímavá cesta, ktorú uskutočnil 20.–31. júla 1764 spolu so svojím bratom Leopoldom na stredné Slovensko. Banské úradníctvo pripravilo pre nich veľmi podrobný program, vypracovalo tzv. Zlatú knihu banícku, ktorá obsahovala podrobné údaje o baniach, hutách, ťažbe, produkcii drahých kovov a zamestnancoch v tomto stredoslovenskom banskom revíre.[3] Na základe takto pripravenej a realizovanej cesty princovia získali vynikajúci prehľad o tomto výrobnom odvetví. Samozrejme, že Jozef II. nezabudol podať štátnej rade o svojich cestách veľmi podrobné a kritické správy, v ktorých zároveň navrhoval aj konkrétne reformy na nápravu miestnych pomerov.

Od polovice 18. storočia sa v politike viedenského dvora stretávame so snahami, ktoré môžeme nazvať počiatkami osvietenského absolutizmu. Rozvoj tejto politiky si vynútila neutešená vnútropolitická a zahraničnopolitická situácia v mierových periódach po sedemročnej vojne. Na reformách Márie Terézie sa čiastočne podieľal aj Jozef II., hoci nie vždy súhlasil s konzervativizmom svojej matky (v otázkach cirkevnej politiky, súdnictva). Nedá sa vylúčiť ani jeho účasť na zavedení tereziánskeho urbáru, ktorým sa začala politika regulácie vzťahu zemepán – poddaný a na známych reformách školstva. V tomto období sa pravdepodobne vyformovali aj jeho konkrétne predstavy o riadení štátu. V cirkevných záležitostiach už v tomto čase chcel realizovať myšlienku úplnej tolerancie, zrušenie mučenia a mnohých trestov smrti. Len v otázke poddanstva ešte nemal vypracovaný program. Idealisticky predpokladal, že o feudálnej rente sa zemepán a poddaný dohodnú na báze dobrovoľnosti. Keďže matka brzdila rozlet jeho vladárskej aktivity, chcel sa v rokoch 1773 a 1775 vzdať spoluúčasti na vláde. Mária Terézia však takéto jeho návrhy striktne odmietala z toho dôvodu, že asi veľmi dobre poznala jeho názory a povahu.

Skoro 40-ročný Jozef II. sa stal skutočným vládcom, ktorý sa s nikým nechcel deliť o moc. Roky dlhého čakania, sklamania v spoluvláde, veľká nedočkavosť a netrpezlivosť, neústupčivosť a neochota ku kompromisom veľmi poznačili jeho vládu. Nedbal vôbec na tradície a hlavným znakom jeho panovania bola racionalizmom pretkaná cieľavedomosť. Podľa súčasníkov bol úžasne pracovitý. Stačí, ak uvedieme, že počas svojho samostatného panovania vydal 6 tisíc nariadení, čo len z čisto matematického hľadiska predstavovalo skoro dve nariadenia na deň. Prekypoval zdravím a až v posledných rokoch života začal chorľavieť. V dôsledku prepracovanosti si sťažoval na bolesti hlavy a očí. Z vyčerpávajúcej práce ochorel na tuberkulózu a na protitureckom ťažení roku 1788 dostal maláriu. Z nej mával niekoľkodňové záchvaty horúčky a väčšinu času trávil na lôžku, čo však vôbec nebrzdilo jeho pracovnú aktivitu. Choroba a neradostné zvesti o hroziacom rozpade krajiny ho donútili odvolať svoje nariadenia. Zomrel 20. 2. 1790.

V druhej polovici 18. storočia sa aj v Uhorsku a na Slovensku rozšírili myšlienky osvietenstva, ktoré boli pôvodne ideológiou anglickej a francúzskej buržoázie v boji proti feudalizmu. Ideológia osvietenstva vyjadrovala hospodárske, politické a ostatné záujmy rodiacej sa buržoázie: slobodné podnikanie, rozvoj obchodu a priemyslu, rovnosť pred zákonom, slobodu jednotlivcov a podobne, namiesto starých feudálnych privilégií. Oproti barokovému mysticizmu a religiozite sa propagovali myšlienky deizmu, senzualizmu a racionalizmu.[4]

Špecifikom šírenia myšlienok v Uhorsku bolo to, že ich centrom bol kráľovský dvor vo Viedni. Osvietenský absolutizmus v krajinách strednej a východnej Európy bol pokusom v rámci feudalizmu dopracovať sa na vyšší stupeň spoločenského rozvoja. Zahraničnopolitickými faktormi boli neúspešné vojny s Pruskom a strata priemyselného Sliezska. Z toho dôvodu zosilneli tendencie v rámci Habsburskej ríše na reformné premeny spoločnosti, aby si udržala politickú a hospodársku konkurencieschopnosť s vyspelými krajinami. Hlavnými vnútropolitickými faktormi, ktoré pomáhali šíreniu myšlienok osvietenstva, bolo predovšetkým tlmiť triedny boj poddaných. Dosiahnuť sa to malo podriadením individuálnych záujmov jednotlivých feudálov záujmom celej triedy. Štát mal regulovať vzájomný vzťah feudála a poddaného. Týmto spôsobom sa mal prostredníctvom daní zabezpečiť vyšší príjem štátu.

Osvietenský absolutizmus nesledoval likvidáciu feudálneho spoločenského poriadku, ale usiloval sa len odstrániť a modernizovať jeho najkrikľavejšie nedostatky. Rozšíril sa v krajinách, kde bola politicky a hospodársky slabá buržoázia, ktorá nemohla viesť rozhodnejší boj a nemala ani ambície viesť triedny boj poddaných roľníkov. V týchto krajinách mali vládnúce kruhy strach z vyostrenia triedneho boja poddaných. Preto sa usilovali predchádzať všetkým konfliktom, ktoré mohli takúto situáciu vyvolať. Preto osvietenskí reformátori chceli uvoľniť staré nevoľnícke vzťahy osobnej a bezprostrednej závislosti a pokúšali sa do vzťahu zemepána a poddaného zaviesť štátny dozor, ktorý mal predchádzať príčinám nespokojnosti.

Osvietenský absolutizmus bol do určitej miery ochotný podporovať buržoáziu, ktorej činnosť bola dôležitá z ekonomického hľadiska a ktorej snahy v danom mocenskom pomere síl nepokladal za nebezpečné. Prechodne mohlo dôjsť k utvoreniu určitých spoločných záujmov medzi osvietenským absolutizmom a záujmami buržoázie, ale len v obmedzenej miere, lebo štát ostával naďalej feudálnym. Osvietenský absolutizmus podporoval buržoáziu len dovtedy, kým ju mohol kontrolovať a držať v područí. Reprezentoval záujmy feudálnej vládnúcej triedy, bránil jej záujmy proti antagonistickým silám a zároveň nebol schopný proti triede feudálov presadiť svoje reformné predsavzatia do dôsledkov.

Typickým znakom osvietenského absolutizmu v Habsburskej ríši bola jeho úzka spoločenská základňa, ktorá pozostávala z príslušníkov šľachty zamestnaných v štátnej správe a niektorých príslušníkov inteligencie. Pritom len niektorí stúpenci osvietenstva sa prepracovali vo svojich názoroch na pokrokovejšie pozície, ktoré sledovali nielen modernizáciu feudálnej spoločnosti, ale aj jej likvidáciu. Osvietenský absolutizmus v ríši musel riešiť otázky, ktoré boli vo vyspelých krajinách vyriešené v priebehu 17. storočia v období feudálneho absolutizmu, napr. štátna jednota, centralizácia správy, rozvoj priemyslu, verejného zdravotníctva, vznik technickej inteligencie, moderného jazyka, školstva a iné.

Poprednými ideológmi osvietenského absolutizmu v Habsburskej ríši boli kameralista J. H. G. Justi, profesor práva na viedenskej univerzite K. A. Martini, panovníčkin poradca G. van Swieten a J. von Sonnenfels. Základnou tézou osvietenského absolutizmu

bola teória spoločenskej zmluvy medzi panovníkom a ľudom, ktorý vládne v záujme verejného blaha, ale absolutisticky, bez účasti ľudu. Všeobecné blaho bola schopná zaistiť len najvyššia forma spoločenského života – štát. Štátnemu utilitarizmu sa mali podriadiť záujmy a potreby jednotlivcov. Osvietenský absolutizmus sa v prvom rade zameriaval na podopretie moci panovníka voči šľachte a cirkvi. V Uhorsku v tomto smere vyvíjal značné úsilie, lebo tu ostávala v platnosti feudálnostavovská ústava, šľachta a cirkev si ubránili stredoveké stavovské privilégiá, najmä výsadu neplatiť dane.[5]

Teória osvietenského absolutizmu vychádzala z úsilia o racionálnejšie usporiadanie spoločnosti, ktoré malo posilniť štát, čo sa malo dosiahnuť podporovaním rozvoja priemyslu, rozvojom novej poľnohospodárskej techniky a technológie, zlepšením roľníckej tovarovej výroby, uvoľnením nevoľníckych pomerov, obmedzením požiadaviek feudálov voči poddaným, zavedením nového daňového systému, odstránením náboženskej neznášanlivosti, rozšírením verejného zdravotníctva, vzdelania, osvety, propagáciou nových technických a hospodárskych poznatkov, výchovou novej technickej inteligencie, sčítaním obyvateľstva, mapovaním krajiny, modernizáciou dopravy, reguláciou vôd a riek, reformou štátneho aparátu a snahami o odbúranie niektorých stavovských a cirkevných privilégií. Nové vedné disciplíny, napríklad kameralistika a populacionistika, mali teoreticky zdôvodňovať úsilie osvietenského absolutizmu.[6] Ekonomickou motiváciou sa vyznačoval aj zvýšený záujem o mravný stav ľudu – tvorcu materiálneho bohatstva a zdroja branných síl. Preto sa venovalo toľko pozornosti vzdelaniu a osvete; kľúčovú úlohu tu zohrávala školská katedra a kostolná kazateľnica.

Myšlienky osvietenstva sa pokúsil kráľovský dvor v Uhorsku uskutočniť v spolupráci so stavmi v duchu tradičného kompromizmu. Reformné úsilie sa však nerealizovalo pre odpor a prevahu konzervatívnošľachtických a feudálnych klerikálno-retardačných síl, či už z katolíckej alebo protestantskej strany. Konzervatívnosť uhorských vládnúcich kruhov jasne dokumentovala skutočnosť, že proti reformám osvietenského absolutizmu nedokázali postaviť nijaký konštruktívny program (okrem niekoľkých jednotlivcov) a sústredili sa len na ich torpédovanie a obranu svojich privilégií. Napriek protirečivosti a nedôslednosti bol osvietenský absolutizmus oproti predchádzajúcemu obdobiu krokom vpred. Mnohé osvietenské reformy mali významný vplyv na rozvoj školstva, vzdelanosti, osvety, vedy, rozvoj národných jazykov, literatúr a ostatné oblasti kultúry.

Jozef II. svojou rozsiahlou reformnou činnosťou hlboko zasiahol do politického, hospodárskeho, sociálneho a kultúrneho života v Uhorsku a na Slovensku. V prvom období svojej vlády bol do určitej miery pokračovateľom a dovŕšovateľom reformnej činnosti svojej matky. Kým za Márie Terézie veľká časť zásluh na reformnej činnosti pripadla jej radcom, Jozef II. stál sám na čele reformných snáh a udával aj hlavný smer ich uskutočňovania. Pri presadzovaní reforiem na rozdiel od matky, ktorá sa opierala o pomoc poradných orgánov, dával prednosť politicky rozhľadeným a dvoru verným jednotlivcom. Preto za jeho vlády upadla aj úloha štátnej rady a prvoradý význam v reformnej činnosti nadobudol jeho osobný kabinet, ktorému slúžila štátna rada len ako podriadený a poradný orgán. Cisár bol presvedčený o oprávnenosti absolutizmu a neobmedzenosti panovníckej moci, ale aj o všeobecnej prospešnosti svojich reforiem pre mocenské postavenie centralizovanej ríše a blaho jej obyvateľstva.

Z jozefínskych reforiem aj v Uhorsku najtrvalejšiu platnosť nadobudli reformy v oblasti cirkevného a školského života, kde aj uhorské stavy uznávali neobmedzené patronátne právo panovníka. Pri ich presadzovaní sa najviac uplatnila centralizačná politika viedenského dvora, pretože ich realizáciu mala na starosti spoločná náboženská a študijná komisia pre celú ríšu vo Viedni. Najvýznamnejšou náboženskou reformou bol tolerančný patent, vydaný pre celú monarchiu v októbri 1781, ktorým sa deklarovala náboženská a občianska rovnoprávnosť pre príslušníkov ďalších kresťanských vierovyznaní: evanjelikov, kalvínov a pravoslávnych. Náboženská rovnoprávnosť tolerovaných vyznaní nebola ešte celkom úplná a privilegované postavenie katolíckej cirkvi naďalej zaisťovali rozličné obmedzenia: bohoslužby tolerovaných vyznaní museli mať súkromný charakter, kostoly nesmeli mať veže, zvony a iné vonkajšie symboly. Tolerančný patent znamenal hlboký zásah aj do spoločenských pomerov na Slovensku, lebo občianske zrovnoprávnenie slovenských evanjelikov utváralo predpoklady na realizáciu národného zjednotenia v neskoršom období. Tolerančná politika umožnila aj značnú emancipáciu židovského obyvateľstva.

Jozefínsky štát sa už mohol obísť bez opory cirkvi a duchovenstvo vystriedala pri plnení väčšiny jej tradičných úloh v mimoliturgickej oblasti profesionálna byrokracia. K oslabeniu hospodárskych a politických pozícií katolíckej cirkvi a jej podriadeniu kontrole absolutistického štátu prispeli aj ďalšie reformy a nariadenia. Takým bol napr. súpis cirkevného majetku v Uhorsku roku 1781 a obmedzenie vplyvu pápežskej moci na uhorské cirkevné pomery. Od úmyslu začleniť verejnú dobročinnosť do štátnej organizácie bol už len krôčik k zrušeniu početných kontemplatívnych kláštorov a reholí, ktoré sa nezaoberali prospešnou činnosťou (výchovou mládeže alebo ošetrovaním chorých). Na základe tohto nariadenia bola na Slovensku zrušená viac ako tretina kláštorov, z ktorých mnohé mali veľmi staré tradície siahajúce až do stredoveku (kláštor na Zobore, Červený kláštor na Spiši, klariský kláštor v Bratislave a Trnave a iné). Majetok zrušených kláštorov bol sústredený do náboženského fondu, ktorý bol určený na vydržiavanie novozriadených farností. Uskutočnila sa aj reforma výchovy kňazského dorastu, ktorá bola podriadená štátnemu dozoru. Namiesto zrušených diecezálnych a rehoľných seminárov sa zriadili roku 1784 dva tzv. generálne semináre v Bratislave a Budíne. Pri výchove kňazov sa sledovali aj praktické ciele súvisiace s ich budúcim pôsobením medzi prostým ľudom v duchu osvietenských reforiem. Dôraz sa kládol na výučbu reálnych predmetov (prírodných vied a agrikultúry) a na osvojenie si jazykov jednotlivých národnostných regiónov ríše.[7]

Reformy Jozefa II. v oblasti školstva smerovali k dobudovaniu školskej sústavy, ktorej základy boli položené za Márie Terézie.[8] Významný okruh reforiem sa týkal aj zjednotenia a poštátnenia verejnej správy a súdnictva v Uhorsku. Sledoval sa predovšetkým cieľ odstrániť právne rozdiely medzi jednotlivými krajinami, oblasťami, ktorému mala napomáhať byrokratizácia, resp. profesionalizácia správy. Už v roku 1782 prišlo k spojeniu sedmohradskej a uhorskej dvorskej kancelárie vo Viedni, ktorej predsedom sa stal gróf F. Esterházi. Súčasne sa stal aj chorvátskym bánom a pri neobsadení funkcie palatína bol reprezentantom správy celého Uhorska. Novej spoločnej kancelárii vo Viedni boli zverené aj finančné záležitosti, čím sa jeho správna a finančná agenda úplne scentralizovala. To viedlo k zrušeniu samostatnosti uhorskej komory v Bratislave, ktorá sa stala súčasťou (oddelením) miestodržiteľskej rady. Sídlom týchto inštitúcií sa od roku 1784 stal Budín, v dôsledku čoho upadol politický význam Bratislavy.

Najväčším reformným zásahom do uhorskej správy bolo však zrušenie šľachtických stolíc, ktoré boli známe ťažkopádnosťou a nepružnosťou úradovania. Cisárske nariadenia vybavovali zdĺhavo alebo ich uskutočňovanie všemožne preťahovali. Začiatkom roku 1785 zrušil Jozef II. hodnosť hlavných županov, menšie stolice pospájal do väčších celkov – dištriktov na čele s komisármi. Zrušil aj právomoc stoličných kongregácií, ktoré sa mohli zvolať iba pred zasadnutím snemu na voľbu poslancov. Z 10 dištriktov zriadených v Uhorsku boli tri na území Slovenska: nitriansky, banskobystrický a košický, ktoré zahrňovali jeho dnešné teritórium. Súčasne zrušil aj autonómiu slobodných kráľovských miest a podriadil ich komisárom príslušných dištriktov. Aj keď sa stolice ako samosprávne orgány šľachty zlikvidovali, nenašla sa náhrada za ich šľachtické úradníctvo, ktoré okrem niekoľkých výnimiek zostalo aj v novom štátnom aparáte a naďalej mohlo torpédovať reformné snahy panovníka.

Reformy v oblasti súdnictva viedli k jeho poštátneniu a oddeleniu od politickej správy. Vymedzila sa aj kompetencia najvyšších súdov, sedemčlennej a kráľovskej tabule. Prvá sa stala najvyšším dvorským súdom, druhá odvolacím. Kráľovskej súdnej tabuli podliehalo päť dovtedajších dištriktuálnych tabúľ, ktorých kompetencia sa zvýšila, a 38 tzv. menších alebo podriadených (subalterných) súdov, ktoré nahradili zrušené súdne sédrie. Celoríšska jednota v oblasti súdnictva sa mala dosiahnuť aj zavedením rakúskeho trestného poriadku v Uhorsku roku 1787, ktorý bol na svoju dobu pokrokovým dielom utvoreným pod vplyvom francúzskeho osvietenstva. Odstraňovalo sa mučenie a trest smrti (s výnimkou vážnych vojenských deliktov) a zavádzali sa namiesto neho nútené práce.

So zjednotením a poštátnením verejnej správy a súdnictva bola spojená aj cisárova snaha o zavedenie jednotného úradného jazyka v celej monarchii. Nariadenie cisára z 26. apríla 1784 o zavedení úradovania v nemeckom jazyku (namiesto latinského) aj v Uhorsku, prekvapilo aj samého uhorského kancelára F. Esterháziho, pretože v krajine neboli vytvorené na to podmienky. Za nereálne sa považovali aj termíny, od ktorých sa na jednotlivých stupňoch štátnej správy malo úradovať iba po nemecky (v uhorskej kancelárii od 1. novembra 1784, v stoliciach od 1. novembra 1785 a na súdoch od 6. marca 1787). Všetky pripomienky kancelára a členov miestodržiteľskej rady cisár odmietol a neoblomne trval na uskutočnení svojho nariadenia. Opozícia voči nemčine sa najvýraznejšie prejavila na pôde stolíc, z ktorých len deväť z celkového počtu 33 bolo za zavedenie nemčiny ako úradného jazyka, aj to len v prípade, že by latinské úradovanie malo prestať.

Z reforiem hospodársko-sociálneho charakteru malo najväčší význam zrušenie nevoľníctva v Uhorsku 2. augusta 1785. Už v roku 1783 mu predchádzalo cisárske nariadenie adresované stoliciam, v ktorom panovník poukazoval na skutočnosť, že poddanských sťažností neustále pribúda a zemepáni na mnohých miestach nedodržiavajú urbár. Aby sa predišlo väčšej nespokojnosti, cisár v nariadení zakázal zemepánom svojvoľne vyháňať poddaných z usadlostí, požadovať od nich akékoľvek mimourbárske dávky, platby a služobnosti, nútiť ich bezplatne vykonávať čeľadnícke práce, brániť im vstupovať do manželstva podľa ich vlastnej vôle, odchádzať na remeslá a podobne. Keďže ani po tomto nariadení nenastala náprava a v roku 1784 vypuklo povstanie poddaných v Sedmohradsku, zrušil Jozef II. v roku 1785 nevoľníctvo aj v Uhorsku. Zrušením nevoľníctva sa odstránila predovšetkým osobná nesloboda poddaných, pri dodržaní určitých podmienok sa mohli slobodne sťahovať, sami rozhodovať o svojom hnuteľnom majetku i o užívaní nehnuteľnosti a bez súhlasu vrchnosti dávať deti na remeslá alebo štúdiá. Patent o zrušení nevoľníctva, akokoľvek utváral predpoklady pre voľný trh pracovných síl, bol predovšetkým aktom smerujúcim k uvoľneniu pút patrimoniálnej správy a k jej substitúcii centrálne riadenou administratívou.[9]

Aj keď zrušenie nevoľníctva sa nedotýkalo podstaty feudálneho zriadenia a ani vzťahov medzi zemepánmi a poddanými, ktoré pretrvali až do revolúcie roku 1848, malo pre ďalší rozvoj hospodárskeho a spoločenského života na Slovensku ďalekosiahly význam. Odstránením ťaživej osobnej závislosti roľníckeho obyvateľstva sa aj na Slovensku utvorili predpoklady pre dynamickejší rozvoj kapitalistických výrobných vzťahov, urýchlil sa príliv slovenského etnického živlu do miest, ale i do škôl, čo znamenalo významnú posilu v procese formovania novodobého slovenského národa.

Najväčší odpor v radoch uhorskej šľachty vyvolala reforma daňového systému, vyhlásená v Uhorsku v roku 1786. Jej základom sa mala stať všetka, teda aj šľachtická pôda. Za týmto účelom sa nariadilo aj jeho premeranie a stanovenie jej výnosu. Odpor šľachty proti premeriavaniu bol o to väčší, že majitelia mali znášať náklady s jeho realizovaním. Za spoluúčasť na znášaní daňových bremien cisár sľuboval šľachte oslobodenie od insurekčnej povinnosti. Celá reforma však zostala na polceste a pre odpor uhorskej vládnúcej triedy sa ani neuskutočnila. Rovnaký odpor vyvolalo aj nariadenie o súpise všetkého (aj šľachtického) obyvateľstva a očíslovanie všetkých domov bez ohľadu na to, či išlo o poddanské chalupy alebo panské kaštiele.

Vystupňovanie odporu uhorskej šľachty proti Jozefovým reformám, ktoré sa dotýkali jej majetkových a triednych záujmov, umožňovalo v posledných rokoch jeho vlády aj zmenené mocenské postavenie Habsburskej ríše. V mierových časoch však mocensko-politická prevaha bola na strane cisára. Od roku 1787 však nastáva zmena pomeru síl. V tomto roku vypukli vážne nepokoje v Belgicku, ktoré sa podarilo vojenskou mocou potlačiť. Krajina nebola ešte celkom pacifikovaná a už prišlo k vojne s Tureckom. Cisárovi sa ju nepodarilo oddialiť, lebo bol viazaný spojeneckou zmluvou s Ruskom, ktoré vystupňovaním územných požiadaviek prinútilo sultána k vojne. Pre vedenie vojny však nebol vhodný čas nielen pre pomery v Belgicku, ale aj v Uhorsku, kde uskutočňovanie daňovej reformy a s ňou spojených meračských prác bolo v začiatkoch a nebola vyriešená ani náhrada vojakom, ktorých bola šľachta povinná získať v čase vojnového ohrozenia krajiny. Priebeh vojny bol neúspešný. Turci kládli roku 1788 dvestotisícovej cisárskej armáde húževnatý odpor. Ťažké straty spôsobovala aj neschopnosť velenia a rozšírenie epidemických chorôb. Ani prítomnosť chorého a na lôžko pripútaného cisára nebolo ťaženiu na prospech. Výdavky na vedenie vojny pohlcovali skoro dve tretiny štátnych príjmov, pričom armáda trpela zásobovacími ťažkosťami a nedostatkom potravín.

V Uhorsku sa Jozef II. za danej situácie neodhodlal prikročiť k zdaneniu šľachty, ale ani k zvolaniu insurekcie, lebo by to znamenalo popretie pripravovanej reformy. Žiadal len odvod portálnych daní a nové kontingenty nováčkov. Pretože bol proti zvolaniu snemu, zvolal len stoličné kongregácie, ktoré v domnení, že ide o čiastočnú obnovu šľachtických slobôd, odhlasovali jeho požiadavky. Väčšiu pomoc očakával od Uhorska pri zásobovaní armády (tretina daňového obnosu sa mala odviesť v potravinách). V tomto smere sa však jeho nádeje nesplnili. Šľachta preniesla zápas proti nemu na hospodárske pole a dodávky pre armádu sa snažila sabotovať. Keď bolo zásobovanie armády ohrozené, siahol cisár k donucovacím prostriedkom a vojenským rekviráciám predpísaných množstiev obilia. Vyvolalo to však ešte väčšiu nespokojnosť.

Dobytie Belehradu v auguste 1789 prišlo už neskoro. Habsburskej ríši vyrástol medzitým nový nepriateľ v Prusku, ktoré podporovalo nespokojencov v radoch uhorskej šľachty a ponúkalo im dokonca za kráľa saskoweimarského kurfirsta Karola Augusta. Cisár mal ešte dosť síl zlomiť prípadný uhorský odboj (hlavnej reprezentácii uhorskej šľachty však išlo o ústavné vyrovnanie s panovníkom a nie o odtrhnutie alebo samostatnosť Uhorska), ale medzinárodná situácia mu zaväzovala ruky. Keď v Belgicku znova vypukol odboj, doleteli zvesti o Francúzskej revolúcii a na konci roka sa zdala neodvratná vojna s Pruskom a Poľskom, 18. decembra 1789 Jozef II. odvolal

najnenávidenejšie reformy v Uhorsku; premeriavanie pôdy a prečíslovanie domov, ktoré šľachta už aj tak zastavila. Prisľúbil zvolať snem, ktorý mal rozhodnúť o reformách, a žiadal uhorské stavy, aby mu dovtedy poskytli vojenskú a materiálnu pomoc na úspešné skončenie protitureckej vojny. Tento cisárov prvý ústupok mal za následok iba uvoľnenie novej lavíny požiadaviek. Vystupňovanie opozície stoličnej šľachty viedlo k destabilizácii vnútornej správy krajiny. Na zákrok uhorských hodnostárov a na odporúčanie štátneho kancelára grófa Kounica odvoláva Jozef II. 28. januára 1790, necelý mesiac pred svojou smrťou, všetky svoje reformy v Uhorsku, s výnimkou nariadenia o zriadení farností, zrušenia nevoľníctva a tolerančného patentu.

Pokúsme sa zodpovedať záverom otázku, čo vlastne predstavovala éra jozefinizmu v dejinách strednej Európy a nášho národa. Či išlo o obdobie, ktoré možno pokladať za ukončenie predchádzajúceho vývinu alebo za etapu, ktorou začína nové obdobie našich dejín. Odpoveď je veľmi zložitá a vôbec nie jednoznačná. Možno súhlasiť s názorom, že praktická aplikácia myšlienok osvietenského absolutizmu našla svoj výraz v reformnej politike Márie Terézie a Jozefa II. Štátna moc po prvýkrát otvorene a v takej veľkej miere zasiahla do všetkých oblastí života jednotlivca a spoločnosti. Silná ústredná moc mala obmedziť a narušiť ekonomicko-právnu svojvôľu feudálnych vrchností, trhový a výrobný partikularizmus miest, tradičnú nízku produktivitu poddanského hospodárstva, kde prvoradú úlohu hrala nie otázka efektivity, ale zložitá problematika vlastníckych vzťahov k pôde. V podstate však išlo o inováciu feudálnej spoločnosti, napriek tomu, že jozefinizmus pootvoril dvere nastupujúcemu kapitalizmu.

Poznámky

[1] Z problematiky osvietenstva môžeme uviesť práce HAUBELT, J.: České osvícení. Praha 1986; BĚLINA, P.: Česká města v 18. století a osvícenské reformy. Praha 1985; BĚLINA, P.: Teoretické kořeny a státní praxe osvícenského absolutismu v habsburské monarchii. Československý časopis historický (ďalej ČSČH), 29, 1981, s. 879–905; WINTER, E.: Josefinismus a jeho dějiny. Praha 1945; MÜNZ, T.: Filozofia slovenského osvietenstva. Bratislava 1961; KOSÁRY, D.: Müvelödés a XVIII. századi Magyarországon. Budapest 1983; BARTA, J.: A nevezetes tollvonás. Budapest 1978.

[2] Určite je každému známa príhoda zo stretnutia babičky B. Němcovej s Jozefom II.

[3] VOZÁR, J.: Zlatá kniha banícka. Bratislava 1983.

[4] BĚLINA, P.: Teoretické kořeny a státní praxe osvícenského

absolutismu v Habsburské monarchii. ČSČH, 29, 1981, s. 879–905.

⁵ Významnú úlohu zohral aj A. F. Kollár. Pozri TIBENSKÝ, J.: Slovenský Sokrates. Bratislava 1983.

⁶ Porovnaj TIBENSKÝ, J.: Dejiny vedy a techniky na Slovensku. Martin 1979, s. 83 a n.

⁷ Bližšie rozoberá WINTER, E.: C. d.

⁸ Pozri KOWALSKÁ, E.: Štátne ľudové školstvo na Slovensku na prelome 18. a 19. storočia. Bratislava 1987.

⁹ KOČÍ, J.: Patent o zrušení nevolnictví v českých zemích. ČSČH, 17, 1969, s. 69–108.

Bernolákovo jazykovedné dielo
v kontexte slovenskej jazykovedy

KATARÍNA HABOVŠTIAKOVÁ

Z komplexu otázok vzťahujúcich sa na tohtoročné jubileum spisovnej slovenčiny všimnime si na základe doterajších výskumov (Habovštiaková 1968, 1974, 1976, 1983, 1985, 1987; Krajčovič 1981, 1985; Darovec 1986 a i.) miesto Bernolákovej spisovnej slovenčiny vo vývinovej perspektíve slovenského jazyka s osobitným zreteľom na odbornú jazykovednú hodnotu jeho diela.

Pri hodnotení Antona Bernoláka a jeho kodifikácie spisovnej slovenčiny z vývinového hľadiska vystupuje do popredia na jednej strane skutočnosť, že Bernolákova kodifikácia predstavuje vyústenie starších úsilí o kultúru písomného prejavu a na druhej strane predstavuje prvú kodifikovanú podobu spisovnej slovenčiny, na ktorú sa v istom rozsahu nadviazalo aj pri Štúrovej kodifikácii, resp. aj pri hodžovsko-hattalovskej úprave spisovnej slovenčiny.

Bernolákovým vystúpením dochádza ku kvalitatívnej zmene v osudoch používania slovenčiny v písomnom kultúrnom úze: miesto nekodifikovanej (neustálenej) kultúrnej slovenčiny (používanej najmä v západoslovenskom a stredoslovenskom variante) dostáva sa do slovenských kníh pravopisne a gramaticky (neskôr i lexikálne) kodifikovaná podoba spisovnej slovenčiny. Medzi kultúrnou západoslovenčinou (používanou sprvoti najmä v praktických písomnostiach, no neskôr aj v literatúre, najmä náboženskej) a Bernolákovou spisovnou slovenčinou je úzka vzájomná súvislosť. Sám Bernolák na ňu nepriamo poukázal, keď vo svojich jazykovedných prácach (v Ortografii, s. 8 a v úvode k Slováru, s. VIII, IX) zdôrazňoval, že svoj spisovný jazyk budoval na úze vzdelancov. Bernolák vedome nadväzoval na západoslovenskú jazykovú kultúru a svoje konanie chcel

podoprieť vážnosťou západoslovenskej literárnej tradície.

Pri hodnotení nadväznosti Bernolákovej spisovnej slovenčiny na staršiu západoslovenskú literatúru sa v minulosti Bernolák hodnotil iba ako ,,dôsledný kodifikátor toho, čo pred ním vyše sto rokov v tlači katolíckych Slovákov rástlo a zrelo ako rečový falet" (Vlček, 1890, s. 35). Na základe podrobnejšej analýzy vzťahu Bernolákovej spisovnej slovenčiny k staršiemu západoslovenskému kultúrnemu úzu sa však ukazuje, že Bernolákova spisovná slovenčina je čosi viac ako iba kodifikácia predspisovného úzu. Spomínaný predspisovný úzus bol totiž značne nejednotný. Bernolák napríklad mohol nájsť v staršej literatúre dosť príkladov na nahrádzanie ypsilonu iotou; bol to však úzus nejednotný, nezdôvodnený, až Bernolák vystupuje s odôvodnením, prečo sa má nahradiť ypsilon iotou. Nejednotnosť, neustálenosť, kolísanie medzi slovenskými a českými zneniami charakterizuje predspisovné kultúrne jazykové útvary aj v oblasti hláskoslovia a morfológie. Pri nadväzovaní Bernolákovej kodifikácie na kultúrnu západoslovenčinu ide predovšetkým o nadviazanie na slovenský jazykový základ kultúrnej západoslovenčiny a o eliminovanie v slovenčine nepotrebných českých jazykových prvkov. Sám Bernolák tento svoj jazykový zámer explicitne vyjadril v Predhovore k Dizertácii (1787, s. III.), v ktorej sa priznáva, že vynaložil nemalé úsilie na to, aby slovenčinu očistil ,,od chýb prenesených do nášho jazyka z výslovnosti a pravopisu českého". V Ortografii (1787, s. 8) zasa kladie za vzor ,,výslovnosť vzdelaných a učených a najmenej horliacich za bohemizmy". Aj vo svojich gramatických prácach Bernolák na viacerých miestach upozorňuje na rozdiely medzi slovenčinou a češtinou a v úvode k Slováru (s. IX) vyslovuje presvedčenie, že slovenčina i po odstránení bohemizmov bude mať dostatok vhodných slov, „ktorými by (spoluvlastenci) vyjadrili úmysly srdca alebo ktorékoľvek iné veci".

Úmysel sformovať spisovnú slovenčinu čo najnezávislejšie od češtiny realizoval Bernolák najpodrobnejšie vo svojom Slovári (1825–1827), v ktorom sústavne upozorňuje nielen na bohemizmy lexikálne (napr. cinter, boh. krchov, hrbitow; škorec, boh. špaček; stádo, boh. skot), ale aj na bohemizmy hláskoslovné ($^+$gablečník v. gablčník, $^+$krew, žltí, boh. žlutí) a slovotvorné (smetište v. smetisko, kominík v. kominár).

Na druhej strane treba však priznať, že aj napriek zámernému „očišťovaniu slovenčiny od češtiny" dostalo sa do Bernolákovej kodifikácie viacero bohemizmov hláskoslovných (ohľed, ľitovať, púwod v Gramatike), morfologických (nom. sg. sudce, popri druhotvare suďec, vok. sg. spasiteli, odplaťiteli; príd. m. ako oltářňí, spowedňí, barborčin, dorčin, ale matkin, slovesné prechodníky a príčastia: učic, milugicí, milugicá, milugicé, oslablí, zabehlí) i lexikálnych (napr. medzi spojkami a spojovacími výrazmi: neb, aneb, poňewáč, kďiž, kďižbi, gestli, kterí). Pri zdôvodňovaní týchto a ďalších bohemizmov v prvej verzii spisovnej slovenčiny treba vziať do úvahy fakt, že tieto bohemizmy boli sprostredkované cez filter kultúrnej západoslovenčiny. Kultúrna západoslovenčina sa totiž formovala v úzkom kontakte so spisovnou češtinou, ktorá sa ako Slovákom relatívne dobre zrozumiteľný jazyk začala od 15. stor. používať na Slovensku vo funkcii domáceho spisovného jazyka. Spisovná čeština bola modelom pri utváraní sa predspisovných kultúrnych jazykových útvarov a zásobárňou lexikálnych prostriedkov potrebných pre vyšší štýl a písomné vyjadrovanie. Prienik bohemizmov do kultúrnej západoslovenčiny bol podporovaný aj čiastočným prekrývaním časti západoslovenských nárečí s češtinou (v zneniach ako bílí, pátek, svatí, kúň, s chlapem, bez chlapuv, na ruce, tvá a i.). Formálna blízkosť (no nie totožnosť) kultúrnej západoslovenčiny s češtinou sa odzrkadlila v istom rozsahu aj v podobe Bernolákovej spisovnej slovenčiny. Na vzťah bernolákovčiny a češtiny poukázali viacerí jazykovedci (Vážný 1936, s. 159; Horálek 1955, s. 332; Bělič 1955, s. 162 a i.). J. Mihál (1941, s. 369) pokladal dokonca „predlohu českú" za najmocnejšieho činiteľa pri formovaní Bernolákovej spisovnej slovenčiny. To, že bernolákovci „odťjahnuc sa od Češťini něpovíšili samuo čistuo nárečja Slovenskuo na reč spisovnú, ale vzali nárečja Češťiňe najbližšie" stalo sa podľa hodnotenia Ľ. Štúra (Nauka,

1846, s. X) „potrebním behom vecí, lebo krok k samjemu čistjemu nárečú Slovenskjemu urobení bou bi sa velkím odskočením od terajšieho spisovnjeho vo vážnosti stojaceho jazika pozdávau". V podobnom zmysle ako Štúr hodnotí Bernolákovu spisovnú slovenčinu aj J. Vlček (Dejiny, 1953, s. 57) „iba ako prvý krok od spisovnej češtiny k čistej slovenčine".

Ak sme na jednej strane zdôraznili nadväznosť Bernolákovej spisovnej slovenčiny na kultúrnu západoslovenčinu a jej prostredníctvom i na češtinu, na druhej strane treba vyzdvihnúť skutočnosť, že táto v podstate západoslovenská (no v istom rozsahu aj stredoslovenské prvky anticipujúca) verzia spisovnej slovenčiny predstavuje už prvú podobu spisovnej slovenčiny (i keď ešte nie v plnom rozsahu prijatú celým národným spoločenstvom). Bernolákovo uzákonenie spisovnej slovenčiny predstavuje vedomé a úmyselné odpútanie sa od tradičnej češtiny a premyslené dobudovanie toho slovenského jazykového jadra v kultúrnej slovenčine, ktoré už od 16. stor. naznačovalo vyvinové cesty k slovenskému spisovnému jazyku. Hoci dominantná ideologická pohnútka Bernolákovho kodifikátorského činu spočíva ešte v ideológii slovenskej národnosti v osvietenskom chápaní, predsa uzákonenie spisovnej slovenčiny je už odrazom novej národnej ideológie, v ktorej sa chápe spisovná slovenčina ako celonárodný jazyk. Jazykovedné vystúpenie Antona Bernoláka je už výrazom formujúceho sa novodobého slovenského nacionalizmu. Od širokého slovanského základu diferencovaného do pol. 18. stor. len politicko-teritoriálne dospievajú bernolákovci ku kmeňovej diferenciácii Slovanov a ku koncepcii samostatného „slovenského kmeňa" so slovenčinou ako slovanským dialektom (Stanislav. 1946–1947, Tibenský, 1960). A práve Bernolákovo uzákonenie spisovnej slovenčiny výrazne podporovalo snahy o zjednocovanie a organizovanie kultúrnonárodných síl. Bernolákovo jazykovedné vystúpenie, ktoré nastalo v dôsledku poznania objektívnej zákonitosti vývinu slovenského národa a bolo jazykovým prejavom procesu utvárania novodobého národa, zohralo významnú úlohu aj v ďalších vývinových etapách slovenského jazyka a slovenského národa. Bernolákov príklon k slovenskému jazyku, pestovanie slovenského jazyka v literatúre, národné sebavedomie bernolákovcov a ich kultúrna aktivita vo vydávaní kníh a propagovaní spisovnej slovenčiny pôsobili ako príťažlivý príklad i na štúrovskú generáciu. Štúrovci sa otvorene hlásili k bernolákovskej tradícii. Sám Štúr priznáva, že „k vyzdvihnutiu slovenčiny za reč spisovnú, a tak k samotvornému životu slovenskému ťali a razili nám cestu znamenitý náš Bernolák a jeho nasledovníci: výborný Fándly, úprimný Ottmayer, vznešený, neúnavne pracovitý a obetuvavý Hamuljak a naposledok ten, čo zo všetkých nás nejlepšie prežil starý, dávno zahaslý vek náš a terajšie naše časy, náš spevný, hlbokodojímavý Hollý" (Štúr, reed. 1957, s. 23). Je známe, že pri prípravách na uzákonenie stredoslovenskej verzie spisovnej slovenčiny štúrovci boli v kontakte s bernolákovcami, radili sa o svojom zámere s básnikom Jánom Hollým (z jari r. 1843). Hollého óda na Bernoláka, vyzývajúca k jazykovému zjednoteniu slovenského národa, bola pre štúrovcov vážnym povzbudením v ich boji za slovenčinu. Hoci Ľ. Štúr v jazykovej báze spisovnej reči nenadviazal na Bernoláka, predsa priznáva, že v boji za spisovnú slovenčinu ho viedol „príklad bratov našich katolíckich" a svoj čin pokladal za „dovršeňja a doplňenja" Bernolákovho diela (Nauka, 1846, s. VIII).

Štúrovci sa primkli nielen k ideovému odkazu bernolákovcov, ale aj pri pravopisnom stvárňovaní stredoslovenskej podoby spisovnej slovenčiny nadviazal Štúr na Bernoláka. Štúr prijal v zásade Bernolákov fonologický pravopisný systém, no v jednotlivostiach ho upravil a prispôsobil podľa potrieb stredoslovenského základu spisovného jazyka. Pri hodžovsko-hattalovskej úprave spisovnej slovenčiny bol zamietnutý bernolákovsko-štúrovský foneticko-fonologický pravopisný systém, no je pozoruhodné, že sa akceptovali daktoré iné požiadavky bernolákovcov: prijalo sa miesto štúrovského l mäkké ľ, skloňovanie typu dobrého oproti štúrovskému dobrieho a minulý čas typu robil oproti štúrovskému robiu. V istom rozsahu sa nadviazalo na bernolákovský pravopisný úzus aj pri ostatnej významnej úprave slovenského pravopisu r. 1953, a to pri riešení písania predpôn s-/z-, zo-.

V tejto úvodnej úvahe chceli sme poukázať nielen na Bernolákovo nadväzovanie na predspisovné kultúrne jazykové tradície, ale zároveň vyzdvihnúť aj Bernolákov zámer sformovať spisovnú slovenčinu čo najnezávislejšie od češtiny.

Bernolák kliesnil cestu slovenčine nie iba zápalistými výzvami pestovať vlastnú reč (tak ako to robil pred ním napr. V. Benedikt z Nedožier, D. Sinapius Horčička a iní), ale svojimi jazykovednými prácami sám ukazoval vývinové perspektívy spisovnému jazyku. Jazykovedné dielo Antona Bernoláka je pozoruhodné tým, že sa vzťahuje na kodifikáciu všetkých jazykových plánov. Tým, že je zamerané na pravopis, na gramatickú stavbu spisovnej slovenčiny i na otázky tvorenia slov a slovnej zásoby, komplexne utvára podobu prvej verzie spisovnej slovenčiny. Z tohto hľadiska je Bernolákova kodifikácia úplnejšia ako neskoršie kodifikácie. V Štúrovej kodifikácii sa venuje málo pozornosti slovnej zásobe spisovného jazyka: tvoreniu slov i jej lexikografickému spracovaniu. Jančovičov Nový maďarsko-slovenský a slovensko-maďarský slovník (1848) napísaný štúrovčinou je len stručný dvojjazyčný slovník bez výraznejšieho normotvorného zamerania. Aj tzv. „opravená" hodžovsko-hattalovská slovenčina je prezentovaná len gramatikami (Krátka mluvnica slovenská z r. 1852 a neskôr M. Hattalova Mluvnica z r. 1864, 1865); lexikografické dotvorenie tejto kodifikácie chýba; slovník J. Loosa (1871) neplnil explicitne normotvorné poslanie. Ku kodifikácii spisovnej slovenčiny výraznejšie prispeli až jazykovedné práce S. Czambla: Slovenský pravopis (1890) a Rukoväť spisovnej reči slovenskej (1902) s výberovým slovníčkom. Po prvej svetovej vojne bola dotváraná kodifikácia spisovnej slovenčiny zameraná najmä na pravidlá pravopisu a výberové lexikálne javy.

Historickým medzníkom vo vývine slovenského jazyka bol rok 1787, v ktorom bol urobený prvý významný krok ku kodifikácii spisovnej slovenčiny vydaním kolektívneho diela bratislavských seminaristov (spracovaného pod vedením Antona Bernoláka, no vydaného anonymne). V Dizertácii sa predkladá premyslený návrh na úpravu slovenského pravopisu, ktorým sa sleduje cieľ vytvoriť slovenský jazyk ako najušľachtilejší. K spracovaniu sporných otázok slovenského pravopisu pristupuje Bernolák s pomerne širokým rozhľadom v domácej (slovenskej i českej) a sčasti i európskej jazykovednej problematike. Bernolák sa v práci neraz odvoláva na stav v staročeských pamiatkach i na stav v slovenských nárečiach, ba argumentuje aj porovnávaniami s inými jazykmi (s gréčtinou, latinčinou, hebrejčinou, nemčinou, maďarčinou, angličtinou, francúzštinou, taliančinou, španielčinou a poľštinou). V metodickom postupe Dizertácie sa odzrkadľuje dobový racionalistický prístup k riešeniu problémov. Pri úvahách o pravopisných otázkach sa Bernolák neraz dovoláva svedectva zdravého rozumu. Oproti pohodlnému prijímaniu tradície (i chybnej) zdôrazňuje sa tu posúdenie problémov rozumom. Bernolák kriticky odhaľuje a smelo zamieta viaceré pravopisné omyly starších gramatikárov a usiluje sa nájsť nový, jasnejší a správnejší spôsob písania. V Dizertácii je dominantnou požiadavkou vyvodzovať pravidlá písania a tlače z výslovnosti s cieľom urobiť tak slovenský pravopis ľahším. Prísne sa preto skúma funkčnosť a potrebnosť jednotlivých grafém v pravopise. Namiesto q, x žiada sa písať kv, gv a ks (kvartír, egzámen, Kserkses); miesto tzv. v clausum, ktoré sa písalo na začiatku slabiky (napr. včený, prevčený) písmeno u (učení, preučení); a namiesto y len i (woli, ženi). Ďalej sa navrhujú aj niektoré iné pravopisné úpravy: odstrániť j vo funkcii í (teda nepísať chodj, ale choďí), upraviť starší nejednotný úzus písania hlásky j (Bernolák navrhuje písať j písmenom g: Gán, Gozef; hlásku g píše písmenom ǧ: ǧáǧať); miesto au navrhuje písať ú (teda lúka, nie lauka). Ďalej navrhuje písať diakritické znamienka na označovanie kvantity samohlások (dĺžne) a mäkkosti spoluhlások (mäkčene); zároveň sa eliminujú aj zložky ako ss vo funkcii š a i. Bernolákova zásada, že pravopis sa má zakladať na výslovnosti, sa prejavila aj v spôsobe písania predložky s, z (s Pavlom, s pánom, ale z oľegom, z octom) a predpony s, z (spáliť, zmárniť D 72).

Bernolákova pravopisná úprava predstavuje najvýraznejšiu zložku Bernolákovho kodifikátorského programu. Z nej najpriaznivejší ohlas malo v nasledujúcich vývinových obdobiach najmä eliminovanie ypsilonu a jeho nahradenie iotou, ktoré bolo náležite podopreté odbornými argumentmi. Hoci viaceré zavádzané pravopisné úpravy mali korene v staršom (i keď nie dôslednom) pravopisnom úze (u Gavloviča, Thamassyho, Bajzu), predsa až Bernolák zdôvodnil ich potrebu z hľadiska celkového foneticko-fonologického pravopisného systému.

Po sformulovaní požiadaviek na úpravu slovenského pravopisu pristúpil A. Bernolák ku kodifikácii gramatickej stavby spisovnej slovenčiny. Roku 1790 vydal po latinsky Slovenskú gramatiku (vyšla v Trnave). Keďže išlo o učebnicu predovšetkým s praktickým zameraním pre školské potreby, autor v nej sledoval synchrónny popis jazyka.

Hláskový systém spisovnej slovenčiny budoval Bernolák na vokalizme západoslovenskom (stredoslovenské dvojhlásky pripúšťal iba ako varianty, no neskôr v Slovári hodnotil už znenie s dvojhláskami ako nárečové). V konsonantizme prijímal i viaceré stredoslovenské prvky (dz, ď, ť, ň, ľ v podstate v stredoslovenskom rozsahu, čiastočne i slabičné l a šť; častejšie sú však znenia s lu, šč).

V morfológii Bernolák zavádza do spisovného jazyka v podstate tie isté tvary, ktoré sa používajú podnes. Odchýlok od súčasného stavu je pomerne málo. Pri skloňovaní podstatných mien nachodíme odlišné tvary od dnešných iba v niekoľkých pádoch (napr. rezíduá českých spisovných tvarov vo vok. sg. mien ako Spasiteli, Odplatiteli alebo nárečové tvary v lok. sg. ako w Klášteri, na nosi a nom. pl. ako náleze). Bernolák pri skloňovaní podstatných mien uprednostňoval živé slovenské tvary pred staršími

spisovnými (napr. vo vok. sg. tvary ako zlatníku a v lok. sg. w kožuchu pred tvarmi s palatalizáciami ako zlatníče; w kožusse). Bernolák uvádzal i niektoré typické stredoslovenské tvary (inštr. sg. mask. a neutier na -om: s pánom, druhotvar na -ou v inštr. sg. s owcú (ow)).

Aj pri prídavných menách je v podstate to isté skloňovanie, aké je po hodžovsko-hattalovskej úprave podnes (iba príd. mená, ako cudzí, čloweči skloňuje Bernolák podľa vzoru pekní, teda cudzého, a nie cudzieho ako dnes).

Takisto pri flexii zámen vychádzal Bernolák predovšetkým zo stavu v slovenskom jazyku (porovnaj napríklad tvary, ako mňa, mňe, mi,, mňa, ma, na mňe, se mnú vel mnow, podobne aj tvary zámena ty a on). Hovorové západoslovenské tvary podľa adjektívnej flexie nachodíme pri privlastňovacích zámenách ako mogého, mogému (obdobná kvantita je aj pri privlastňovacích prídavných menách: paňiného, paňinému).

Nie v menšej miere ako skloňovanie mien vyznačuje sa slovenskými tvarmi aj časovanie slovies. Dôsledné používanie koncovky -m v 1. os. sg. prít. času, neurčitok na -ť, min. čas typu móhol, gedol, stredoslovenské druhotvary ako meťgem, weďgem, popri meťem, weďem, som popri sem, bol i ostatné tvary slovesa byť sú významnými slovenskými znakmi časovania slovies v Bernolákovej Gramatike. Vplyv českej kultúrnej tradície sa pri slovesách najzreteľnejšie prejavuje v knižných tvaroch prechodníka prítomného (ako učic, učice, trhagic, trhagice), príčastia prítomného (milugicí, milugicá, milugicé), prechodníka minulého (trhawši, trhawše) a pri tvaroch príčastia minulého na -lí (oslablí, odtrhlí).

V kapitole o syntaxi Bernolák neraz výslovne upozorňuje na bohemizmy (napr. vzťažné zámeno genž, genžto hodnotí ako čechizmus), ba zaraďuje do kapitoly o syntaxi i typicky slovenský materiál (napr. používanie zámena čo vo funkcii vzťažného zámena, pri vykaní a onikaní upozorňuje, že slovesné tvary v minulom čase musia byť v množnom čísle). Pozoruhodná je aj Bernolákova kodifikácia slovosledu v samostatných a priradených vetách, ktorá sa zhoduje so stavbou vety v živej hovorovej reči (Darovec, 1986, s. 88).

Bernolákova voľba výrazne slovenských tvarov v jeho Gramatike vystupuje do popredia pri porovnaní deklinácie a konjugácie v Bernolákovej Gramatike s Doležalovou Česko-slovenskou gramatikou (Grammatica Slavico-Bohemica, 1746). Doležalom uvádzané varianty v paradigmách charakteristické pre časť tých vzdelaných Slovákov, na ktorú myslel Doležal, sa v hlavných črtách odlišovali od kultúrnej západoslovenčiny južného (trnavského) typu, na ktorú nadviazal vo svojej kodifikácii A. Bernolák (Krajčovič, 1977). Jazyk vzdelancov, ktorého čiastočný opis podal P. Doležal vo svojej gramatike, možno kvalifikovať ako slovakizovanú češtinu, ako stupeň vývinu češtiny v slovenskom prostredí. Bernolák však na Doležala a na jeho slovenčiace tendencie nenadviazal (Krajčovič, 1985).

Ďalším Bernolákovým podujatím pri ustaľovaní spisovnej slovenčiny bolo vydanie knihy Etymologia vocum slavicarum (Etymológia slovenských slov) v Trnave r. 1791. Je to príručka o tvorení slov, „ustaľujúca spôsob rozmnožovania slov odvodzovaním a skladaním". Jadro Etymológie tvoria state o rozličných slovotvorných postupoch. Praktické zameranie majú slovníčkové prílohy, najmä slovensko-latinsko-maďarsko-nemecký slovníček usporiadaný podľa vecných okruhov. Bernolák rozviedol otázky tvorenia slov v slovenčine v Etymológii pomerne obšírne, pričom využíval ako vzor najmä Doležalovu a v menšej miere aj inú českú gramatickú literatúru. Hoci prevažná väčšina v Etymológii používaných slovotvorných postupov je bežná aj dnes, predsa sú rozdiely v tom, v akom rozsahu ich Bernolák využíva (porov. napr. Češkiňa popri Češka, Uherkiňa popri Uherka, Uhrinka a i.).

Bernolák v Etymológii podľahol v značnej miere vplyvu používanej gramatickej literatúry pri nemiernom využívaní slovotvorných možností jazyka. Bernolák sa pokúšal demonštrovať životaschopnosť slovenského jazyka aj uvádzaním mnohých synoným. Tak napr. v dodatku Etymológie pre latinské slovo carmen spomína ekvivalenty ako mluwospew, spewomluwa, spewoňec, wazomluwa, speworádek, wazospew, spewohlas, spewowňa. Na takýto postup si Bernolák bral vzor od Doležala i od Rosu. Bernolákov postoj k otázkam obohacovania slovnej zásoby spisovného jazyka je daňou staršej tradícii, ktorú Bernolák splácal do istej miery s dobrým úmyslom zveľaďovať zdedenú a málo rozvinutú slovnú zásobu slovenčiny poukazom na slovotvorné schopnosti mladého spisovného jazyka. Neskôr si Bernolák pravdepodobne uvedomil preexponovať a nereálnosť podaktorých svojich slovotvorných postupov, a preto celý rad slov, ktoré uvádza v Etymológii, nenachodíme už v Slovári.

Bernolák, ako je známe, dovŕšil kodifikáciu spisovnej slovenčiny veľkým slovníkovým dielom Slowár Slowenskí, česko-latinsko-ňemecko-uherskí, ktorý vyšiel v šiestich dieloch v univerzitnej tlačiarni v Budíne 12 rokov po jeho smrti v rokoch 1825—1827. Slovár mal byť normotvornou príručkou slovnej zásoby spisovného jazyka. Sám Bernolák mu dáva poslanie „zavŕšiť pestovanie slovenskej reči, aby mohla svojou dokonalosťou úspešne závodiť s ktoroukoľvek z dnešných najvyspelejších rečí".

Bernolákov Slovár je obdivuhodným lexikografickým dielom usilovného jednotlivca. Je zhrnutím slovnej zásoby vzdelancov západoslovenských kultúrnych centier (Trnava, Bratislava) a dokumentom o významnej členitosti slovenskej slovnej zásoby (i nárečovej) z rozhrania 18. a 19. storočia. Pomerne podrobne sa spracúva v Slovári i terminológia (napr. botanická a zoologická). Cenné sú aj Bernolákove poznatky o nárečovej slovnej zásobe. Bernolák niekedy pripúšťa ako rovnocenné spisovné synonymá i nárečové slová z rozličných krajov (napr. krumpla, syn. šwábka, zemák, podzemné-podzemské gablko, šwábska repa 1108), inokedy volí pre spisovný jazyk len jedno znenie a ostatné označuje ako nárečové (napr. gelša, vulg. galš, galša, olša 642). Časté sú prípady, že Bernolák zavádza do spisovného jazyka ako rovnocenné synonymá západoslovenský i stredoslovenský výraz (napr. kadlec, syn. tkáč 860, hrotek, syn. šechtár 800) a i. Významné je aj normotvorné zameranie Slovára. Bernolák hodnotí, či je slovo vhodné pre spisovný jazyk. Kriticky sa stavia nielen k mnohým dialektizmom (označuje ich slovkom „vulg.", t. j. vulgárne, ľudové či nárečové, alebo hviezdičkou), ale i k výrazom prenikajúcim z češtiny. Preto sa v Slovári české znenia označujú krížikom alebo poznámkou boh. (= české) a odkazuje sa na príslušné slovenské podoby (napr. ceďídko v. cedník, ceďidlo, škorec, boh. špaček). V úsilí o podrobné spracovanie slovnej zásoby zašiel však Bernolák priďaleko. Podľa vzoru vtedajších slovníkov využíval neologizmy na obohacovanie jazyka celým radom nových synoným (napr. bríle, syn. očnice, očne skla, vulg. okuláre 140). Vzorom pri nadbytočnom tvorení slov boli Bernolákovi najmä českí slovnikári F. J. Tomsa a K. I. Thám.

Bernolák poznal i staršiu slovenskú slovníkovú literatúru (napr. slovníček k Lyczeiho Iter oeconomicum, slovníček ku Gramatike E. Alvara) i staršie české slovníky (napr. K. Z. Wussina, F. J. Tomsu, K. I. Tháma) a využíval ich vo svojej lexikografickej práci. V neslovenskej časti Slovára sa opieral najmä o slovníky Gradus ad Parnassum, Universae phraseologiae latinae corpus od P. F. Wagnera (najmä v latinskej časti), o slovníky Emanuela Jána Gerharda Schellera (v nemeckej časti) a o slovník Františka Páriz-Pápaiho (v maďarskej časti).

Slovnú zásobu spracoval Bernolák zvyčajnými

slovnikárskymi postupmi. Metódu hniezdovania ne-používal, čím značne narástol rozsah slovníka. I keď sa Bernolákovi nepodarilo vždy správne rozlíšiť význa-movú štruktúru slova, predsa je jeho Slovár význam-ným svedectvom o vtedajšej významovej diferenciácii slovenskej slovnej zásoby. I napriek viacerým nedo-statkom (v lexikografickej metóde, v hodnotení slov, v zavádzaní zbytočných novotvarov a i.) je Bernolá-kov Slovár cenným prameňom poznávania slovnej zásoby prvej podoby spisovnej slovenčiny.

Ostáva nám ešte zhodnotiť, či Bernolákove jazy-kovedné práce dosahujú teoretickú úroveň súdobých jazykovedných prác, najmä tých, ktoré používal Bernolák pri svojej práci.

Bernolák sa pri svojej kodifikátorskej práci vo všetkých svojich dielach opieral o známu vtedajšiu jazykovednú literatúru. Využíval najmä české grama-tické príručky a slovníky a západoslovenskú jazyko-vednú a slovníkovú literatúru. Neraz však podopieral svoje argumenty aj paralelami z iných slovanských i neslovanských jazykov. Bernolák pri svojej práci nadväzoval na staršiu jazykovednú tradíciu, mnohé z nej preberal, mnohé ďalej rozvíjal, spresňoval, dopĺňal. Podľa vzoru staršej gramatickej literatúry postupoval napríklad pri rozdelení zámen na 7 „tried“, pri vymedzení osobitnej skupiny zámen, tzv. „gentilia“, pri definícii príslovky a iných slovných druhov, v chápaní „praepositií“ ako predložiek i pred-pôn, pri rozlišovaní v skloňovaní zámen ten – teho – temu/to – toho – tomu. Neraz sa však stavia k staršej gramatickej tradícii kriticky, napríklad k roz-deleniu diftongov na „stále, zrostliwé a tagné“, k hodnoteniu spoluhlások cz, ss, ch ako zdvojených, k počtu „polohlásnych“ či semivokálov (D 52–59, G 2–5). Napríklad v pomere k starším gramatickým príručkám podáva Bernolák neraz i výstižnejšie cha-rakteristiky jednotlivých slovných druhov (napr. cha-rakteristiku podstatného mena a jeho vlastností (G 17) alebo definíciu prídavného mena a jeho rozdele-nie na „kvalitatívne“ a „possesívne“, G 47–48).

Bernolák sa často pokúšal aj o samostatný metodický prístup k spracúvaným otázkam aj o rieše-nie problematiky na širšej základni ako v starších prácach. Ešte aj v Etymológii, kde je veľmi zjavné nasledovanie najmä Doležalovho vzoru, mal Bernol-ák aspoň sčasti svoj vlastný metodický prístup k spra-cúvaniu problematiky tvorenia slov. Kým Doležal sleduje otázky tvorenia slov z aspektu, čo sa tvorí od jednotlivých slovných druhov, Bernolák zase postu-puje opačne: skúma, ako sa tvoria jednotlivé slovné druhy (odvodzovaním príponami alebo predponami od rozličných slovných druhov). Podobne kladne

treba vyzdvihnúť i to, že Bernolák niektoré otázky tvorenia slov (napr. tvorenie deadjektív alebo tvore-nie zložených slov) rozpracúva podrobnejšie, než to bolo v starších gramatikách.

Bernolák však nebol vždy dosť kritický k použí-vanej jazykovednej literatúre. Nekriticky podľahol jej vzoru najmä v slovotvorných a lexikografických otáz-kach v Etymológii a v Slovári. Najmä na prvých stranách Etymológie je veľmi zreteľná Bernolákova priamočiara závislosť od starších predlôh, najmä od Doležala, sčasti i od Rosu. Menej nápadné sú vplyvy českých jazykovedných predlôh a vôbec českej lite-rárnej tradície na Slovensku, v oblasti hláskoslovia a tvaroslovia Bernolákovej spisovnej slovenčiny (napr. ojedinelý výskyt českých prehlasovaných zne-ní), v tvarosloví (napr. krátke tvary v nom. – ak. pl. mien typu srdca, kurata G 42 a v gen. pl. fem. a neutier bab., much G 41, srdc G 42 ap.).

Záverom možno teda konštatovať, že význam Bernolákovho jazykovedného diela spočíva v tom, že tvorí závažný uzlový bod vo vývine slovenského jazyka i slovenského národa. Bernolákovo celoživot-né dielo svojím celonárodným zameraním a serióz-nym jazykovedným podaním základnej problematiky kultúry spisovného jazyka otvára novú epochu v deji-nách slovenského národa. Prostredníctvom Bernolá-kových jazykovedných prác (najmä Gramatiky a Slo-vára) sa umožnil slovenskému národu vstup do slovanského i ostatného vedeckého sveta. Na Berno-lákove jazykovedné práce sa odvolávali vo svojich prácach Dobrovský, Jungmann, Linde a iní.

Bernolákovo jazykovedné dielo je živé i dnes. Je dôležitým prameňom poznávania dejín slovenského jazyka a významným svedectvom o gramatickej stav-be a slovnom bohatstve prvej verzie spisovnej sloven-činy.

Literatúra

BĚLIČ, J.: Sedm kapitol o češtině. 1. vyd. Praha, Státní pedagogic-ké nakladatelství 1955. 147 s.

BERNOLÁK, A.: Dissertatio philologico-critica de Literis Slavo-rum, de divisione illarum, nec non accentibus. 1. vyd. Posonii. Typis Joannis Michaelis Landerer 1787. 82 s.

BERNOLÁK, A.: Etymologia vocum slavicarum. 1. vyd. Tyrna-viae, Typis Wenceslai Jelinek 1791. 160 s. (Etymologia al. E)

BERNOLÁK, A.: Grammatica Slavica. 1. vyd. Posonii. Impensis Joannis Michaelis Landerer 1790. 312 s. (Gramatika al. G)

BERNOLÁK, A.: Linguae Slavonicae per regnum Hungariae usitatae compendiosa simul, et facilis Orthographia. 1. vyd.

Posonii. Typis Joannis Michaelis Landerer 1787. 31 s. (Orthografia al. O).

BERNOLÁK, A.: Slowár Slowenskí, česko-latinsko-ňemecko-uherskí. 1. vyd. Budae. Typis et Sumtibus Typogr. Reg. Univers. Hungariae usitatae 1825–1827. 5 zv. + 1 zv. (Slovár al. S).

CZAMBEL, S.: Rukoväť spisovnej reči slovenskej. 1. vyd. Turčiansky Svätý Martin. Vydanie Kníhkupecko-nakladateľského spolku 1902. 373 s.

CZAMBEL, S.: Slovenský pravopis. 1. vyd. Budapešť, nákladom vlastným 1890. 272 s.

DAROVEC, M.: Vývin názorov na slovosled v spisovnej slovenčine. In: Studia Academica Slovaca 15. Prednášky XXII. letného seminára slovenského jazyka a kultúry. Red. J. Mistrík. Bratislava, Alfa, vydavateľstvo technickej a ekonomickej literatúry 1986, s. 87–101.

DOLEŽAL, P.: Gramatica Slavico – Bohemica. 1. vyd. Posonii, Typis Royerianis 1746. 321 s.

HABOVŠTIAKOVÁ K.: Anton Bernolák a česká gramatická tradícia. In: Práce z dějin slavistiky (X). Red. J. Porák. Praha, Univerzita Karlova 1985, s. 199–216.

HABOVŠTIAKOVÁ K.: Bernolákovčina ako spisovný jazyk. In: Literárnomúzejný letopis 18, 1984, s. 85–100.

HABOVŠTIAKOVÁ, K.: Bernolákovo jazykovedné dielo. 1. vyd. Bratislava, Vydavateľstvo Slovenskej akadémie vied 1968. 445 s.

HABOVŠTIAKOVÁ, K.: Ideové, spoločenské a jazykové základy Bernolákovej spisovnej slovenčiny. In: Studia Academica Slovaca 5. Prednášky XII. letného seminára slovenského jazyka a kultúry. Red. J. Mistrík. Bratislava, Alfa, 1976, s. 113–127.

HABOVŠTIAKOVÁ, K.: Slovanský ideový základ a komparatívny aspekt v jazykovednom diele A. Bernoláka. In: Prekursorzy slowiańskiego językoznawstwa porównawczego do końca XVIII. wieku. Wrocław, Ossolineum 1987, s. 331–340.

HABOVŠTIAKOVÁ, K.: Synonymá v Bernolákovom Slovári. In: Jazykovedné štúdie 18. Z dejín slovenského jazyka. Red. J. Doruľa. Bratislava, Veda 1983, s. 59–67.

HABOVŠTIAKOVÁ, K.: Vzťah Bernolákovej spisovnej slovenčiny k západoslovenským jazykovým tradíciám a k západoslovenským nárečiam. In: Břeclav–Trnava. Red. J. Stavinoha. Brno, Blok 1974, s. 140–153.

HORÁLEK, K.: Úvod do studia slovanských jazyků. 1. vyd. Praha, Nakladatelství ČSAV 1955. 487 s.

(HATTALA, M.): Krátka mluvnica slovenská. Prešporok 1852. 63 s.

HATTALA, M.: Mluvnica jazyka slovenského. Diel prvý. Pešť 1864. Diel druhý. Skladba. Banská Bystrica. Nákladom Matice slovenskej 1865. 112 s.

JANKOVIČ, Š.: Noví maďarsko-slovenskí a slovensko-maďarskí slovník. 1. vyd. Sarvaš 1848. 2. vyd. Prešporok 1863. I. zv. 468 s., II. zv. 417 s.

KRAJČOVIČ, R.: Bernolákovčina a reč vzdelancov na juhozápadoslovenskom Slovensku v 18. storočí. Red. E. Pauliny. In: Zborník Filozofickej fakulty Univerzity Komenského v Bratislave. Philologica 28, 1977. Bratislava, Slovenské pedagogické nakladateľstvo 1981, s. 84–99.

KRAJČOVIČ, R.: O slovenčine v Doležalovej gramatike. In: Práce z dějin slawistiky X. Starší české, slovenské a slovanské mluvnice. Red. J. Porák. Praha, Univerzita Karlova 1985, s. 179–190.

LOOS, J.: Slovník slovenskej, maďarskej a nemeckej reči. Pešť, Wilhelm Laufer 1871. 656 s.

MIHÁL, J.: Bernolákov Slovár. In: Sborník Matice slovenskej, 19, 1941, s. 356–388.

STANISLAV, J.: Anton Bernolák a Slovanstvo. In: Jazykovedný sborník, 1–2, 1946–1947, s. 1–21.

ŠTÚR, Ľ.: Nauka reči slovenskej. 1. vyd. Prešporok 1846. Písmom Belnayho dedičou. 214 s.

ŠTÚR, Ľ.: Slovenčina naša. Edične pripravil a poznámky i vysvetlivky napísal Jozef Ambruš. 2. vyd. Bratislava. Slovenské vydavateľstvo krásnej literatúry 1957. 420 s.

TIBENSKÝ, J.: K problému hodnotenia bernolákovčiny a bernolákovského hnutia. Historický časopis, 7, 1959, s. 557–576.

VÁŽNY, V.: Spisovný jazyk slovenský. Československá vlastivěda. Řada II/III. Praha, Sfinx 1936, s. 145–215.

VLČEK, J.: Dejiny literatúry slovenskej. 1. vyd. Turčiansky Svätý Martin 1890. 278 s.; 3. vyd. Turčiansky Svätý Martin, Matica slovenská 1933. 403 s.

Miesto A. Bernoláka vo vývine slovenskej a českej jazykovedy

EUGEN JÓNA

Výsledky novšieho výskumu doby slovenského národného obrodenia priniesla už konferencia Historického ústavu SAV pri príležitosti 200. výročia narodenia Antona Bernoláka, kde odznel i môj referát „Vplyv bernolákovčiny a bernolákovcov na štúrovskú spisovnú normu".[1] Od tých čias vyšli aj ďalšie práce[2] o Bernolákovi, aj latinský originál a slovenský preklad gramatických prác A. Bernoláka[3], ako aj štúdie o jeho slovníku.[4] Konferencia o význame bernolákovského hnutia v našich dejinách pri príležitosti 200. výročia Bernolákovej kodifikácie spisovnej slovenčiny, vydania spisov Dissertatio a Orthographia,[5] má doplniť a rozšíriť poznatky o A. Bernolákovi a o bernolákovskom hnutí. Tu chceme upozorniť na niektoré črty jazykovedných prác A. Bernoláka a určiť jeho miesto vo vývine našej jazykovedy, zistiť, z ktorých starších diel čerpal a čo priniesol ako nóvum vo svojich rozpravách a najmä v gramatike a v Slovári.

Starší bádatelia[6] našej literárnej minulosti si všimli množstvo citovanej literatúry u Bernoláka a jeho spolupracovníkov už v prvých prácach. O Bernolákovej záľube v bibliografii počas štúdií vo Viedni a potom v Prešporku svedčí jeho rukopisná práca „Nova Bibliotheca selecta" nájdená v pozostalosti Antona Bernoláka v Nových Zámkoch.[7] Medzi knihami zväčša teologickými sú uvedené i gramatické a slovníkové práce o rozličných jazykoch, najmä o češtine.

Nielen jazyk, v ktorom svoje práce sám Bernolák písal a vydával – latinčina, lež aj zásady, z ktorých vychádzal, súvisia s klasickým vzdelaním (citovaní autori sú: Seneca, Tacitus, Plínius, Lactantius, Horácius a i.). Aj svoju hlavnú zásadu pri zisťovaní úzu a kodifikácie normy prevzal od teoretika rečníctva Quintiliana[8]. Zvyklosťou (úzom) jazyka nazvem súhlas vzdelancov, ako života súhlas dobrých. Pravda, tieto myšlienky sa tradovali od staroveku cez stredovek až do novoveku, napríklad u J. CH. Adelunga, u B. Kopitara a i.

Rozličným spôsobom zadovážené knihy[9] a v nich uvedenú literatúru citovali autori Dissertácie a Orthographie, keď hovorili o pôvode cyrilského a hlaholského písma u Slovanov a vôbec o literách Slovanov, ako svedčí aj názov prvého spisu. Citovanie diel o rozšírení a význame Slovanov a ich reči a kultúre v minulosti malo posilniť slovanské národné povedomie v súčasnosti, a tým aj obranu proti nepriateľom Slovanstva doma v Uhorsku i mimo Uhorska.

U A. Bernoláka – podobne ako u M. Bela – v latinskom kontexte jazyk, ktorým do 18. storočia hovorili a písali Slováci, sa nazýva lingua slavonica in Hungaria, pravopis a výslovnosť pronuntiatio, orthographia pannonio-Slava: Slováci sa volajú Slavi existentes in Pannonia; takisto treba chápať i názov oboch spisov „de literis Slavorum" „o písmenách Slovanov" (= slovanských) a „cum adnexa" linguae slavonicae per regnum Hungariae usitatae... „Orthographia" (jazyka slovanského používaného v Uhorskom kráľovstve).[10]

Autori Dissertácie chápali Slovanov a ich jazyk ako jeden celok, hoci si boli vedomí rozčlenenia národa na kmene (národnosti) a jazyka na nárečia (jazyky). Preto skúmajú najprv písmená (litery) Slovanov, ich abecedy, cyrilskú a hlaholskú, ktorých vek a pomer určujú tak, ako sa problém v tom čase zväčša riešil, totiž, že Cyril zostavil pôvodne cyrilské písmo a že hlaholské písmo utvoril vraj Hieronymus, proti dnešnému chápaniu po P. J. Šafárikovi[11], že hlaholské písmo je staršie ako cyrilika, pomenovaná na Cyrilovu počesť. Poučenie o písme, o minulosti, o rozšírenosti Slovanov, o používaní slovanského jazyka aj v liturgii a i. „vlasteneckí filológovia" čerpali z bohatej súvekej európskej literatúry, ale najmä z českej a slovenskej: z diela predchodcu J. Dobrovského v slavistike Václava Fortunáta Durycha (1735—1802)[12], z prác kritických historikov M. A. Voigta[13] (1733—1787), profesora všeobecnej histórie na univerzite vo Viedni, z práce Gelasia Dobnera[14] a i.; spomínajú i starších kronikárov a historikov českých (Kosmas, Václav Hájek, Balbín[15]; zo slovenských, resp. uhorských citujú P. Revu, J. Papánka, Martina Szentiványiho, Jakuba Jakobea, Daniela Sinapia, M. Bela, J. Sklenára a i. Neuvádzajú J. B. Magina, hoci jeho dielo[16] podľa dôkazov A. Baníka používali ako príručku a menovite vynechali — okrem slovnikárov — maďarských autorov.

O prácach slovanských učencov sa Bernolák a jeho spolupracovníci poučili z uvedeného diela V. F. Durycha a iných. J. Stanislav[17] zhrnul výsledok svojho dôkladného filologického rozboru Orthographie a Dissertatie: „Anton Bernolák je duchovným žiakom najprv V. F. Durycha a potom P. Doležala." Za duchovných radcov celej Bernolákovej vedeckej práce J. Stanislav pokladá z českých historikov a jazykovedcov najmä V. F. Durycha, B. Balbína, G. Dobnera, zo slovenských M. Bela a P. Doležala.

Knihy spomenutých autorov používal Bernolák aj vo svojej Gramatike a Etymológii, ale počet gramatík češtiny sa rozrástol (uvádza ich v Praefatii ku Gramatike § IX, pozn. f) ako pred ním M. Bel v Praefatii k Doležalovej gramatike (§ IX, X), pravda niektoré poznal iba z druhej ruky, ako zdôraznil J. Stanislav. Od začiatku sa opieral — okrem Pavla Doležala — o znamenitú gramatiku Rosovu,[18] ktorej sa pridržal i P. Doležal. Rosa v českej pozitivistickej vede nemal dobré meno, pretože ako prvý v Čechách podľahol dobovému európskemu puristickému smeru, ktorý cudzie slová zásadne a systematicky nahrádzal domácimi výrazmi tvorenými často podľa analógie, napr. termíny v prozódii, ktoré ostali zväčša návrhmi. U nás ho nasledoval P. Doležal a po ňom i A. Bernolák najmä v Etymológii.[19]

Po Rosovi zašiel purizmus v českej jazykovede veľmi ďaleko, keď sa z nemčiny bezhlavo otrocky kalkovalo v dobe úpadku českého jazyka. Z takých autorov A. Bernolák cituje dosť často J. V. Pohla,[20] ktorý síce mal vynikajúce postavenie ako učiteľ češtiny na šľachtickej akadémii a v panovníckej rodine, ale sám nevedel dobre česky. Podobne si počínal M. Šimek a i. Proti týmto novotárom sa postavil J. Dobrovský.

A. Bernolák vedel priamo alebo aspoň z literatú-ry[21] o starších gramatikách češtiny podobne ako Matej Bel vo svojej Praefatii k Doležalovej Grammatike. Vznik gramatík a slovníkov u Čechov spájal Bernolák s pestovaním slovenského jazyka. Začiatok kladie do roku 1533, keď vyšla prvá česká gramatika[22] v Náměšti.[23] Bola to aj prvá gramatika v slovanskom svete. Niektoré gramatiky uvádza stručne iba menom autora (Grammatica Mag. Mathaei Colin, Prague 1564, M. Benedicti Nudozerini[24], ibid. 1603. P. Drachovszky[25] e S. J. Olomoucii 1660. (O tejto gramatike pripomína Bernolák, že sa v nej preberajú všetky časti gramatiky, najmä obšírne a učene sa hovorí o umení básnickom Čechov.) P. Georg Konstantii[26] e S. J., Pragae 1667, Math. Steyer[27] S. J. ibid. 1668. Wencesl. Joanis Rosae[28], ibid. 1672. Wencesl. Jandit, ibid. 1704 Grammatik Ling Boh. ibid. apud Wussin 1715.[29] Z novších gramatík spomína už uvedenú gramatiku Kohlovu, Kurzgefasste bömische Sprachlehre von Karl Ignatz Tham, Prag und Wien in der Schönfeldischen Handlung 1783 a Czechořečnost skrze Girjka Petrmanna w Presspurku a Simona Petra Webera 1783.[30] Podobne A. Bernolák uviedol na tom istom mieste[31] české slovníky (Dictionarium grande Bohemicum Adami de Weleslavina. Prague 1598 atď.), slovanské gramatiky a slovníky, ktoré spolu s prekladom Písma svätého svedčia o zveľaďovaní slovanskej reči.[32] Slováci (Panónski Slovania) dovtedy „niš nevydali, čo by prispelo k zveľadeniu slovanskej reči im vlastnej (t. j. slovenčiny). Z publikácií, ktoré vyšli u Slovákov, Bernolák spomenul: Zprawa pjsma Slovenskeho od Tobiasse Masnycyusa, Leta 1696 w Lewoci.[33] Prjwod ku Dobropjsebnosti Slowenského Pjsma a Ctiri Gruntowne Tabule ku Prospechu Mládeži Slowenských Sskol, w Trnawe 1780[34] etc. Z citovanej literatúry a z Bernolákových poznámok vysvitá, ako sa on sám pozeral na dovtedajšiu teóriu spisovného jazyka a na stav spisovného jazyka u Slovákov.

Po J. Stanislavovi najmä K. Habovštiaková[35] zdôraznila, že „Bernolák využíval českú literatúru ako teoretickú osnovu na spracovanie slovenského jazykového materiálu". Z jezuitskej literatúry, ktorá vychodila v Trnave a v Košiciach, necitoval napr. Alvarove[36] učebnice so slovenskými slovníčkami azda preto, lebo jezuitský rád zrušili v Rakúsku už r. 1773 a Bernolák spočiatku bol horlivým stúpencom osvietenských myšlienok Jozefa II.

Pravopisné a gramatické pravidlá formuloval podľa svojich prameňov, ale ich umne kombinoval a dopĺňal. Originálnym mysliteľom sa ukázal — akiste po diskusiách so svojimi spolupracovníkmi — v Dissertátii, keď presvedčivými argumentmi niektoré písmená v slovanskom jazyku zavrhoval (x, y, j=i, v=u...), (niektoré z Bernolákových návrhov sa prijali aj v češtine, ale neskôr), niektoré zas neoprávnene bránil (w, g = j,...). V Orthographii sa pridržal starších príručiek českých a trnavských Prívodov, ale s korektúrami. Pri definíciách gramatických pojmov nepridržiaval sa prísne jediného vzoru. Dovtedajšie príručky spisovného jazyka nepokladal za slovenské, hoci mnohé z nich sa nazývali slovensko-české alebo slovenské. Súvisí to s funkciou spisovnej češtiny používanej u Slovákov pred polovicou 18. stor. Do toho času existovala v podstate iba jedna norma uzákonená v gramatikách a slovníkoch, t. j. norma variantu spisovnej češtiny používanej u Slovákov (porov. moju tézu o slovenskom variante spisovnej češtiny).

Bernolákova Grammatica je synchrónna deskriptívna a normatívna podľa súvekých požiadaviek. Jej význam je v tom, že dovtedajšie nesústavné pokusy o úpravu spisovnej češtiny uviedol do premysleného systému, ktorý vychádzal zo západoslovenského základu, ale zachytil i niektoré prvky stredoslovenské a zachoval aj niektoré české prvky charakteristické pre spisovný jazyk.[37]

V lexike Bernolákovi išlo o zachytenie slovného bohatstva slovenčiny a ustálenie niektorých odvodených slov, ktoré v slovníkoch inak nebývajú (privlastňovacie príd. mená, všetky deminutíva ap.). Pri význame slov sa ukázal ako dobrý znalec slovenských „slov a vecí". Presne rozlíšil slovenské slová od českých najmä pri konkrétnych názvoch. Z Bernolákovho Slovára[38] mala osoh vlastne až druhá generácia stúpencov bernolákovčiny,[39] keď sa ho za života autorovho nepodarilo vydať tlačou.[40]

Z dnešnej perspektívy Bernolákovo jazykovedné dielo (Dissertatio, Orthographia, Etymologia, Grammatica Slavica, Slowár Slowenski) javí sa nám ako prvé kompletné lingvistické spracovanie spisovnej slovenčiny západoslovenského typu. Jeho význam je predovšetkým v uzákonení nového spisovného jazyka — bernolákovčiny ako základného znaku formujúceho sa slovenského národa.

Poznámky

1 K počiatkom slovenského národného obrodenia. Sborník štúdií Historického ústavu SAV pri príležitosti 200-ročného jubilea narodenia Antona Bernoláka. Bratislava, Vydavateľstvo SAV 1964, s. 459—477.
2 JÓNA, EUGEN: Slovakistické spolky a spoločnosti. SAS, 9, 1980, s. 145—162.
3 Gramatické dielo Antona Bernoláka. Na vydanie pripravil a preložil Juraj Pavelek. Bratislava, Vydavateľstvo SAV 1964.
4 JÓNA, E.: Profesor Juraj Palkovič a jeho slovník. Slovenská reč, 35, 1970, s. 321—331 a Postavy slovenskej jazykovedy v dobe Štúrovej. Bratislava, Slovenské pedagogické nakladateľstvo 1986. M. HAYEKOVÁ: Dejiny slovenských slovníkov do r. 1945. Trnava 1979.
5 Dissertatio philologico critica de literis Slavorum, de divisione illarum, nec non accentibus, cum adnexa Linguae Slavonicae per regnum Hungariae usitatae compendiosa simul et facili Orthographia, ad systema scholarum nationalium in ditionibus caesareo-regiis introductum plene accomodata, in usum omnium linguae huius cultorum a patriis philologis publicae luci data. Posonii, typis Joannis Michaelis Landerer, perpetui in Füskut 1787.
6 J. M. Hurban, Slovenskje pohladi, 1, 1847, s. 25: Povstau v útlom veku mláďeňec slovenskí, ktorí povedau prví zretelním hlasom: „Slováci, píšte po slovenski, tu máře slovo o reči vašej"; a tento mláďeňec bou Anton Bernolák, učeňec Semäniska Prešporskjeho, o ktorom ňeznámi misleli, že je 70-ročні bachantmi obklopení starec...
ŠKULTÉTY, J.: O Slovákoch. Martin, Matica slovenská 1928, s. 45. Z Dissertacie vidieť, že v generálnom seminári prešporskom bola možnosť i privátne študovať: „Bernolák zná náležite literatúru svojho predmetu — kodifikovať pravidlá slovenčiny ako spisovného jazyka on začal pripravený."
7 Duchovný pastier, 37, 1962, s. 13 a n. (príspevky V. J. Gajdoša).
8 Marcus Fabius Quintilianus, Institutiones oratoriae Libri XII. „Ego consuetudinem sermonis vocabo consensum eruditorum sicut vivendi consensum bonorum" (kniha I, kapitola XII.)
9 Napr. knihu s názvom Introductio in historiam, et rem literariam Slavorum (1729) autorom Dissertatie sprostredkoval Michal Institoris Mošovský, ev. farár v Bratislave „quem librum uti et alios rariores nobiscum humanissime, ut solet, communicavit Clariss. et Doctissimus Vir, Michael Institoris Mossoczy, MSS antiquorum, et LL. rariorum, praesertim ad res Slavicas illustrandas pertimentium, sedulus conservator". Dissertatio s. 2—3. — Niektoré knihy si študenti doniesli z Viedne do Bratislavy. Takto sa dostal do generálneho seminára napr. rukopis staročeského prekladu biblických kníh, ktorého reč Bernolák študoval a porovnával so slovenčinou a predpokladal vývin pôvodného českého a slovenského ó > uo > ů (ú) (porov. STANISLAV, J.: K jazykovednému dielu Antona Bernoláka. Bratislava 1941, s. 111).
10 Je zrejmé, že názvy Slavus, slavicus znamenajú Slovan, slovanský a pôvodne iba s prívlastkom doplňujúcim tieto názvy (in Pannonia, menej presne in Hungaria, pannonius) Slovák, slovenský v užšom zmysle. Tak to malo byť aj v preklade (Gramatické dielo Antona Bernoláka. Bratislava 1964, s. 19, 23, 27 atď.). Tohto problému si bol vedomý prekladateľ (Poznámky a vysvetlivky, c. d. s. 532), ale prekladal „milovníkov slovenského jazyka v Uhorsku" (namiesto slovanského) „vypracovanie pravopisu a výslovnosti panónsko-slovenskej" (o. et p. pannonio-slavam = panónsko slovanskej), t. j. Slavus, slavonicus iba s prívlastkom ako celok, celý výraz znamená Slovák, slovenský. Je známe, že Bernolák sa Bajzovi vysmieval z názvu „Uhro — Slováci".
11 Porov. Šafárikovo dielo Über den Ursprung und die Heimat des Glagolitismus (1858).
12 De slavo-bohemica sacri codicis versione dissertatio (1777), Bibliotheca Slavica (1795).
13 Porov. Beschreibung der bisher bekannten böhmischen künzen (1771), Acta litteraria Bohemiae et Moraviae (1774).

[14] Hájkovu kroniku v diele „Wenceslai Hagek a Liboczan Annales Bohemorum" (1762 a n.) kriticky posúdil a podrobne komentoval G. Dobner.

[15] Obranu jazyka českého od Bohuslava Balbína (1628—1688) vydal tlačou z rukopisu až r. 1775 F. M. Pelcl s názvom Dissertatio apologetica pro lingua Slavonica, praecipue Bohemica. Spolu s Durychovou prácou mohla byť vzorom pre Bernolákovu Dissertatiu.

[16] Murices sive Apologia pro inclyto comitatu Trenchiniensi... Púchov 1723 (1728). Porov. BANÍK, A. A.: Ján Baltazár Magin a jeho politická, národná i kultúrna obrana Slovákov r. 1728. Slovník literárno-vedeckého odboru SSV, Trnava 1936, 119—312. Novšie údaje na poznanie Jána Baltazára Magina, jeho diela i doby. SLVO SSV, Trnava 1937. Zdá sa, že Apologiu A. Bernolák podľa mena necitoval, pretože vyšla anonymne, bola asi dielom niekoľkých autorov a bola namierená proti exponentovi Maďarov.

[17] STANISLAV, J.: K jazykovednému dielu Antona Bernoláka. Bratislava 1941, s. 15 a n.

[18] ROSA, V. J.: (1620—1689) Čechořečnost seu Grammatica linguae Bohemicae (1672).

[19] Etymologia vocum Slavicarum. Trnava 1791. Porov. na s. 73 a n. Appendix.

[20] Neuerbesserte bömische Gramatik (sic!). Wienn 1783. Porov. napr. názov jeho spisu „Pravopisnost řeči české řealně založená, též i důkazmi obviněná" (1786).

[21] A. Bernolák vo svojej Gramatike (1790 §X f) spomína p. Ungera, t. j. K. R. Ungara (1743—1807), knihovníka v Prahe, ktorý vydával katalóg českých kníh (Allgemeine bömische Bibliothek 1786).

[22] Porov teraz zborník Starší české, slovenské a slovanské mluvnice. Uspořádal Jaroslav Porák. Práce z dějin slavistiky X. Universita Karlova. Praha 1985.

[23] Bernolák cituje názov takto: „Grammatyka Czeská w dwogj Stránce, Ortograhia (!), predkom, Etymologia potom, wytišt w Námessti, 1553 (!) (správne 1533), reimpressa Vetero-Prague 1588, auctori Benedicto Optati verbi Divini praecone, et Petro Kzel Pragensi adolescentiae moderatore." Títo dvaja autori (Beneš Optát, Petr Gzel — tak sa obyčajne píše) vypracovali podľa skúseností pri prekladaní Písma svätého pravopisné pravidlá, tvaroslovie pridal Václav Filomates.

[24] Podľa toho, že prácu Slováka Vavrinca Benedikta z Nedožier uvádza Bernolák bez plného názvu (Grammaticae Bohemicae ad Leges naturalis Methodi Conformatae et Notis numerisgue illustratae ac distinctae Libri duo. Autore M. Laurentio Benedicto Nudozerimo, Pragae 1603) — podobne ako pred ním M. Bel — usudzuje sa, že ju ani Bel ani Bernolák nemali poruke.

[25] O Drachovskom a iných autoroch jezuitských gramatík písali od čias národného obrodenia mnohí literárni historici (od Jozefa Dobrovského, Geschichte der Böhmischen Sprache und Literatur 1792 § 12, po Jaroslava Vlčka, Dějiny české literatury I, nové vyd. 1951. 604 a n.).

[26] J. Konstanc, Lima Linguae Bohemicae, to jest Brus jazyka českého neb Spis k poopravení a naostření řeči české. Praha 1667. Podľa Kralickej biblie, Veleslavína i podľa Blahoslavovej gramatiky, ktorú asi poznal z rukopisu (spomína ju bez mena), Konstanc napísal spis, ktorý radil pri výbere slov a stavbe viet podľa spisovného úzu.

[27] Matěj Václav Štajer vydal praktickú knižku s názvom Výborně dobrý způsob jak se má dobře po česku psáti neb tisknouti. Praha 1668, známu pod názvom Žáček (vo forme rozhovoru medzi žiakom a učiteľom).

[28] Porov. o purizme.

[29] Václav Jandyt napísal podľa Rosovej gramatiky svoju prácu Grammatica linguae bohemicae 1704; vydal ju pražský kníhkupec Kašpar Vussin 1715 a potom viackrát s puristickou tendenciou.

[30] „Čechořečnost touž řečí mluvícím" od J. Petrucanna (1710—1792), rodom z Pukanca, ktorý účinkoval ako kňaz medzi českými emigrantmi v Berlíne, potom medzi Lužičanmi. Jeho česká gramatika vyšla oneskorene v Bratislave starostlivosťou Š. Lešku.

[31] Grammatica Slavica. Posonii 1790. Praephatio X, XI, XII, XIII.

[32] A. Bernolák v úvode k svojej gramatike naznačuje, ako slovanské národy (Česi, Poliaci, Rusi, Juhoslovania) pestujú slovanskú reč vydávaním kníh v rozličných inštitúciách, napr. „Libera Societas Russica Moscuensis" od r. 1771 pre ruskú filológiu založená podľa vzoru Talianov (Academia della Crusca) a Francúzov („Gallorum"), (Academie Francaise).

[33] O Masníkovej príručke naostatok písal Ladislav Bartko, Pramene a charakter Masníkovej Zprávy písma slovenského. Práce z dějin slavistiky X. Praha 1985, s. 167—177.

[34] VÁŽNÝ, V.: Z trnavskej slovníkovej a mluvnickej literatúry pred Bernolákom. (Jazyková charakteristika.) Bratislava. Časopis pro výzkum Slovenska a Podkarpatské Rusi, 10, 1936, s. 365—405.

[35] HABOVŠTIAKOVÁ, K.: Bernolákovo jazykovedné dielo. Bratislava, Vydavateľstvo SAV 1968. 330 s.

[36] Syllabus vocabulorum, Grammaticae Emanuelis Alvari è Societate Jesu, In vernaculas hungaricam, et slavonicam conversorum. Tyrnaviae 1717.

[37] Porov. c. d. K. Habovštiakovej s. 327 a n.

[38] Slowár slovenskí-česko-latinsko-německo-uherskí I.—VI. Budae 1825—1827.

[39] J. Hollý „s chuťú" čítal heslá Slovára (porov. list kanonikovi J. Palkovičovi).

[40] O smutných osudoch Bernolákovho Slovára písal J. Považan (Príprava a vydanie Bernolákovho Slovára. j. č., 9, 1958, s. 88 a n. a Slovár Antona Bernoláka. Sborník FF UK, Philologica, sv. 10., 1958, s. 120 a n.)

Bernolákovská pravopisná kodifikácia ako vedecký fakt

RUDOLF KRAJČOVIČ

1. Predmetom našej úvahy bude prvá (konštitučná) etapa bernolákovskej pravopisnej kodifikácie, ako ju predstavuje *Dissertatio* a *Orthographia,* ktorým je naše jubilejné sympózium venované. Pochopiteľne, pojem pravopisná kodifikácia sa tu bude chápať dobovo, širšie: okrem bežných kodifikačných úkonov (písanie veľkých písmen, používanie diakritických znamienok, interpunkcie atď.) bude zahrnovať aj výber a kodifikovanie inventára grafém a im zodpovedajúceho „vyslovovania", t. j. funkčných zvukov, hlások. Ako hlavnú úlohu si kladieme identifikovať teoretické východisko a vedecko-myšlienkový postup bernolákovských kodifikátorov na začiatku vymedzenej etapy i v priebehu jej konštituovania. Takto by sme chceli presvedčivejšie manifestovať to, čo sa doterajšiemu bádaniu nie celkom darilo – priniesť dôkaz o autochtónnosti priekopníckeho bernolákovského činu.

1. 1. Niekoľko publikácií a značný počet štúdií (napr. J. Stanislav, 1941, K. Habovštiaková, 1968 a i.) podáva svedectvo, že o bernolákovskej pravopisnej kodifikácii sa už hodne uvažovalo. Vo všeobecnosti možno povedať, že dnes máme k dispozícii solídny opis základných bernolákovcami kodifikovaných realít – grafém a zvukov (hlások) osnovaný na vyhľadávaní súvislostí s predchádzajúcim obdobím. Pri skúmaní grafického inventára sa hľadali súvislosti s grafikou tlačených textov na Slovensku v predspisovnom období (v *Dissertatii* sa napr. cituje kniha A. Macsayho), ďalej s grafikou tlačí v bohemizovaných variantoch kultúrnej slovenčiny (v *Dissertatii* sa uvádza známy zborník *Cantus Catholici,* román J. I. Bajzu a i.) a napokon s kodifikovaným grafickým inventárom súdobých najmä českých gramatík alebo tzv. trnavských príručiek, ktoré vyšli roku 1780 v Trnave (*Přívod ku dobropísebnosti slovenského písma, Přívod ku dobromluvnosti slovenské* a *Čtiři gruntovní tabule ku prospěchu mládeži slovenských škól*). Pri hľadaní jazykovej základne bernolákovskej kodifikácie hláskového (fonologicko-fonetického) inventára sa najprv hľadali súvislosti s rečou vzdelancov v trnavskom centre a v tlačenej katolíckej spisbe (E. Pauliny, 1948, 1968), novšie v hláskovom inventári hovorenej i písanej kultivovanej alebo kultúrnej slovenčiny západoslovenského typu. Odchýlky od hláskového inventára tohto predspisovného útvaru sa spravidla pripisujú vplyvu nárečí stredoslovenského regiónu, z ktorého pochádza hlavný tvorca pravopisnej kodifikácie bernolákovčiny – A. Bernolák.

O tom niet pochýb, že staršie interpretácie bernolákovskej pravopisnej kodifikácie objasnili mnohé súvislosti s predchádzajúcim predspisovným obdobím, no faktom zostáva, že ide o pohľad v zásade historizujúci, retrospektívny. Takýto postup si prirodzene vyžadoval skúmať kodifikované grafické i zvukové reality jednotlivo, najmä však izolovane od vedecko-myšlienkových súvislostí, t. j. od teoretického východiska a vedecko-myšlienkového postupu kodifikátorov. Dnes takto máme poruke poznatky o bernolákovskej pravopisnej kodifikácii z hľadiska vývinu pravopisnej sústavy u nás, no z hľadiska dobovo synchrónneho sa nám javia ako fakty štruktúrne neucelené, z časového i priestorového aspektu nehomogénne. Ako príklad možno uviesť konštatovanie v starších prácach (napr. J. Stanislav, 1941), že vzorom pre kodifikáciu grafémy *í* namiesto *j* bol najstarší stav v starej češtine. No z celkového vedecko-myšlienkového postupu bernolákovských kodifikátorov vyplýva, že v *Dissertatii* sa graféma *í* za staršie *j* kodifikuje s prihliadnutím na krátke *i* v súlade so

69

zásadou protikladu neakcentovaná: akcentovaná, čiže tak ako sa kodifikuje dlhé *á, é, ó, ú* proti krátkemu *a, e, o, u*. Odvolávanie sa na staročeské *í* v Dissertatii treba chápať ako „osvietenský" argument o rozumnom, t. j. že graféma *í* za *j* tu už bola, a teda že jej kodifikácia nie je nerozumná. Pravda, k tomuto argumentu sa uvádzajú aj ďalšie. Slovom, v doterajších úvahách o bernolákovskej pravopisnej kodifikácii chýba pre pochopenie jej podstaty to hlavné − adekvátna rekonštrukcia vedeckého postupu, identifikácia pojmov na dobovej synchrónnej rovine, ktoré tvorili základňu myšlienkového postupu kodifikátorov. Uplatniť toto kritérium pri výskume bernolákovskej pravopisnej a vôbec jazykovej kodifikácie je nevyhnutné, pretože sa nám bude naďalej javiť ako náhodne upravené zhrnutie vedomostí kodifikátorov o staršom stave a nie ako seriózny výsledok ich vedeckého myslenia. Treba to urobiť aj preto, že bernolákovská kodifikácia sa potom bude prezentovať ako kultúrny komplexný jav. K atribútom kolektívnosti, etnickej reprezentatívnosti a vedomia záväznosti (o nej je reč v stanovách Tovarišstva) pribudne atribút vedeckosti. Potrebné je azda len dodať, že stanoviť status tohto atribútu nebude ľahké, pretože explicitne sa v *Dissertatii* o ňom nehovorí. V nej je však prítomný implicitne.

2. Identifikácia teoretického východiska a vedecko-myšlienkového postupu pri tvorbe bernolákovskej pravopisnej kodifikácie predpokladá identifikáciu základných pojmov, o ktoré sa tvorba kodifikácie opiera a zistiť, do akej miery sa pri kodifikačnom akte skúmala živá norma východiskového jazyka.

2.1. Z teoretických otázok, ktoré sa týkajú tvorby bernolákovskej kodifikácie, je dôležitá otázka teoretického východiska. Jeho podstatu tvorí viac téz, ktoré odrážajú dobové myšlienkové prúdy filozofické (osvietenské) i jazykovedné, ale aj téz alebo modelov, o ktoré sa pričinili sami tvorcovia kodifikácie.

Z centrálnych východiskových téz všeobecného charakteru najdôležitejšia je téza o rozumnom, t. j. o tom, čo je v súlade so „zdravým" rozumom. Skúsenosť a múdrosť kážu presadzovať rozumné. Rozumné nie je závislé od času, čiže v kodifikácii rozumným môže byť i to, čo jestvovalo v minulosti, i to, čo je zafixované v tradícii, i to, čo jestvuje v prítomnosti. Rozumné nie je totožné so zvykmi ani návykmi, preto sa pri kodifikovaní nemožno „slepo" držať zvyku, návyku alebo úzu predkov. Rozumné je nenapodobňovať bez vlastného kritického úsudku, rozumné je držať sa podstaty, súcna, súcna zbytočne nerozmnožovať, atď. Z téz o rozumnom je zrejmé nielen čo je nerozumné ale súčasne vyplýva z nich aj nevyhnutnosť vlastného kritického postoja k nerozumnému.

Tvorcovia bernolákovskej kodifikácie, aby podopreli a zdôvodnili reálnosť týchto téz, podľa príkazu doby odvolávajú sa na súhlasné výroky klasických autorov, najmä na Plínia, Lactantia, Senecu a i., pravda, nechýbajú odkazy ani na uznávaných domácich vzdelancov. Tento osvietenský postoj k realitám si vyžadoval vymedziť a opísať problém, hľadať v ňom rozumné, presadzovať ho a súčasne podrobiť kritike nerozumné (v *Dissertatii* je reč o filologickej kritike), a napokon formulovať pravidlá tak, aby neodporovali „zdravému" rozumu. O skutočnosti, že sa bernolákovskí „vlasteneckí filológovia" týchto zásad držali, svedčí nielen tematické členenie *Dissertatie* a *Orthographie,* ale aj ich opisná, polemická, argumentačná i pravidlá formulujúca dikcia. Z obsahu týchto kodifikačných spisov vyplýva, že predmetom zápasu o rozumné a kritiky nerozumného (toho čo odporuje „zdravému" rozumu) boli rozličné poučky v starších i novších českých gramatikách (vrátane Doležalovej), trnavských príručiek (*Prívody...,* 1780), ďalej staršie tlačené texty, návyky tlačiarov, starší pisársky úzus, ale aj prax, výslovnosť, názory, prípadne návrhy slovenských vzdelancov, ktorých o ne požiadali alebo im boli známe.

Pre našu problematiku je dôležité, že aj hľadanie zásad pre výber jazykovej základne, z ktorej sa má „vyvodiť" správna výslovnosť, sa opiera o dichotomické kritérium rozumné − nerozumné. Podľa bernolákovských kodifikátorov rozumné je, aby to bola reč živá, reč vzdelaných a písma znalých „panónskych Slovanov", t. j. reč vzdelaných Slovákov kultivovaná na domácom jazykovom základe, v domácom prostredí, reč, s ktorou domáci vzdelanci vyjadria súhlas. V tejto súvislosti sa uvádzajú známe výroky M. F. Quintiliana o identite písmena a zvuku, o potrebe súhlasu učených a mienka M. Bela o čistote a zachovanosti slovenčiny v severozápadnom regióne stredného Slovenska, pravda, s uplatnením práva vlastného kritického postoja (charakteristická je polemika so zástancami stredoslovenských diftongov *ie, uo*). Toto sú však fakty našej jazykovede známe. V novej interpretácii na dobovej synchrónnej rovine sa k nim v ďalšej časti vrátime.

2.2. Už skôr sme uviedli, že obraz o vedecko-myšlienkovom postupe bernolákovských kodifikátorov možno získať identifikáciou základných pojmov a vzťahov medzi nimi.

Z celkovej dikcie najmä Dissertatie vyplýva, že pre bernolákovských kodifikátorov primárnym pojmom bola podstata, súcno (ens, pl. entia, substancia).

Podľa nich podstata či súcno je realita, ktorú charakterizuje jednoduchosť a osobitosť schopná dostatočne ju odlišovať od inej reality. Môže byť čistá (jasná), môže sa niečo k nej pridať a mohla vzniknúť aj spojením, splynutím. Postihnuteľná je empiricky: vizuálne i auditívne. Základné jazykové súcno dôležité pre stanovenie pravidiel písania a vyslovovania má tri všeobecné atribúty. Vyjadrujú ich pojmy: písmeno (G — graféma), forma (F — forma), hodnota, t. j. vyslovenie (H — hodnota, valer, fundament). Tieto všeobecné atribúty vo vzťahu k súcnu sú existenčne na sebe závislé, čiže súcno tvoria len vo vzájomných vzťahoch. Dnes by sme mohli povedať, že tvoria model, ktorý možno zobraziť v podobe trojuholníka

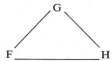

Z hľadiska vedeckej interpretácie v modeli osobitné miesto má vzťah F—H, čiže forma a hodnota, pretože pri výbere a kodifikovaní grafického inventára sa musí do úvahy vziať tak forma ako aj hodnota písmena. To znamená, že predmetom „kritickej filológie" musí byť text tlačený, písaný i text hovorený, vyslovovaný. Ak písmeno má dokonale sprostredkovať správnu (pravú) výslovnosť, potom vzťah medzi formou a hodnotou nemôže byť iný ako symetrický. Prakticky to znamená, že všeobecnej forme grafémy, ktorú máme kodifikovať, má zodpovedať príslušná všeobecná hodnota. Všeobecné formy grafém sú tri: jednoduchá, akcentovaná a dvojitá. Týmto všeobecným formám zodpovedajú tri hodnoty: jednoduchej forme zodpovedá čistá, jasná hodnota (a, n), akcentovanej forme zodpovedá hodnota s vlastnosťou (á, ň) a dvojitej forme zodpovedá splynutá hodnota (ch, dz, dž).

Symetriu tohto vzťahu možno znázorniť takto:

```
        ⎧jednoduchá    ⎡a,n  :  a,n⎤  čistá,jasná
F ⎨ akcentovaná  ⎢á,ň  :  á,ň⎥  s vlastnosťou H
        ⎩dvojitá       ⎣ch   :  ch ⎦  splynutá
```

To, že táto identifikácia teoretického východiska a vedecko-myšlienkového postupu tvorcov bernolákovskej kodifikácie je adekvátna alebo aspoň blízka realite, možno overiť transformovaním bernolákovských pravopisných pravidiel pomocou pojmov a postupu, o ktorom bola reč. Ako príklad uvedieme niekoľko takýchto transformácií. Aby sme zachovali dobový rámec postupu, transformovať budeme podľa schémy v Dissertatii: vyčlenenie problému, kritický postoj, hľadanie rozumného a formulácia pravidla.

— Používanie grafém x, q; forma nezodpovedá hodnote, formy grafém sú jednoduché, hodnoty sú však dve: k.s, k.v; rozumné je písať ks, kv (Kserkses, Kvido);

— používanie grafémy j (vo funkcii í); forma nezodpovedá hodnote; hodnotou formy j je akcentovaná (predĺžená) výslovnosť krátkeho i; vzhľadom na toto i rozumné je písať í (tak ako sa píše á, ú, é vzhľadom na a, u, e);

— používanie grafémy v na začiatku; forma v - nemá vlastnú hodnotu, jej hodnotou je u, ktorú má písmeno u v strede i na konci; ide o čistú hodnotu, preto je rozumné grafému v - nepoužívať a namiesto nej písať u aj na začiatku;

— používanie grafémy y,ý; formy y, ý nemajú vlastnú hodnotu; vyslovujú sa ako i, í, majú teda čistú hodnotu grafém i, í, preto je rozumné y, ý z inventára grafém vynechať a miesto nich písať i, í (jedným z ďalších argumentov je bezradnosť pri ich používaní v doterajšom úze pisárov);

— písanie a používanie dvojhlások ie, uo (ia, io, ii, ij a iné); formy nezodpovedajú hodnotám; hodnoty nie sú čisté (pri ie nie je to ani i ani e, pri uo ani u ani o); alebo ide o dve hodnoty, potom musí mať aj ich písanie dve formy, a to ge, wo (ďgewča, stwol), alebo ide o jednu hodnotu, potom ich písanie musí mať jednu formu, a to í, ó (ďíwča, stól); rozumnejšie je toto druhé pravidlo (v Dissertatii sa argumentuje aj úzom vzdelaných „dobrých" Slovákov);

— používanie grafém ě, ů; formy ě, ů nezodpovedajú hodnotám (rozumie sa v reči vzdelaných Slovákov); ě ma takú istú hodnotu ako forma e, preto oblúčikový akcent nad ním je zbytočný, nemôže vyjadriť ani mäkkosť, lebo tá je vlastnosťou spoluhlásky (jej patrí aj akcent), rozumné je teda písať iba e; graféma ů má takú istú hodnotu ako dlhé ú, preto je rozumné písať v reči Slovákov len ú (u s akcentom);

— písanie grafém ch, dz, dž; formy ch, dz, dž zodpovedajú hodnotám, sú to formy dvojité a ich hodnoty splynuté; ponechanie ich v inventári grafém je teda rozumné;

— písanie podstatných mien s veľkými písmenami; prídavné mená písaním y, ý na ich konci nemožno odlíšiť od podstatných mien, pretože y, ý nemajú hodnotu; rozumné je podstatné mená od prídavných mien odlíšiť písaním veľkého písmena na ich začiatku a y, ý písať grafémami i, í.

3. V súvislosti s modelom vedecko-myšlienkového postupu bernolákovských kodifikátorov je potrebné ešte odpovedať na otázku, aká hlásková norma živej reči bola predmetom ich pozorovania, registrovania a vedeckého hodnotenia. V zásade ide o problém bernolákovskej kodifikácie „živého znenia" grafém, rozumie sa, v dobovom synchrónnom zmysle.

Isté je jedno: bernolákovskí kodifikátori s cieľom kodifikovať iba pravé „živé znenie" grafém pozorovali, registrovali a skúmali živé prejavy kultúrnej slovenčiny. Svedectvo o tom podáva nielen ich autentický výrok v *Dissertatii,* ale aj ich kodifikovaný foneticko-fonologický systém. V ňom totiž nachádzame charakteristické slovenské opozície (napr. symetrické opozície *a − á, o − ó, u − ú: e − é, i − í, k − g: ch − h, dz − dž: c − č*), ktoré dodnes žijú v niektorých regiónoch slovenských nárečí, ba sú charakteristické aj pre dnešnú spisovnú slovenčinu (tu sú vokály v inej distribúcii). Veľmi presvedčivý dôkaz o tom podáva morfologický systém bernolákovčiny, ale ten nie je predmetom našich úvah.

3.1. Z doterajších tvrdení treba natrvalo eliminovať dnes ešte stále sa objavujúci názor, že predmetom vedeckého pozorovania bernolákovských kodifikátorov bolo živé západoslovenské nárečie na okolí Trnavy. Dnes treba za prekonanú pokladať aj tézu, že predmetom bol nejaký živý idiolekt alebo sociolekt formovaný v kláštornom alebo farskom prostredí (tzv. jezuitská slovenčina, kamaldulskí reholníci, jazyk v Gavlovičovom diele, jazyk J. I. Bajzu a pod.). A napokon len s istými výhradami možno uvažovať o najnovšie preferovanej téze, že to bola iba kultúrna slovenčina západoslovenského typu. Tieto výhrady majú opodstatnenie v tom, že niektoré javy stredoslovenskej proveniencie v konštitučnej fáze bernolákovčiny predstavujú štruktúrnu realitu so stredoslovenskou distribúciou, alebo predstavujú stopy po takýchto štruktúrach. To znamená, že ich kodifikácia nemohla byť náhodná a nemohla vzniknúť ani pod tlakom stredoslovenských nárečí a nemohla byť ani výsledkom reminiscencií a pod. Z foneticko-fonologického systému bernolákovčiny do prvej kategórie patrí napríklad výskyt opozícií *d − ď, t − ť, n − ň, l − ľ* a distribúcia mäkkého *ď, ť, ň, ľ,* do druhej kategórie patrí napríklad výskyt dvojhlásky *ie,* pravda, interpretovanej v zmysle bernolákovskej teórie ako *je* (v písme ako *ge: ďgewča, pgesek*). Podobné príklady možno uvádzať aj z morfológie i lexiky (K. Habovštiaková, 1968). Tieto skutočnosti vedú k poznatku, že predmetom pozorovania a vedeckého hodnotenia „živého znenia grafém" okrem rád, názorov a návrhov domácich vzdelancov bolo to prostredie s jazykovou situáciou, ktorú charakterizoval dlhšie trvajúci kontakt nositeľov kultúrnej západoslovenčiny a kultúrnej stredoslovenčiny. A nemožno vylúčiť ani eventualitu, že predmetom bol živý západoslovensko-stredoslovenský interferovaný variant kultúrnej slovenčiny. Tvorcom takej kontaktnej jazykovej situácie v obmedzenom kultúrnom prostredí na juhozá-padnom Slovensku, resp. nositeľom živej interferovanej normy mohla byť domáca honorácia: učitelia, notári, pisári, kňazi a pod. (J. Hučko, 1968, R. Krajčovič, 1964, 1977) stredoslovenského pôvodu, ktorá si reč kultivovala v kontakte s kultúrnou slovenčinou západoslovenského typu v juhozápadoslovenskom regióne. Toto konštatovanie má oporu tak v hospodársko-spoločenskom vývine juhozápadného Slovenska v 16.−18. storočí, najmä však v dejinách bernolákovského hnutia, ako aj vo výskumoch jazyka písomností z tejto oblasti. Dnes je už dostatoč-.ne známe, že v časoch tureckej expanzie a stavovských povstaní v Trnave a v jej okolí už od 16. storočia hľadal útočište väčší počet slovenského obyvateľstva z centrálnych oblastí. V 17.−18. storočí v Trnave vznikali viaceré kultúrne inštitúcie (univerzita, školy, kláštory), v ktorých sa stretávali Slováci predovšetkým zo západného a stredného Slovenska (J. Šimončič, 1964). Už v starších prácach sme ukázali, že v niektorých písomnostiach z juhozápadného Slovenska výskyt stredoslovakizmov nie je zvláštnosťou. Na konci 18. storočia, keď v Trnave bola zrušená univerzita, arcibiskupstvo a neskôr aj kláštory, kultúrny ruch potrebný pre kultivovanie domáceho jazyka v Trnave na istý čas ustal, no súčasne v jej blízkosti sa ukázal iný závažný fenomén s jazykovým prostredím, v ktorom priam dominoval západoslovensko-stredoslovenský rečový kontakt. Bolo to známe seminárne učilište na bratislavskom hrade. Dnes už vieme, že slovenská časť študentstva tohto učilišťa bola veľmi početná a že značný počet študentov bol tak zo západnej, ako aj z centrálnej časti Slovenska (L. Šášky, 1968). Z centrálnej časti pochádzal a tam aj v mladosti študoval sám A. Bernolák. Za veľavraviaci pokladáme fakt, že A. Bernolák s osobitným zápalom ďakuje za spoluprácu svojmu spolužiakovi J. Osváldovi, ktorý pochádzal z Kaplnej pri Trnave. Keďže ako mladík v Trnave študoval (neskôr vo Viedni a v bratislavskom učilišti), je isté, že dobre ovládal kultúrnu slovenčinu západoslovenského typu a teda svojmu priateľovi A. Bernolákovi v jazykových otázkach bol dobrým radcom. Slovom, bratislavské seminárne učilište poskytovalo veľmi dobré podmienky pre vedecké pozorovanie, registrovanie problémov zvukovej stránky kultúrnej slovenčiny a ich hodnotenie dobovými kodifikačnými kritériami na pozadí kontaktu jej západoslovenského a stredoslovenského variantu. Umožňovalo tak „vyberať" pre pripravovanú kodifikáciu to, čo bolo domáce, čo žilo a neodporovalo „zdravému rozumu". V tomto prostredí predmetom kritického rozboru boli aj rady, mienky, názory iných vzdelaných Slovákov. Ale aj tie umožňovali pri ich hodnotení uplatniť konfrontačný postup a polemiku, pretože ani kultivovaný prejav týchto radcov nebol homogénny. V Dissertatii sa totiž uvádza, že pochádzali z rozličných kútov Slovenska.

Na záver chceme zdôrazniť, že v našom príspevku sme uvažovali o začiatočnej fáze, t. j. o fáze konštituovania bernolákovskej pravopisnej kodifikácie. Ukázali sme, že bernolákovskí kodifikátori okrem tradičných modelov, resp. vzorov pri kodifikovaní vo svojom myšlienkovom postupe použili aj vlastné modely osnované na dobovom synchrónnom teoretickom základe. Kodifikačné spisy, ale aj bernolákovské texty z tohto obdobia zasa ukazujú, že bernolákovčina odrážala javy kultúrnej slovenčiny v takej jazykovej situácii, ktorú charakterizoval jazykový západoslovensko-stredoslovenský kontakt. Bernolákovská kodifikácia sa stala homogénnejšou, a to v neprospech stredoslovakizmov až v druhej fáze svojho vývinu, keď pribudlo nové kritérium spisovnosti – úzus dobrého autora alebo spisovateľa. Tým bol jazyk literárnych a iných diel spisovateľov západoslovenského pôvodu – J. Fándlyho a J. Hollého. Táto vývinová fáza bernolákovčiny s výrazným eliminovaním stredoslovakizmov sa odráža v Bernolákovom Slovári.

Literatúra

Gramatické dielo Antona Bernoláka, 1. vyd. Pripravil a preložil J. Pavelek. Bratislava, Vydavateľstvo SAV 1964.

HABOVŠTIAKOVÁ, K.: Bernolákovo jazykovedné dielo. 1. vyd. Bratislava, Vydavateľstvo SAV 1968.

HUČKO, J.: K charakteristike vlasteneckej inteligencie v prvej fáze slovenského národného obrodenia so zreteľom na jej sociálne zloženie a pôvod. In: K počiatkom slovenského národného obrodenia. Red. J. Tibenský. Bratislava, Vydavateľstvo SAV 1964, s. 31–54.

KRAJČOVIČ, R.: Hlavné fázy formovania kultúrnej západoslovenčiny. In: K počiatkom slovenského národného obrodenia. Red. J. Tibenský. Bratislava, Vydavateľstvo SAV 1964, s. 171–180.

KRAJČOVIČ, R.: Bernolákovčina a reč vzdelancov na juhozápadnom Slovensku v 18. storočí. In: Zborník Filozofickej fakulty UK. Philologica, 28, 1977, s. 89–99.

PAULINY, E.: Dejiny spisovnej slovenčiny. 1. vyd. Bratislava, Vydavateľstvo SAV 1948; 2. vyd. Bratislava, SPN 1968; 3. vyd. Bratislava, SPN 1983.

STANISLAV, J.: K jazykovednému dielu Antona Bernoláka. 1. vyd. Bratislava, Slovenská učená spoločnosť 1941.

ŠAŠKY, L.: Bratislavský generálny seminár a bernolákovské hnutie. In: K počiatkom slovenského národného obrodenia. Red. J. Tibenský. Bratislava, Vydavateľstvo SAV 1964, s. 201–212.

ŠIMONČIČ, J.: Trnava a počiatky bernolákovského hnutia. In: K počiatkom slovenského národného obrodenia. Red. J. Tibenský. Bratislava, Vydavateľstvo SAV 1964, s. 201–212.

Východiská pravopisných princípov
A. Bernoláka vo vývine spisovnej slovenčiny

JOZEF MURÁNSKY

Osvietenské obdobie v dejinách nášho národa najvýraznejšie reprezentuje osobnosť A. Bernoláka, s ktorou sa spája prvá fáza formovania sa nášho novodobého národa. Demokratické zásady výbojnej buržoázie (sloboda, rovnosť, bratstvo) uvoľňovali feudálne putá nielen poddaným, ale i pokrokovo orientovaným mysliteľom prejaviť dosiaľ tlmené názory a požiadavky späté s potrebami vlastného národa, jeho existencie i perspektívy.

Dvesto rokov od vzniku prvého spisovného jazyka Slovákov, ktorý vyrástol z domácich koreňov, je príležitosťou vysloviť sa s úctou nielen k tomuto činu, ale predovšetkým k odkazu Bernolákovho jazykovedného diela pre dnešok i budúci vývin spisovnej slovenčiny, opierajúc sa pritom o dvestoročné vývinové peripetie fungovania spisovnej slovenčiny v dejinách nášho národa.

Za dvesto rokov prešlo jazykovedné dielo A. Bernoláka sitom viacerých uznanlivých, menej uznanlivých, ale i odsudzujúcich postojov, hodnotení, výkladov. Každý z nich je poznačený filozoficko-politickými názormi, z ktorých teoretici pristupovali pri hodnotení dobových skutkov k tvorcovi i celkovej spoločenskej klíme, ktorá podmienila ich vznik. Dnes možno hodnovernejšie i objektívnejšie, s využitím doterajších výsledkov bádania i hodnotenia A. Bernoláka povedať, v čom je jeho dielo v dejinách Slovákov rozhodujúce a ako ho zúžitkovať vo vedeckých prognózach vývinu nášho národného jazyka.

Náš príspevok sa vracia k otázkam pravopisných princípov, na akých ustálil a kodifikoval spisovný jazyk A. Bernolák. Jeho pravopisný systém vzbudil pozornosť českej, slovenskej i slovanskej jazykovedy hneď pri jeho uvádzaní do života. Výklad i zdôvodnenie tohto systému mali v sebe racionálne jadro

zodpovedajúce novodobej filozofickej koncepcii, ktoré ostro narážalo na dovtedajšiu vžitú, ustálenú tradíciu.

Ak znovu citujeme Bernolákovu koncepčnú tézu pri kodifikovaní spisovnej slovenčiny, že pravopis má vychádzať z výslovnosti..., pretože „prirodzenosťou a pôvodom prvšia je výslovnosť ako písanie"...,[1] vo všeobecnosti sa tento princíp viac alebo menej odráža vo všetkých pravopisných sústavách, pravda, dopĺňaný aj inými princípmi spätými s vývinom daného jazyka, tradíciou jeho grafického záznamu, prelínaním pravopisných princípov iných jazykov a pod., pretože prvosť zvukovej reči pred jej grafickou podobou bola zrejmá. Spoločenská autorita komunikačnej hodnoty písanej podoby jazyka v Bernolákovej dobe však vysoko prevyšovala jej funkciu v hovorenej forme pri vzájomnom dorozumievaní a prenášaní získaných poznatkov z generácie na generáciu.

Preklenúť túto dobovú dogmu znamenalo už v zárodku prípravy prvého spisovného jazyka z domáceho základu predpokladať vážnu opozíciu už i len v súvislosti so všeobecnou skúsenosťou, že každá nová vec si v živote spoločnosti, vo vedomí ľudí ťažko razí cestu svojho uplatnenia, hoci má dosť atribútov vhodnejšieho, jednoduchšieho i užitočnejšieho spoločenského využitia ako stará.

Bernolák sa pri kodifikovaní spisovného jazyka opieral o živý hovorový úzus, z neho vyvodzoval pravopis, ale treba dôrazne pripomenúť, že mu nešlo o akýkoľvek hovorený úzus. Vedel, že nárečová členitosť slovenského jazykového územia je živnou pôdou pre vznik viacerých krajových modifikácií „správnej výslovnosti", preto pripomínal, že „treba brať za normu nie tak výslovnosť ľudu ako výslovnosť vzdelaných a učených"[2].

Tento odkaz sa rešpektuje pri normovaní a kodifikovaní spisovnej výslovnosti aj v súčasnej teórii spisovnej slovenčiny, pričom nie je rozhodujúca všeobecná frekvencia istého zvukového javu a jeho realizácia, ale len takého zvukového javu a jeho realizácie, ktorý je súčasťou explicitnej výslovnosti tých používateľov spisovnej slovenčiny, ktorí vedome dbajú o kultivovanosť vlastného hovoreného prejavu a jeho zdokonaľovanie v súlade s vývinovými zákonitosťami spisovnej slovenčiny.

I Bernolákov fonologický pravopisný princíp sa ako základný opieral o kultivovanú slovenčinu vzdelancov, ktorých reč bola najmenej zasiahnutá cudzími jazykovými alebo krajovými nárečovými vplyvmi. Kodifikátor, na svoj čas neobvyklého pravopisného systému, sa ukázal ako tvorivá osobnosť, presvedčená o funkčnej zjednodušenosti synchrónneho pohľadu na grafickú podobu reči, ktorý sa mal zbaviť zbytočného historizmu a tradicionalizmu v snahe zapísať fonémy toľkými ustálenými grafémami, koľké presne, jednoznačne a zrozumiteľne dokážu previesť zvukovú ako základnú podobu reči do písanej.

Zo súčasnej teórie jazyka mu bolo ešte všeličo nejasné (fonéma – graféma), ale premyslený, zdôvodnený pravopis zo všeobecného jazykovedného pohľadu pochopil a uzákonil v súlade s úlohou, akú mal spisovný jazyk plniť predovšetkým vo výchove a vzdelávaní ľudu v najširšom zmysle slova. Presvedčenie o účelnosti a užitočnosti fonologického pravopisného princípu mu nenarušili ani vážne odborné, nacionálne, politické a iné výhrady, ktorých autori sa snažili znížiť, ba i znevážiť celý jeho program.

Vývinové tendencie všeobecných zásad, ktoré viac alebo menej determinovali spoločenské, jazykovedné, kultúrne i nacionálne postoje Bernoláka k spisovnému jazyku, osobitne i k jeho pravopisu sa čiastočne upravovali, spresňovali s ohľadom na kultúrnopolitické i jazykové pomery v jednotlivých fázach vývinu, ale domáca fáza pre prvý spisovný jazyk Slovákov, ktorú uviedol do života Bernolák, zostala ako petrefakt i pre nový základ spisovnej slovenčiny, ktorý onedlho po Bernolákovi predložila štúrovská generácia, opierajúc sa tiež nielen o živú reč vzdelancov, ale i o fonologický pravopisný princíp, ktorý do praxe nášho spisovného jazyka premyslene zaviedol A. Bernolák a ktorý s istými vývinovými peripetiami sprevádza ako prevládajúci náš spisovný jazyk podnes.

A. Bernolák prejavil od základu nový prístup k dovtedajšiemu pravopisu slovenských, resp. slovenčiacich textov. Mal na zreteli racionalizáciu dovtedajšieho pravopisného úzu, ktorý podrobil filologicko-kritickej analýze. Jej výsledkom bolo zistenie, že v doterajšej sústave grafém na zapisovanie slovenských textov sú i zbytočné písmená, v jednotlivých gramatikách i v bežnej praxi nemajú rovnakú hodnotu. Vzťahuje sa to i na diakritické znamienka. Jeho pravopisné závery z tejto analýzy sa natrvalo ujali v slovenskom pravopise a v jednotlivostiach sa využili i v českom pravopise. Váži si pritom tradíciu i históriu, no preberá z nej to, čo zodpovedá teórii i praxi fungovania jazyka v ústnej i písanej forme, držiac sa zásady: „Pravdivosť vecí sa totiž nemá posudzovať časom lež rozumom."[3] V zajatí predovšetkým rozumových zásad, zdôvodnení i návrhov na racionalizáciu, účelnosť i funkčnosť pravopisu prísne a jednoznačne argumentoval potrebu fonetického (fonologického) pravopisu pre „panónskych Slovanov".

O nevyhnutnosti opráv dovtedajšieho pravopisu sa presviedčal nielen z pravidiel, ktoré poznal zo súbežných gramatík (J. V. Rosa, P. Doležal a i.). Teoretické dôvody svojich tvrdení nachádzal i v dielach antických filozofov, teoretikov rečníctva (M. Fab. Quintilianus, Seneca, Plínius a i.). Mal dostatočnú filozofickú i jazykovednú argumentáciu, aby svoje názory obhájil pred vžitým úzom, ale i pred závistlivcami a neprajníkmi osvietenského pohybu, aký predstavoval svojou prácou Bernolák so svojou skupinou. V jeho úvahách o písmenách, ktoré sa majú používať v spisovnom jazyku, prevláda vedecké i praktické zdôvodnenie ich náležitosti.

Bernolákova pravopisná sústava mala oporu v predchádzajúcom období v literatúre, ktorá je spätá s jazykovým územím západného Slovenska, najmä však s literatúrou, ktorá sa viaže k trnavskej univerzite. O jeho vzťahu k tradícii v pravopise sme už hovorili. Tvorivý, aktivizačný postoj zaujal A. Bernolák i k pravopisu uvedenej literatúry v tom, že pravopisné jednotlivosti smerujúce k fonologickému princípu ako základnému boli v textoch trnavskej i vôbec západoslovenskej literatúry nesústavné, nejednotné, čo zmysel napísaných, resp. vytlačených textov komplikovalo. Pravopis každého jazyka má byť jednotný, presný i jednoduchý, aby adresátovi sprostredkoval základnú zvukovú podobu jazyka, bez komunikačných porúch, ktoré môžu spôsobovať zložité, často historizujúce pravopisné pravidlá. Pravopisná sústava sama osebe nemá imanentnú vnútornú dynamiku. Jej adaptabilnosť vývinovým zmenám jazykového systému je v kompetencii kodifikátorov pravopisných pravidiel, čoho si bol A. Bernolák dostatočne vedomý. Tradície fonologického pravopisného systému západoslovenskej literatúry preberá tvorivo, rozvíja a dopĺňa ich, zdôvodňuje, spresňuje naznačené tendencie v snahe dať im systém, presné a jednoduché pravidlá, ktoré zodpovedajú funkcii pravopisného systému v jeho ponímaní.

V doterajšom vývine znamenal Bernolákov pravopisný systém zlom. Ak sa nový pravopisný systém začal zároveň zavádzať bez ohľadu na existujúci úzus do novovznikajúceho spisovného jazyka, nemožno sa diviť, že opozície nielen proti Bernolákovmu spisovnému jazyku, ale i voči jeho netradičnému pravopisnému pravopisu bolo dosť. Bernolákovmu pravopisu sa vyčítala predovšetkým zjednodušenosť, až vulgarizácia, v ktorej sa odráža nepochopenie histórie i neúcta k nej i k doterajším pravopisným zásadam. Avšak osvietenská ideológia racionalizmu v protiklade k dožívajúcim ideológiám rozpadajúceho sa sveta feudalizmu bola natoľko presvedčivá, účelná a pochopiteľná i v jej aplikácii na spoločenské fungovanie jazyka i jeho pravopisnej sústavy, že Bernolák nikdy nezapochyboval o užitočnosti a účelnosti svojho rozhodnutia.

Bernolákov spisovný jazyk sa v procese vzniku a vývinu súčasnej spisovnej slovenčiny hodnotí ako prechodná fáza od spisovnej češtiny k Štúrovej slovenčine. Východiská Bernolákovej slovenčiny a Štúrovho spisovného jazyka sú rozdielne, podmienené dobovými kultúrnopolitickými okolnosťami v procese utvárania sa novodobého slovenského národa i jeho spisovného jazyka, no východiská pravopisných princípov obidvoch kodifikátorov spisovnej slovenčiny sú v zásade totožné. Obidvaja vychádzali z ústnej formy kultúrnej slovenčiny, obidvaja využili prístupnú jazkovednú literatúru na teoretické zdôvodnenie vlastných východísk, ale vždy z pozícií tvorivého prístupu aplikácie všeobecných poznatkov na jazykový materiál tej kultúrnej formy nášho národného jazyka, ktorá by svojou funkciou i osobitosťami v rámci slovanských jazykov najlepšie vyhovovala kmeňovej osobitosti Slovákov v slovanskom svete.

Vývinové súvislosti medzi Bernolákovým a Štúrovým spisovným jazykom sú preukázateľné vo viacerých vzťahoch. Priamočiaro však na Bernolákovu kodifikáciu nadväzuje štúrovčina v ortografii. Štúrov postoj k pravopisu je totožný s Bernolákovým. Potvrdzuje to jeho konštatovanie: ,,(Pravopis) a na žiadnom inšom záklaďe stáť nemuože, len na záklaďe visloveňa..., i mi pravopis náš na tomto záklaďe vistavíme.''[4] V jednotlivostiach nepresností Bernolákovho fonologického pravopisného princípu Štúr urobil korektúry: grafémou g začal označovať fonému g, grafémou j fonému j, dĺžku i zaznamenával dĺžňom nad jotu, namiesto w začal písať v. O týchto nedôsled-

nostiach svojho pravopisného systému vedel už aj Bernolák, no nestačil ich zaviesť do pravopisnej praxe. Štúrove opravy, doplnenia Bernolákovho fonologického pravopisu možno jednoznačne pokladať za účelné i potrebné. Ich opodstatnenosť vo fonologickom pravopisnom systéme slovenčiny potvrdzuje i súčasná pravopisná sústava slovenčiny, ktorá ich zachováva od uzákonenia spisovnej slovenčiny Ľ. Štúrom. Ani hodžovsko-hattalovská reforma Štúrovho pravopisu nič nezmenila na ich zaradení do sústavy grafém spisovnej slovenčiny na zaznamenávanie jej foném.

Štúr oproti Bernolákovi vo zvýšenej miere v porovnaní s výslovnosťou jednotlivých hlások i hláskových skupín (znelostná asimilácia, výslovnosť spoluhlásky v a i.) rešpektuje i morfematickú stavbu slova. Rozdiely medzi písanou a hovorenou formou spisovného jazyka si uvedomuje výraznejšie i na pozadí diferencie pojmov hláska − písmeno (fonéma − graféma).

Stredoslovenský základ spisovného jazyka predkladal jeho kodifikátorovi inú fonologickú štruktúru hlások ako kultúrna západoslovenčina Bernolákovi, preto Štúr musel riešiť iné výslovnostné javy a ich grafický záznam ako Bernolák. Do sústavy grafém zaraďoval podobne ako Bernolák len tie, ktoré umožňovali najjednoduchšie presne zapísať zvukovú reč. Preto zapisuje y−i len jednou grafémou v zhode s výslovnosťou, verne zapisuje výslovnosť dvojhlások, znelú fonému g latinskou grafémou g, dlhé predné í grafémou predného í s dĺžňom, fonému j latinskou grafémou j a pod.

Štúrov pravopisný systém vychádzajúci z fonologického i morfematického princípu je zdokonalením, spresnením Bernolákovho pravopisu, avšak s pochopením a využitím všeobecných pravopisných zásad, aké pre bernolákovčinu vytvoril jej kodifikátor. U obidvoch kodifikátorov spisovnej slovenčiny treba osobitne vyzdvihnúť poznanie ústnej kultúrnej formy nášho národného jazyka. Obidvaja sa zároveň priznávajú k spolupráci s viacerými informátormi, lebo len tak mohli zistiť presnú, najviac frekventovanú podobu zvukovej realizácie hlások i hláskových skupín slov i tvarov a medzislovných spojení, ktoré potom zakotvili ako všeobecné normy do kodifikácie vlastného spisovného jazyka i jeho pravopisu.

Kontinuita pravopisných zásad Bernolákovej spisovnej slovenčiny v Štúrovom spisovnom jazyku je prirodzeným, teoreticky i prakticky zdôvodneným pokračovaním vlastným spisovnej slovenčine v písaných a tlačených literárnych textoch, ktorým spisovná reč utvorila priestor, akého sa im v zložitých kultúrnopolitických a národnostných pomeroch Uhorska dovtedy nedostávalo.

Treba však pripomenúť, že každá nová pravopisná sústava, čo ako teoreticky premyslená i opísaná, sa overuje v každodennom praktickom použití. Spresnený fonologický i morfematický pravopisný princíp Štúrovej slovenčiny neprijali všetci stúpenci i spolutvorcovia vlastného spisovného jazyka Slovákov s pochopením, čím sa i používanie a rozširovanie spisovnej slovenčiny oslabovalo práve v ortografii, ak už odhliadneme od verejného vystúpenia proti novému spisovnému jazyku ako takému (Hlasové a potřebě jednoty spisovného jazyka pro Čechy, Moravany a Slováky. Praha 1846).

Názorov na Štúrovu slovenčinu bolo niekoľko protichodných a niekoľko aj kompromisných. Proti jeho pravopisnému systému sa tvrdo postavili i najbližší spolutvorcovia (Hodža: Epigenes slovenicus 1847, Větín o slovenčine 1848), stúpenci bibličtiny, bernolákovčiny a i. Vyhranené postoje na samotnú existenciu spisovnej slovenčiny sa nakoniec prejavili v kompromise pravopisu nového spisovného jazyka, ktorý však znamenal zastavenie rozkolu v otázke prijatia Štúrovej slovenčiny za jednotný spisovný jazyk. V úsilí nepokračovať v polemike o prijatí jednotného spisovného jazyka pre všetkých používateľov národného spoločenstva prijíma aj Ľ. Štúr pravopisné úpravy, známe ako hodžovsko-hattalovská reforma Štúrovej slovenčiny, zakotvené v Krátkej mluvnici slovenskej z r. 1852.

Štúr síce nadviazal na domácu pravopisnú tradíciu, rozvíjal ju i prehlboval, no jej zavedenie do života sa stretlo v domácich odborných i kultúrnych kruhoch s predpojatosťou voči jej jednoduchosti podporovanej predovšetkým vžitým historizmom v pravopisných sústavách ostatných slovanských, ale aj iných spisovných jazykov, čo síce v konečnom dôsledku znamenalo víťazstvo v prijatí Štúrovej slovenčiny za jednotný spisovný jazyk Slovákov, ale v pravopisne upravenej podobe, akú reprezentovala Hattalova Grammatica linguae slovenicae z r. 1850 a Krátka mluvnica slovenská z r. 1852. Prijatie historického pravopisného princípu do Štúrovej slovenčiny je jej súčasťou v sústave ostatných pravopisných princípov podnes.

Už r. 1931 Ľ. Novák hodnotil pravopisný zásah Hodžu i Hattalu do Štúrovho spisovného jazyka ako retardačný.[5] I najnovšie vedecké úvahy nad úpravou Štúrovej slovenčiny Hodžom i Hattalom pokladajú ju za nie dosť premyslenú, ale vo svojej dobe nevyhnutnú: „Hodžovsko-hattalovská úprava nebola teda robená z nejakého jednotného hľadiska a ako celok značila nesporne skomplikovanie štúrovskej kodifiká-

cie. No jednak treba sa na ňu dívať ako dejinne podmienený fakt."[6]

Historicky orientovaný pohľad na jazyk, jazykovedu, metodologicky určujúci smer vo výskume a opise jazyka sa zákonite prejavil vo všetkých jeho rovinách a prirodzene i v kodifikácii pravopisu, ktorého sústava mala zachytávať najdôležitejšie fázy jeho vývinovej kontinuity. Odkloniť sa od tohto principiálneho pohľadu na jazyk i jeho pravopis bolo ešte v čase Bernoláka i Štúra prismelé i radikálne najmä v zložitosti podmienok, za akých sa ustaľoval Štúrov spisovný jazyk. S úpravou spisovného jazyka, osobitne jeho pravopisu, súhlasil nakoniec i Ľ. Štúr, pretože v záujme zachovania celku ustúpil v jednotlivostiach.

Historický princíp v upravenej Štúrovej slovenčine vychádzal zo stavu, aký v podstate zachovávala spisovná čeština, ale nie dôsledne. Používanie spisovnej slovenčiny v druhej polovici 19. storočia potvrdzuje nejednotné používanie i výklad zapisovania y—i, ä a pod. (blískať sa, ližica, bilina; kryk, rýdzy, pytvať, krýdla; kämeň, triafäť, kričäť, mäd; hľädať, kňaž; jäseň — jeseň — jaseň, mäch — mech — moch — mach...), teda tých javov, ktorých presnosť v používaní a zapisovaní sa viazala na odborný etymologický výklad. J. Škultéty v doslove k 3. vydaniu Czambelovej Rukäväti v spresneniach niektorých poučiek autora píše: „Nás neviaže historizmus; náš etymologický pravopis je len od Větína, Epigena a Hattalovej prvej mluvnice, od roku 1852."[7] Teda úprava niektorých tvarov a ich grafickej podoby v duchu živej strednej slovenčiny neviazala J. Škultétyho zachovávať jednotlivosti v jazyku i v pravopise etymologicky, čo často nezodpovedalo zisteniu ich pôvodného stavu (kryť — krýdlo; kupec, zvonec, ale i konec, venec; volba — voľba, strelba — streľba).

Pravidlá slovenského pravopisu z r. 1931 okrem dobových mimojazykových javov, ktorými sú poznačené, znamenajú prínos v zjednotení pravopisnej rozkolísanosti najmä predpôn s-, z-, vz-, kvantity niektorých slov, písanie cudzích slov a pod., pravda, v zásadách tých pravopisných princípov, aké sa v spisovnej slovenčine prijali po jej hodžovsko-hattalovskej reforme.[8]

Obdobie vo vývine nášho národného jazyka po roku 1945 možno hodnotiť najmä v prvých rokoch ako snahu po jeho demokratizácii, čo sa zvlášť malo prejaviť v pravopisnej úprave spisovného jazyka. Po celospoločenskej diskusii a hlbokej analýze v kultúrnopolitických kruhoch a medzi jazykovedcami sa prijali pravopisné úpravy obmedzeného písania y (tvary minulého času a podmieňovacieho spôsobu, písania predpôn s-, (so-), z- (zo-) v zhode s výslovnosťou, písania predložiek z, zo s genitívom a s, so s inštrumentálom, písania kvantity samohlások v cudzích slovách v súlade s ich výslovnosťou i niektorých jednotlivostí, ktoré boli spresnené a ustálené v duchu týchto zásad v r. 1968).

Zavedením tejto pravopisnej úpravy sa pravopis slovenčiny zjednodušil v jednotlivých javoch základného významu, nadväzujúc tak na východiská, z ktorých už pred 200 rokmi vychádzal Bernolák (a neskôr aj Štúr. Dnes túto úpravu možno hodnoverne pokladať za užitočnú a v období budovania modernej slovenskej spoločnosti za funkčnú v plnení dorozumievacej úlohy nášho spisovného jazyka vo všetkých oblastiach ekonomicky, politicky i kultúrne vyspelej spoločnosti. Úprava pravopisu spisovnej slovenčiny z r. 1953 sa rýchlo vžila a ujala v praxi, takže tento zásah do ortografie spisovnej slovenčiny možno z terajšieho časového odstupu jeho spoločenskej hodnoty v jazykovej komunikácii pokladať za vysoko pozitívny.

Predpovedať ďalší vývin pravopisu spisovnej slovenčiny, jeho prípadné korekcie v zásadných javoch by bolo hádam predčasné. Súčasná pravopisná sústava je stabilizovaná, vyhovuje potrebám používania spisovnej slovenčiny v jej grafickej podobe. Návrat k pravopisu spred roku 1953 by bol dnes anachronizmom. A perspektívne možno predvídať len líniu, aká sa naznačila a čiastočne i uskutočnila roku 1953. Príprava nových Pravidiel slovenského pravopisu spresní a prehĺbi niektoré pravopisné poučky v súlade s potrebami vývinového stavu i vývinových tendencií spisovnej slovenčiny, čím sa určite zjednotí a upevní terajšia pravopisná sústava spisovnej slovenčiny medzi všetkými jej používateľmi.

Poznámky

[1] Gramatické dielo A. Bernoláka. Na vydanie pripravil a preložil J. Pavelek. Bratislava, Vydavateľstvo SAV 1964, s. 95.
[2] C. d, s. 97.
[3] Tamže, s. 21.
[4] ŠTÚR, Ľ.: Nauka reči slovenskej. V Prešporku 1846, s. 105.
[5] NOVÁK, Ľ.: K vnitřním dějinám spisovné slovenštiny. Praha 1931.
[6] PAULINY, E.: Dejiny spisovnej slovenčiny od začiatkov po súčasnosť. Bratislava, SPN 1983, s. 197.
[7] CZAMBEL, S.: Rukoväť spisovnej reči slovenskej. 3. vydanie. Turčiansky sv. Martin 1919. 330 s.
[8] PAULINY, E.: Dejiny spisovnej slovenčiny od jej začiatkov po súčasnosť. Bratislava, SPN 1983, s. 237.

Bernolákovčina a predbernolákovská kultúrna slovenčina

IZIDOR KOTULIČ

Až bernolákovčina (bernolákovský spisovný jazyk) z rokov 1787—1796[1] predstavuje prvý cieľavedome normovaný a kodifikovaný slovenský spisovný jazyk, spisovnú slovenčinu. Pre ten jazykový útvar, resp. jazykové útvary (porov. ďalej), ktoré slovenskí vzdelanci sformovali a používali najprv v prevažne hovorenej podobe (od 10. stor.) a neskôr aj v písomnej podobe (od 15. stor.), teda už oveľa dávnejšie, ale aj tesne pred vystúpením A. Bernoláka, nemožno ešte tak z dôvodov formálnych, ako aj z dôvodov vecných (ich nejednotnosť — celospoločenská, skupinová, ba aj individuálna; nenormovanosť a nekodifikovanosť, teda minimálna, resp. nijaká záväznosť používaného jazykového úzu) priznať charakter spisovného jazyka v dnešnom modernom chápaní. Bol to iba akýsi „predstupeň" slovenského spisovného jazyka, ktorý práve s prihliadaním na jeho formálnu a štylistickú „kultivovanosť", ako aj značnú morfologickú, slovotvornú, lexikálnu, štýlovú a syntaktickú bohatosť a rozvinutosť i osobitné funkcie (slúžil slovenským vzdelancom nielen na bežné dorozumievanie, ale predovšetkým na vyššie kultúrne a civilizačné účely) sa zvyčajne označuje ako *slovenský kultúrny jazyk, kultúrna slovenčina*. Na druhej strane však bola kultúrna slovenčina aj podľa toho, odkiaľ jej hlavní tvorcovia a používatelia — slovenskí vzdelanci pochádzali, resp. kde dlhší čas pôsobili alebo trvalo žili, zemepisne alebo krajovo viac alebo menej modifikovaná, diferencovaná, teda závislá na miestnych či krajových nárečiach, a preto by bolo vecne odôvodnené a správnejšie hovoriť skôr o zemepisných, krajových variantoch kultúrnej slovenčiny, teda o kultúrnej západoslovenčine, kultúrnej stredoslovenčine a kultúrnej východoslovenčine a pojem i termín kultúrna slovenčina používať predovšetkým z praktických dôvodov, ako aj s ohľadom na jeho hlavnú a jednotnú „kultúrnu" funkciu ako nadradený pojem a termín.

Kultúrna slovenčina a jej zemepisné varianty vznikali síce v podstate na základe príslušných zemepisných, krajových nárečí, ale zároveň aj popri nich a nad nimi, pretože sa spravidla od nich dosť zreteľne odlišovali, a to z viacerých hľadísk. Kultúrna slovenčina v porovnaní so zemepisnými nárečiami sa vyznačovala okrem značne menlivej a neustálenej štruktúry aj väčším alebo menším počtom jazykových prvkov, najmä morfologických, slovotvorných, lexikálnych, sémantických, syntaktických a frazeologických, ktoré neboli typické pre zemepisné nárečia alebo sa v nich vôbec nevyskytovali, napr. prechodníky, rozličné slová a slovné spojenia utvorené špeciálne pre odborné alebo umelecké vyjadrovanie na báze domácich slovenských slovných základov a slov alebo prevzaté z iných, príbuzných i nepríbuzných jazykov.

Kultúrna slovenčina sa z formálnej i štruktúrnej stránky najväčšmi odlišovala od nárečí v tom, že mala najneskôr od 14. storočia dve paralelne popri sebe existujúce a ovplyvňujúce sa podoby, a to hovorenú, spravidla bližšie stojacu svojmu nárečovému základu, a písomnú, teda štylizovanú a graficky zaznamenanú podobu, v ktorej sa v značnej miere uplatňovali aj svojím pôvodom nedomáce, najmä české pravopisné, hláskoslovné, morfologické, slovotvorné, lexikálne a syntaktické prvky ako dôsledok intenzívnych a dlhodobých jazykových kontaktov.

Kultúrna slovenčina vôbec, teda aj jej západoslovenský zemepisný variant — kultúrna západoslovenčina nepredstavuje iba „významnú vývinovú etapu pri prechode od spisovnej češtiny k Bernolákovej slovenčine", ako sa to ešte aj dnes chápe a vykladá (Habovštiaková, 1968, s. 270), ale celkom samostatný a osobitný kultúrnojazykový fenomén, ktorý sa na Slovensku postupne formoval a rozvíjal už od začiatku 10. storočia (Stanislav, 1967, s. 41; Pauliny, 1979, s. 29), teda dávno predtým, ako sa prevzala a začala používať na Slovensku aj stará čeština (od 14. storočia). Hoci z najstaršieho obdobia (10. – 14. stor.) sa nám nezachovali nijaké súvislé texty písané kultúrnou slovenčinou, o existencii takýchto textov, a to nielen v tradovanej hovorenej podobe, ale aj v písomnej podobe nemožno vôbec pochybovať. Pritom to platí tak pre rozličné náboženské a cirkevné texty (základné modlitby; krstné, spovedné a sobášne formuly), ako aj pre svetské kultové a právno-spoločenské texty[2]. Najmä pri spomínaných náboženských a cirkevných textoch, ktoré boli prísne kanonizované, je ich existencia v písomnej podobe už od najstarších čias (od 10. stor.) priamo evidentná.

Kultúrna slovenčina vo svojich troch základných zemepisných variantoch (kultúrna západoslovenčina, kultúrna stredoslovenčina, kultúrna východoslovenčina), resp. aj v ďalších individuálnych, skupinových alebo krajových variantoch nespĺňala ešte všetky požiadavky kladené na spisovný jazyk, preto nemožno v nej vidieť alebo hľadať začiatky slovenského spisovného jazyka, ako sa to niekedy robí, keď sa začiatky slovenského spisovného jazyka posúvajú do predbernolákovského obdobia, a to do päťdesiatych rokov 18. storočia (Bálent, 1944, s. 9), alebo do roku 1780 (Stanislav, 1967, s. 49), resp. do roku 1782 (Oravec, 1955, s. 129).

V prípade východoslovenských kalvínskych tlačí z rokov 1750 – 1758, vydaných v Debrecíne, ide o kultúrnu východoslovenčinu v jej krajovom, zemplínskom variante[3]. Diela boli preložené z maďarčiny a vyšli v maďarských kníhtlačiarňach (J. Margitai, G. Kállai), ktoré neboli špecializované na vydávanie slovenských textov.[4] Nielen jazyková stránka (početné východoslovenské a zemplínske jazykové prvky popri českých, stredoslovenských a západoslovenských jazykových prvkoch), ale takisto aj konfesionálne určenie týchto diel pre úzky okruh východoslovenských, najmä zemplínskych kalvínov dosť zreteľne ukazujú, že vo východoslovenských kalvínskych tlačiach z rokov 1750 – 1758 nemožno v nijakom prípade vidieť „prvý pokus o spisovnú slovenčinu".

Takisto ani v prípade troch školských jazykových príručiek vydaných v Trnave roku 1780[5] nejde a nemôže ísť o normovanie a kodifikáciu „prvej formy slovenského spisovného jazyka", ale iba o tradičnú, málo normovanú, teda aj dosť variabilnú kultúrnu západoslovenčinu,[6] ktorá však práve zásluhou prioritného hospodárskeho, politického i kultúrneho postavenia západného Slovenska v rámci celého Uhorska (arcibiskupstvo, univerzita a jej tlačiareň v Trnave; kráľovská komora, miestodržiteľská rada i sídlo korunovácie uhorského kráľa v Bratislave) sa postupne stávala aj jedným zo štyroch oficiálne uznávaných a používaných jazykov v Uhorsku („quadruplex lingua" = latinčina, nemčina, maďarčina a slovenčina reprezentovaná kultúrnou západoslovenčinou). Práve tieto okolnosti spôsobili, že kultúrna západoslovenčina prerástla svoj pôvodný zemepisný (západoslovenský) rámec a postupne sa dostávala najmä do katolíckej náboženskej a cirkevnej literatúry,[7] do úradných administratívnych textov[8] i do školských príručiek[9] používaných na celom slovenskom jazykovom území, takže začala plniť do istej miery aj celospoločenskú, celoslovenskú funkciu, hoci nebola dôslednejšie a vo väčšom rozsahu ani normovaná, ani kodifikovaná. A práve preto ani kultúrnu západoslovenčinu predbernolákovského obdobia nemožno považovať za „prvý slovenský spisovný jazyk".

Rovnako ani o J. I. Bajzovi nemožno ešte hovoriť ako o „priekopníkovi spisovnej slovenčiny", ale iba ako o tvorcovi osobitného, čisto individuálneho pravopisného, hláskoslovného, morfologického i lexikálneho úzu kultúrnej západoslovenčiny. J. I. Bajza svojím rozsiahlym, kultúrne i spoločensky vysoko aktuálnym dielom[10] si získal uznanie u súčasníkov i zásluhy pred históriou, ale svojím jazykovým úzom (najmä pravopisným) neprekročil nijako významnejšie tradičný rámec svojej doby,[11] takže si získal viac odporcov a kritikov ako stúpencov a nasledovateľov. Kým obsahová a kritická stránka Bajzovho diela bola zameraná viac na budúcnosť so zámerom prispieť k zlepšeniu nezdravých sociálnych a kultúrnych pomerov na Slovensku, jazyková stránka Bajzovho diela bola viac a tesnejšie spätá s minulosťou, s tradičnou kultúrnou západoslovenčinou a iba minimálne odráža progresívne vývinové tendencie kultúrnej západoslovenčiny, ktoré sa v 70. a 80. rokoch 18. storočia už začínali prejavovať.[12] Dobou, v ktorej žil, i vytvoreným dielom sa J. I. Bajza jednoznačne zaraďuje medzi bernolákovcov, ale svojím jazykom, svojou jazykovou normou sa J. I. Bajza predstavil skôr ako skutočný završovateľ celého dovtedajšieho vývinu kultúrnej západoslovenčiny než ako osnovateľ, priekopník alebo kodifikátor „slovenského spisovného jazyka". V tomto zmysle je teda medzi formálnou, jazykovou stránkou a obsahovou stránkou Bajzovho diela hlboké, dialektické protirečenie, ktoré síce nijako podstatne neznižuje celkový význam jeho diela, ale pre správne pochopenie samého autora i jeho diela vo vývinovom procese slovenského jazyka, literatúry a kultúry treba si toto protirečenie uvedomovať a chápať ho ako objektívne existujúci fakt.

Prísnejšie odborné kritériá kladené na novodobý spisovný jazyk znesie v historickom vývine slovenčiny až bernolákovčina, ktorá v podstate už spĺňa všetky základné požiadavky moderného spisovného jazyka. Pravda, niektorými základnými „znakmi spisovnosti" (celospoločenská platnosť, bohatá štruktúrna rozvinutosť a štylistická diferencovanosť) sa vyznačovala už aj predspisovná kultúrna západoslovenčina. Nemala však jednotnú a pre všetkých používateľov záväznú normu (iba dosť voľný a nejednotný jazykový úzus) a nebola kodifikovaná. Tieto najzákladnejšie i najkonkrétnejšie „znaky spisovnosti" spĺňal v potrebnej miere až široko osnovaný a odborne pripravený bernolákovský normatívny a kodifikačný akt z roku 1787 (*Dissertatio* a *Orthographia*: odôvodnenie, normovanie a kodifikovanie v podstate fonologického pravopisu) a z ďalších rokov (1790: *Grammatika Slavica* – normovanie a kodifikovanie gramatickej stavby; 1791: *Etymologia vocum slavicarum* – normovanie a kodifikovanie tvorenia slov; 1796: *Slowár slowenskí* – normovanie a kodifikovanie slovnej zásoby).[13] Nielen v samom tomto normatívnom a kodifikačnom akte, ale takisto aj v jeho rozsahu – úplnosti i kvalite spočíva najväčší odborný i spoločenský prínos A. Bernoláka a jeho družiny do pokladnice staršej slovenskej jazykovedy a kultúry.

Pokiaľ ide o sám jazykový základ, z ktorého vychádzal A. Bernolák pri normovaní a kodifikovaní prvého slovenského spisovného jazyka – bernolákovčiny, tým bola práve spomínaná kultúrna západoslovenčina, ktorá sa v tom čase vyučovala nielen na základných a stredných školách (gymnáziách) na Slovensku, ale iste aj na univerzitách v Trnave a v Košiciach,[14] kde sa stala aj oficiálnym jazykom slovenských tlačí vychádzajúcich z tamojších univerzitných tlačiarní. Práve preto bolo celkom pochopiteľné, ba v daných historických podmienkach priamo nevyhnutné, že A. Bernolák a jeho družina si ako jazykový základ a východisko pre normovanie a kodifikovanie prvého slovenského spisovného jazyka vybrali dosť široko známu a používanú, ako aj bohato rozvinutú kultúrnu západoslovenčinu.

Kultúrna západoslovenčina bola dobre a dôverne známa zo škôl i z praktického kultúrneho a administratívneho života nielen prvým, starším bernolákovcom, ale aj ostatným príslušníkom z radov vzdelancov žijúcich na Slovensku. Dôkazom toho je napríklad aj fakt, že prvé práce (rukopisné alebo tlačené) starších bernolákovcov (dokončené pred rokom 1787) vyšli alebo boli napísané v kultúrnej západoslovenčine.[15]

Bernolákovo jazykovedné dielo ako celok i jeho časti majú v dejinách slovenského jazyka, slovenskej jazykovedy a kultúry čestné a nezastupiteľné miesto. A. Bernolák v súvislosti s prípravou na svoju rozsiahlu normatívnu a kodifikačnú prácu musel preštudovať množstvo domácej i cudzej odbornej literatúry jazykovednej, literárnovednej i historickej, ktorú spravidla aj cituje v poznámkach pod čiarou alebo aj vo vlastnom výkladovom texte. Po prvýkrát v dejinách slovenskej jazykovedy sa takto moderne s využitou a citovanou literatúrou narába až v Bernolákových jazykovedných prácach.[16]

Z celého Bernolákovho jazykovedného diela si najvyššie ocenenie z hľadiska odborného i kultúrneho zasluhujú jeho prvé anonymne vydané jazykovedné práce (*Dissertatio; Orthographia*) z roku 1787, v ktorých dobre, presvedčivo odôvodnil a realizoval potrebu jednotného a moderného slovenského fonologického pravopisu. Najmä v porovnaní s celým dovtedajším vývinom slovenského pravopisu (ak o takom ako celku vôbec možno hovoriť), poznačeným veľkou nejednotnosťou až ľubovôľou i početnými cudzími, najmä českými vplyvmi, vyniká Bernolákov premyslený projekt jednotného fonologického pravopisu ako neobyčajne veľký, ba až revolučný odborný čin. Tým, že zo svojho pravopisu odstránil všetky nepotrebné písmená, ako: *q, x, j* vo funkcii *í, v-* vo funkcii *u-, ř, ě, ů, au, y* a *ý* vo funkcii *i* a *í, y* vo funkcii *j*, a že začal dôsledne označovať „ostrým prízvukom" (dĺžňom) dlhé samohlásky, „mäkkým prízvukom" (mäkčeňom) mäkké spoluhlásky a tzv. „tvrdým prízvukom" (bodkou, vodorovnou čiarkou alebo polkrúžkom: *g̣, ḡ, ğ*) dnešnú spoluhlásku *g* (na rozdiel od písmena *g* vo funkcii dnešného *j*), slovenský pravopis nielen značne zjednodušil a zracionalizoval, ale zároveň ho aj v maximálnej možnej miere priblížil k živej slovenskej výslovnosti. Vzorom správnej a skutočnej slovenskej výslovnosti mu boli tí slovenskí vzdelanci a spisovatelia, ktorí najmenej podliehali českému jazykovému vplyvu.[17] Pravda, Bernolákovmu pravopisu možno z dnešného hľadiska, no iba z čisto grafickej stránky, vyčítať aj niektoré nedôslednosti. Napríklad prekvapuje to, že reformou „uvoľnené" grafémy *j, v* nevniesol A. Bernolák do svojho grafematického inventára v ich dnešnej funkcii, ale zostal pri tradičnom a nepraktickom označovaní spoluhlásky *j* grafémou *g (ozag, nagpekňegší)* a spoluhlásku *g* zasa označoval grafémou *ğ (ğagdi, ğrunt)*;[18] rovnako spoluhlásku *v* označoval tradičným dvojitým *w (dwa, twóg – twúg)*, hoci graféma *v* bola „voľná". Na tieto nedôslednosti v Bernolákovom pravopisnom a grafickom systéme upozornil ešte v roku 1794 s najväčšou pravdepodobnosťou J. Fándly (P. Lifand) v anonymne vydanom polemickom spise *Ňečo o epigrammatéch...* (autorstvo tohto diela sa pripisuje A. Bernolákovi, Vlček, 1897, s. 562) a navrhoval ich odstrániť, ale z neznámych dôvodov k tomu nedošlo.[19] A. Bernolák neprevzal do svojho pravopisného a grafematického systému ani staré tzv. „skrivené" *s* a *š* (= *š*), ale uprednostnil švabachové tzv. „dlhé" *ſ*,[20] ktoré používal v graficky iba trocha pozmenenej podobe (s „kvačkou" hore:) aj vo funkcii hlásky *š (kdi* , *ľep ég), ktorá* sa tým graficky dosť odlišovala od ostatných mäkkých spoluhlások *ď, ť, ň, č, ž* označovaných tzv. „mäkkým prízvukom" (mäkčeňom). Ďalším nedostatkom bernolákovského grafematického systému bol zvláštny spôsob označovania mäkkého *ľ*. A. Bernolák ani v tomto prípade neoznačoval mäkkosť spoluhlásky *ľ* pomocou tzv. „mäkkého prízvuku" (mäkčeňa), ale do tejto funkcie prevzal s patričným odôvodnením[21] tradičné tzv. „zatvorené" *l*, ktoré sa však v predbernolákovskom pravopise používalo práve v opačnej funkcii, teda za tvrdé *l*. Týmto na prvý pohľad logickým a patrične aj odôvodneným postupom pri označovaní mäkkého *ľ* A. Bernolák spôsobil značné ťažkosti nielen vtedajším tlačiarom zvyknutým na starší úzus (dochádzalo k vzájomnému miešaniu grafém pre tvrdé a mäkké *l*, napr. aj *Dissertatio: bil* percussit, *byl* fuit 33, *klál* maledicebat 70 atď.), ale aj neskorším editorom bernolákovských textov, ktorí dosť často neberú do úvahy túto protikladnú funkciu tzv. „zatvoreného" a „otvoreného" *l* v predbernolákovskom a bernolákovskom pravopise a prepisujú ich raz tak, inokedy zas opačne.

Pri predbernolákovskom i bernolákovskom spôsobe grafematického označovania mäkkého *ľ* je problematické aj dnešné hodnotenie stupňa mäkkosti *ľ*, a to nielen preto, že osobitné grafematické znaky pre tvrdé a mäkké *l* sa nepoužívali pravidelne alebo vzájomne sa zamieňali, teda používali sa nesprávne (išlo iba o tlačové chyby?), ale napríklad aj s ohľadom na to, ako výslovnosť tvrdého a mäkkého *l* opisuje sám A. Bernolák: (tvrdé) „*l* sa vyslovuje ako *l* v maďarčine pred *a, o* v slove *lakadalom* alebo ako *ll* v nemčine na konci slova *Schall*"; (mäkké) „*ľ* sa vyslovuje ako *l* v maďarčine alebo nemčine pred samohláskou *i* v slovách *liszt, lieben*" (G 9). Podľa tohto opisu by sa dalo usudzovať, že tu išlo skôr o palatalizované než o palatálne *ľ* alebo že tento rozdiel spočíval viac v grafike ako vo fonetike, ako sa to napríklad vysvetľovalo pri tzv. „skrivenom" *s*, o ktorom sa tvrdilo, že reprezentuje akýsi prostredný zvuk medzi tzv. „dlhým" (švabachovým) *s* a *z*, ktorý mal znieť údajne tvrdšie než „dlhé" *s*, ale mäkšie než *z* (LU 1775, DP, GT 1780).

V bernolákovskej pravopisnej norme a kodifikácii sa vyskytujú pri spoluhláskach aj niektoré ďalšie nedôslednosti, na ktoré treba upozorniť. Napríklad

spomedzi tzv. digrafematických spoluhlások (zložených z dvoch grafém) sa osobitne spomína a uvádza iba spoluhláska *ch* (D 72, G 8), pričom sa o nej celkom správne hovorí, že „je dvojitá (v lat. texte „duplex") iba pokiaľ ide o formu, nie pokiaľ ide o (fonologickú − doplnil I. K.) hodnotu" (D 72). Ďalšie dve digrafematické spoluhlásky *dz* a *dž* sa však pri opise a klasifikácii spoluhások nikde osobitne nespomínajú, hoci v mnohých slovách použitých na exemplifikáciu pri jednotlivých jazykových javoch sa dosť často vyskytujú, ako napríklad v prípadoch: *brindza* S I, 142, *cudzí* G 269, E 100, S I, 325, *hádzať* S I, 677, *hovadzí* E 49, *medzokládka, medzostogka* (= zátvorka) O 27, G 281, E 80, *mosadz* G 9, 23, 251, *prádza* G 303, 309, *urídzeňí* E 46, atď.; *frndžáňí, frňdžať (!)*, *frndžáwáňí, frndžáwať* S I, 580, *fundžáňí, fundžať* S I, 584, *hádžem, hadž* S I, 677, *hadžír* S I, 678, atď.

Hoci A. Bernolák pri hodnotení spoluhlásky *ch* celkom správne vystihol jej formálnu (pravopisnú) dvojvalentnosť (*c + h*) a fonologickú monovalentnosť (označuje jednu fonému), pri vcelku iba nepriamom hodnotení znelých afrikát *dz* a *dž*, ako sa ukazuje, bral do úvahy už iba formálnu, teda dvojvalentnú grafematickú stránku týchto hlások, keď vysvetľoval, že „na konci slov *z* nasledujúce po *d* má zvuk písmena *c* (!); podľa toho *mosadz* čítaj *mosadc*" (!) G 9, čím vlastne dokazoval, že v tomto prípade znelostnej neutralizácii podlieha iba druhá zložka digrafémy *dz* (teda *z*, nie celá znelá afrikáta *dz* ako protiklad k neznelému c; v opačnom prípade, by totiž jeho inštrukcia o správnom čítaní slova *mosadz* v postavení na absolútnom konci (alebo pred slovom začínajúcim sa na neznelú spoluhlásku, napr. *mosadz padá*) musela znieť: „*mosadz* čítaj ako *mosac*". Zdá sa, že podobnú nesprávnu predstavu iba o čiastočnej formálnej (pravopisnej) neutralizácii digrafém musel A. Bernolák mať aj v prípade tupej afrikáty *dž*, keď v odbornom jazykovednom termíne *medzihádžka* (= citoslovce) E 78 pred príponou *-ka*, začínajúcou sa na neznelú spoluhlásku, zapísal skupinu *dč-* (podľa výslovnosti?) miesto pravopisne náležitého *dž*, ktoré pri výslovnosti v tomto prípade, t. j. v neutralizačnej pozícii nemohlo ináč znieť ako *č*, teda *medziháčka*, ako sa to správne uvádza v *Gramatike* (164).

V bernolákovskom vokalickom inventári boli teoreticky normované a kodifikované iba krátke („krátké") a dlhé („dluhé") samohlásky, ako to vyplýva z výkladov podaných v dielach *Dissertatio* (51−52, 73−75), *Ortografia* (13, 22), a *Gramatika* (6). Dvojhlásky teda neboli vôbec pojaté do inventára vokalických foném. Ale vo viacerých Bernolákových gramatických prácach (*Dissertatio, Gramatika, Ety-*

mologia) sa v použitých dokladoch uvádzajú aj tvary s dvojhláskou *ie* (písanou ako *ge*), spravidla však iba popri tvaroch s jednoduchou dlhou samohláskou, ako napríklad: *ďgewka (ďíwka)* G 23, *ďgewčátko (ďíwčatko)*, *ďgewča (ďíwča)* G24, *ďíťa (ďgeťa)* G 25, *pgesek (písek)* G 33, *ďíwča (ďgewča)* G 42, *šéstí (šgestí)*, *sédmí (sgedmí)* G 60; *zowem (zowgem)* G 89; *rečem (rečgem), hrizem (hrizgem), huďem (huďgem), meťem (meťgem)* G 91, *wgem (wím), powgem (powím)* G 92, atď.; *ďíťa, ďgeťa; ďíwča, ďgewča, déwča; ďeťátko, ďíťátko, ďgeťátko* E 20, *lískowce (lgeskowce)* E 89, *míšať (mgešať)* E 93, *písek, pgesek* E 117, *ňetoper (ňetopír, ňetopger)* E 154, *bgeľica (beľica, bíľica)* E 156, atď. V niektorých prípadoch sa však uvádzajú dokonca iba tvary s dvojhláskou, napríklad: *bgeďím, mgesím, rgeďím, pgesek, wgem* D 28[22]; *ďgewka, ďgewča* G 19, *papgereň, uťgereň* G 23, *ďgewčisko, pačgeski* G 24, *naščgepal* G 194. To, že v uvedených a ďalších prípadoch ide skutočne o tvary s dvojhláskou *ie (ge)*, je celkom zrejmé. V odbornej jazykovednej literatúre sa tento fakt vysvetľuje tak, že v tvaroch s dvojhláskami sa v Bernolákových gramatických prácach uplatnili „reminiscencie na domáce nárečie" (Mihál, 1941, s. 369). Takéto vysvetlenie je dosť pravdepodobné, hoci by ho bolo treba rozšíriť v tom zmysle, že tu mohol spolupôsobiť aj vplyv stredoslovenských kultúrnych textov[23] na mladého A. Bernoláka. V *Slowári*, lexikograficky dokončenom roku 1796 (porov. pozn. 1), sa však už všetky tvary s dvojhláskou *ie (ge)* hodnotia ako nárečové, „vulgárne", teda nevhodné pre spisovný jazyk (uvádzajú sa s hviezdičkou), napr. *bídní*, vulg. *bgedí* S I, 72, *bílí*, vulg. *bgelí* S I, 73, *kaštíl*, vulg. *kaštgel* S II, 911; *wím*, wulg. *wgem* S V, 3591, atď.

Na druhej strane zas v Bernolákových gramatických prácach sa vôbec neuvádzajú tvary s dvojhláskou *ia*, ale iba v *Slowári*, pravda, iba v slovách *ǧrobián, ǧrobiánka, ǧrobianow, ǧrobianski, poǧrobianski, ǧrobianstwí* S I, 662, pričom na rozdiel od dvojhlásky *ge* (= *ie*) sa táto dvojhláska zapisuje dnešným spôsobom, teda ako *ia*.

Dvojhlásku *ô* (zapisovanú ako *wo*) sme u A. Bernoláka našli iba v slove *twoňa* E 114, ktoré ako synonymné priradil k slovu *stín*; v *Slowári* sa však už podoba **twoňa* (IV, 3371) uvádza s hviezdičkou, čiže sa hodnotí ako nárečová, „vulgárna", teda nespisovná.

V bernolákovskej norme a kodifikácii sú dosť časté aj ďalšie hláskové varianty slov, pričom pri samohláskach sa to týka tak kvantitatívnej, ako aj kvalitatívnej stránky alternujúcich vokálov, napr.: *hádzací, hadzací* E 55, *černí (čírní)* E 92, *swetňík,*

swítňík E 110, *písadlo, pisadlo, umíwadlo, umiwadlo* E 41, *srdečko, srdíčko* E 21, *pať (péť)* G 56, 59, 60, 179; E 93; *ľad, ľed* G 198, 311; E 116, *mad (med)* G 31, *kňaz (kňez)* G 35, *ťažkí (ťežkí)* G 117, *mesác (mesíc)* G 33, 307; E 90, 121, 125; *práťel (príťel)* G 30, E 54; *lakeť (loketʼ)* E 134, *kapún, kopún* E 153, *kostelňík, kostolňík* E 111, *sweker (swoker)* E 14, 145, *krem (krom)* E 154, *sem (som)* G 43; *lud (lid)* G 35, *luto (ľito)* G 148, 149, *pigic (piguc)* G 127, *slúch (sľich)* E 41; *Búh (Bóh)* G 250, *Boh (Bóh, Búh)* E 102, *kóň (kúň)* E 15, 149, *wóz (wúz)* G 297, *stól (stúl)* E 52, *móg (múg)* G 66, 185, 248; *mša (omša)* E 91, 111, atď. Pri spoluhláskach ide o alternáciu typu: *blcha (blecha, blucha)* E 159, *slunce (slnce)* G 43, *žlč, žluč* E 131; *wlk, wiľk* E 151; *češšina, češčina; wlaššina, wlaščina; uherčina, uherščina* E36; *gaščer (gašťer), kléšče (kléšťe)* G 292, E 55, *ščekať (šťekať)* E 160; *streda (sreda)* E 126; *črewa (strewa)* E 133; *ťehla, ťehelka, cihla, cihelka* E 8; *rez, rdza* E 115; *wáznuť (wázǧnuť)* G 75; *wčela (pšela)* E 100, 160, atď.

V Bernolákových gramatických prácach sa často vyskytujú aj morfologické varianty, ako: *wagce (wagco), ňebe (ňebo)* G 43, *ľíce, ľíco* E 134, *pľece, pľeco* E 136; *laňa, laň* E 15, N. sg. n. *stawaňí (ňa)* G 41 – dvojtvary v celej paradigme okrem G. pl.; L. sg. *pluhu (pluze), kožuchu (kožuše)* G 34, I. sg. *s owcú (ow)* G 33, N. pl. *liďá (luďé)* G 35, I. pl. *krídlami, krídlama* G 47; *cermi, cerma, cerami, cerama* G 46; *kížatmi, kížatma, kížatami, kížatama* G 46–47; *stoli, stolmi, stolma, stolami, stolama* G 46; L sg. *na peknom (ém)* G 49; N. sg. n. *gedne, gedno* G 57, I. sg. f. *dwíma, dwoma* G 58; N. sg. m. *trá (tri), štirá (štiri)* G 58; *wipiwši (wipiw)* G 130, atď.

Početne sú v bernolákovskej norme zastúpené aj slovotvorné dublety, ako: *tam, tamto (tamok)* G 156, *ľen (ľentoliko)* G 162, *polahúčki (poľechki)* G 161, *wíc (wíceg), wác* G 176, *zahradňička (íčka)* G 257, *ohniščo (ohňišťo)* G 258; *otrhánek, otrhaňec* E 46, *dworek, dworák* E 16, *mučáreň, mučárňa (mučírňa)* E 40, *ušatí, uchatí* E 48, *kížací, kížatcí, ťelací, ťalatcí* E 49, *patrički (páterki)* E 108, *kazateľnica, kazatedelňica, cinter, cinterín* E 111, *lalek (lalok)* E 134, *dwogčence, dwogčátka* E 140, *weľriba, cetriba* E 157, *mrawec (mraweňec)* E 159, atď.

V bernolákovskej lexikálnej norme je častý aj výskyt lexikálnych dubliet, ba aj celých synonymných radov, ktoré spájajú bernolákovčinu s predspisovnou kultúrnou slovenčinou, ako napr.: *štiricať (meru)* G 57, *zítra, zaitra (gutro), pozaitra, pozaitri, pozitri (zagutro), poziterku* G 157, *hrube, weľmi, welice (bardzo)* G 161, *chwóst (ocas)* G 296, E 122, *kobila (kľisna)* E 15, 20, 51, *pečľiwí, starostľiwí, pečľiwosť, starostľiwosť* E 48, *brezeň, marec,* E 125, *tesť, sweker (swoker); tesťina, swekruša* E 145, *kočka, mačka* E 149, *bočan (čáp)* E 152, *kuroptwa (garabica)* E 154, *ploščica (šťenica)* E 160, atď.

O tom, že A. Bernolák pri normovaní a kodifikovaní prvého slovenského spisovného jazyka — bernolákovčiny skutočne vychádzal z kultúrnej západoslovenčiny, svedčí nielen veľká typologická a štruktúrna blízkosť týchto dvoch historicky na seba nadväzujúcich jazykových útvarov, ale napríklad aj taký závažný a doteraz celkom nepovšimnutý fakt, že A. Bernolák vo svojej *Ortografii* vlastne iba rozpracoval a preložil do latinčiny (resp. aj doplnil o ďalšie alebo celkom nové príklady, doklady a termíny) *Prjwod ku dobropjsebnosti slowenského pjsma…*, ktorý roku 1780 vyšiel v trnavskej univerzitnej tlačiarni. Celkom nový, teda Bernolákov je v *Ortografii* iba druhý paragraf prvej hlavy (§ II: s. 7–9).[24]

A. Bernolák aj pri spracúvaní štvrtej hlavy (o slabikovaní) a piatej hlavy (o čítaní) do svojej *Slovenskej gramatiky* (s. 10–15) sa iste opieral o druhú a tretiu „tabulu" zo školskej príručky *Čtiri gruntowne tabule ku prospechu mládeži slowenských sskól,* ktorá taktiež vyšla roku 1780 v trnavskej univerzitnej tlačiarni.

Fakt, že Bernolák v *Ortografii* neuvádza vôbec spomínanú školskú učebnicu (DP), z ktorej vychádzal, a v *Slovenskej gramatike* spomína zas citované školské učebnice (GT, DM) iba v úvode, vyplýva najskôr z toho, že išlo o anonymne vydané školské učebnice, ktoré dobre poznal už zo svojich študentských čias.

Pramenná i vecná závislosť viacerých častí Bernolákovho jazykovedného diela na spomínaných školských učebniciach sa zvýraznila ešte tým, že Bernolák celú svoju Ortografiu z roku 1787 iba s menšími štylizačnými úpravami latinského textu a s rozšírením alebo znížením počtu uvádzaných slovenských príkladov[25] znovu pretlačil ako poslednú (piatu) gramatickú časť vo svojej *Slovenskej gramatike* (*De orthographia,* s. 261–184), čo si doteraz taktiež nik nepovšimol, dokonca ani autor slovenského prekladu Bernolákovho gramatického diela J. Pavelek.[26]

A. Bernolák najmä preto, že bol pod silným vplyvom značne nejednotnej, neustálenej a nenormovanej kultúrnej západoslovenčiny, z ktorej priamo vychádzal, pripúšťal vo svojej norme a kodifikácii v značnom rozsahu hláskoslovné, morfologické, slovotvorné i lexikálne dublety (porov. vyššie). Výnimkou v tomto ohľade bol iba jeho pravopisný systém, vybudovaný dôsledne na fonologickom princípe, pri

ktorom v teoretickej časti (*Dissertatio, Orthographia, Gramatika*) nepripúšťal nijakú variantnosť, dubletnosť. V praktickej časti (pri dokladoch) sa však aj v pravopisnej zložke vyskytujú menšie rozdiely alebo nedôslednosti. Napríklad v *Gramatike* sa píše *rod muskí* 21, *medzihačka* 164, ale v *Etymológii rod muzskí* 77, *medzihádčka* 78, atď.

Najmenej „normatívny", ba v mnohých prípadoch aj celkom „nenormatívny" bol A. Bernolák v oblasti jazykovednej terminológie, kde sa v prevažnej miere (najmä pri základnej jazykovednej terminológii) opieral o jazykovednú terminológiu používanú v spomínaných školských učebniciach (DP, DM, GT) vydaných roku 1780 v trnavskej univerzitnej tlačiarni, keď takmer bez zmeny alebo s malými úpravami prevzal z týchto príručiek terminológiu diakritických a iných znamienok, prípadne ju doplnil o ďalšie termíny prevzaté z iných, najmä českých prameňov, ako napr.: *známeňí ukráceňí* (= apostrof) O 23, G 279 (DP má aj termín *apostroff* 17); *známeňí rozďeľeňí aneb rozlúčeňí*[27] (= spojovník) O 24, G 279; *koma, štrichla, čárka* O 24, *čárka, štrichla* G 279 (DP: *štrichla neb koma* 18); *punkt, tupka, bodka* O 26, G 281 (DP: *zawjrný punkt aneb bodka* 19); *polkolon, punktowaná štrichla, čárka* (= bodkočiarka) O 24, *punktowaná čárka aneb štrichla* G 279 (DP: *punktowaná štrichla neb semikolon* 18); *kólon, dwognásobní punkt, dwotupka* (= dvojbodka) O 25, *dwa punkti aneb dwotupka* G 280 (DP: *dwognásobný punkt aneb kolon* 18); *medzokládka, medzostogka, zawreňí, zatworeňí* (= zátvorka) O 27, G 281 (DP: *zawrenj znamenj, parentezis* 19); *znak preňeseňí* (= úvodzovky) O 29, G 282 (DP: *uwedenej znamenj* 19); *poznačeňí znameňí* (= hviezdička) O 30; *znameňí predňeseňí* G 283 (DP: *poznačení* 20); *znameňí otáski* (= otáznik) O 28, G 282, *znameňí wikriknutí* (= výkričník) O 28, G 282, *úkrog* (= paragraf) O 31, G 282 (DP: *ukroge znamenj aneb paragraff* 19), *pauza, prestáňí* O 31, *prestáňí* G 283 (DP: *pauza* 20), atď.

Aj základná morfologická terminológia, ako: *podstatné méno, prídawné méno, zámeno, pád, rod, počet* (= číslo), *odchiľnosť* (= skloňovanie), *osoba, čas, spúsob, počet gednásobní* (= singulár), *wícnásobní* (= plurál), *dwognásobní* (= duál) atď. sa zhoduje s terminológiou trnavskej školskej príručky z roku 1780 *Prjwod ku dobromluwnosti slowenské…*, ktorá bola pravdepodobne základným Bernolákovým prameňom. Iba v neveľkom počte prípadov nahrádzal A. Bernolák staršie domáce termíny používané v tejto príručke i v príručkách spomínaných vyššie (DP, GT) novými termínmi vlastnými alebo prevzatými z iných prameňov, ako napr.: *samoznejúca, spoluznejúca* DP 4, 5, GT 5 − *samohlásná, spoluhlásná* D 51, G 2, 3; *sebrané gméno* (= kolektívum) DM 15 − *množné méno* G 18; *nerowné, počtowé gméno* (= číslovka) DM 23, 42 − *méno početné* G 53; *časuslowo* (= sloveso) DM 28 − *slowo* G 72; *príslowo* (= príslovka) DM 39 − *príslowko* G 155; *predstawnosť, predstawek* (= predložka) DM 38, 44 − *predstawka* G 152; *medzihodek* (− citoslovce) DM 40 − *medzislowko, medzihačka* G 164, *spogugjcnosť, spogek* (− spojka) DM 10, 40 − *spogitelka* G 165, atď.

V abecednom latinsko-slovenskom slovníčku jazykovednej a literárnovednej terminológie, ktorý je pripojený na konci *Etymológie* (s. 73−84), sa vo viacerých prípadoch uvádza celý synonymný rad jazykovedných termínov, ktoré sa vôbec nepoužívajú v ostatných Bernolákových gramatických prácach; na druhej strane zas v tomto slovníčku sa neuvádzajú niektoré termíny, ktoré sa používajú v Bernolákovej *Gramatike,* ako: accentus: *hlasuznak,* zwukuznak, známenko − D; G: *hlasuznak,* prizwuk 73; 5; adjectivum: *prídawné méno,* pridawaňec, prídawanľiwé méno, pridawanľiwec − G: iba *prídawné méno* 47; adverbium: *príslowko,* príslowce − G: iba *príslowko* 155; collectivum: mnohotľiwé, hognotľiwé méno − G: *množné méno* 18; conjugatio: skonawatelka, spogitelka, spogugičnosť, spogenosť − G: slovenský termín chýba; consonans: spoluzwučka, spolozwučka, súzwučka, spoluhláska, *spoluhlásná* − D; G: iba *spoluhlásná* 51; 2, 3; declinatio: *odchiľnosť,* ohibatelka, ohíbnosť − G: iba *odchiľnosť* 26; interjectio: predhádzka, prehoďitelka, *medzihádčka* − G: medzislowo, *medzihačka* 164; neutrum: žádní rod − G: ňigakí rod 22; pronomen: mestoméno, místoméno, mestomeňec, místomeňec, záměňic, *zámeno* − G: iba *zámeno* 62; punctum: boďec, *bodka* − O: punkt, **tupka,** *bodka* 26, G: punkt, *bodka,* tupka 281; substantivum: *podstatné,* podstatľiwé méno − G: iba *podstatné méno* 17; verbum: *slowo,* časoslowo − G: iba *slowo* 72; vocalis: samozwučka, hláska, samohláska, *samohlasná* známka − D; G: iba *samohlásná* 51; 2, 3, atď.

Osobitne treba upozorniť na fakt, že pri slovenských názvoch pre jednotlivé pády sa iné podoby termínov uvádzajú v spomínanom abecednom slovníčku (*Etymológia,* 75) a iné sa zas používajú v *Gramtike:* nominativus: menowatľiwí, menugiční, menowatľiwec − G:menugicí; genitivus: roďitľiwí, priwlastňugiční, roďitľiwec, priwlastňiňec − G: plodní; dativus: dawatľiwí, dawatľiwec − G: dáwagící; accusativus: žalowatľiwí, žalowatľiwec − G: žalugicí; vocativus: wolatľiwí, wolatľiwec − G: wolagicí; localis:

mestowní, mestowec, ináč predstawní, predkladní, predkladagiční − G: mestowní; instrumentalis: nástrogowí, nástrogowec neb towarišní, towarišľiwí, towarišľiwec − G: nástrogní aneb towarišní 26. Prekvapuje aj to, že A. Bernolák neuviedol vo svojom abecednom terminologickom slovníčku (*Etymológia,* 75) ani vo svojich ostatných gramatických prácach štruktúrne tvorené a na školách vtedy bežne používané termíny pre jednotlivé pády: *menovateľ, ploditeľ, dáwateľ, žalowateľ, wolateľ, odnesiteľ,* ktoré sa ako jediné používajú v školskej predbernolákovskej gramatike *Prjwod ku dobromluwnosti slowenské...* (16); túto školskú gramatiku iste poznal A. Bernolák už zo svojich školských rokov a vo svojej *Gramatike* ju aj cituje (s. XV).

A. Bernolák bol pri opise slovotvorných postupov, ktorými sa tvoria nové slová od príslušných slovotvorných základov, ešte v zajatí starého, mechanického chápania svojich predchodcov a učiteľov, napríklad aj anonymného autora školskej gramatiky *Prjwod ku dobromluwnosti slowenské*[28]..., ktorá vyšla v trnavskej univerzitnej tlačiarni roku 1780, kde sa medziiným pri výkladoch o adjektívach a slovesách uvádzajú takéto „poučky", že deminutívne adjektíva vznikajú zmenou „*ý na ičky aneb yčký*" (*maličký,* 18); že komparatívy adjektív sa tvoria „*ý aneb j postawnjka proměnjc na egssj*" (*gasněgssj,* 25); že l-ové participium sa tvorí z neurčitku „*ti na l proměnjc*" (*dal,* 30), atď.

Z takýchto a podobných prameňov iste pochádzajú aj viaceré Bernolákove výklady o spôsobe tvorenia substantív od adjektív a od slovies v *Etymológii,* kde sa napríklad hovorí, o tom, že „*zmenou í na átko*" vznikli slová typu *chuďátko, nebožátko* (34); „*zmennou í na ík*" zas slová typu *bezbožňík* (36); „*zmenou í alebo iwí na och*" slová typu *ľeňoch* (37); „*zmenou ť na č*" slová typu *fukač* (39); „*zmenou ať, iť na áreň, árňa*" slová typu *mučáreň, mučárňa* (*mučírňa*) 40, atď.

Hoci bernolákovský spisovný jazyk oficiálne existoval iba 65 rokov (1787−1851),[29] v dejinách slovenského jazyka, slovenskej jazykovedy a kultúry predstavuje mimoriadne významný, ba priekopnícky čin. Až bernolákovčinou sa totiž definitívne končí dlhé „protospisovné" (predkodifikačné) obdobie panstva nenormovanej a nekodifikovanej, teda iba živelne sa rozvíjajúcej kultúrnej slovenčiny a začína sa celom nové, teda kvalitatívne odlišné spisovné obdobie v dejinách slovenského jazyka a kultúry.

Bernolákov normatívny a kodifikačný akt z rokov 1787−1796 si získal dostatočný počet stúpencov (bernolákovcov),[30] ktorí ho svojou praktickou ľudovýchovnou a literárnou činnosťou uvádzali do života aj v podobe básnických, prozaických, odborných i prakticko-náučných diel.[31]

Záverom treba povedať, že A. Bernolák na svoju dobu dobre premysleným a smelým normatívnym a kodifikačným činom i svojím konkrétnym a rozsiahlym jazykovedným dielom prvý vyoral rovnú, dostatočne širokú i hlbokú brázdu na poli slovenskej jazykovedy a kultúry. Nie jeho vinou však prvý projekt prísne fonologického slovenského pravopisu ani po dvesto rokoch, a to ani po štúrovskej medzihre sa ešte natrvalo a v plnom rozsahu neudomácnil v slovenskom spisovnom jazyku. Táto úloha zatiaľ iba čaká na svojich ďalších a rovnako smelých i zodpovedných realizátorov. Ich čas rozhodne raz príde!

Poznámky

[1] Bernolákovský spisovný jazyk bol komplexne normovaný a kodifikovaný v rokoch 1787–1796 v štyroch po latinsky napísaných (!) Bernolákových gramatických prácach: *Dissertatio philologico-critica de literis Slavorum, de divisione illarum, nec non accentibus.* Bratislava, J. M. Landerer 1787. 14. 82 s. (skratka: *Dissertatio* alebo *D*); *Linguae Slavonicae per regnum Hungariae usitatae compendiosa simul et facilis orthographia.* Bratislava, j. M. Landerer 1787. 31 s. (skratka: *Ortografia* alebo *O*); *Grammatica Slavica ad systema scholarum nationalium in ditionibus caesareo-regiis introductum accommodata.* Bratislava, J. M. Landerer 1790 (Predhovor však bol datovaný už k 1. 1. 1789), 16. 312 s. (skratka: *Gramatika* alebo *G*); *Etymologia vocum slavicarum, sistens modum multiplicandi vocabula per derivationem et compositionem.* Trnava, W. Jelinek 1791. 160 s. (skratka: *Etymológia* alebo *E*), ako aj v šesťzväzkovom slovníkovom diele *Slowár slovenskí-česko-ňemecko-uherskí.* I.-V. Budín, Univ. tlač. 1825. 16 (skratka: *Slowár* alebo *S*); *Repertorium lexici Slavici-Bohemico-Latino-Germanico-Ungarici.* Tomus VI. Budín, Univ tlač. 1827. 856 s.
  Hoci *Slowár* vyšiel až v rokoch 1825, 1827, podľa datovania rukopisného latinského Predhovoru (Praefatio) v Trnave 13. 6. 1796 (Chovan 1967, s. 71, 90) bol už roku 1796 celkom dokončený a pripravený na vydanie v Trnave u tlačiara Václava Jelinka, ale nevyšiel. Dokonca *Slowár* musel byť už v pokročilom štádiu rozpracovanosti v roku 1787, keďže v *Ortografii* vydanej v tomto roku sa na s. 8 oznamuje, že bude vydaný súčasne s *Gramatikou*: „…bude sa treba utiecť (vo veci správnej slovenskej výslovnosti) k *Slovenskému slovníku*, zostavenému za spolupráce učených mužov, ktorý bude nasledovať súčasne s *Gramatikou*.“ Keď tento zámer nevyšiel, A. Bernolák v osobitnej poznámke v *Gramatike*, dokončenej ešte roku 1789 (Predhovor bol datovaný v Čeklísi – dnes Bernolákovo 1. 1. 1789), na s. 265 vyslovuje ďalšie želanie vo veci vydania *Slowára*: „…bolo by si treba želať, aby čo najskôr bol vytlačený môj *Slovenský slovník*, ktorý vo vyše dvesto zošitoch zostavený s latinskými, maďarskými a nemeckými

ekvivalentmi u mňa leží a čaká na láskavosť slovenských mecenášov.“

[2] O existencii takýchto textov svedčí napríklad aj latinská listina z 25. 5. 1423, kde sa dosť podrobne opisuje celý právny postup pri predaji richtárstva v Zemianskej Kotešovej – vyhlásenie o predaji a kúpe sa po dohode medzi stranou predávajúcou a kupujúcou muselo verejne štyrikrát opakovať v troch najbližších mestách, t. j. v Žiline, Rajci a v Bytči (Chaloupecký, 1934, s. XXIII–XXV).

[3] Ide o týchto päť tlačí: *Mali catechismus, to jest Véri kresztzánszkéj gruntóvnich tslenkóv zaloseni fundament.* Debrecín, J. Margitai 1750. 14 s.; *Hlasz pobosnoho spévanya, to jeszt Pésnye kresztzanske na rotsné svjátki i k jinsím svetim prilesitosztem szporádane.* Debrecín, J. Margitai 1752, *1, 135. 5 s.; Svetoho Dávida krála a proroka szto i pedzesátz 'soltári.* Debrecín, J. Margitai 1752. 2, 356. 3 s.; Radosztz sertza pobosnoho, to jest Modlitbi ranné a vetserne.* Debrecín, G. Kállai 1758. 98. 3 s.; *Agenda ecclesiarum reformatarum, to jeszt Szprava, jak bi se malo v eklezijich reformatszkích krisztzitz, Krisztovu vetseru viszluhovatz, novich manselov prisahatz, tich, chtori prepituju eccleziu, rozhresovatz.* Debrecín, G. Kállai 1758. 31. 3 s.

[4] Preto na druhej strane titulného listu diela *Radosztz sertza pobosnoho* (1758) sa okrem iných typografických údajov uvádza pre čitateľa poučenie: *é bere se za í: prék, prík; 's* nye to znamená tzo *s: 'sivi* (=živý), *sivi; 'sidlo* (= židlo), *sidlo* (= sídlo), *'sil* (= žil), *sil; Abi se szlovo nerozervalo, sztoji posehnani za po'sehnani* (vysvetlenia v zátvorkách doplnil I. K.).

[5] *Přjwod ku dobromluwnosti slowenské k prospěchu mládeži slowenských sskól.* Trnava, Univ. tlač. 1780. 47 s. – skratka: *DM; Přjwod ku dobropjsebnosti slowenského pjsma k prospěchu mládeži slowenských sskol.* Trnava, Univ. tlač. 1780. 31 s. – 2. vyd. Trnava, Univ. tlač. 1789. 39 s. – skratka: *DP; Čtiři gruntowni tabule ku prospěchu mládeži slowenských sskól.* Trnava, Univ. tlač. 1780. 14 s. – skratka: *GT*.

[6] V DM sa napr. uvádzajú ako rovnocenné dvojtvary: *děwča* neb *diwča* 16; *děwča, pachola, djťa, hřjba, husa, kura, prasa, tela, zwjra,* gináč: *děwče, pachole, djtě* etc. 16; ďalej však práve opačne: *borowice, krtice, nauze, ližice, olsse, role,* gináč: *borowica, krtica, ližica, nauza, olssa, rola* etc. 17, biblj, gináč *biblia* 17, ale inde sa zas uvádzajú iba tvary: *tá dussa* 16, *owca, rola, dussa* 18, *Marya, Anastazya, Eufrazya, Terezya* etc. 19; N. pl. *děti* neb *djtky;* G. pl. *dětj* neb *djtek* 19; *ptácy, wogacy* aneb *wogakowé, ptákowé* 21; 3. os. pl.: *agú lepsse agj;* 2. os. imper.: *ag lepsse eg;* 1. os. pl. imper.: *agme lepsse egme* 30, atď.; v DP sa zas striedavo i vedľa seba používajú tvary adjektív: *gedneho každého* 3, 9; *mnohýho, ginýho* 10, ale *kterého* 10, *akcentowaného, krátkeho, dlauhého* 11, atď.

[7] V kultúrnej západoslovenčine bol zostavený a vydaný spevník B. Szölösiho *Cantus Catholici* (1655, 1700); do kultúrnej západoslovenčiny boli prepísané aj vydania tzv. *Ostrihomského rituálu (Rituale Strigoniense, seu formula agendorum in administratione sacramentum ac ceteris ecclesiae publicis functionibus…)* z rokov 1745, 1772 s typickými západoslovenskými striednicami *á, í, ú (pratelstwa, zádney; odrikáss-li sa, odrikám, uminili, bozjho, hrjchuw, po treti; Buh),* hoci predchádzajúce vydania tohto diela z rokov 1625, 1656, 1666, 1672, 1682, 1692 boli napísané i vydané v kultúrnej stredoslovenčine s typickými stredoslovenskými striednicami *ia, ie, uo (priatelstwa, bez messkania, ziadney, wziat; odriekass-li se, odriekam, hriechow, bozieho, umienili, nie, po tretie; Buoh),* a to bez ohľadu na to, či vychádzali v Bratislave (1625), v Trnave (1656, 1666, 1682, 1692) alebo v Košiciach (1672). Akýsi prechodný stav medzi vydaniami *Ostrihomského rituálu* v kultúrnej stredoslovenčine

a v kultúrnej západoslovenčine pokiaľ ide o uvádzané striednice *(ia – á, ie – í, uo – ú)* predstavuje vydanie z roku 1715 (Trnava), v ktorom sa v niektorých prípadoch ešte uplatňujú stredoslovenské striednice: *ziadney* 130, *wziat, priatelstwa* 131, *podla ustanowenia* 136 (2×); *odriekam* 18 (2×), *hriechow* 19, *nie* 130, 131, *bozieho* 136 (2×); *Buoch* 136 (2×), v iných prípadoch sa už popri nich presadzujú aj typické západoslovenské tvary: *w zadnem* 137 (2×); *odrikass-li sa* 12, 17, *odrikam* 12 (3×), 17, *hrichuw* 13; *Buh* 137 (2×). Pravda, ojedinele sa západoslovenské striednice presadzovali už aj vo vydaniach zo 17. storočia: 1625 (*prátelstwa* 148); 1656 (*prátelstwa* 148), 1666 (*prátelstva* 157), 1692 (*pratelstva* 148). Podobne sa zas niektoré tvary so stredoslovenskými striednicami objavujú aj vo vydaniach z 18. storočia: 1745, 1772 (*ziadney, wziat* 155). Prakticky všetky diela z okruhu náboženskej literatúry vydané po slovensky v trnavskej alebo v košickej univerzitnej tlačiarni boli priamo napísané v kultúrnej západoslovenčine (napr. diela Š. Dubniczaya) alebo boli prepísané do kultúrnej západoslovenčiny (napr. diela moravských a českých autorov alebo prekladateľov, ako: J. Horčický, *Konfessý katholická*, Trnava 1677; Šteyerov preklad diela talianskeho jezuitu G. B. Manniho *Wečny pekelny žalár*, Trnava 1701; vyšiel aj v Košiciach roku 1742, atď.).

[8] V kultúrnej západoslovenčine boli vydávané tereziánske urbáre (od vydania urbárskeho ediktu 23. 1. 1767 sa vydalo niekoľko typografických i jazykových variantov *Urbára*, ktoré pozostávali jednak z vlastného *Urbára* – v desiatich bodoch a na 28 tlačených stranách, jednak z tzv. urbárskej tabuľky s predtlačeným textom – 16 rubrík), ďalej tzv. tereziánsky lesný poriadok z roku 1770 (*Porádek hor aneb lesuw zachowánj*. Bratislava, J. M. Landerer 1770. 61. 2 s.) i slovenský text tzv. 9-bodového dotazníka zo 60. a 70. rokov 18. storočia (*Novem puncta urbarialia...*), ktorý síce nebol vydaný tlačou, ale v každej obci, mestečku, na panstve alebo v osade jeden z vyslaných konskriptorov miestneho pôvodu (z príslušnej stolice) napísal rukou všetkých deväť stanovených otázok a na druhú stranu zas zapisoval odpovede na tieto otázky podľa informácie predstavenstva obce (richtár a členovia rady), ktorých mená sa na konci uvádzajú. V kultúrnej západoslovenčine boli vydané vo veľkom náklade aj tzv. jozefínske sčítacie hárky z rokov 1784–1788 s predtlačenými rubrikami po obidvoch stranách. Boli vydané dva druhy sčítacích hárkov, a to jednak pre jednotlivé domy a rodiny (*Wzlásstnj domůw a familij harek od roku 178...*), jednak tzv. sumárne hárky pre celú obec, mesto (*Spoluspogenjch domůw a familyi tabula od roku 178...*). K týmto sčítacím hárkom boli vydané aj osobitné inštrukcie pre konskriptorov (*Winavčenj aneb konskripcyonálských, to gest k popisovánj služjcých tabuly, rubryk wyswětlenj...* B. m. t. 1785. 30. 4 s.; *Winavčenj na kragnj lidstwj počtu a stawu po wssecky cžasy tu powedomy zachowati... do mist knjch zapisati.* B. M. t. 1785. 8 s.).

[9] Okrem školských učebníc uvedených v poznámke 5 boli v kultúrnej západoslovenčine vydané aj ďalšie príručky, ako: Lessák, J.: *Vměnj počtu, to gest tak snadný spůsob, že gedenkaždý, který čjtati a máličko pjsati wj,... kumsst počtowánj se navčiti může.* Bratislava, F. A. Patzko 1775. 260. 3 s. – rukopis cenzorského exemplára v rozsahu 132 s. je uložený v Univerzitnej knižnici v Budapešti, sign.: A 234; pôvodne mal vyjsť u J. M. Landerera, toto meno je v rukopise prečiarknuté a miesto neho je napísané meno nového vydavateľa; v Lešákovom rukopisnom exemplári, ktorý prešiel cenzúrou, sa vôbec nepoužíva graféma ř ani digraféma *au* (= ú); predposledná časť vydaného diela o slovenskom pravopise má v rukopise názov: *Prilepek nekterych regulj slowenského pjsma* a rozsah tri strany (!), kým

v tlačou vydanom diele má názov *Spůsob slowenského pjsma* a rozsah deväť strán (text musel rozšíriť sadzač, lebo v rukopise cenzorského exemplára, z ktorého sa tlačilo, nie sú nijaké doplnky alebo zmeny); tlačou vydané dielo okrem vlastnej matematickej časti (3–249) a časti o slovenskom pravopise (250–258) má na konci pridanú ešte časť *Tytulowánj spůsob* (258–260), ktorá celkom chýba v rukopise cenzorovaného Lešákovho diela, kde hneď za časťou o pravopise je cenzorov zápis: „Censeo, posse imprimi. Mich. Hübner, rev. libr. mp."

Katechysmus s otázkámi a odpowědmi k wyvčowánj kraginské mládeže. Budín, Univ. tlač. 1779. 64 s.

Prjwod ku vmenj počtůw k vžitku národných sskol w Vherskeg a s nu spogenych kraynách. Budín, Univ. tlač. 1780. 3, 47. 1 s.

Prjwod k vměnj peknopjsebnosty k vžitku národnjch sskol w Vherskég a s nu spogenych kraynách. Budín, Univ. tlač. 1780. 16 s.

Prjwod ku prawemu poznánj prirožených wecy k vžitku národných sskol w Kralowstwj vherskem. Perwnj djl. 1783. 92 s. (zachoval sa iba revidovaný rukopisný exemplár prvého dielu tejto prírodovednej školskej príručky; revízny záznam je na titulnej strane a znie: „Liber Slavonicus pro nationalibus scholis compositus, revisus, sed reprobatus. Budae in consilio die 30. jan. 1783).

Sskolské regule ku potrebj sskol nácionalskych w Královstwj vherském. Budín, Univ. tlač. 1780. 13 s.

Prjwod ku wyprawowánj Stareho a Noweho zákona k vžitku národných sskol w Uherskeg a s nu spogenych kragnach. Budín, Univ. tlač. 1780. 6. 112 s.

[10] V rokoch 1783–1820 tlačou vydal dvadsať diel napísaných po slovensky a ďalšie tri diela ostali v rukopisoch (porov. Kotvan, 1957, s. 51–54), pričom na svoju dobu je to až deväť diel so svetskou, teda nenáboženskou tematikou.

[11] Zaviedol pravidelné označovanie dlhých samohlások *(á, é, í – ý, ó, ú)*, a mäkkých spoluhlások *(ď, ť, ň; č, ž)*, ale ostával pri tradičnom dvojitom *ss* vo funkcii *š* (*nassích, wssech* BR 1785), *z* vo funkcii *dz* (*cuzích, mezi, hazaňý* BR 1785), v niektorých starších dielach používal *j* vo funkcii dlhého *í* (*cwičenj, z Pjsma, cyrkewnjch* BC 1783), iba v koreni slov odstránil tzv. tvrdé *y, ý* (*ti, bi, ríb, misel, chistá, nad tími* atď.), ale ponechal ho v pádových príponách N., A. sg. neutra (*znameňý, kmínstwý*), N. sg. a pl. adjektív (*posledný, niňegssý, druzý*), vo funkcii spojky *i* (*y* tu) a v spojke *aj* vo funkcii *j* (*ay druzý, ay* ti), ponechával tzv. protetické *j- (gsem, gsu, gmeno, gsíce)*, pravidelne používal z češtiny prevzaté tvary typu: *kďiž, pomislíc, chťegíc, mňela, kdi bi, gen, genž, zďe, pak, tuze, svobodňe* atď., hoci svoj jazykový úzus pokladal za rozumný a zbavený nepotrebností, ako to vyplýva z Bajzovho výkladu: „usilowal gsem se nisstmeňég, kolik možnosť bila, wse to, čo naglepssé gest, wibírati, ten tořižto chodnik w zrozeneg Slowákuw reči držíc, který rozumu a obecním aspon zakladum nagbližňegssý gest, a odtuď wssecki wssaďe ňepotrebnosti a daremnosti gak w gmenách a slowách, tak ay w slowíčkách (:w litterách:) gsem odrezáwal a odwracal" (BR 1785). Na druhej strane si však Bajza uvedomoval, že s jeho jazykovým úzom nebudú všetci súhlasiť, keď napísal: „Čo sa slovenského gazika, ňimž píssem, dotíče, uznám, že sa mi chibi ňegaké nadhoďiť múžu; ale spolu dufám s smele gistý gsem, že mi ge geden-každý múdry odpustí" (BR 1785).

[12] Napríklad pri otázke ypsilonu sa už na začiatku 70. rokov postupovalo dôslednejšie, ako to urobil J. I. Bajza. Františkánsky kazateľ, organista a hudobný skladateľ E. Pascha, ktorý pôsobil vo viacerých kláštoroch na západnom a východnom Slovensku, už roku 1770 v slovenskej básni (4 s.) zapísanej

v rukopisnom *Pašionáli prešovskom (Passionale pro choro Eperiesiensi...)* dôsledne odstránil ypsilon, keď písal: „W tomto pisme bez pochibi // búdú snad nektere chibi // Noti sú sic wilozene // a snad nekde nezložene // Nepohorssug se wssak nad tim, // ale múdre rozwass zatim. // Ze se gessče nezrodil ten, // kteri bi se zalúbil wssem. // Ani taki pisar nebil, // ze bi nebil nekdi chibil. // Obzlassčne w spewackich notach // anebossto w takich kotach. // Nebúd techdi tak spozdili, // gesli nandess kde omili. // Mozess ge sam naprawiti // a pisara nehaniti." Podrobne postupoval E. Pascha aj pri rozšírení tejto slovenskej básne zapísanej do *Pasionála žilinského* roku 1771 *(Passionale pro choro Solnensis),* keď písal: „W tomto smútnim pisme búdú bes pochibi // sem tam nalezene snad nektere chibi. // Ti spewakú mili, nehorssi ne nad tim, // ale gako múdri clowek rozwass zatim. // Ze se nenarodil gessče na swete tem (!), // kteri bi se lidom scela zalibil wssem. // Ani w prawach swetskich taki pisar nebil, // ze bi w pisme swogim nikda nebil chibil. // Ti techdi, spewakú, nebúd tak zpozdili, // gesli w tomto pisme nandess kde omili. // Mozess twogim kúnsstem sam ge naprawiti, // pisara potúpnim slowem nehaniti."

V troch rukopisných kázňach napísaných a prednesených roku 1787 v Pešti („Kristus newini". 21 s.) neznámym autorom sa ypsilon používa už iba vo funkcii spojky *i,* kým v ostatných pozíciách je už iba mäkké *i (abi, nezahinul, na weki, wizdwihuge)* atď.

[13] Ako sme uviedli v poznámke 1, *Slowár* bol dokončený už roku 1796; v rokoch 1802—1808 urobil A. Bernolák iba revíziu *Slowára* a niektoré časti znovu na čisto prepísal; ďalšiu revíziu Bernolákovho *Slowára* v rokoch 1814—1816 vykonal J. Palkovič (Mihál, 1941, s. 384).

[14] O používaní kultúrnej západoslovenčiny na základných a stredných školách na celom slovenskom území svedčí priamo nielen jazyk školských učebníc uvádzaných v poznámke 5 a 9, ale aj znenie titulov týchto príručiek, kde sa hovorí, že boli spracované a vydané „k vžitku mládeži slovenských sskól". Pritom tieto školské učebnice sa používali na všetkých školách aj po uzákonení bernolákovčiny, teda po roku 1787, ako to vidieť z niektorých rukopisných záznamov urobených v učebniciach ich vlastníkmi-žiakmi o vykonaných skúškach („examinatus 1809; 1830"). Podobne napríklad aj v slovenských rukopisných kázňach františkánov sa používala kultúrna západoslovenčina, a to bez rozdielu, či boli prednášané na západnom, strednom alebo východnom Slovensku, pred bernolákovskou kodifikáciou alebo po nej (znalosť kultúrnej západoslovenčiny mohli teda získať iba na stredných školách, v kňazských seminároch alebo na teologických fakultách v Trnave a v Košiciach). Príprava svetských i rádových kňazov na pastoračnú činnosť sa musela konať po slovensky — konkrétne v kultúrnej západoslovenčine; ináč by sme si jej znalosť u kňazov nevedeli vysvetliť, najmä keď pochádzali zo stredného alebo východného Slovenska. Rovnako aj svetskí vzdelanci získavali na školách znalosť kultúrnej západoslovenčiny, ako o tom svedčí jazyková stránka rukopisných doplnkov do tlačených teréziánskych urbárov, otázky a odpovede v tzv. 9-bodovom dotazníku i zápisy potrebných údajov do sčítacích hárkov z rokov 1784—1788 (na celom slovenskom území to robili vzdelaní ľudia, spravidla stoličný alebo iní funkcionári, pričom to museli byť autochtóni). Pri Lekárskej fakulte Trnavskej univerzity prebiehal aj špeciálny kurz pre veterinárnych pracovníkov a pre pôrodné asistentky, ktorý sa tiež musel konať po slovensky, teda v kultúrnej západoslovenčine. Zdá sa, že v súvislosti s touto akciou prípravy stredných zdravotníckych špecialistov, resp. z jej popudu alebo na jej podporu preložil absolvent trnavskej lekárskej fakulty J. Cherney (= Černej) do slovenčiny pôrodnícku príručku nemeckého autora R. J. Steidela *Zpráwa o kunsstu babském...* (rukopis slovenského prekladu bol dokončený roku 1777. 390 s.; obsahuje aj viaceré stredoslovenské jazykové prvky, ako napr. dvojhlásku *ie: kosťj čergeslowé* 28, *buol − buole* popri *bole* 152, 158, 160, 162, 266, 267; tieto i ďalšie typické slovenské jazykové prvky boli v tlačou vydanom diele (Bratislava, F. A. Patzko 1778. 359 s., 26 príloh) nahradené tvarmi bez dvojhlások: *kostj čereslowe; búl − búle,* atď.

[15] Predbernolákovskou kultúrnou západoslovenčinou boli napísané a prípadne i vydané práce desiatich starších príslušníkov Bernolákovej školy, ako: Š. Augustini: *Kázáňí času letného na dni nedelné.* 1774, 5 zv. 2662 s.; A. Benčič: *Hodeguz. K prawde wedúcý Kalauz,* pred rokom 1784. 2 zv. 1915 s.; J. K. Beško: *Smutné rozlučenj člowěka podle krwi a ctnosti... aneb Pohrebnj kázani pri sláwných exequiách... pána groffa Illésházy Jozeffa.* Trnava, Univ. tlač. 1766. 32 s.; M. Bielik: *Natura bombicum anebossto Hadbawných chrobáčkow podle gegjch nátury obssyrnegssý spusob we wychowánj.* Trnava, W. Gelinek 1799. 58, 18. (1) s.; A Ďateľ: *Operarius fidelis ad proemia sero, sed ad magna vocatus, to gest Swaty Jozeff Calasanctius od Matky Božj sskol pobožných zakladatel.* Bratislava, J. M. Landerer 1768. 12 s.; V. Gazda: *Duodena Mariana, to gest Dwanáctero kázanj.* Skalica, J. A. Škarnicel (1798). (14). 255 s.; A. Mésároš: *Bláhoslawený služebnjk božj Michal od Swatých kňez a reholnjk welebného Rádu trinitárského.* Bratislava, J. M. Landerer (1780). 27 s.; J. Nejedlý: *Mulier fortis. Žena sylná aneb Pohrebni chwáloreč wysoce vrozené panj Therezyi Madočány.* Trnava, Univ. tlač. 1767. 14 s.; − *Swatý Jozeff Kalasanský od Matky Božj sskol pobožných zakladatel.* Bratislava, J. M. Landerer (1768). 16 s.; J. Ottrokóczy: *Krátký wýklad kresťanského katolíckeho učenj.* Trnava, W. Jelinek 1792. 104 s.; J. Toldy: *Premila domaca kragjna.* B. m. t. (1789). 8 s.

[16] A. Bernolák vo svojej prvej práci *Dissertatio* cituje podrobne (s uvedením autora, názvu práce, miestom a rokom vydania, prípadne aj strany) alebo iba všeobecne (s uvedením mena autora alebo jeho diela) vyše 150 slovenských, českých, maďarských a iných autorov, pričom najčastejšie sa odvoláva na *Gramatiku* P. Doležala. V spise *Ortografia* už cituje iba diela 11 autorov, pričom najčastejšie sa odvoláva práve na svoju prácu *Dissertatio.* Vo svojej *Gramatike* uvádza alebo podrobne cituje diela vyše 100 domácich i cudzích autorov. V *Etymológii* sa odvoláva už iba na práce 5 autorov, pričom viackrát cituje iba svoju *Gramatiku* a *Gramatiku* P. Doležala.

[17] Porov. *Ortografia,* 8; *Gramatika,* 265.

[18] Presne v opačnej funkcii používali grafémy *g − ǧ* kamaldulskí mnísi, u ktorých grafémou *ǧ* sa označovala spoluhláska *j (ǧama, ǧablko, ǧahoda* KS 1763). Pravda, v niektorých prípadoch sa diakritické znamienko nad *g* neklade (*gež, gjdlo, gednostágnost* KS 1763), takže v tých prípadoch išlo potom o homograf *g (granatowé gablko* KS 1763); v iných prípadoch sa zas miesto grafémy *ǧ* (= *j*) používalo ypsilon (*yasscúr, yelen, Yezjss* KS 1763). Aj v prevažnej väčšine rukopisov i tlačí zo 17.−18. storočia sa nerobil rozdiel v zapisovaní hlásky *g* a *j* − používala sa na to jedna graféma *g;* pokiaľ sa vo funkcii hlásky *j* nepoužívali iné grafémy, najmä *j* alebo *y (jačmenya* Sklabiňa 1609; *chrusti swatoyanske* KoB 1666).

[19] P. Lifand vysvetľuje P. Lisekovi, ako by sa mal upraviť bernolákovský pravopis: „Po prwe: *y* muselo bi sa docela wihodiť neb gediňe za prizwuk rozřekací (= znak mäkkosti, vysvetl. I. K.) po rozřekacích spoluhláskach potrebowať. Po druhe: *J, j* bi malo zostať, aľe ňe za dluhe *í* (:které wssaďe s dluhú čárkú treba písať:), než za maké *g,* w kteregžto

zwučnosti ho všecci europegskí národi užíwagú. Po treťe: g malo bi ľen twrdí zwuk poznamenať, kterí wčil s bodkú (:ǧ:) wiznačuge. Po štwrte: za W, w malo bi sa wšaďe V, v písať, poňewáč W, w ňe iním gak Ňemcom (:pre V, v totižto od W, w rozlučné:) widím biti potrebné. Po páté: Bernolákowa Dobropísebnosť (= pravopis, vysvetl. I. K.) musela bi sa pritom wšecká zachowáwať. P. Lisek: I gá sem teho umislu douplna" (s. 30).

²⁰ Porov. Ortografia, 17. A. Bernolák používal aj zdvojené „dlhé" (− švabachové) s, a to v cudzích slovách typu impressor (O 14), processia (O 16) a v domácich slovách v prípadoch: masso (O 13), blcha, blsse (D 72).

²¹ O mäkkom ľ je v osobitnej poznámke takýto výklad: „Doteraz sa mäkkosť písmena l označovala neprítomnosťou oblúčkového uzáveru. Ale pretože sa tento uzáver vytvára práve pridaním prízvuku, už s ohľadom na samú povahu veci je jasné, že zatvorené l treba používať za mäkké a otvorené l za tvrdé; čo sme v tomto dielku starostlivo zachovávali" (D 76).

²² V týchto prípadoch sa prítomnosť dvojhlásky ie (= ge), resp. iba jej neslabičnej zložky, teda g vykladá nesprávne, že „vložením zvuku písmena g panónski Slováci obyčajne miernia tvrdosť predchádzajúcich spoluhlások b, m, p, r, w" a odporúča sa uplatňovať túto zásadu aj pri písaní (D 28).

²³ Okrem množstva rukopisných textov administratívneho, odborného alebo náboženského charakteru, ktoré boli napísané kultúrnou stredoslovenčinou s typickými stredoslovenskými hláskoslovnými, tvaroslovnými i lexikálnymi prvkami, treba tu spomenúť aspoň všeobecne známe a používané texty tzv. Ostrihomského rituálu z rokov 1625−1717 (7 vydaní − pozri v poznámke 7) a praktickú zverolekársku príručku Poznamenánj vžitečného lekárstwj (B. Bystrica, J. J. Tumler 1787. 340. 26 s.) s množstvom typických stredoslovenských jazykových prvkov, ako: ljádok i ljadok, po Wjanocjách, se nahoňa, obwjáž; kačičge wagcga, w črjepku, smjessag, ljewag, atď.

²⁴ Druhý paragraf v Ortografii má názov: O všeobecnej a základnej zásade celej ortografie a z nej vyplývajúcich pravidiel, ktoré treba zachovávať pri písaní s ohľadom na rozličné zvuky. V Gramatike (264−265) bol trochu skrátený názov tohto paragrafu, ďalej bol vypustený celý odsek označený rímskou číslicou I aj s príkladmi a trochu bola skrátená aj prvá poznámka.

²⁵ V I. hlave, I. paragrafe sa v Gramatike použili ako príklady iba dve nové vety oproti štyrom vetám v Ortografii. V Gramatike sa v III. paragrafe ako podobne znejúce písmená doplnili ď a g aj s príkladmi (266). V paragrafe V. sa medzi tzv. zbytočnými písmenami v Gramatike doplnili aj Qq a Xx s poukazom, že ich treba nahradiť písmenami Kk a Ks, ks aj s príslušnými príkladmi (268), pričom v Gramatike sa pôvodný V. paragraf z Ortografie rozdelil na dva samostatné paragrafy: § V. O zbytočných písmenách (267); § VI. O potrebných písmenách (269), takže v Gramatike sa I. hlava člení až na sedem paragrafov, kým v Ortografii iba na šesť. V Gramatike bola podstatne skrátená II. hlava O náležitom rozdeľovaní slov na slabiky (na 7 riadkov), kým v Ortografii sa táto hlava členila až na sedem bodov s pripojenou poznámkou a zaberala necelé štyri strany. V Gramatike bola podstatne rozšírená hlava III. (270−284), kým v Ortografii bola táto hlava spracovaná úspornejšie (21−31).

²⁶ Svedčí o tom napríklad aj fakt, že totožný latinský text v Ortografii (1787) a v piatej časti Gramatiky (1790) bol trocha odlišne preložený, napr. tá časť poznámky, kde sa hovorí o správnej výslovnosti, sa v Ortografii preložila takto: „...treba brať za normu nie tak výslovnosť ľudu ako výslovnosť vzdelaných a učených a najmenej horliacich za bohemizmy..." (s. 97

prekladu), kým v Gramatike zas takto: „...za pravidlo treba vziať nie tak výslovnosť ľudu, ako výslovnosť vzdelancov a spisovateľov, a to takých, ktorí sa najmenej prikláňajú k češtine..." (s. 391 prekladu).

²⁷ V Prjwode ku dobropjsebnosti slowenského pjsma... (1780), ktorého celú osnovu prevzal A. Bernolák do svojej Ortografie, sa termínom rozdělenj znamenj označoval spojovník (v podobe dvoch šikmých čiarok =), ale termínom rozlaučenj znamenj sa označovali dve bodky nad samohláskovou grafémou, čo malo označovať, že takto označenú samohláskovú grafému treba čítať oddelene od predchádzajúcej samohlásky (ako príklady sa tam uvádzajú mená Noë i Ismaël, 18). A. Bernolák tieto dva odlišné termíny spojil v synonymické termíny na označenie spojovníka.

²⁸ V zachovanom exemplári tejto príručky z pozostalosti J. Ribaya, ktorý je uložený v Štátnej Széchényiho knižnici v Budapešti (sign.: Apró 1780−8°/5), je na prednom prídoští vlastnoručný prípis Juraja Ribaya: „Spisowatel gest Girj Lessák, včitel normálské sskoly w Presspurce." Na základe tejto informácie autori (G. Börsa − I. Käffer) Katalógu starých českých a slovenských tlačí do roku 1800 v Országos Széchényi Könyvtár v Budapešti (Martin, Matica slovenská 1970) pripísali autorstvo tejto slovenskej gramatickej príručky Jurajovi Lešákovi (s. 153).

²⁹ Bernolákovčina oficiálne prestala existovať roku 1851, keď sa poprední predstavitelia bernolákovcov a štúrovcov na schôdzke v Bratislave dohodli, že za slovenský spisovný jazyk sa prijíma štúrovčina v hodžovsko-hattalovskej úprave. Táto úprava potom bola kodifikovaná v práci M. Hattalu Krátka mluvnica slovenská (Bratislava 1852). Pravda, niektoré práce a články bernolákovcov aj po roku 1851 ešte vychádzali v bernolákovskom i predbernolákovskom pravopise, napr.: I. Mikšík: Úradné uwedeňí mládeži do nowowystawenej a wyswacenej školi bohunickej (Trnava 1854. 12 s.); Tenže: Kázen, kterú w chráme hrubo-šurowském dna 1. mája roku 1859, ked najdustojnejssi pan Josef Linter, hlawnej kapitule Ostrihomskéj čestni kanownik... swého knezkého poswácaná padesáte leto slawne swatil... (Trnava 1859. 16 s.); články v Katolických novinách v rokoch 1852−1853 atď.

³⁰ I. Kotvan (1957) uvádza mená a práce 105 aktívnych bernolákovcov (s. 15−334), pričom spomína až 500 registrovaných členov bernolákovského Slovenského učeného tovarišstva (s. 11).

³¹ Pozri v citovanej Bibliografii bernolákovcov od I. Kotvana.

Literatúra

BÁLENT, B.: Prvý pokus o spisovnú slovenčinu. Martin, Matica slovenská 1944. 25 s.
BARTEK, H.: Anton Bernolák. 1787−1937. Trnava, Jubilárny výbor Bernolákových osláv 1937. 62 s.
Bernolákovské polemiky. Edične pripravil, poznámky a vysvetlivky napísal dr. Imrich Kotvan. Bratislava, Vydavateľstvo SAV 1966. 390 s.
Gramatické dielo Antona Bernoláka. Na vydanie pripravil a preložil Juraj Pavelek. Bratislava, Vydavateľstvo SAV 1964. 552 s.
HABOVŠTIAKOVÁ, K.: Bernolákovo jazykovedné dielo. Bratislava, Vydavateľstvo SAV 1968. 444 s.
CHALOUPECKÝ, V.: Kniha žilinská. Bratislava, Učená společnost Šafaříkova 1934. 303 s.

CHOVAN, J.: *Predhovor k Bernolákovmu Slováru z roku 1796.* In: Literárny archív 1967 (Pramene a dokumenty). Red. A. Maťovčík. Martin, Matica slovenská 1967, s. 47—92.

KOTVAN, I.: *Bibliografia bernolákovcov.* Martin, Matica slovenská 1957. 408 s.

KOTVAN, I.: *Jozef Ignác Bajza a slovenská reč.* Linguistica Slovaca, 3, 1941, s. 124—129.

MAŤOVČÍK, A.: *Anton Bernolák. Život a dielo.* In: K počiatkom slovenského národného obrodenia. Zborník štúdií Historického ústavu SAV pri príležitosti 200-ročného jubilea narodenia Antona Bernoláka. Red. J. Tibenský. Bratislava, Vydavateľstvo SAV 1964, s. 113—142.

MIHÁL, J.: *Bernolákov Slowár.* In: Zborník Matice slovenskej, 19, 1941, s. 356—388.

MIŠKOVIČ, A.: *Bernolákova Dissertacia a Orthographia* (K 150. ročnici ich vydania). In: Zborník Matice slovenskej, 14, 1936, s. 387—409.

ORAVEC, J.: *Jozef Ignác Bajza — priekopník spisovnej slovenčiny.* Slovenská reč, 20, 1955, s. 129—133.

PAULINY, E.: *Slovenský jazyk.* Slovensko IV. Kultúra, I. časť. Bratislava, Obzor 1979, s. 21—134.

PAULINY, E.: *Dejiny spisovnej slovenčiny od začiatkov po súčasnosť.* Bratislava, Slovenské pedagogické nakladateľstvo 1983. 256 s.

POVAŽAN, J.: *Slovár Antona Bernoláka.* In: Zborník Filozofickej fakulty UK. Philologica, 10, 1958, s. 120—134.

STANISLAV, J.: *Dejiny slovenského jazyka I. Úvod a hláskoslovie.* 3. vyd. Bratislava, Vydavateľstvo SAV 1967. 708 s.

STANISLAV, J.: *K jazykovednému dielu Antona Bernoláka. Kritické vydanie spisov Dissertatio a Orthographia.* Bratislava, Slovenská učená spoločnosť 1941. 120 s.

VLČEK, J.: *Bernolák proti Bajzovi.* Slovenské pohľady, 17, 1897, s. 561—568.

Použité skratky

BC — BAJZA, J. I.: *Cwičenj pobožnosti z Pjsma swateho a z modliteb cyrkewnjch wytáhnuté.* Trnava, Univ. tlač. 1783. 264 s.

BR — BAJZA, J. I.: *René mláďenca príhodi a skusenosťi.* Bratislava, J. M. Landerer 1785. 343 s.

D, E. G, O, S — pozri v poznámke 1.

DM, DP, GT — pozri v poznámke 5.

KoB —KOMENSKÝ, J. A.: *Ianua linguae latinae reserata aurea* (slovenský preklad F. Buľovského z roku 1666. Rukopis v Literárnom archíve Matice slovenskej v Martine, sign. B. 529).

KS — *(Kamaldulský slovník). Syllabus dictionarij Latino-Slavonicus.* 1763. 948 s. (Rukopis v Univerzitnej knižnici v Budapešti, sign. H 64.)

LU —LESSÁK, G.: *Vměnj počtu…* Bratislava, F. A. Patzko 1775. 260 s.

Jur Palkovič a bernolákovské hnutie

JÁN POVAŽAN

Nik, kto chce dôkladne spoznať a plasticky načrtnúť obdobie slovenského národného obrodenia a v ňom miesto a pôsobenie bernolákovskej generácie v celom rozsahu a vo všetkých súvislostiach, nemôže prejsť bez povšimnutia osobnosť, ktorú vďačný básnik Ján Hollý nazval „prevzneseným mužom a slávnym priaznivcom Slovákov",[1] jeho predstavený kardinál-prímas Alexander Rudnay „patriarchom našej národnej literatúry",[2] a ktorá z vlastnej vôle do dejín slovenskej kultúry vošla pod skromným, a predsa výrečným označením „istý literatúry slovenskej milovník".[3] Veď bez ostrihomského kanonika Jura Palkoviča[4] ťažko si predstaviť rozvoj národného života prinajmenej v 2. a 3. decéniu 19. storočia. Po Fándlyho a Bernolákovej smrti[5] sa práve on stal vedúcou osobnosťou generácie, ktorá sa tak hlboko a výrazne vpísala do dejín svojbytnej slovenskej kultúry a vzdelanosti. Jur Palkovič nebol uznávanou autoritou iba pre tých, čo sa pridŕžali bernolákovčiny a všetkého, čo s jej uzákonením súviselo a na ňu nadväzovalo. Jeho váhu v súvekom rozvíjajúcom sa národnom živote slovenskom uznávali aj tí, čo bernolákovský pohyb brali na vedomie iba ako prechodný jav, ako niečo, čo skôr či neskôr vyústi do koryta, ktoré oni pripravia, vyhĺbia a usmernia. No za autoritatívnu osobnosť ho pokladali aj tí, ktorí k bernolákovskej generácii a jej úsiliam zaujímali vyslovene negatívne stanovisko a videli v nich narušenie, nalomenie, ba pretrhnutie dávnych česko-slovenských zväzkov a tradícií.

Palkovičovo prakticky polstoročné pôsobenie v bernolákovskej generácii a v slovenskom národnom živote (od štúdia v Trnave, vo Viedni a v bratislavskom generálnom seminári cez pôsobenie v Bratislave, Trnave a v Ostrihome až do smrti 21. januára 1835)[6] bolo navonok síce tiché, nenápadné, ale od

samého začiatku premyslené, uvedomené a cieľavedomé.[7] Vidieť to napr. z toho, ako precízne už počas profesúry v Trnave začal excerpovať materiály o literárnom a kultúrnom dianí na Slovensku, v Čechách i medzi ostatnými Slovanmi, ale aj inde v Európe, zo súvekých kníh, časopisov a kalendárov.[8] Starostlivo a dôkladne poprezeral, preštudoval a roztriedil archív Ostrihomského arcibiskupstva a prehľadne rozpísal obsah jeho jednotlivých oddelení, fasciklov a listín.[9] Usilovne vyhľadával, odpisoval a dával odpisovať písomnosti, ktoré mali vzťah k dejinám Slovanov, Slovákov a uhorského štátu alebo súviseli s bernolákovským pohybom. Veď práve v jeho archíve sa zachoval odpis listu Ondreja Mésároša Michalovi Kratochvilovi z 5. augusta 1786, ktorý umožňuje poznať začiatky národnouvedomovacieho pohybu v bratislavskom generálnom seminári.[10] Nemálo finančných prostriedkov venoval na budovanie a dopĺňanie svojej súkromnej knižnice – mala až 6000 zväzkov[11] – a zostavoval aj rozmanité bibliografické pomôcky a súpisy. Taký je napr. Index librorum in usum Slavici animarum curatoris z roku 1806 (ale dopĺňal ho aj neskôr). Doňho okrem prekladov biblie a náboženských kníh zaradil aj diela českých básnikov Antonína Jaroslava Puchmajera a Šebastiána Hněvkovského, publikácie z oblasti medicíny a ekonómie, ba dokonca aj knihu „Kucharka pražská od Neydekovej" a románik Evergete, to jest: Dobrotivá paní, ktorá v světě lidem velké dobrodiní učinila, ale špatné poděkování za to nabila, vydaný v Banskej Bystrici roku 1790.[12] Premyslene usporiadal obsiahlu knižnicu trnavskej kapituly a umožnil ju využívať širšiemu okruhu čitateľov, medzi ktorých patril aj Ján Hollý,[13] a to nielen počas štúdia v Trnave, ale aj neskôr, keď už pôsobil v Pobedime, Hlohovci a v Maduniciach.[14]

Palkovičove záujmy boli také mnohostranné a mnohotvárne – venoval sa ešte botanike, zoológii, numizmatike, plnil povinnosti vyplývajúce z jeho vysokých cirkevných hodností – a zbieranie pramenného materiálu bolo osnované tak široko, že ani neudivuje, že sa za roky nedostal k tomu, aby všetko, čo nazbieral, aj utriedil a spracoval. To však neznamená, že by jeho celoživotné zhromažďovateľské dielo bolo ležalo ladom alebo vyšlo nazmar. Rád poslúžil údajmi z listín, z ostatného rukopisného materiálu, z kníh alebo aj knihou zo svojej knižnice každému, kto sa naňho s takouto prosbou obrátil.[15] Aj sám sa s podobnými prosbami obracal na významných súvekých bádateľov (napr. na Josefa Dobrovského[16]). Palkovičove rukopisy, po jeho smrti uložené v archíve ostrihomskej kapituly, ešte dlho slúžili ďalším bádateľom spracúvajúcim dejiny Ostrihomského arcibiskupstva alebo aj celého Uhorska.[17] V mnohom ich prístupná časť pomáha aj súčasným bádateľom dotvárať obraz a vnikať stále viac do problematiky obdobia národného obrodenia a najmä bernolákovskej generácie, ozrejmovať si jej zámery, spoznávať činnosť a ujasňovať si jej význam.

Čo aký mohutný dojem môže vyvolať rozsah práce, akú Jur Palkovič vykonal pri poznávaní minulosti bližšej i vzdialenejšej, na čo vynaložil nemálo fyzických i duševných síl a finančných prostriedkov, predsa len nie v tom spočíva jeho miesto v dejinách našej národnej kultúry. Ak chceme vystihnúť, v čom tkvie najvlastnejšia podstata jeho prínosu pre rozvoj slovenského národného života, musíme nevyhnutne spomenúť jeho zásluhu o vznik a vydávanie básnického diela Jána Hollého a o sprístupnenie Bernolákovho Slovára a ďalších diel, ako aj jeho zástoj v slovenskom národnom živote v 20. a 30. rokoch minulého storočia.

Márii Vyvíjalovej patrí zásluha za to, že podrobnejšie poznáme začiatky Hollého básnickej tvorby a úlohu profesora Jura Palkoviča pri rozvíjaní talentu mladého básnika. Palkovičove podrobné poznámky a pripomienky k nateraz neznámej Hollého básni z roku 1808[18] zrejme neboli prvým a už vonkoncom nie posledným prejavom ich vzájomnej priazne a úzkej spolupráce. Veď boli v plodnom kontakte viac ako tri desaťročia. Hollý svoj obdiv a úctu voči svojmu priaznivcovi a podporovateľovi nevložil iba do slov a viet 25 listov, ktoré mu poslal od 23. augusta 1819 do 5. augusta 1834, ale aj do troch oslavných básní, ktoré napísal ešte za Palkovičovho života roku 1826 a 1833, a do žalospevu, ktorý vznikol po Palkovičovej smrti, a svojím spôsobom aj do básní, ktoré mu venoval. Profesor Palkovič sa nepochybne vedel

približiť k mladým ľuďom – svojim zverencom a poslucháčom, vedel vybadať, čo v nich je a čo ich zaujíma, podať im pomocnú ruku morálne i materiálne a viesť ich oveľa ďalej a oveľa širšie, než ako mu vymedzovali povinnosti študijného prefekta a profesora teológie. Iste boli pre nich príťažlivé jeho charakteristické črty, ako ich výstižne v nekrológu zachytil Karol Juraj Rumy:[19] „Pravá nábožnosť, prísna spravodlivosť, priamosť, čulá činorodosť, láska k vedám, úslužnosť (i pri hodne drsnom zovňajšku)." Nie div, že ho jeho bratislavskí poslucháči na meniny v rokoch 1796 a 1798 pozdravili osobitnými latinskými básňami,[20] a že si jeho obdivovatelia naňho spomenuli latinskými veršami aj na jeho sedemdesiatku.[21]

Kým Jur Palkovič pôsobil v Trnave, Hollý mohol pomerne často, ako mu dovolili povinnosti, prichádzať za ním zo svojich pôsobísk – z Pobedima, Hlohovca a z Maduníc. Iste rád zašiel do mesta, v ktorom strávil niekoľko rokov svojej mladosti, stal sa tam básnikom, a v ktorom pôsobili jeho obľúbení učitelia a žili dôverní priatelia. Trnava bola pre Hollého (a nielen preňho) významným spoločenským a kultúrnym strediskom – isto preto v polemike Fándlyho s Miškolcym, do ktorej sa roku 1805 zapojil, práve sem umiesťuje slovenský Parnas.[22] A je možné, že ta zašiel nielen vtedy, keď sa mohol uvoľniť zo svojich pôsobísk, ale zakaždým, keď sa mu do tohto mesta a medzi týchto ľudí žiadalo zájsť poradiť sa o problémoch svojej básnickej tvorby, zdôveriť sa s najnovšími poznatkami alebo pookriať medzi tými, ktorých pokladal za svojich najbližších. A Jur Palkovič patril medzi nich na poprednom mieste.

Keď sa na jar roku 1820 nedávno vymenovaný ostrihomský arcibiskup Alexander Rudnay rozhodol po 280 rokoch preniesť sídlo svojej arcidiecézy z Bratislavy a Trnavy znova do Ostrihomu, aj Palkovič, ktorý sa pred štyrmi rokmi stal kanonikom a členom kapituly, musel Trnavu opustiť a presťahovať sa do Ostrihomu. Osobné kontakty sa sťažili, vzdialenosť medzi jeho a Hollého pôsobiskom sa predĺžila. Pošta už vtedy dosť pravidelne fungovala. No našlo sa aj iné riešenie. Hollý zrejme ešte počas pôsobenia v Pobedime spoznal istú Evu, ktorej syn bol kuchárom vo františkánskom kláštore v Ostrihome a neskôr, asi od roku 1824, v Pešti. Ona sa hádam aj pri každej ceste za synom zastavila na madunickej fare,[23] prevzala od Hollého „zásielku" (knihy, časopisy atď.)[24] a list pre Palkoviča. Pri návrate z Ostrihomu alebo z Pešti domov sa zas ohlásila v Palkovičovej kanónii a vzala pre Hollého list a všetko, čo Palkovič preňho prichystal. Hollý jej ochotu a službu využíval aj pri vzájomnom styku s Martinom Hamuljakom,[25] a možno aj s inými adresátmi svojich listov a zásielok. A tak sa táto jednoduchá a zrejme aj chudobná pobedimská žena, ktorej celé meno nepoznáme,[26] takýmto svojráznym spôsobom dostala do dejín našej kultúry. Okrem nej pri vzájomnej výmene listov a ďalších zásielok poslúžili aj iní dôveryhodní ľudia (tlačiar Jelínek z Trnavy, Beymel z Ostrihoma a ďalší).

Nateraz poznáme 25 Hollého listov adresovaných Jurovi Palkovičovi. Sú to zaujímavé a svojrázne osobné i kultúrnohistorické dokumenty – ako vôbec všetkých 86 zachovaných Hollého listov, ako ich Jozef Ambruš starostlivo pozbieral a prepísal, komentoval a vydal v osobitnej publikácii. Listy pomáhajú vykresliť a dokresliť básnikov ľudský aj umelecký profil, prinášajú nemálo podrobností z jeho pohnutého života i vtedajšieho diania, zachytávajú a približujú jeho názory na mnohé osobnosti a javy v literatúre a kultúre na Slovensku, v Čechách i v širšom, najmä slovanskom svete.

Je iste škoda, že sa z nepochybne rozsiahlej Palkovičovej korešpondencie zachovalo iba neveľa – štyri odpovede na Hamuljakove listy z rokov 1825–1830,[27] tri listy Hamuljakovi z roku 1831, nateraz prístupné iba v slovenskom preklade,[28] nemecký list Václavovi Hankovi,[29] dva listy z roku 1806, uložené v záhrebskej univerzitnej knižnici,[30] a niekoľko konceptov alebo kópií listov, písaných Palkovičovou vlastnou rukou (okrem spomenutého listu Josefovi Dobrovskému z 20. augusta 1820 je zaujímavý najmä koncept odpovede Jurajovi Palkovičovi z 26. decembra 1812[31]). Napriek tomu však nie sme odkázaní na dohady, čo obsahovali odpovede na listy adresované tomuto pedantnému a starostlivému kultúrnemu pracovníkovi. Na rube skoro každého listu, ktorý dostal a na ktorý odpovedal, si totiž poznačil obsah odpovede. A tak vieme pomerne presne, ako reagoval na ten-ktorý list a ako sa díval na ten-ktorý problém. Aj listy aj záznamy odpovedí na ne v mnohom osvetľujú, ako sa v 20. a 30. rokoch 19. storočia slovenský národný život rozvíjal a o čo sa v ňom zápasilo. A práve trojica Palkovič, Hollý, Hamuljak v ňom hrala výraznú a nenahraditeľnú úlohu.

Korešpondencia medzi Jurom Palkovičom a Jánom Hollým – ale nielen ona, ale celý ich vzájomný vzťah – predstavuje neodmysliteľnú súčasť obrazu oboch týchto osobností a aj nezanedbateľný a v mnohom ohľade pozoruhodný kultúrnohistorický jav. Hollý sa v listoch Palkovičovi nezdôveroval iba so svojimi osobnými problémami, ktorých bolo nemálo – choroby, sklamania, živelné pohromy, neúrody, nedostatok finančných prostriedkov ap. – a ktoré značné vplývali na jeho citlivú dušu. Podrobne informoval svojho priaznivca o svojich tvorivých zámeroch a o tom, na čom práve pracuje, obracal sa naňho s prosbou o pomoc pri riešení niektorých otázok súvisiacich so svojou literárnou tvorbou, pýtal si knihy a časopisy, oznamoval údaje, o ktorých predpokladal, že by adresáta mohli zaujímať. Z listov a odpovedí na ne možno jasne vybadať, aký dôverný, živý a činorodý bol ich vzájomný vzťah. Sú doslova nabité vzácnymi údajmi nielen o nich dvoch, ale aj o všetkom, čo hýbalo vtedajším Slovenskom a Slovanstvom. Udivuje ich rozhľad a aj vyzretý pohľad na všetko, čo sa okolo nich dialo a čo sa ich dotýkalo. Ešte sme z ich listov (a nielen z nich) nevyťažili všetko, čo sme mohli a mali pre spoznanie ich osobností a čias, v ktorých žili a pôsobili.

Jur Palkovič až do konca svojho života sledoval so záujmom Hollého tvorbu a podporoval básnika morálne i materiálne. Veď na jeho útraty s označením „Nákladem istého literaturi slovenskéj milovníka" roku 1824 vyšli Hollého preklady Rozličné básne a roku 1828 Vergíliova Eneida, roku 1833 epos Svatopluk – a neboli to iba tieto Hollého diela, ktorých vydanie Palkovič uhradil. S tým istým označením roku 1831 a 1834 vyšli Kázne prihodné, ktoré zozbieral a upravil Michal Rešetka, bez označenia, ale isto Palkovičovým nákladom sa roku 1830 a 1831 do rúk čitateľov dostala Gavlovičova Valaská škola mravov stodola v Rešetkovej úprave a roku 1833 zbierka Rudnayových kázní pod názvom Kázne prihodné. Ak vezmeme do úvahy, že roku 1832 Palkovič vydal svoj preklad biblie do bernolákovčiny a celý náklad rozposlal ako svoj dar na všetky fary v slovenskej jazykovej oblasti[32] (pravdepodobne aj perikopár „Evangelia a listi") a že v rokoch 1825–1827 podľa všetkého prispel aj na vydanie Bernolákovho Slovára, musíme uznať, že v poslednom desaťročí svojho života naozaj hlboko začieral do svojej pokladnice, a tak prispieval k rozvoju bernolákovskej literatúry aj k jej sprístupňovaniu na tieto časy v širokom rozsahu.

Tým, že Palkovič umožňoval vydávanie Hollého diel, že aj inak prejavoval záujem o jeho literárnu tvorbu a o jeho pôsobenie, podnecoval poetu k tvoreniu ďalších básnických skladieb, staral sa o ich rozširovanie a umožňoval mnohým záujemcom, a to nielen na Slovensku, ale aj v Čechách a v ďalšom slovanskom svete spoznávať umelecké plody najpoprednejšieho básnika bernolákovskej generácie. Súčasne sa vydávaním týchto diel dokazovala nosnosť bernolákovčiny, jej oprávnenosť byť spisovným jazykom a časovosť (byť ním práve tu a práve teraz), a súčasne sa kliesnila cesta ďalšej pôvodnej literárnej tvorbe. Palkovič práve pre tento ráz Hollého tvorby – náročnou umeleckou formou a bernolákovským pravopisom i slovníkom podať vrcholné diela antiky aj umelecké plody vlastného génia – básnika uprednostňoval a všestranne podporoval.

V tejto súvislosti je vhodné spomenúť Palkovičovu tvorbu v bernolákovčine. Pôvodné práce nenapísal, venoval sa prekladom. Spočiatku prekladal divadelné hry. Tak roku 1801 vyšlo tlačou Metastasiovo Duchovné divadlo.[33] Knižka, preložená z nemeckého prekladu, obsahuje sedem hier, z nich päť čerpá námet z biblických[34] a dve z cirkevných dejín,[35] pričom posledná – ako spomína prekladateľ – „síce neňí od Petra Metastasio, než od istej najosvícenejšej pani pod ménem Armelanda Talea skritej zložená: medzi tím poneváč ju nemeckí prekladatel ke cti a chvále svého rádu zakladatela na svetlo vidal, preto sa i tuto zanechává jakšto prídavek". Či sa niektorá z týchto hier v Trnave alebo na inom mieste na Slovensku aj hrala, nevedno. Je to však dosť pravdepodobné – veď prečo inak by ich bol Palkovič preložil a aj vydal? Iste nadväzoval na bohaté a dlhoročné tradície trnavského školského divadla[36] (a právom možno predpokladať, že sa divadlu začal venovať už ako študijný prefekt v Bratislave).

Ďalšiu hru preložil z latinčiny v decembri 1804. Bola to „veselá duchovná hra" Daniel.[37] Autorom hry je humanistický dramatik Cornelius Schonaeus (v úvode spomínaný ako Šonaj). Hru nacvičili a na fašiangy roku 1805 zahrali trnavskí seminaristi. Zachovala sa o tom písomná správa aj s menami hercov, ktorí stvárnili jednotlivé postavy.[38]

Pravdepodobne tiež pre potreby študentského divadla Jur Palkovič roku 1813 pripravil z gréčtiny preložený dialóg Alkibiades, pripisovaný Platónovi.[39] Rukopis je napísaný jeho rukou, ňou sú písané aj drobnejšie pravopisné a lexikálne úpravy. Ťažko však bezvýhradne potvrdiť, že autorom prekladu je Palkovič. Veď ak vezmeme do úvahy jeho pedantnosť a zásadovosť, to, ako dôkladne od septembra 1991 do januára 1792 a aj neskôr študoval Bernolákovu Gramatiku (pozri jeho Notae in Gramaticam Slavicam Antonii Bernolák), ako vytrvalo a kvalifikovane od februára 1814 do júla 1816 a aj neskôr revidoval Bernolákov Slovár (pozri Criticae observationes in Lexicon Bernolakianum circa tria regna naturae) a ako úzkostlivo a nekompromisne lipol na Bernolákovej kodifikácii – mohol by ten istý Palkovič vo svojom vlastnom texte pripustiť také závažné odchýlky od pravopisu uzákoneného Bernolákom, aké vidno v tomto preklade – ss namiesto š, č namiesto č, nedôslednosť pri písaní diakritických znamienok,

chybná interpunkcia? Buď teda ide o koncept Palkovičovho prekladu, ktorý neskôr dal do definitívnej podoby (to by do značnej miery potvrdzovala štýlová podobnosť tohto prekladu s prekladom Duchovného divadla a Daniela), pričom by spomenuté odchýlky ostali nevysvetlené a aj nevysvetliteľné, alebo si Palkovič prepísal preklad niekoho iného ako doklad, že do bernolákovčiny možno adekvátne a kultivovane preložiť aj antický filozofický text, príp. aj so zámerom použiť ho v rámci študentského divadla ako text dramatický. Bolo by možné, aby ten istý Jur Palkovič iba pred niekoľkými týždňami, koncom decembra 1812, na výpad Juraja Palkoviča proti bernolákovčine zostavil takú temperamentnú a fundovanú odpoveď[40] – a vzápätí, vo februári 1813, vo vlastnej jazykovej praxi obišiel niektoré základné prvky Bernolákovho pravopisného systému? Naozaj ťažko uveriť, že by ten, čo iných zapaľoval pre bernolákovský spisovný jazyk, sám bol buď taký nedbalý, že by nevenoval pozornosť pravopisnej stránke textu určeného hoci len pre vlastnú potrebu, alebo neovládal, príp. len slabo ovládal normu spisovného jazyka, za ktorý zápasil a ktorý zo všetkých síl celý život podporoval.[41] Preto sa zdá pravdepodobnejšie, že ide o Palkovičov verný odpis cudzieho prekladu gréckeho textu do bernolákovčiny alebo ešte do kultúrnej západoslovenčiny v podobe veľmi blízkej bernolákovčine.

Vyvrcholením Palkovičovho prekladateľského úsilia bolo pretlmočenie biblie do bernolákovčiny a jej vydanie tlačou.[42] Jur Palkovič týmto činom vlastne naplnil a dovŕšil zámer Antona Bernoláka a jeho druhov pri kodifikácii slovenského spisovného jazyka – aj keď pravdu povediac nebol to motív jediný a v konečnom dôsledku prvoradý. Podľa všetkého sa v súvislosti s vydaním Dizertácie a najmä Gramatiky ozvali hlasy zazlievajúce Bernolákovi, že on, kňaz, púšťa sa do takejto filologickej práce a nevenuje sa radšej naplno svojmu kňazskému poslaniu. Bernolák na to reagoval v úvode Etymológie[43] a zdôraznil, že najprv bolo treba kodifikovať spisovný jazyk a až potom sa pustiť do ďalších prác.

Dlhý čas sa ani presne nevedelo, kedy a na čí podnet sa Jur Palkovič pribral prekladať bibliu do bernolákovčiny. Predpokladalo sa, že ho na to vyzval ostrihomský arcibiskup Alexander Rudnay,[44] ktorý Palkoviča pokladal za jedného zo svojich najbližších spolupracovníkov,[45] a to v súvislosti s uznesením bratislavskej synody (september – október 1822) o vydaní maďarského prekladu biblie. Mária Vyvíjalová však našla a sprístupnila doteraz nepublikované fakty o dokumente synody, v ktorom sa výslovne hovorí aj o príprave slovenského prekladu biblie a o jeho vydaní.[46] Na jeho základe zrejme Rudnay poveril Jura Palkoviča, aby preložil bibliu z latinčiny do bernolákovčiny, a to podľa znenia Vulgáty, ktorú Tridentský koncil (1545−1563) vyhlásil za latinské znenie biblie, záväzné pre celú katolícku cirkev.[47] Ako vyplýva z titulu vydanej knihy, prekladateľ pri práci prihliadal aj na text biblie v pôvodných jazykoch − v gréčtine, hebrejčine a v aramejčine.[48]

Prečo Rudnay prekladaním poveril práve Jura Palkoviča, ťažko povedať. Ako profesor teológie v Trnave Palkovič prednášal morálnu a pastorálnu teológiu a cirkevné právo, teda teologické disciplíny, ktoré síce do určitej miery − jedna viac, druhá menej − sú v súvislosti s bibliou, nevyžadujú však obsiahle poznatky z biblistiky, nevyhnutné pre pochopenie a adekvátny preklad a výklad biblického textu. Medzi bernolákovcov patril znalec orientálnych jazykov a biblista Ján Derčík, v čase, keď Palkovič pracoval na preklade, profesor na peštianskej univerzite, neskôr jej rektor, ostrihomský kanonik, titulárny biskup a člen miestodržiteľskej rady.[49]. Prečo jemu Rudnay nezveril takú náročnú úlohu preložiť po prvý raz bibliu do slovenčiny,[50] nevedno. Možno mu to aj ponúkol, ale Derčík sa pre iné povinnosti na úlohu nepodujal. Možno sa v prospech Palkoviča − okrem jeho ochoty − napokon prihovárala jeho znalosť bernolákovčiny, trvalá prítomnosť v Rudnayovom sídle − Ostrihome, a teda možnosť stáleho a bezprostredného kontaktu, Palkovič hádam mal aj viac voľného času, príp. zavážili ešte aj ďalšie okolnosti.[51]

Kedy sa Palkovič pustil do prekladu, nemožno zistiť. Čo ako sa Ján Hollý dozvedal, kto prekladá bibliu do slovenčiny, nedozvedel sa to od neho. Až zrejme v odpovedi na Hollého list z 20. apríla 1829 sa Palkovič priznal, že on je to, na koho sa Hollý tak často pýtal. Lebo v závere nasledujúceho listu zo 14. júla 1829 Hollý Palkovičovi praje „dobrí zrak pri vidáváňú tej slovenskej biblie".[52] Bolo to teda už v čase, keď Palkovič bol s prekladom hotový a keď ho (14. apríla 1829) predložil Rudnayovi na schválenie.[53] Jeho vyše 90-stranové Observationes critico-philologicae in versionem Slavicam bibliorum[54] sú označené rokom 1827. Z toho Štefan Zlatoš[55] vyvodzuje, že pracoval pomerne rýchlo, prinajmenej od roku 1825[56] a najintenzívnejšie − a to je už bezpečne doložené − od júla 1827, teda odvtedy, ako sa zbavil prác súvisiacich s vydaním Bernolákovho Slovára. V apríli predložil hotový preklad prímasovi Rudnayovi, ten ho zas zveril na prezretie ostrihomskému bibliotekárovi Michalovi Kempovi.[57] Ako dlho trvala práca na revízii prekladu, nevieme. Isté je, že vročenie v prvom zväzku vydanej biblie (obsahuje Starý zákon okrem

kníh prorokov) − rok 1829 − nezodpovedá skutočnosti. Zrejme prípravné práce na takom rozsiahlom diele, akým je biblia (obidva zväzky majú 2500 strán), trvali dlhšie, ako sa predpokladalo, a to pre „nedostatok spôsobného slovenského kníhtlačiara a kníhtlačiarskeho opraviteľa... doteraz (sa) toto dielo pre chorobu alebo častejšiu zmenu tovarišov kníhtlačiarskych vyše 24 hárkov nepozdvihlo; preto som aj rád, že som obecenstvu žiadnej určitej lehoty neoznámil, v ktorú by prvý zväzok diela na svetlo vyjsť mal",[58] ako píše Palkovič Hamuljakovi 17. februára 1831. Podľa Palkovičovho záznamu na liste od Hamuljaka z 20. januára 1832 sa vo februári 1832 dotláčali posledné hárky prvého zväzku.[59] Celý zväzok vyšiel v marci 1832,[60] druhý zväzok − obsahujúci zvyšok Starého zákona a celý Nový zákon − vyšiel o niekoľko mesiacov po prvom zväzku.[61] V nasledujúcom roku vyšiel ešte perikopár Evangelia a listi na nedele a svatki pres celí rok. Text jednotlivých perikop vychádza síce z Palkovičovho prekladu, sú však v ňom niektoré odlišnosti najmä v slovoslede.[62] Ako sme už spomenuli, Palkovič celý náklad slovenskej biblie a pravdepodobne aj „perikopára" rozdal farám v slovenskej jazykovej oblasti.[63]

Ako sa ukazuje, úmyslom Bernoláka a bernolákovcov bolo, aby preklad biblie do bernolákovčiny overil, dovŕšil a strvácnil kodifikáciu tohto spisovného jazyka formujúceho sa slovenského národa. Bolo ambíciou mnohých generácií a mnohých jednotlivcov nielen u nás pretlmočiť túto základnú knihu kresťanských cirkevných spoločenstiev a jedno zo základných diel svetovej literatúry i európskej civilizácie do národného jazyka a sprístupniť ho ako dokument doby svojho druhu a súčasne aj ako skúšobný kameň životaschopnosti a nosnosti národného jazyka. Veď biblia je na adekvátny preklad text neobyčajne náročný − sú v nej osobitým spôsobom chápané a podané historiografické texty (napr. knihy pripisované Mojžišovi, knihy Sudcov, Kráľov, z Nového zákona Skutky apoštolov), básnické útvary (Pieseň piesní, žalmy), listy, mravoučné úvahy (napr. Kniha prísloví, Qohelet), rozmanité beletristické útvary (napr. Kniha Rút, v Novom zákone podobenstvá), zbierky zákonov a predpisov, vízie (proroci, v Novom zákone Zjavenia Jána) atď., teda pre prekadateľa (alebo prekladateľov) naozaj možnosť ukázať schopnosť vyrovnať sa s takým náročným a mnohotvárnym textom. Veľmi často sa pri prekladaní do popredia dostala praktická potreba dať do rúk čitateľa a používateľa biblický text v zrozumiteľnom jazyku a viac či menej do úzadia ustúpilo úsilie zachytiť a vyjadriť aj kultúrne, estetické a literárne hodnoty tohto diela vznikajúceho v priebehu niekoľkých storočí v lone istého spoločenstva ako súčasti antického sveta. U Jura Palkoviča prevážila skôr prvá tendencia,[64] nepochybne do určitej miery ovplyvnená aj jozefínskym a vôbec osvietenským úsilím odstrániť z náboženského prejavu formálnosť a vonkajškovosť a zvrúcniť ho. Palkovičov preklad biblie je teda výsledkom práce nezištného a svedomitého kňaza – odchovanca osvietenskej epochy a súčasne cieľavedomého národného a kultúrneho pracovníka.[65] Ján Hollý Palkovičov preklad biblie hodnotil veľmi vysoko. V liste Jurovi Palkovičovi z 3. apríla 1834 písal:[66] „Ňikdá sem s tak velkú chuťú a radosťú bibliu ňečítal, jako túto slovenskú od p. velkomožného preloženú; aňi sem místa ňemal, dokád sem ju všecku neprečítal, čo sa skoro stalo. Mnohé místa obzvlášťňe v žalmoch sú v ňéj zretedelňejšej a rozumitedelňejšej viložené nežli v laťinskéj. Len to škoda, že tlačár toľko chib narobil…"[67]

Anton Bernolák sa usiloval vytvoriť ucelené jazykovedné dielo, ktoré malo tvoriť solídny a vedecky zdôvodnený a aj obhájený základ kodifikácie slovenského spisovného jazyka. Preto po Dizertácii a Ortografii[68] roku 1790 vydáva Gramatiku[69] a roku 1791 Etymológiu.[70] Súčasne začína pracovať aj na slovníku, ktorý mal zhrnúť slovnú zásobu kodifikovaného spisovného jazyka a byť normatívnou príručkou pre všetkých používateľov bernolákovčiny.[71] V čase, keď koncipoval Ortografiu, javilo sa mu ako reálne, že by Slovenský slovník (Dictionarium slavicum), ako ho nazval, zostavený „za spolupráce učených mužov",[72] mohol vyjsť „súčasne s Gramatikou".[73] Veď už mal za sebou prípravné práce. Prvú podobu dielo dostalo od októbra 1787 do februára 1791, ako dokazuje jeho Elenchus Dictionarii Slavici.[74] Vtedy bola prvá verzia Slovára prakticky hotová.[75] V ďalších rokoch – ako uvádza v správe pre cirkevnú vrchnosť pri príležitosti kanonickej vizitácie v Nových Zámkoch roku 1811 – dielo vytrvalo „neuveriteľnou prácou a pilnou usilovnosťou, podobne veľkou trpezlivosťou v svojich voľnejších hodinách, ktoré mu úradné povinnosti dožičili",[76] sedem ráz prepracúval a sústavne dopĺňal (najdôkladnejšiu revíziu celého rukopisu uskutočnil v rokoch 1801–1806, poslednú roku 1808, keď dielo definitívne dokončil.[77] Chcel vytvoriť čo najdokonalejší slovník, ktorý by bol súci spĺňať tú úlohu, akú mu mienil určiť jeho pôvodca. Za svojho života sa niekoľko ráz pokúsil ponúknuť ho rozličným vydavateľom, ale ani jeden z nich nebol ochotný podujať sa na taký náročný a nákladný vydavateľský čin.[78] Podarilo sa to až po autorovej smrti, predčasnej

a nečakanej – zomrel 51-ročný 15. januára 1813. Rukopis Slovára sa podľa všetkého dostal do ostrihomskej metropolitnej knižnice. Odtiaľ ho získal Jur Palkovič, ktorý nepochybne poznal Bernolákove úsilia vydať ho tlačou. Preto sa Slovára ujal a podľa záznamu v Criticae observationes in Lexicon Bernolakianum circa tria regna naturae začal ho revidovať 12. februára 1814, teda bez troch dní trinásť mesiacov po Bernolákovej smrti. Revízia, nezvyčajne dôkladná a kvalifikovaná, ako dokazujú Criticae observationes, mu trvala do 23. júla 1816, skoro pol treťa roka, ba možno nájsť aj záznamy z neskoršieho času, napr. z roku 1818, 1819, 1820, dokonca z roku 1825.[79] „Palkovič nepristupoval k Slováru iba s úctou voči Bernolákovmu dielu, ale predovšetkým so zmyslom pre kritiku, pre odbornú stránku veci, s pocitom zodpovednosti. Do popredia vystupuje snaha napraviť, prípadne doplniť to, čím získa slovník na kvalite, odstrániť z neho všetko, čo by mohlo prípadným neprajníkom slúžiť ako zámienka znižovať jeho hodnotu."[80] Palkovič pracoval s obsiahlym pomocným aparátom a zasahoval najmä do hesiel, ktoré sa týkali botaniky, zoológie a mineralógie, nevyhýbal sa však ani slovám z iných oblastí, ba ani výrazom z hovorového jazyka. „Analýza Palkovičových kritických poznámok v plnom ich rozsahu a detailné porovnanie, ako sa realizovali v texte pod heslami v Slovári, môže kompetentným odborníkom podrobne objasniť Palkovičov dôležitý podiel na Slovári. Podľa Palkovičových kritických poznámok možno si vytvoriť predstavu o rozsahu jeho zásahov v Slovári, overiť si jeho detailné znalosti z oblasti prírodovednej terminológie, jeho orientáciu v dobovej literatúre z príslušných odborov nielen na území Uhorska, ale aj v ostatnej Európe."[81]

Nemáme poruke pôvodný rukopis Slovára s úpravami vykonanými podľa Criticae observationes, a tak nemôžeme presne zistiť, čou rukou sú urobené zásahy. Je isté, že okrem Bernoláka do čistopisu rukopisu z roku 1808 pravdepodobne ešte za jeho života zasahovala iná osoba, ktorá upravovala maďarské ekvivalenty.[82] Rovnako je isté aj to, že s Palkovičovými poznámkami pracoval ešte niekto iný – na viacerých miestach sú slovné doplnky vpísané inou rukou, niekedy doplnené poznámkou „ab ilyrico".[83] Aj pri prenášaní úprav do rukopisu, príp. pri prepise tých strán rukopisu, na ktorých bolo priveľa úprav a zásahov, možno pripustiť účasť možno jedného, možno viacerých spolupracovníkov. Mária Vyvíjalová[84] predpokladá účasť Jozefa Benčika, archivára a bibliotekára v knižnici prímasa Rudnaya. Pri revízii a príprave Slovára na vydanie zas Palkovič mohol

– ako tiež Mária Vyvíjalová predpokladá – spolupracovať a konzultovať so samým prímasom (najmä po roku 1820, keď obidvaja bývali v Ostrihome). Podľa všetkého bol Rudnay do vydania Slovára zainteresovaný oveľa viac, ako by sa zdalo. Pravdaže, sú to iba predpoklady, prijateľné, ale nedokázateľné, pretože najpresvedčivejší argument, pôvodný rukopis a ďalšie písomné doklady, nemáme k dispozícii.

Prvé správy o tom, že sa uvažovalo o vydaní Slovára v budínskej univerzitnej tlačiarni, pochádzajú z jesene 1818 a z jari 1819.[85] Rokovania zrejme uviazli na mŕtvom bode. Preto sa Ján Krstiteľ Jelínek, tlačiar z Trnavy, obrátil na Palkoviča s ponukou, že Slovár vydá on.[86] Potom celá vec znova zastala, až napokon Ferencz Sághy, správca budínskej univerzitnej tlačiarne, obrátil sa na Rudnayovo odporúčanie na Palkoviča – a vydanie Bernolákovho Slovára v piatich zväzkoch s repertóriom sa v rokoch 1825–1827 stalo skutkom.[87]

Podľa nášho názoru Slovár vyšiel nákladom univerzitnej tlačiarne, ako vyplýva z údaja na titulnom liste prvého a šiesteho zväzku: Typis et Sumtibus Typogr. Reg. Univers. Hungaricae. Pravda, nemožno vylúčiť – ako to predpokladá Mária Vyvíjalová[88] – finančný príspevok prímasa Rudnayho a príp. aj Jura Palkoviča,[89] ktorým sa mala zmierniť priveľká strata tlačiarne, súvisiaca s vydaním takého rozsiahleho diela. Slovár vyšiel v náklade 2000 exemplárov, z toho odobrali predplatitelia 131 exemplárov,[90] 20 exemplárov dostala ostrihomská kapitula a 10 exemplárov Jur Palkovič (ktorý si aj predplatil 1 exemplár). Podľa inventárneho súpisu z roku 1835 bolo na sklade ešte 1811 exemplárov, roku 1857 1803 exemplárov. Tlačiareň roku 1902 predala zvyšok nákladu ako makulatúru.[91] Pokiaľ ide o výšku Rudnayovho, príp. Palkovičovho príspevku, treba vziať do úvahy, že Rudnay sa roku 1822 podujal na veľké a finančne neobyčajne náročné dielo – postaviť novú ostrihomskú katedrálu[92] (a pritom jeho ostatné výdavky boli tiež značné[93]), Palkovič zas zrejme šetril peniaze na vydanie biblie. Aby sme to vyjadrili krátko: Príspevok tlačiarni od oboch je možný aj pravdepodobný, ibaže mohol byť viac-menej symbolický, nevysoký, príp. – ako hovorí Mária Vyvíjalová – v podobe záruky, že ak sa Slovár nepredá, pomôžu uhradiť stratu. Po ich smrti (Rudnay zomrel roku 1831, Palkovič roku 1835) podľa všetkého aj táto záruka pominula.

V súvislosti so Slovárom treba aspoň nakrátko zaujať stanovisko ešte k dvom sporným bodom – k otázke repertórií a rozdielov medzi predhovorom z roku 1796 a 1825, príp. 1827 (maďarské znenie).

S myšlienkou doplniť celé dielo ešte tzv. repertó-riami (pôvodne sa uvažovalo iba o latinskom a nemeckom, neskôr sa pripojilo aj maďarské repertórium) prišiel ešte počas prípravných prác Ferencz Sághy (v liste Jurovi Palkovičovi z 29. apríla 1824[94]). Latinské repertórium podľa všetkého vyhotovil peštiansky kaplán Alojz Spribila,[95] nemecké repertórium mohol podľa nášho názoru pripraviť Andrej Brešťanský,[96] prekladateľ Bernolákovej Gramatiky do nemčiny. Pokiaľ ide o vyhotovenie maďarského repertória a o preklad predhovoru do maďarčiny, možno dať vari za pravdu Márii Vyvíjalovej,[97] že to – podobne ako zoradenie repertórií (maďarské, latinské a nemecké) – prebehlo bez Palkoviča, len ako záležitosť tlačiarne a Sághyho. Jej argumenty sú dostatočne presvedčivé, aj pokiaľ ide o vysádzanie a vytlačenie repertórií – veď Palkovič v čase prác na repertóriách bol už naplno zavalený prácou na preklade biblie, a teda nemal času nazvyš. Preto si zrejme ponechal iba korektúru sadzby vlastného Slovára (nemožno hádam vylúčiť ani zapojenie ďalších ochotných pomocníkov a aj niektorých Slovákov žijúcich v Budíne a v Pešti, napr. Martina Hamuljaka).

Už skoro sto rokov, od roku 1894, ako Tichomír Milkin (Ján Donoval) uverejnil recenziu prvého zväzku zborníka Tovaryšstvo (Ružomberok 1893), z času na čas sa ozýva výčitka, s ktorou on vyšiel ako prvý, že Anton Bernolák svojím Slovárom chcel prispieť k pomaďarčeniu Slovákov. Naposledy táto výčitka ožila roku 1965, keď ju Daniel Rapant využil dokonca na výpad proti koncepcii slovenského národného obrodenia, ako sa v slovenskej historiografii sformovala a ujala za posledných 40 rokov.[98] Jeho výpad je o to udivujúcejší, že práve on pred skoro 60 rokmi tak vehementne a kvalifikovane Bernoláka ubránil pred tým, čo jemu a tým, čo prišli s ním a po ňom, znova a dôraznejšie ako iní pripísal o 35 rokov neskôr.[99] Vyvolal polemiku,[100] ktorá však pomohla otázku Bernolákovho a bernolákovského maďarónstva a všetkého, čo s ňou súvisí a mohlo by súvisieť, hádam už raz navždy vyriešiť a koncepciu slovenského národného obrodenia nielen obhájiť a odôvodniť, ale aj ďalej rozvinúť a prehĺbiť. Pomohla nanovo, presnejšie a fundovanejšie sformulovať východiskové tézy, ozrejmiť a v novom svetle vidieť nejednu spornú alebo nie dosť objasnenú otázku, a tak vlastne opäť posunúť dopredu poznanie podstaty a prejavov bernolákovského hnutia a slovenského národného obrodenia vo všetkých súvislostiach. Veď vytrhnúť z predhovoru Slovára jednu pasáž, v spätnom pohľade čo akú problematickú, a nevziať do úvahy predhovor ako celok a celú Bernolákovu a bernolákovskú činnosť a jej očividné formy a ciele a nekonfrontovať ich so svojou interpretáciou onej spornej pasáže je chyba prinajmenšom proti základným zásadám a postupom historiografie chápať osobnosti a udalosti v ich historickom kontexte. Jedno je isté: Ono sporné miesto v predhovore Slovára nepochybne nebolo ľahko formulovať tým, čo to museli urobiť, nech to už bol ktokoľvek. Zrejme volili zo všetkých možných formulácií tú, ktorá bola v tej chvíli a v tých okolnostiach najprijateľnejšia aj im aj tým, ktorí sa tej úpravy dožadovali. Možno to znie ako rečnícka otázka – ale či nie je s Rapantovou interpretáciou onej spornej pasáže predhovoru Bernolákovho Slovára v rozpore všetko to, o čo sa Bernolák a bernolákovci usilovali, čo chceli dosiahnuť: aj národne aj kultúrne aj sociálne povzniesť ľud oddávna obývajúci túto slovenskú krajinu? Veď ak by boli chceli stáť v službách maďarizácie, mohli tieto svoje ciele tak dokonale zamaskovať národne orientovaným programom a jeho realizáciou? Celé Bernolákovo a bernolákovské dielo je v priebehu i dosahu ako celok i v jednotlivostiach popretím Rapantovej interpretácie.

Ako sme spomenuli, v 20. a 30. rokoch, pre ktoré sú príznačné vrcholiace úsilia o postupné zbližovanie bernolákovcov a prívržencov bibličtiny na Slovensku, všeobecne u nás i v Čechách za vedúcu osobnosť medzi prívržencami a používateľmi bernolákovčiny pokladali Jura Palkoviča. Naňho sa obracali o radu, alebo s ním konzultovali Ján Kollár,[101] Pavol Jozef Šafárik[102] a iní; Martin Hamuljak a jeho spolupracovníci z Pešti a Budína sa bez jeho vyjadrenia nepodujali na nijakú závažnejšiu akciu.[103] V konfrontácii dvoch protichodných a protikladných koncepcií – koncepcie usilujúcej sa o svojbytnosť a samostatný rozvoj slovenskej kultúry a formujúceho sa slovenského národného spoločenstva, reprezentovanej v tomto období bernolákovcami na čele s Jurom Palkovičom, Jánom Hollým a Martinom Hamuljakom (dala by sa stručne zhrnúť do otázky Jura Fándlyho: „Buďemeľi ai budúcne písebné pero od Moravca, kňihi od Čecha požičávať?"[104]), a koncepcie, ktorú zas jeden z jej pôvodcov a realizátorov Ján Kollár vyjadril stručne: „Slovák nech ňeco Čechúm a Čech něco Slovákúm dá, má-li mezi oběma jedna literatura místo míti, totiž československá"[105] – sa postupne a stále výraznejšie ujíma a presadzuje prvá. Martin Hamuljak, ktorý spočiatku váhal a nevedel pobadať, ktorá koncepcia je perspektívnejšia, postupne aj pod Palkovičovým vplyvom pochopil, že z dvoch možností spisovného jazyka na Slovensku – bernolákovčina alebo upravená bibličtina (čeština) – je priaznivejšia, únosnejšia a funkčnejšia možnosť presadzovať bernolákovčinu ako jazyk formou i citovo podstatne bližší utvárajúce-

mu sa národnému spoločenstvu. Bernolákovci už v druhej polovici 20. rokov dospeli k zaujímavému a podnetnému názoru na úlohu národného spisovného jazyka. Keď sa Hamuljak nevedel dočkať odpovede na list zo 4. augusta 1827,[106] v ktorom prosil Jura Palkoviča o finančný príspevok (vo forme pôžičky) na vydanie druhého zväzku Písní světských lidu slovenského v Uhřích, zašiel („sám v osobě k němu vyběhnul") zrejme koncom augusta 1827 do Ostrihomu a navštívil Palkoviča. O výsledku návštevy informoval Pavla Jozefa Šafárika v liste zo 6. septembra 1827.[107] Jur Palkovič odmietol poskytnúť pôžičku („...kde však mi, vděčně sice privýtanému to zřetedelně na vyrozumení dáno, že na českú orthografii nic..."). Je možné, že Hamuljak v ďalšom texte listu tlmočí alebo reprodukuje obsah rozhovoru aj s Palkovičom, ich spoločnú analýzu súvekej situácie i nevyhnutnej perspektívy, premyslenú a výstižnú – a to je to nové, čo preráža na povrch v názore bernolákovcov na úlohu spisovného jazyka v národnom spoločenstve a v čom už zaznievajú prvé tóny štúrovskej melódie: „Vrátiv se takorka domov s rukopisem, jenž sebů sem měl, spomenul sem pred práteli Kollárom a Trnkom, nebylo-li by ovšem rádno, lépe se k pospolitému lidu snížiti, srozumitedelnejšej proň písati, a to orthographii Bernolákovů? ...a ja za to mám, že bychom ve vzdělávání našincov dále zajšli, aspoň větší massa lidu by k žádúcímu cílu spolu kráčela. Mnoho, príliš mnoho bratróv máme, jenž o češtine ani slyšeti nechtejí, slovenské číroslovenské knihy vděčne bi čítali, kdyby je měli. Maďarčinů nás velmi núkají, mládež naša z vetšej stránky, zlášte študujúca, prívalu se nevyhybuje, ráda s ním ženie; němčina se, tuším, po tichu smeje, své myslí a podporu, kdyby jej potrebná byla, lechko nájde; úbohá slovenčina od svojich zanechaná, bez potěšení leží. Čože bude z nášho lidu? ponížený poddaný, odpovídám... V matěrčině jen, tuším, učinkovati lze jak na srdce, tak na rozum, v matěrčine jen možná o povinostech a pomalu i právích svých naučovati sprostého člověka, větší massu lidu, o kteráž starost míti sluší, i prostřední stavové a povolánia najštasneji a najzdarileji pokračují v dalšém vzdělávání skrze reč svú matěrskú."[108]

Aj Jur Palkovič aj Martin Hamuljak takýmto názorom ukázali, že majú bystrý postreh pre potreby života a pre ďalšie perspektívy vývinu slovenského národného spoločenstva. Nepochybne sa v ňom odráža rast uvedomovania si národnej svojbytnosti Slovákov, súvisiaceho v tomto čase už aj s formovaním vzájomných vzťahov Slovákov a Čechov na kvalitatívne novej základni. Aj z toho možno pochopiť, prečo Jur Palkovič tak dôsledne a dôrazne trval na presadzovaní a používaní bernolákovčiny, prečo využíval každú možnosť podporiť akúkoľvek činnosť, v ktorej sa mohla uplatniť a ďalej rozvinúť a širšie prejaviť, a prečo bol zdržanlivý, ba odmietavý zakaždým, keď sa forsírovalo používanie iného jazyka ako bernolákovčiny alebo keď sa bernolákovčina priamo napádala a odmietala.

Nebola to náhoda, že súčasníci Jura Palkoviča pokladali za výraznú a vedúcu osobnosť bernolákovského pohybu. Veď nebyť jeho, možno by všeličo v našej národnej kultúre bolo vyzeralo inak, možno by básnické dielo Jána Hollého bolo malo iný osud, možno by sme museli vlastne zopakovať mnoho z toho, o čom sme hovorili, ale v inej podobe. Bernolákovská generácia najmä v 20. a 30. rokoch 19. storočia by pravdepodobne nebola mohla naplno zohrať takú úlohu, akú zohrala. Preto je dobre, že Jur Palkovič bol a že bol taký, aký bol.

Poznámky

1 Poďekování veľkomožnému pánovi Jurovi Palkovičovi za náklad na vitlačení Rozličních básňí. Dielo I. Bratislava 1985, s. 366.

2 Pár mesiacov po Rudnayovej smrti Martin Hamuljak píše o tom Jurovi Palkovičovi v liste z 20. januára 1832 (Listy Martina Hamuljaka I. Na vydanie pripravil Augustín Maťovčík. Martin 1969, s. 163, 281).

3 Ján Hollý v liste Jurovi Palkovičovi, datovanom 12. júla 1823 (Korešpondencia Jána Hollého. Pripravil Jozef Ambruš. Martin 1967, s. 22), iba ako mimochodom spomína: „Pastírki Virgiliove, Homerovej Iliadi spev první, Tirteove Písně vojanské, volačo z Ovídia a sedemnásť Od Horáceových mohlo bi sa uš dať vitlačiť, ale na tolko ňemóžem nazbírať peňazí, bár sa dosť usilujem· preto že sú zlé čase a místo toto psotné." Podľa všetkého neurobil tak náhodou. Skôr akoby chcel naznačiť, že sa spolieha na veľkodušnosť adresáta listu. Jeho nádej, že Palkovič otvorí svoju štedrú dlaň a aspoň prispeje na vydanie výberu z predpokladov, nebola márna. Potvrdzuje to Palkovičov vlastnoručný záznam na konci listu: „Resolvi sumtus pro impressione Odar. Horatii & Eclogarum Virgilii" (tamtiež, s. 236). A keď mu Hollý v liste z 3. septembra 1823 (tamtiež, s. 24) ďakuje za veľkorysosť a porozumenie a navrhuje zaradiť do knihy osobitné obsiahle venovanie, Palkovič stroho pripomína: „Dedicatio nulla nisi haec: Z nakladem jistého literáti slovenskej milovníka" (tamtiež, s. 239). S týmto označením vyšli skoro všetky knihy, ktoré financoval Jur Palkovič, ako o tom ešte budeme hovoriť.

4 Nepochybne bude správne definitívne prijať návrh Jozefa Ambruša (Spor Palkovičovcov. Zborník FF UK. Philologica, 23—24, 1971—1972, s. 319) a na označenie ostrihomského Palkoviča používať krstné meno v podobe Jur a bratislavského Palkoviča Juraj, a tak sa vyhnúť prípadným nedorozumeniam, omylom a zbytočným prívlastkom.

5 Juraj Fándly umrel 7. marca 1811 v Doľanoch, Anton Bernolák — podľa Jána Hollého v liste Jurovi Palkovičovi zo 17. septembra 1826 (Korešpondencia Jána Hollého, s. 39) — v Nových Zámkoch „roku 1813, v kterém 15. ledňa pri holeňu bradi šlakem porazení v Kristu zesnul".

6 Podrobne o jeho životných osudoch, práci a pozostalosti pozri najmä PÖSTÉNY Ján: Palkovičova pozostalosť. Kultúra, 3, 1931, s. 18—23, 109—112, 191—195, 272—273; ZLATOŠ, Štefan: Písmo sväté u bernolákovcov. Trnava 1939. 330 s.; A. A. BANÍK: 180 rokov tomu, čo sa narodil vo Veľkých Chlievanoch pri Bánovciach Juraj Palkovič. Kultúra, 15, 1943, s. 585—599; POVAŽAN, Ján: Juraj Palkovič a jeho miesto v bernolákovskom hnutí. In: K počiatkom slovenského národného obrodenia. Bratislava 1964, s. 321—340; TIBENSKÝ, Ján: K starším a novším názorom na A. Bernoláka, bernolákovské hnutie a slovenské národné obrodenie. Historický časopis, 14, 1966, s. 329—371; CHOVAN, Juraj — MAŤOVČÍK, Augustín: Spolupráca Martina Hamuljaka s Jurajom Palkovičom. Literárny archív 1968, s. 213—243; VYVÍJALOVÁ, Mária: Novšie poznatky k Bernolákovmu Slováru a jeho predhovorom z roku 1796 a 1825. Historický časopis, 16, 1968, s. 475—522; POVAŽAN, Ján: Vydanie Bernolákovho Slovára. (Listy Ferencza Sághyho kanonikovi Jurajovi Palkovičovi.) Literárny archív 1969, s. 33—50; VYVÍJALOVÁ, Mária: Mladý Ján Hollý. Bratislava 1975. 288 s. a ďalšie.

7 Ako zaujímavosť hodno azda uviesť, že Jur Palkovič sa medzi tými milovníkmi literného umenia, „kterí ze svojú radú, ze svojíma kňižkami, ze svojú predplacenú cenu dopomohli k temuto znovu vistavenému litternému továrišstvu", ako ich zhŕňa Juraj Fándly na konci Druhej stránky Piľného hospodára a ako sú uvedení aj v ďalších štyroch bernolákovských tlačiach, uvádza iba raz, roku 1792, práve v Druhej stránke, ako „viznačení" v banskobystrickom stánku spolu s „veľkomožným pánom lazebným doktorom" Ondrejom Capovským a Jánom Hrnčárom zo Štiavnických Baní (Vindšachty), kde bol Palkovič v tom čase kaplánom. Spresnený zoznam členov Slovenského učeného továrišstva a ďalšie podrobnosti pozri HRADNÝ, M: Slovenské učené továrišstvo. Duchovný pastier, 64, 1983, s. 117—124, 165—172, 213—220, 263—266, 304—316, 357—364, 407—410.

8 V čase Palkovičovej pozostalosti, uloženej v LA MS v Martine a doteraz nespracovanej, sú okrem iného aj súvisle po latinsky zhrnuté výpisky z druhého zväzku francúzskej Encyklopédie ou Dictionnaire raisonné des sciences, des arts et des métiers (zo strán 143, 153, 155, 157, 158, 161, 164, 169, 174, 180, 182 a 190).

9 Tejto práci sa venoval zrejme od samého začiatku pôsobenia v Trnave. Do registra (Pragmatica Archi-Dioecesis Strigoniensis per Georgium Palkovics Theol. Professorem Conscripta A°- 1808. 461 strán. Uložené v nespracovanej časti Palkovičovej pozostalosti v LA MS v Martine) sa pokúsil zhrnúť výsledky svojej dovtedajšej práce.

10 Text listu v latinčine a jeho slovenský preklad pozri BANÍK, Anton: Pomocníci Antona Bernoláka v rokoch 1786—1790 pri diele slovenského literárneho obrodenia. Kultúra, 9, 1937, s. 197—198. Originál Palkovičovho odpisu v LA MS v Martine.

11 Údaj o počte kníh v Palkovičovej súkromnej knižnici a o tom, že pripadla ostrihomskej kapitule, uvádza Ján Pöstényi: C. d., s. 18.

12 Index librorum v nespracovanej časti pozostalosti v LA MS v Martine.

13 Koľko zväzkov mala knižnica v čase, keď ju mal na starosti Jur Palkovič, nevedno; roku 1843 mala približne 20 000 zväzkov (ako uvádza VYVÍJALOVÁ, Mária: Mladý Ján Hollý, 49, podľa údajov Fr. A. Očkovského). — Je možné, že Ján Hollý ako študent Palkovičovi aj pomáhal pri usporadúvaní a spracúvaní fondov trnavskej kapitulskej knižnice a že tak sú zrejme jeho vlastnou skúsenosťou podložené verše uvedené v básni Na smrť Jura Palkoviča (Na slovenský národ. Bratislava 1957, s.

174): „Najmnožšé knihoveň ho trnavská stála nováňí,/než sa celá v dobrý mohla porádek uvésť. /(Kolkú nakladenú mával podľa úradu terchu,/kolkú téš milerád aj mimo techto nosil)/."

[14] Už z prvého nateraz známeho listu Jána Hollého, písaného Jurovi Palkovičovi „velmi, a velmi nanahle" 23. augusta 1819 (Korešpondencia Jána Hollého, s. 17) vidieť – a viaceré ďalšie listy to potvrdzujú –, že Hollý hojne využíval možnosť požičiavať si knihy od Palkoviča, a to aj, ba ešte viac potom, keď sa Palkovič v júni 1820 presťahoval s kapitulou z Trnavy do Ostrihomu.

[15] Jur Palkovič napr. 23. mája 1829 spolu s finančným príspevkom Hollému, ktorý mesiac predtým vyhorel, poslal svoje záznamy o Svätoplukovi, zozbierané z dostupnej literatúry (tamtiež, s. 270). A Hollý využil jeho ochotu a v liste zo 14. júla 1829 (tamtiež, s. 64–65) mu položil niekoľko otázok týkajúcich sa reálií potrebných pri spracúvaní eposu Svätopluk.

[16] Koncept Palkovičovho listu Dobrovskému z 20. augusta 1820 a originál Dobrovského odpovede z 11. februára 1822 v Palkovičovej pozostalosti v LA MS v Martine.

[17] Napr. M. Kemp (Memoriae Basilicae Strigoniensis. Pešť 1856, s. 183) a L. Némethy (Series parochiarum et parochorum archidioecesis Strigoniensis. Ostrihom 1894, IV – V) uvádzajú Palkovičove písomnosti ako dôležitý prameň, ktorý použili.

[18] Pozri VYVÍJALOVÁ, Mária: C. d., s. 86–90, 163–164.

[19] HOUDEK, Ivan: Nekrológ Jura Palkoviča. Sborník Matice slovenskej 15, 1937, s. 544. – V pokročilejšom veku sa zrejme jeho záľuba vo vedeckej práci a skôr v práci s literatúrou, ako aj istá utiahnutosť znásobila pre zhoršenie sluchu a prílišnú opatrnosť v pohybe, zapríčinenú úrazom: „Kým si na hladkom ľade nezlomil nohu, chodieval po vrchoch kvôli rastlinám a brúkom" (K životopisu našich mužov. Juraj Palkovič. Literárne listy, 5, 1895, s. 43). „Pre ťažký sluch nevyhľadával veľmi spoločnosti, žil vedám" (tamtiež, s. 44).

[20] BANÍK, A. A: 180 rokov, s. 596. Fotokópia Carmen... quod... Georgio Palkovits... professori... philosophiae auditores obtulerunt z roku 1798 v LA MS v Martine, C 175a.

[21] AMBRUŠ, Jozef: Neznáma báseň na Jura Palkoviča. Slovenská literatúra, 8, 1961, s. 502–505.

[22] VYVÍJALOVÁ, Mária: C. d., 49, s. 236–237.

[23] Niekedy bývala ohlásená skôr, inokedy sa zastavila, keď šla okolo. „Poněváč táto Éva pobeďimská do Ostrihoma idúc sa tu v Maduňicach ustavila a pýtala sa mňa, nebudem-li volačo Jejích Velkomožností písať..." (Korešpondencia Jána Hollého, 21, list Jurovi Palkovičovi z 12. júla 1823 písaný „Velmi na náhle"). „Táto Eva s Pobeďíma na ceste stavila sa tu na chvilku a to pram dobre" (list Martinovi Hamuljakovi zo 6. mája 1843. Tamtiež, s. 164).

[24] A nebývali to malé bremená! Hollý napr. v liste Martinovi Hamuljakovi z 15. októbra 1829 (tamtiež, s. 67) píše: „Pripojení tu některí exemplar Eneidi nech vdačne príjmu. Bol bich poslal vác, kebi to nebolo tažko nést téjto žene." A keď mu 6. mája 1843 posiela za vrecko bôbu, v liste (tamtiež, s. 165) pridáva: „Eva, poněváč aj platno sinovi nese, vác vzat nemohla."

[25] Zachovalo sa deväť listov Hollého Palkovičovi a šesť listov Hamuljakovi, v ktorých je zmienka o tom, že ich niesla oná Eva.

[26] Cez zimu chodievala priasť do dnešného Bánova, okr. Nové Zámky (a zrejme ta chodievala na roboty aj viac ráz cez rok). Občas vznikli Hollému s ňou aj problémy, ako píše Palkovičovi v liste z 22. júla 1824 (tamtiež, s. 27): „Uzaisťila mňa táto Éva ešče o Vánocách, keď na Kesu (kďe pres zimu prádáva) odchádzala, že kolo Veľkej noci do Ostrihoma pojde; aľe až v máji sem prišla a nato oňezdravela, takže nemocnú odtáďto

domov do Pobeďíma zavesť ju moseli. Včil, poněváč vizdravená do Peštu iďe, ustavila sa tu, ňebuďem-li pánu veľkomožnému písať."

[27] LA MS, Martin. Dvadsaťdeväť Hamuljakových listov Palkovičovi a Palkovičove záznamy odpovedí na ne v latinskom origináli i v slovenskom preklade s komentárom a ďalšími údajmi pozri Listy Martina Hamuljaka I. Pozri aj Juraj Chovan – Augustín Maťovčík: C. D.

[28] VESELOVSKÝ, Martin: Hamuljakova listáreň. Sokol, I, 1862, s. 410–412.

[29] AMBRUŠ, Jozef: Juraj Palkovič – Václav Hanka. Literárny archív 1968, s. 278–281.

[30] MINÁRIK, Jozef: Zo zahraničných archívov a knižníc. Literárny archív 1969. 358 s.

[31] AMBRUŠ, Jozef: Spor Palkovičovcov, s. 321–324.

[32] Korešpondencia Jána Hollého, s. 80, 280. – Osobitne to vyzdvihuje aj Ján Hollý v úvode prvého spevu Cyrilo-Metodiády: „Ti s' k tomu od bozkého pošlé Ducha Písmo slovenskô / Verňe rečú prežil; vlastním spolu jak toto isté, / Tak též nábožních mnoho kňih na svetlo vipusťil / Nákladem, a z hojnéj krajanom svím ščedroti rozdal" (Dielo II, s. 18). A v žalospeve Na smrť Jura Palkoviča / Na slovenský národ, s. 174): „...Zákon, / než vlastním i na svet nákladem ešče vidal / a dvojitích v krásnej i tvrdéj vazbe uprímním / rozdaroval krajanom na sta a sta kusov. / Ščedroti konca není! Koľko z ňéj uzreli svetlo) díla iních! Koľké ďál mali ešče viďeť!"

[33] Pána opáta Petra Metastasio, císársko-královského veršovníka Duchovné divadlo. Predtím z vlaskej reči na nemecku, včil na slovenskí jazik preložené skrz J. P. V Trnave vitlačené u Václava Jelinka. Roku 1801. – Pietro Metastasio, vlastným menom P. Trapassi (1698–1782), taliansky básnik a libretista, od roku 1729 dvorný básnik vo Viedni. CESNAKOVÁ-MICHALCOVÁ, Milena a kol.: Kapitoly z dejín slovenského divadla od najstarších čias po realizmus. Bratislava 1967, s. 120, 130, 143–145, 177, 178; Malá československá encyklopedie 4. Praha 1984, s. 199; Malá encyklopédia spisovateľov sveta. Zostavil Ján Juríček. Bratislava 1978, s. 373–374.

[34] Kain Abela bratra zabijak; Izák obraz Vikupitela; Jozef od svích bratrov poznaní; Joas kráľ judskí; Hrdinská Judita aneb oslobodená Betulia (všetky majú dve „zmluvi", dejstvá).

[35] Helena svatá cisárovna, na hore Kalvárii; Obráťení Augustín (aj ony majú po dve „zmluvi", dejstvá).

[36] Pozri CESNAKOVÁ, MICHALCOVÁ-Milena: Počiatky slovenského obrodeneckého divadla. In: K počiatkom slovenského národného obrodenia, s. 367–376. Pozri aj príslušné kapitoly Milena Cesnaková-Michalcová a kol. Kapitoly, s. 69 a n.

[37] Originál prekladu v Palkovičovej pozostalosti v LA MS v Martine. Do spisovnej slovenčiny z konca 19. storočia ho prepísal a vo Viedni roku 1896 v rámci edície Mravná čítanka pre náš ľud v Spolku svätého Vojtecha vydal František R. Osvald.

[38] OSVALD, František R.: Či klerici v Trnave roku 1805 hrali slovenské divadlo? Literárne listy, 5, 1895, s. 58–59. Bernolákovci sa nezapísali výraznejšie do dejín slovenského divadla. Roku 1793 vyšiel ako kniha Slovenského učeného tovarišstva preklad Krizant a Daria, to jest verní svéj víre a svému Bohu kresťan od Michala Klimku. Autorom hry bol rakúsky piarista Gottfried Uhlich. A oneskorene roku 1835 alebo 1836 vyšla v bernolákovčine hra Fillis aneb láska verná, ktorej autorom alebo upravovateľom bol už súčasník štúrovcov Štefan Zefmegh. Sú to hry mravoučné, nadväzujúce na tradície školských hier bez väčších ambícií. Pozri CESNAKOVÁ-MICHALCOVÁ, Milena: Počiatky, s. 373–376; Kapitoly, s. 118–129.

[39] Rozmluvani Alcibiades aneb o slube rečené. Originál prekladu

v LA MS v Martine. – Prvý naň upozornil BANÍK, A. A: 180 rokov, s. 589. Podrobnejšie o preklade pozri VYVÍJALOVÁ, Mária: Palkovičov preklad Platónovho dialógu v bernolákovčine. Literárny archív, 8, 1971, s. 7–22.

[40] AMBRUŠ, Jozef: Spor Palkovičovcov, s. 321–324.

[41] Keby to aj bolo bývalo tak, nebol by napokon sám. Veď Jozef Ignác Bajza v zápale polemiky vykričal takému prívržencovi Antona Bernoláka, akým bol Juraj Fándly: „A, Juro, jaký ste vi skladateľ, jaký púvodce slovenských kníh, kdiž slovenčinu vašu jiní musili napravuvati?" (Bernolákovské polemiky. Pripravil Imrich Kotvan. Bratislava 1966, s. 63). Fándlyho bernolákovčina, silno poznačená dialektom, vyžadovala ešte osobitnú jazykovú úpravu. Najviac sa o kultivovanie bernolákovčiny zaslúžil Matej Kyselý (1750–1795), „tento čistotňéjšéj reči obzvláštní milovňík". Pozri VYVÍJALOVÁ, Mária: Mladý Ján Hollý, s. 27, 138, 144 a n. – Alex Jordánsky, o čosi mladší konškolák Antona Bernoláka a Jura Palkoviča v bratislavskom generálnom seminári, neskorší biskup a účastník uhorského snemu, mecén slovenskej literatúry a znalec viacerých jazykov, požiadal Jána Hollého a ďalších bernolákovcov, aby preložili do bernolákovčiny jeho nemecká knihu o mariánskych obrazoch, „…v tom jaziku sám dostatečnéj zbehlosti nemajíc". Pozri BAGIN, Anton: „Krátki opis milosťívích obrazov blahoslavenej Panni Márie." Katolícke noviny, 103, 1988, č. 3, s. 4; č. 4, s. 4; č. 5, s. 4.

[42] Svaté Písmo starého i nového zákona podľa obecného latinského, od sv. rímsko-katolíckej cirkvi potvrďeného, preložené s prirovnáňím gruntovného textu, na svetlo vidané. Ďel první. Leta Pána 1829 v Ostrihome, vitlačené z litterami Josefa Beimela, cís. král. priv. primatiálského kníhtlačára. Ďel druhí… v Ostrihome… 1832. Spolu 2185 + XII strán.

[43] „Viem síce, že je niekoľko mužov, ktorí pokladajú tieto moje úsilia o zošľachtenie slovenského jazyka za málo priliehavé môjmu cirkevnému stavu; ako kňaz (ako to oni chcú) bol by som mal namiesto Gramatiky a tejto mojej Etymológie skôr pripraviť slovenský preklad Svätého písma, ktorý je Slovákom veľmi potrebný. – Ale títo dobrí mužovia by mali uvážiť, že nevyhnutným predpokladom pre náležité zvládnutie takej ťažkej a dôležitej úlohy je okrem iného aj dôkladná znalosť slovenskej reči a výslovnosti. A túto by si darmo požadoval od toho, kto nemá dokonalý prehľad o správnych gramatických pravidlách a o etymológii vo vlastnom význame. A tak som sa musel najprv lopotiť v týchto filologických náukách a zostaviť spôsob správneho hovorenia a písania, aby tak konečne mohli byť božské písma podané v pravej, domácej a pre panónskych Slovákov prirodzenej slovenskej reči. A tak aby som sa priznal – pretože vec sa má tak – toto bol cieľ, toto bol jediný účel všetkých mojich prác, ktoré som doteraz podnikol pre zošľachtenie slovenského jazyka." Gramatické dielo Antona Bernoláka. Na vydanie pripravil a preložil Juraj Pavelek. Bratislava 1964. 429 s. – Na podobné výčitky reaguje aj Juraj Fándly (Piľní domajší a poľní hospodár. Trnava 1792. 12s.) a zdôrazňuje, že svoju prácu chápe ako prejav lásky k blížnemu a ako svoj príspevok ku všeobecnému rozvoju a na osoh všetkých, veď aj tak „ňemôže dať tlačiť všetko to, čo bi sám chcel, aľe ľen na to privoľuje, čo sa druhím lúbí". – Je celkom pravdepodobné, že Anton Bernolák alebo niektorý z jeho blízkych spolupracovníkov bol iniciátorom akcie slovenských chovancov bratislavského generálneho seminára z marca 1790. Podali arcibiskupovi Józsefovi Batthyánymu žiadosť, aby smeli preložiť do slovenčiny (bernolákovčiny) viaceré náboženské knihy, na prvom mieste bibliu. Arcibiskup ich žiadosť zamietol s tým, že sa majú radšej zdokonaľovať v znalosti maďarčiny. Pozri VYVÍJALOVÁ, Mária: Snahy slovenských vzdelancov o roz-

voj spisovného jazyka v 18. storočí a v prvej polovici 19. storočia. Historické štúdie, 14, 1969, s. 237–245; Nové poznatky k Bernolákovmu Slováru, s. 476–477.

[44] ZLATOŠ, Štefan: C. d. s. 116–120.

[45] BANÍK, A. A.: 180 rokov, s. 592.

[46] Alexander Rudnay a slovenské národné hnutie. (Slovenský preklad biblie ako rokovací bod na bratislavskej synode roku 1822.) Historický časopis, 16, 1968, s. 208–230.

[47] Breviarium fidei. Zostavili Jan Maria Szymusiak a Stanisław Głowa. Poznań 1964, s. 149–150, Malý teologický lexikón. Zostavil Mikuláš Višňovský. Bratislava 1977, s. 485–486. – Vulgáta ako závazný latinský text platila do roku 1979, keď vyšlo v Ríme jej revidované vydanie pod názvom Nova Vulgata Bibliorum sacrorum editio.

[48] „…preložené s prirovnáňím gruntovného textu…" – Palkovičovu prácu s textom pomerne podrobne osvetľuje ZLATOŠ, Štefan: C. d., s. 156–233.

[49] BREZÁNY, Štefan A.: Dejatelia Kysúc vo vede a kultúre. Martin 1971, s. 38–39; Slovenský biografický slovník I. Martin 1986, s. 462.

[50] Ak, pravda, nerátame kamaldulský preklad, ktorý ostal v rukopise (JANKOVIČ, Vendelín: Prvý slovenský preklad celého Písma svätého. Verbum 1, 1946–1947, s. 22–33; PAULINY, Eugen: Na okraj kamaldulského Písma. Verbum 1, 1946–1947, s. 272–276; Vendelín Jankovič: Z kultúrnej činnosti kamaldulov v Červenom kláštore. Zborník Slovenského národného múzea, roč. 64, 1970. História, 10, 121–132).

[51] Vie sa (pozri pozn. 19), že sa vyhýbal spoločnosti a venoval sa vedám (mal problémy so sluchom). Trápilo ho aj srdce (ZLATOŠ, Štefan: C. d., s. 118) a vodnatieľka, na ktorú napokon zomrel (ako píše v nekrológu Juraj Palkovič vo svojom Novom a starom kalendári na rok 1836, s. 25). Bol už podstatne menej mobilný, jednak po zlomenine nohy, jednak pre vek (v čase, keď prekladal bibliu, mal okolo 65 rokov), mohol teda viac disponovať časom ako univerzitný profesor Derčík, navyše ak mu Rudnay vychádzal v ústrety a oslobodil ho od niektorých povinností súvisiacich s jeho postavením v Ostrihome. Iste nie je neopodstatnená a bezvýznamná ani zmienka vyskytujúca sa často v literatúre, že Palkovič prekladal bibliu skoro 30 rokov. Mohol sa venovať štúdiu tejto knihy a literatúry o nej naozaj dlhší čas a bol teoreticky teda dobre pripravený na zvládnutie jej prekladu do bernolákovčiny.

[52] Korešpondencia Jána Hollého, s. 65.

[53] VYVÍJALOVÁ, Mária: Alexander Rudnay, s. 225–226.

[54] BANÍK, A. A.: 180 rokov. 590 s. Pozri aj ZLATOŠ, Š.: C. d., s. 161.

[55] Tenže, c. d., s. 167.

[56] Takto to predpokladá VYVÍJALOVÁ, Mária: C. d., s. 226.

[57] Tamtiež, s. 225–226.

[58] VESELOVSKÝ, Martin: C. d., s. 410.

[59] Listy Martina Hamuljaka I, s. 280.

[60] Tamtiež, s. 164.

[61] Ján Hollý píše Jurovi Palkovičovi 28. mája 1832 (Korešpondencia Jána Hollého, s. 80): „Ďakujem téš aj za bibliu našéj farskéj kňihovňi laskave darovanú; ale sem ju ešče nedostal, nebo len tot currens o téj veci sem čital." Z listu Martina Hamuljaka Palkovičovi z 21. mája 1832 (Listy Martina Hamuljaka I. s. 166) vyplýva, že druhý zväzok musel vyjsť čoskoro po vydaní prvého zväzku.

[62] ZLATOŠ, Štefan: C. d., s. 247 a n.

[63] Ako uvádza Jozef Ambruš (Korešpondencia Jána Hollého, 280), „vo farských knižniciach zachované exempláre (oba zväzky) majú takéto atramentom vpísané venovanie: Donavit Parochiae… Reverendissimus Dominus Georgius Palkovics,

E. M. S. Canonicus Anno 1832. Exemplár zachovaný v knižnici farského úradu v Šoproni má iné venovanie (za údaj ďakujem tamojšiemu správcovi fary Ferdinandovi Javorovi). – Že náklady na vydanie slovenskej biblie boli nemalé, vidieť aj z toho, že Palkovič okrem iných závažných dôvodov – aj poukaz na ne použil ako argument, prečo nemôže Hamuljakovi poskytnúť pôžičku na kauciu, ktorú bolo treba zložiť so žiadosťou o povolenie vydávať noviny (List Jura Palkoviča Martinovi Hamuljakovi z 19. apríla 1831; VESELOVSKÝ, Martin: C. d., s 412).

[64] Možno by bolo zaujímavé mať pred sebou výsledný preklad, keby sa ho bol ujal Ján Hollý, ako ho na to nahováral Juraj Palkovič (pozri Hollého list Jurovi Palkovičovi zo 7. apríla 1823; Korešpondencia Jána Hollého, s. 20). – Ako sa Juraj Palkovič dostal k pomerne podrobným informáciám z dôverných rokovaní bratislavskej synody, ťažko povedať.

[65] Jeho osvietenskú orientáciu vidieť napr. z toho, že pri výbere pomocnej exegetickej literatúry sa orientoval najmä na nejezuitských autorov (ZLATOŠ, Štefan: C. d., s. 153–155). Hojne prihliadal napr. na znenie Kralickej biblie – pochopiteľne, popri českých katolíckych prekladoch biblie.

[66] Korešpondencia Jána Hollého, s. 84. A v liste z 28. mája 1832 (Korešpondencia Jána Hollého, s. 80–81) píše, že aj Juraj Palkovič by jeho prostredníctvom rád dostal od svojho menovca z Ostrihomu exemplár slovenského prekladu. Zdôrazňuje: „...já bich sám téš rád bol, kebich ju ňejak od teho pána veľkomožného ...dostat mohel... Ale keď ináč nebude, ostatní grajcar predca na ňu vinaložím a zaopatrit si ju mosím, nebo sem sa jéj ľedva preľedva dočkal... Za šťasťlivích sa uš pokládat môžu Slováci: túto pána velkomožného bibliu rozšíril sa čistá slovenčina...“

[67] Nepochybne Palkovič popýtal Hollého, aby si všímal v biblii tlačové chyby (aby sa mohli opraviť v prípadnej reedícii), lebo Hollý mu ich súpis („napraveňí chib ťiskem, rukú, perem, nedozreňím, prezreňím a proti gramatice w S. písme Starého zákona učiňeních“) posiela 15. augusta 1834 (tamtiež, s. 91).

[68] Dissertatio philologico-critica de literis Slavorum ... cum adnexa linguae Slavonicae per regnum Hungariae usitatae compendiosa simul et facili Orthographia. Bratislava 1787. Pozri aj Gramatické dielo Antona Bernoláka, s. 11–111.

[69] Grammatica Slavica. Bratislava 1790. Pozri aj Gramatické dielo Antona Bernoláka, s. 113–424.

[70] Etymologia vocum slavicarum. Trnava 1791. Pozri aj Gramatické dielo Antona Bernoláka, s. 425–530.

[71] Okolnosti vzniku, obsah a význam Bernolákových jazykovedných prác podrobne rozobrala Katarína Habovštiaková v monografii Bernolákovo jazykovedné dielo. Tam je zhrnutá aj staršia literatúra týkajúca sa diela Antona Bernoláka. Za posledných dvadsať rokov sa spomedzi Bernolákových diel vari najväčšia pozornosť venovala najmä Slováru.

[72] Gramatické dielo Antona Bernoláka, s. 97.

[73] Dokonca v Gramatike (Gramatické dielo Antona Bernoláka, s. 391) hovorí o ňom ako o úplne dokončenom a pripravenom na vydanie, hoci na ňom ešte intenzívne pracoval v čase vyjdenia Gramatiky a po ňom až do konca zimy 1791 (pozri pozn. 75).

[74] Elenchus Dictionarii Slavici An. 1787-o mense Octobri inchoati et 13. Decembr. 1790 finiti. Literárne listy, 3, 1893, s. 76.

[75] Ako vyplýva z Elenchu, od októbra 1787 do leta 1788 (pochopiteľne, okrem iných prác, napr. na Gramatike, jej predhovor je datovaný 1. januára 1789) robil prípravné práce a spracúval jednotlivé heslá. Potom začal spracúvať jednotlivé písmená. Začal písmenom U – dokončil ho 12. semptembra 1788, pokračoval písmenom W – druhým najobsiahlejším celkom v Slovári –, dokončil ho 29. júla 1789, 26. augusta toho

istého roku dokončil prácu na písmenách A a R, o pár dní, 4. septembra, na pomerne malom písmene E, po necelých dvoch týždňoch, 16. septembra 1789, zredigoval I, 16. októbra 1789 písmeno G (v ňom aj J). Potom nasleduje skoro 8-mesačná prestávka – do 4. júna 1790 (zapojil sa do polemiky s Bajzom a zrejme začal intenzívne pracovať na Etymológii, ktorej predhovor je datovaný 6. apríla 1791). Po prestávke sa pustil usilovne do práce na Slovári – za jún 1790 spracoval písmená T (4. júna), S (21. júna) a D (28. júna), za júl 1790 spracoval dokonca 5 písmen – B (1. júla), O (9. júla), H (13. júla), M (19. júla) a Z (23. júla), za august spracoval 3 obsiahle písmená – N (2. augusta), K (10. augusta) a P (25. augusta), v decembri 1790 písmeno C (13. decembra) a v rozpore s hlavičkou Elenchu posledné písmeno – L – redakčne upravil 8. februára 1791. Podľa Elenchu obsahovala prvá podoba Slovára 31 376 slov. Časovo ich spracoval takto:

september 1788	756 slov
júl 1789	4003 slov
august 1789	1257 slov
september 1789	162 slov
október 1789	1149 slov
jún 1790	5290 slov
júl 1790	6211 slov
august 1790	10707 slov
december 1790	1073 slov
január 1791	800 slov

Za rok 1788 teda spracoval 756 slov, za rok 1789 ich bolo 6571, za rok 1790 až 23 371 (z toho cez leto – mesiace jún až august – 22 298), napokon roku 1791 mu ostalo spracovať zvyšok – 800 slov.

[76] KOHÚTH, Jozef: K životopisu Antona Bernoláka. Literárne listy, 3, 1893, s. 19.

[77] Pozri VYVÍJALOVÁ, Mária: Novšie poznatky k Bernolákovmu Slováru, s. 491–492. – Rukopis Slovára mal vôbec zaujímavé osudy – dokonca iba náhodou ušiel skaze pri požiari novozámockej fary roku 1810, ako uvádza prekladateľ Bernolákovej Gramatiky do nemčiny Andrej Brešťanský v úvode knihy.

[78] Pozri POVAŽAN, Ján: Príprava a vydanie Bernolákovho Slovára. Jazykovedný časopis, 9, 1958, s. 88–92. Výsledky novšieho výskumu a ďalšie podrobnosti VYVÍJALOVÁ, Mária: Novšie poznatky k Bernolákovmu Slováru, s. 478–481, s. 491–492.

[79] Ku Criticae observationes pozri MIHÁL, Ján: Bernolákov Slovár. In: Sborník Matice slovenskej 19, 1941, s. 382–385; VYVÍJALOVÁ, Mária: C. d., s. 491–492, s. 500–509.

[80] Tamtiež, s. 508.

[81] Tamtiež, s. 505. – „Podarili“ sa mu aj chutné nedôslednosti. V Criticae observationes pri hesle Francúz (v našej fotokópii s. 17) píše: „Francuz omittat sequens dicterium: Slowak Wol, Uher Kol, Ňemec trawa Zelena, Francuz Ruža Čerwena. Anagramma: prišel Wol, wirazil Kol, zežral trawu zelenu, posral Ružu Čerwenu.“ V Slovári (I, s. 575) pri hesle Francúz to naozaj chýba. Ale pri hesle Tráwa (Slovár IV, s. 3330) to ostalo v Criticae observationes (v našej fotokópii s. 79) nie je k tomuto heslu nijaká poznámka. A tak buď bolo toto „dicterium“ dvakrát, pri hesle Francúz i Tráwa, a Palkovič ho pri úprave rukopisu raz vyhodil, alebo pri hesle Tráwa bol už konciliantnejší.

[82] Tak si to poznačil Jur Palkovič do Criticae observationes na okraj strany, ktorá je v našej fotokópii označená ako pätnásta.

[83] Tak je to napr. na strane 29 našej fotokópie pri hesle hus. Zásahy cudzou rukou na s. 5, 8, 16, 17, 21 atď.

[84] Novšie poznatky k Bernolákovmu Slováru, s. 508 – 509.

[85] VYVÍJALOVÁ, Mária: Novšie poznatky k Bernolákovmu Slováru, s. 509–510. Derčíkov list Palkovičovi z 22. apríla 1819 v nespracovanej časti Palkovičovej pozostalosti v LA MS v Martine.

[86] Jelínkov list Palkovičovi z 24. augusta 1822.

[87] Podrobnosti pozri POVAŽAN, Ján: Príprava a vydanie Bernolákovho Slovára, s. 94–97; Vydanie Bernolákovho Slovára, s. 34–50; VYVÍJALOVÁ, Mária: Novšie poznatky k Bernolákovmu Slováru, s. 509–514.

[88] Tamtiež, s. 511.

[89] POVAŽAN, Ján: Juraj Palkovič a jeho miesto v bernolákovskom hnutí, s. 336.

[90] Ich zoznam pozri na konci piateho zväzku Slovára: Consignatio Nominis et Characteris Dominorum (pl. titulo) pro Lexico Slavico-Latino-Germanico-Hungarico Antonii Bernolák, prenumerantium pro aeterna memoria hic adnexorum. (Chýba medzi nimi napr. Ján Hollý, hoci z jeho listu zo 17. septembra 1826, ktorým odpovedal na Palkovičov list zo 16. mája 1826, vyplýva, že si Slovár predplatil – Korešpondencia Jána Hollého, s. 39: „...na Slovár Bernolákov ovšem predplácám a ten ostatní od hubi odtrhnutí grajcar ešče bich dal. To je ovšem víborní, znameňití slovár. Mali síce dosaváď už 4 ďíli na svetlo víísť, ale ja sem len dva teprv dostal, které sem aj hned z velkú chutú prečítal. Ostatné dichtivo očekávám...")

[91] RUSINSKÝ, Beloň: Literárne nákresy. Budapešť 1940, s. 15. To, že budínska univerzitná tlačiareň mala nemalé starosti s odbytom Bernolákovho Slovára, vidieť z listu Martina Hamuljaka Jurovi Palkovičovi z 20. januára 1832 (Listy Martina Hamuljaka I, 163, s. 280–281).

[92] M. V.: Alexander Rudnay. Sokol II, 1863, s. 123.

[93] Ten istý autor (s. 124) uvádza len Rudnayove výdavky na túto stavbu a na výstavbu okolitých budov a úpravu terénu vo výške 815 tisíc zlatých, časť ďalších výdavkov vyčísľuje na 700 tisíc zlatých.

[94] POVAŽAN, Ján: Vydanie Bernolákovho Slovára, s. 38.

[95] Tamtiež, s. 38.

[96] Tamtiež, s. 42.

[97] Novšie poznatky k Bernolákovmu Slováru, s. 514.

[98] K pokusom o novú historicko-filozofickú koncepciu slovenského národného obrodenia. Slovenská literatúra, 12, 1965, s. 493–506; „Ešče niečo" o tom našom slovenskom národnom obrodení. Slovenská literatúra, 14, 1967, s. 410–414; Epilóg. Slovenská literatúra, 15, 1968, s. 401–406.

[99] Maďarónstvo Bernolákovo. (Separát.) Bratislava 1930.

[100] TIBENSKÝ, Ján: K starším a novším názorom na A. Bernoláka, bernolákovské hnutie a slovenské národné obrodenie. Historický časopis, 14, 1966, s. 329–371; CHOVAN, Juraj: Predhovor k Bernolákovmu Slováru z roku 1796. In: Literárny archív 1967, s. 47–91; K diskusii o národnom profile Antona Bernoláka. Slovenská literatúra, 15, 1968, s. 406–410; VYVÍJALOVÁ, Mária: Novšie poznatky k Bernolákovmu Slováru a jeho predhovorom z roku 1796 a 1825.

[101] Ján Kollár sa napr. v liste z 20. augusta 1824 (v Palkovičovej nespracovanej časti pozostalosti v LA MS v Martine) obrátil na Palkoviča so žiadosťou o podporu návrhu na zriadenie katedry slovanského jazyka na peštianskej univerzite. Podľa neho katedra by sa mala zaoberať aj štúdiom a pestovaním jednotlivých slovanských nárečí. Bola by potrebná najmä pre medikov študujúcich v Pešti, pretože ako budúci lekári môžu mať po príchode do praxe problémy dohovoriť sa s pacientmi – teda katedra mala mať aj praktické zameranie. Pôsobenie Jána Kollára v slovenskom národnom hnutí sledoval Palkovič nielen priamo, ale aj prostredníctvom Martina Hamuljaka a Jána Hollého. On sa mu zdôveroval so svojím názorom na niektoré Kollárove pokusy zblížiť češtinu so slovenčinou, a tak vlastne – v konečnom dôsledku – eliminovať bernolákovčinu (tak napr. v liste zo 16. apríla 1826 v súvislosti s vydaním Čítanky, Korešpondencia Jána Hollého, s. 35).

[102] Jur Palkovič nebol s Pavlom Jozefom Šafárikom v trvalom kontakte a mal voči nemu určité výhrady. O jeho vzťahu k Šafárikovi ako k významnému bádateľovi a kultúrnemu i národnému dejateľovi hovorí výrečne napr. fakt, že kým z Čiech predplatitelia objednali len okolo 20 exemplárov Šafárikových Dejín slovanskej reči a literatúry, Jur Palkovič sám objednal z nich 10 exemplárov (CHOVAN, Juraj – MAŤOVČÍK, Augustín: Spolupráca Martina Hamuljaka s Jurajom Palkovičom, s. 219). – Je tu zrejmý rozdiel v porovnaní so vzťahom k Jurajovi Palkovičovi, voči ktorému si až do smrti zachoval rezervovaný postoj, hoci jeho bratislavský menovec vyvíjal nemalé úsilie – najmä prostredníctvom Jána Hollého, aby sa medzi nimi nadviazali užšie kontakty. Pozoruhodné je, ako veľmi srdečne ho Juraj Palkovič spomína vo svojom kalendári na rok 1836.

[103] VYVÍJALOVÁ, Mária: Hamuljakove snahy o literárny časopis a politické noviny. In: Historické štúdie, 4, 1958, s. 55–88; BUTVIN, Jozef: Slovenské národnozjednocovacie hnutie (1780–1848). Bratislava 1965, najmä s. 101–287; CHOVAN, Juraj – MAŤOVČÍK, Augustín: Spolupráca Martina Hamuljaka s Jurajom Palkovičom. In: Literárny archív 1968, s. 213–243; MAŤOVČÍK, Augustín: Martin Hamuljak 1789–1859. Bratislava 1971.

[104] Piľní domajší a poľní hospodár. Trnava 1792, s. 28.

[105] Písně světské lidu slovenského v Uhrích I. Pešť 1823, XII.

[106] Listy Martina Hamuljaka I, s. 88–89.

[107] Tamtiež, s. 93–96.

[108] Tamtiež, s. 93–94.

Bernolákov Slovár ako kodifikačné dielo

JURAJ DOLNÍK

Cieľom tohto príspevku je objasniť podstatu Bernolákovho Slovára ako kodifikačného diela na pozadí kľúčových termínov súčasnej teórie spisovného jazyka.

Z rozboru slovnej zásoby Bernolákovho Slovára vyplynul poznatok, že jej základ tvoria slová z úzu slovenských vzdelancov a slovenského ľudu (Habovštiaková, 1968, s. 230). Toto zistenie podopiera aj dobre známe vyjadrenie Bernoláka, že do spisovnej slovnej zásoby zaradil aj výrazy, ktoré mnohí môžu odmietnuť, lebo sú „horňácke" čiže nárečové, hoci podľa jeho stanoviska spisovný jazyk sa zakladá na reči vzdelancov. Pravda, vzťah k jazyku vzdelancov na jednej strane a k ľudovému jazyku na strane druhej necharakterizuje len lexikálnu rovinu bernolákovčiny, ale aj jej ostatné podsystémy. V citovanej monografii sa sumarizujú náhľady na naznačenú otázku takto: „Proti hodnoteniu Bernolákovej slovenčiny ako spisovného jazyka založeného na ľudovom jazyku, predovšetkým na západoslovenskom nárečovom základe s istými stredoslovenskými a celonárodnými prvkami stojí zdanlivo v rozpore zdôrazňovanie knižného charakteru Bernolákovej slovenčiny, zdôrazňovanie momentu, že Bernolák nadväzoval na tradíciu spisovnej češtiny na Slovensku, na západoslovenskú trnavskú rečovú kultúru, na jazyk trnavských vzdelancov, resp. že trnavský, a či širšie západoslovenský kultúrny knižný i ústny úzus svojvoľne upravil umelými zásahmi" (op. cit., s. 318). Podľa autorky ide o zdanlivo protichodné názory, v ktorých sa odráža zložitosť vývinových vzťahov z obdobia utvárania spisovnej slovenčiny. Z vlastných výskumov, ktorým predchádzala kritická analýza dovtedy jestvujúcich prác o Bernolákovej spisovnej slovenčine, vyvodzuje záver, že jej zdrojom je západoslovenská jazyková kultúra výrazne obohatená slovenskými ľudovými či nárečovými prvkami. Bernolákovu slovenčinu hodnotí z hľadiska dvoch súvzťažných jazykových útvarov: vo vzťahu k spisovnej češtine sa ukazuje ako viac-menej ľudový jazyk, kým vo vzťahu k nárečiam sa javí ako kultúrny jazykový útvar.

Otázka je, čo je objektívnym základom faktu, že v bernolákovskej spisovnej slovenčine koexistuje kultúrna západoslovenčina s javmi ľudového jazyka či nárečí. Inak povedané, ak vychádzame z toho, že Bernolák vidí objekt kodifikácie v jazyku západoslovenských vzdelancov, vynára sa otázka, či Bernolák včlenil do spisovného jazyka ľudové prvky na základe subjektívneho uváženia, rozhodovania a či jestvoval objektívny podklad pre jeho kodifikačné rozhodovania. Táto otázka súvisí so spomínanými zdanlivo protichodnými náhľadmi na charakter prvej spisovnej slovenčiny. Ide totiž o to, že sa pri zisťovaní prameňa bernolákovčiny poukazuje na isté jazykové útvary, o ktorých sa utvorila predstava, že jestvovali popri sebe ako prostriedok ľudového a vzdeleneckého rečového úzu čiže ako útvary určené na používanie v odlišných komunikačných sférach, ktoré sa výrazne diferencovali v dôsledku odlišnej sociálnej charakteristiky komunikantov (ľud, vzdelanci). Spätosť medzi útvarmi sa vidí v genéze kultúrnej západoslovenčiny ako jazyka vzdelancov, ktorá sa formovala ako postupná slovakizácia spisovnej češtiny, pričom zdrojom slovakizácie boli západoslovenské nárečia. Vychádza sa však z toho, že kultúrna západoslovenčina aj nárečia fungovali súbežne vo svojich komunikačných sférach, a to v súlade s vlastnou útvarovou normou. A práve fakt, že Bernolákova kodifikácia sa neviaže výlučne na jednu útvarovú normu, interpretuje sa odlišne. Aj novší bádatelia sa rozchádzajú napríklad pri určovaní východiska Slovára: oproti názoru, že Bernolák koncipoval Slovár na základe vlastného jazykového vedomia, ktoré sa opieralo o reč ľudu (Hayeková, 1958, s. 106), stojí tvrdenie, že východiskom tohto kodifikačného diela nebol individuálny úzus autora, ale úzus jazykového kolektívu (Habovštiaková, 1968, s. 240). Je tu teda otázka, či jestvuje objektívny podklad pre kodifikačné rozhodovania Bernoláka vzhľadom na to, že sa kodifikácia neviazala na jedinú útvarovú normu.

Vyjdeme z jazykovej situácie, v ktorej sa konštituovala bernolákovská spisovná slovenčina. Termín jazyková situácia používame v súlade s jeho vymedzením v súčasnej sociolingvisticky zameranej teórii spisovného jazyka, čiže ho vzťahujeme na istý stav, ktorý je určený sociálne, jazykovo a komunikačne (Jedlička, 1978, s. 301). Sociálnu zložku jazykovej situácie bernolákovského obdobia tvorí vzdelanectvo a ľud. Jazykový komponent tejto situácie zahŕňa tri jazykové útvary (neberieme do úvahy nenárodné útvary, t. j. latinčinu, nemčinu, maďarčinu a češtinu; pravda, čeština mala osobitné postavenie v pomere k národným útvarom): 1. kultúrna západoslovenčina, ktorá plnila niektoré funkcie spisovného jazyka (Jóna, 1985, s. 17), čiže ju môžeme považovať za potenciálny spisovný útvar; 2. západoslovenský interdialekt; 3. nárečia. Komunikačnú zložku jazykovej situácie tvoria komunikačné sféry, ktoré A. Jedlička (1982, s. 276) člení na funkčné (ide o sociálny korelát funkčných štýlov) a situačné (zahŕňajú celoareálnu, regionálnu, miestnu a skupinovú komunikáciu). Všeobecnú platnosť má poznatok, že vymedzenie spisovného jazyka a jeho normy je späté so súborom textov, ktoré sa považujú za realizáciu tohto útvaru, a s okruhom jeho realizátorov, pričom je dôležitá príslušnosť textov ku komunikačným (funkčným aj situačným) sféram (Jedlička, 1981, s. 115). Ak sa zohľadňuje príslušnosť textov ku komunikačným sféram, ukazuje sa, že popri jazykovej (útvarovej) norme treba počítať aj s komunikačnou normou, ktorá sa chápe ako „spôsob uzuálneho používania jazykových prostriedkov rozličných útvarov, resp. ich miešanie v jazykových prejavoch v závislosti od komunikačného prostredia a komunikačnej situácie" (tamže). Distribúcia spomínaných troch jazykových útvarov z bernolákovského obdobia bola takáto: 1. kultúrna západoslovenčina ako prestížny útvar sa uplatňovala vo funkčnej sfére verejného styku, 2. západoslovenský interdialekt sa uzuálne používal v hovorovej reči inteligencie, 3. nárečia sa viazali na funkčnú sféru bežného dorozumievania ľudových vrstiev. Je však zrejmé, že v istých komunikačných situáciách a prostrediach

dochádzalo k prelínaniu prvkov z jednotlivých jazykových útvarov, narúšala sa útvarová norma v prospech rešpektovania komunikačnej normy. Logicky sa dá predpokladať, že k narúšaniu útvarovej normy dochádzalo v situáciách spätých s komunikáciou vzdelancov s ľudovými vrstvami.

Sumarizujúc poznatky o prameňoch Bernolákovho Slovára, konštatujeme, že autor čerpal

a) z písanej podoby kultúrnej západoslovenčiny (umelecká a odborná literatúra, z ktorej vyberal odborné názvoslovie, slovníky, preklad Písma);

b) z hovorenej podoby tohto útvaru a z interdialektu realizovaného v hovorovom úze západoslovenských vzdelancov;

c) z češtiny, z ktorej preberal najmä slová suplujúce chýbajúce vhodné pomenovania v národných jazykových útvaroch;

d) z nárečí západného Slovenska, ale aj zo stredoslovenských nárečí, najmä z hornooravského nárečia.

V Slovári tak nachádzame medzi spisovnými výrazmi slová z rozličných jazykových útvarov, pričom sa často popri sebe vyskytujú heteronymá ako rovnocenné spisovné slová. Stretávame sa aj s preferenciou jedných nárečových slov pred inými, najčastejšie s uprednostňovaním západoslovenských slov pred stredoslovenskými, ale nachádzame aj opačné prípady (bohaté ilustrácie sú v citovanej monografii K. Habovštiakovej). Objektívnym podkladom pre kodifikačné rozhodovania A. Bernoláka boli texty vlastné komunikačným situačným sféram, v ktorých sa prelínali slová z rozličných jazykových útvarov. Bernolákova kodifikácia bola dôsledne zameraná na reálne aj možné (porov. jeho novotvary, v úze nejestvujúce slová) komunikačné potreby formujúceho sa slovenského národa a spočívala na dobrom poznaní týchto potrieb. V istých komunikačných situačných sférach sa nevyžadovalo dodržiavanie istej útvarovej normy, ale naopak, predpokladala sa hybridizácia útvarových noriem. V situáciách so sociálne a vzdelanostne nerovnocennými komunikantmi komunikácia prebiehala v súlade so situačnými normami, v ktorých sa stretávali kultúrne, nadnárečové aj nárečové slová. Interferencia prvkov z rozličných útvarových noriem v týchto komunikačných situačných sférach bola podmienená potrebou vyrovnávania jazykových rozdielov vzhľadom na ľudovýchovné zámery vzdelancov. Efekt komunikácie závisel od toho, nakoľko sa vzdelanci prispôsobovali ľudovému jazyku (čiže do akej miery ovládali nárečia), ale aj od toho, ako dokázali jazykovo realizovať ľudovýchovný zámer, pri ktorom sa muselo vychádzať z kultúrnych slov. A. Bernolák, ktorý bol výraznou osobnosťou slovenského osvietenského vzdelanectva, dôkladne poznal aj komunikačné potreby viažúce sa na miestne a skupinové komunikačné situačné sféry, v ktorých sa ustaľovala situačná norma s hybridnými jazykovými prvkami.

Z hľadiska súčasných poznatkov o jazykových útvaroch v istom jazykovom spoločenstve môžeme konštatovať, že v Bernolákovom Slovári sa odráža vtedajšia jazyková situácia chápaná ako spôsob používania kultúrnej západoslovenčiny, západoslovenského interdialektu a nárečí v komunikačných sférach. V Slovári sa premieta spôsob, akým sociálne a regionálne diferencované slovenské jazykové spoločenstvo využívalo svoje jazykové útvary vo funkčných a situačných komunikačných sférach. Fakt, že v Slovári nachádzame slová z písanej aj hovorenej podoby západoslovenského kultúrneho jazyka, z interdialektu ako hovorového jazyka západoslovenskej inteligencie, ako aj zo západoslovenských a stredoslovenských nárečí ako jazyka ľudu, súvisí s tým, že pri vymedzovaní slovnej zásoby spisovnej slovenčiny Bernolák bral do úvahy ich výskyt v obidvoch komunikačných sférach. Jeho kodifikačné rozhodovania sa zakladali na dôvernej znalosti vtedajšej jazykovej situácie, v ktorej výrazne prestížnu, dominantnú úlohu mala kultúrna západoslovenčina, a práve preto nebolo jednoduché rozhodovať sa pri zaraďovaní slov do Slovára z ostatných jazykových útvarov. Pri hodnotení Bernolákovej kodifikácie v oblasti slovnej zásoby je dôležité podčiarknuť, že objektívnym základom jeho kodifikácie je na jednej strane slovná zásoba kultúrnej západoslovenčiny, ktorá bola predurčená na uzuálne používanie vo funkčnej komunikačnej sfére verejného styku, a na druhej strane lexika nárečí (ľudového jazyka), ktorá obsahovala potenciálne spisovné slová vzhľadom na to, že sa vyskytovali v normatívne hybridných prejavoch v istých situačných komunikačných sférach. Je teda zrejmé, že vymedzením spisovnej lexiky v Slovári Bernolák neopísal len jazykovú, ale aj komunikačnú kompetenciu západoslovenského osvietenského vzdelanca, ktorá zahŕňala aj prvky z ľudového jazyka. Pravda, Bernolák sa nemohol opierať o žiadne lingvistické poznatky o koexistencii slov v hybridných prejavoch, a preto musel vychádzať z vlastnej komunikačnej kompetencie a z vlastných zovšeobecnení komunikačných skúseností vzdelancov. Tento fakt vysvetľuje možné subjektívne skreslenia spôsobu uzuálneho hybridného uplatňovania slov z odlišných jazykových útvarov.

Už sme spomínali, že sa vyslovovali protikladné názory na otázku, či východiskom Bernolákovho lexikografického diela je individuálny, alebo kolektívny úzus. Vzhľadom na to, že novšie výskumy odhalili písomné pramene Slovára (Lyczeiho slovník k Iter oeconomicum, Alvarusov slovníček ku Gramatike, resp. ďalšie trnavské slovníčky, možno aj Hadbavného latinsko-slovenský slovník, ako aj slovenská literatúra písaná bernolákovčinou; porov. o tom Habovštiaková, 1968, s. 220—229), táto otázka je primeraná vo vzťahu k slovám ľudového jazyka, ktorým Bernolák pripísal status spisovnosti. Dá sa predpokladať, že východiskom mu bola vlastná komunikačná kompetencia zahŕňajúca odraz javu, ktorý v súčasnosti označujeme ako komunikačná norma. Kým v jeho jazykovej kompetencii sa odrážali útvarové normy národného jazyka, v jeho komunikačnej kompetencii sa premietal spôsob fungovania týchto útvarov v komunikačných sférach. Je správne, keď sa zdôrazňuje, že pri kodifikačnom vymedzovaní slovnej zásoby spisovnej slovenčiny Bernolák čerpal zo živej reči ľudu, len treba dodať, že nešlo o svojvoľný, subjektívne motivovaný počin kodifikátora, ale o objektívne zdôvodnený skutok. Objektívna zdôvodnenosť tohto činu spočíva v objektívnej komunikačnej potrebe, ktorá mala svoje sociálno-politické korene v osvietenskej činnosti vzdelancov, totiž v tej potrebe, ktorá vyplynula z osvietenskej požiadavky hospodársky a kultúrne povzniesť ľudové vrstvy. Komunikácia medzi vzdelanectvom a ľudom prebiehala v situáciách, v ktorých sa ustaľovala norma odchylná od útvarových noriem vlastných fungovaniu uplatňovaných jazykových útvarov.

Všeobecne môžeme konštatovať, že kodifikačné určenie slovnej zásoby slovenčiny A. Bernoláka spočíva v opise komunikačnej normy ako spôsobu uzuálneho používania lexikálnych jednotiek kultúrnej západoslovenčiny, západoslovenského interdialektu a nárečí v závislosti od situačných komunikačných sfér. Bernolák dobre poznal ešte značne rozkolísanú útvarovú normu kultúrnej západoslovenčiny a je všeobecne známe, že sa programovo orientoval na jazyk západoslovenských vzdelancov, avšak známe je aj jeho priznanie, že do Slovára zahrnul aj nárečové slová, ktoré neboli súčasťou západoslovenského kultúrneho úzu. To značí, že pri kodifikačnom spracovaní slovnej zásoby sa zámerne striktne neobmedzuje na útvarovú normu kultúrnej západoslovenčiny, ale prihliada na komunikačnú normu, v ktorej nachádza objektívne zdôvodnenie svojich kodifikačných rozhodnutí. Lexikálne obmeny, ktoré sú v Slovári paušálne označené ako synonymá, sú často ekvivalenty pochádzajúce z jednotlivých útvarových noriem, ktoré Bernolák kodifikoval ako varianty spisovnej útvarovej normy. Kodifikácia lexikálnych variantov zodpovedá prirodzenej vlastnosti spisovného jazyka – jeho dynamickosti. Bernolákov slovník je tak istým obrazom synchrónnej dynamiky slovnej zásoby formujúcej sa spisovnej slovenčiny (porov. aj zistenie v oblasti frazeológie; Mlacek, 1987).

Vieme, že Bernolákova spisovná slovenčina mala úzku sociálnu bázu. Postoj príslušníkov slovenského etnika k bernolákovčine bol značne diferencovaný: členili sa na aktívnych a pasívnych používateľov, odporcov a tých, ktorí mali indiferentný vzťah k nej. Ak vyjdeme z typológie spisovných jazykov, ktorú vypracoval V. Barnet (1981, s. 126) z hľadiska pomeru aktívnych a pasívnych používateľov spisovného útvaru, bernolákovčinu môžeme označiť za integračný typ s univerzalistickými tendenciami. Jej integračnosť, ktorá spočíva v zjednocovaní používateľov spisovného jazyka v rámci kodifikovanej normy, prirodzene vyplýva z jej prvotnej funkcie a z motívu Bernolákovej kodifikácie. Jej tendencia k univerzalizmu, ktorý sa prejavuje ako orientácia používateľov jazyka na spisovný úzus v širšom zmysle, súvisí s úsilím kodifikátora o demokratizáciu spisovného jazyka podmienenú spoločenskou potrebou šírenia osvietenských ideí. Hoci bernolákovci v snahe o rozšírenie sociálnej základne kodifikovaného jazykového útvaru dosiahli iba čiastkové úspechy, prijaté kodifikačné zásady implikovali univerzalistické črty spisovného jazyka. Dobre to dokazuje práve Slovár, a to tým, že sa v ňom vyskytujú vzdelanecké aj ľudové slová hodnotené ako spisovné, synonymá zo živého ľudového jazyka, ako aj exemplifikačné ilustrácie z hovorového jazyka vzdelanectva aj ľudu vrátane ľudovej frazeológie a prísloví. Zreteľne sa tu ukazuje tendencia k rozširovaniu hraníc spisovnej slovnej zásoby smerom k bežne hovorenému jazyku.

V porovnaní s dnešnými lexikografickými kodifikačnými dielami osobitosťou Bernolákovho Slovára je, že je istou syntézou výkladového a prekladového slovníka. Pretože okrem českých, nemeckých, latinských a maďarských ekvivalentov zachytil aj nárečové slová, ktoré nezaradil do spisovnej slovnej zásoby slovenčiny, Bernolák zobrazil spisovnú slovenskú lexiku s jej bezprostredným okolím. Vyšiel teda zo značne širokého deskriptívneho základu kodifikačného procesu a jeho kodifikačné rozhodovanie sa prejavuje ako explicitná konfrontácia spisovnej slovnej zásoby slovenčiny s lexikami koexistujúcich jazykových útvarov. Porovnávanie s latinčinou, nemčinou a maďarčinou ukazuje vyspelosť a rovnocennosť formujúcej sa spisovnej slovenčiny a konfrontácia

s češtinou a s nárečiami demonštruje preferovanú sociálnu hodnotu spisovných slov (t. j. hodnotu, ktorú týmto slovám pripisovala časť západoslovenskej inteligencie). Na pozadí tejto mnohostrannej konfrontácie sa uplatnili kodifikačné kritériá. Zo súčasného sociolingvistického rozboru kodifikačného postupu vyplýva, že kodifikácii je vlastná táto hierarchia hodnotiacich kritérií: 1. normovanosť (vžitosť, konvencionalizovanosť), 2. funkčná adekvátnosť, 3. systémovosť (Daneš, 1979, s. 89). Kritérium normovanosti uplatnil Bernolák pri celkovom prístupe k vymedzeniu spisovnej slovnej zásoby, teda pri väčšine slov (hodnotil podľa útvarovej normy kultúrnej západoslovenčiny a istej komunikačnej normy). Kritérium funkčnej adekvátnosti, ktorá sa všeobecne viaže na spoločenskú funkčnú potrebu výrazu, sa vypukle prejavuje pri hodnotení slov z češtiny. Keďže sa Bernolák programovo usiloval oddeliť slovenský lexikálny fond od českého, do spisovnej slovnej zásoby zahrnul len tie české slová, ktoré sa v kultúrnom jazyku udomácnili v predkodifikačnom období (porov. o tom Blanár, 1983), ako aj slová, ktoré Bernolák preberal na základe pomenovacích potrieb. Toto kritérium uplatňoval vo vzťahu k cudzím slovám vôbec. Kritérium systémovosti bolo výrazným hodnotiacim základom pri zaraďovaní slovotvorne motivovaných slov do slovníka.

V odbornej literatúre o slovnej zásobe bernolákovčiny sa často poukazuje na to, že rozsah slovotvorne motivovaných slov prevyšuje rozsah reálne jestvujúcich odvodení a zložení v slovenčine, pričom mnohé slová sú utvorené na základe slovotvorných typov, ktoré jestvovali len ako poslovenčené české slovotvorné modely. V úvode Slovára Bernolák predvída námietky voči slovám, ktoré sa mnohým budú javiť ako neobvyklé, a zdôrazňuje, že nové javy vyžadujú nové pomenovania, ktoré pre slovnikárov nie sú nové, lebo zodpovedajú povahe jazyka. Odvoláva sa aj na Komenského, aby utvrdil opodstatnenosť utvárania nových slov. Napokon kladie otázku, prečo by malo byť v slovenčine zakázané to, čo je dovolené v gréčtine, latinčine, francúzštine, angličtine, nemčine, maďarčine a v iných jazykoch. Dodáva však, že to treba robiť rozvážne, v súlade s potrebami a s podobnosťami v jazyku (parafrázujeme z maďarského predslovu – „Elö-jaróbeszéd" – k 6. zväzku Slovára, s. 13–15). Odhliadnuc od rozporu medzi jeho zdôrazňovaním rešpektovania vyjadrovacích potrieb pri tvorení nových slov a zistením, že mnohé jeho novotvary neboli podmienené týmito potrebami, Slovár je dobrým dokladom systémových možností rodiacej sa spisovnej slovenčiny na lexikálnej rovine.

Bernolák vidí dosť priamočiary vzťah medzi systémovými možnosťami a realizáciou a slovotvornú potenciu dáva do vzťahu nielen so skutočnými, ale aj predpokladanými mimojazykovými podmienkami jej realizácie. Je známe, že takýto postup nebol príznačný len pre slovnikára Bernoláka, ale aj pre jeho predchodcov i inojazyčných súbežníkov (porov. napr. zistenie v súvise so slovníkmi predkodifikačného obdobia, totiž, že slovnikári chceli demonštrovať potenciu slovotvorných modelov, k spracovaniu slovníkov pristupovali ako k vyčerpávajúcemu prameňu slovnej zásoby; Skladaná, 1977, s. 325). Bernolák-kodifikátor kladie v tejto oblasti kritérium systémovosti nad kritérium úzu, normovanosti (zaraďuje do spisovnej slovnej zásoby systémom prípustné potenciálne slová), pričom vychádza z predpokladu o možnej funkčnej adekvátnosti týchto slov. Porušenie prirodzenej hierarchie hodnotiacich kritérií (1. normovanosť, 2. funkčná adekvátnosť, 3. systémovosť) súvisí so stavom slovnej zásoby práve kodifikovanej spisovnej slovenčiny, s postojmi jej používateľov a s jej okolím.

Dôraz na kritérium systémovosti je viditeľný aj v oblasti polysémie. Vo vzťahu k tomuto javu sa tiež kriticky poukázalo na to, že Bernolákovo semémické členenie polysémantu často nezodpovedá jazykovej realite. Dôraz na kritérium systémovosti sa tu prejavuje v tom, že sa Bernolák díva na slovnú zásobu slovenčiny z hľadiska lexiky porovnávaných cudzích jazykov; sémantickú štruktúru slovenského slova často vidí zo zorného uhla semémovej štruktúry latinského, nemeckého alebo maďarského polysémického slova. Je to dôsledok toho, že kodifikačnú úlohu riešil v rámci prekladového slovníka, ktorého jednou z funkcií bolo prispieť k osvojovaniu cudzieho jazyka. V Predslove Slovára autor zdôvodňuje v štyroch bodoch svoje rozhodnutie, že východiskom konfrontácie slovnej zásoby piatich jazykov je slovenská lexika. V druhom bode to zdôvodňuje tým, že v Panónii žije po Maďaroch najviac Slovákov, ktorí si majú osvojiť maďarčinu v súvislosti s nariadením z roku 1792 o úradnej platnosti maďarského jazyka v celom Uhorsku (porov. „Elö-járó beszéd" zo 6. zv. Slovára na s. 6). Táto takpovediac didaktická funkcia Slovára sa zreteľne ukazuje práve pri opise sémantickej štruktúry slovenčiny. Bernolák sa usiluje o prispôsobenie sémantickej štruktúry slovenského slova cudzojazyčným ekvivalentom, čím sa prispôsobuje požiadavkám osvojovateľa týchto jazykov. Zoberme si napríklad heslo dvíhať, pri ktorom sa v Slovári vymedzuje sedem významov, kým v Slovníku slovenského jazyka nachádzame pri tomto hesle iba dva významy (1. pohybovať niečím, resp. niekým smerom

hore, tlačiť alebo ťahať nahor, zdvíhať; 2. robiť lepším, dokonalejším, zvyšovať úroveň niekoho alebo niečoho). Prvý význam v Slovári zodpovedá 1. významu v SSJ; ukazujú to ekvivalenty: levare, tollere, adtollere, elevare; heben, in die Höhe heben; emelni, fel-emelni. Druhý význam sa vykladá synonymom vykopať a má ekvivalenty: eruere, tollere; heben, ausgraben, z. B. Schatz; fel-emelni, fel-szedni, ki-ásni. Tretí význam sa chápe ako synonymný s významom vyberať a má ekvivalenty: exigere; einnehmen, einkassieren, heben, z. B. Einkünfte; bészedni. Štvrtému významu sa pripisujú ekvivalenty: tollere, abigere; wegschaffen, z. B. Streit; el-üzni, elkergetni. Piaty význam sa chápe ako synonymný s významom slova vychvaľovať a má ekvivalenty: tollere, extollere; erheben, vergrößern, heben; magasztalni, diçsérni. Šiesty význam sa znázorňuje exemplifikáciou z krstu dvíhať, pri krste držať; ekvivalenty: testem esse baptismi, patrinum agere; aus der Taufe heben, Taufzeuge sein; kereszt vizen tartani, kereszt atyának lenni. Siedmy význam sa vykladá ako jamu dvíhať, čistiť a uvádzajú sa ekvivalenty: purgare fossam; einen Graben heben; a vermet fel-vinni, kitisztítani. Aj bez detailnejšieho skúmania tejto semémovej štruktúry v diachronickom, resp. aj v synchrónnom pláne je zrejmé, že vymedzenie týchto významov bolo podmienené výskytom latinskej lexémy tollere a nemeckej lexémy heben v rozličných významových obmenách. Slovenskej lexéme dvíhať sa pripísali isté semémy na základe kalkovania. K zisteniu, že Bernolák kladie pri hodnotení istých javov kritérium systémovosti nad kritérium úzu, normovanosti, treba dodať, že v prípadoch spomínaného typu ide o predpokladanú analogickú medzijazykovú systémovosť, t. j. o hypotetické izomorfné semémické štruktúry polysémických slov porovnávaných jazykov.

Všimnime si sloveso drobiť. Kým v SSJ sa pri tomto hesle uvádza iba jeden význam (krájať, lámať, mrviť, rozbíjať, deliť na drobné kúsky; d. chlieb. zem, kapustu), ku ktorému sa pripája frazeologizované spojenie zima ho drobí (trasie sa od zimy), v Slovári sa pri ňom stretávame s troma významami: 1. význam sa vykladá synonymami trúsiť, meliť, melniť; 2. význam má exemplifikáciu kapustu drobiť a 3. význam sa rovná významu z uvedeného frazeologického spojenia zo SSJ. Dá sa predpokladať, že Bernolák štruktúruje sémantickú zložku tohto slova vzhľadom na lexémické ekvivalenty v latinčine, nemčine a v maďarčine; prvý význam zodpovedá napr. významu nemeckých lexém brocken, bröckeln, ale druhý význam sa v nemčine viaže na lexémy schneiden, schaben. Lexémické ekvivalenty v príslušných cudzích jazykoch tvoria podklad významového členenia slovenského slova. Semémy vymedzené na základe tohto postupu sa v našej rusistickej lexikografii nazývajú prekladové významy (Sekaninová, 1984). V tomto prípade sa síce rešpektuje úzus, ale opisuje sa z hľadiska lexikálnosémantického systému cudzieho jazyka.

Je prirodzené, že polyfunkčnosť Slovára ovplyvnila isté jeho stránky ako kodifikačného diela. Zdôraznením tohto faktu však nespochybňujeme jeho závažnú úlohu pri prvej kodifikácii spisovnej slovenčiny.

Literatúra

BARNET, V.: Synchronní dynamika spisovného jazyka. Jazykovedný časopis, 32, 1981, s. 123–130.
BERNOLÁK, A.: Slowár Slowenskí česko-latinsko-nemecko-uherskí. 1.–6. diel. Budae 1825–27. 4440 s. + 856 s.
BLANÁR, V.: Vývin slovnej zásoby v predkodifikačnom období. Slovenská reč, 48, 1983, s. 321–330.
DANEŠ, F.: Postoje a hodnoticí kritéria při kodifikaci. In: Aktuální otázky jazykové kultury v socialistické společnosti. Red. J. Chloupek. Praha, Academia 1979, s. 79–91.
HABOVŠTIAKOVÁ, K.: Bernolákovo jazykovedné dielo. Bratislava, Vydavateľstvo SAV 1986. 445 s.
HAYEKOVÁ, M.: Slovnikárske poznámky k Bernolákovmu Slowáru. Slovenská reč, 23, 1958, s. 102–116.
JEDLIČKA, A.: K problematice jazykové situace. Slovo a slovesnost, 39, 1978, s. 300–303.
JEDLIČKA, A.: Typy norem jazykové komunikace. Slovo a slovesnost, 43, 1982, s. 272–281.
JEDLIČKA, A.: Vývojové procesy a synchronní dynamika v konfrontačním osvětlení. Jazykovedný časopis, 32, 1981, s. 107–116.
JÓNA, E.: Postavy slovenskej jazykovedy v dobe Štúrovej. Bratislava, Slovenské pedagogické nakladateľstvo 1985. 172 s.
MLACEK, J.: Slovenská frazeológia v Bernolákovom diele. In: Studia Academica Slovaca 16. Red. J. Mistrík. Bratislava, Alfa 1987, s. 67–83.
SEKANINOVÁ, E. – KUČEROVÁ, E.: Slovensko-ruský slovník ako konfrontácia slovenskej a ruskej lexiky. In: Obsah a forma v slovnej zásobe. Red. J. Kačala. Bratislava, Jazykovedný ústav ĽŠ SAV 1984, s. 215–226.
SKLADANÁ, J.: O rozsahu slovnej zásoby v Kamaldulskom slovníku z roku 1763. In: Nové obzory, 19. Spoločenskovedný zborník východného Slovenska. Red. I. Michnovič. Košice, Východoslovenské vydavateľstvo 1977, s. 323–334.

Opis slovnej zásoby v Bernolákovom Slovári

VINCENT BLANÁR

0. Kodifikačné dielo A. Bernoláka vzniklo v začiatočnej fáze slovenského národného obrodenia a úzko súvisí s jeho cieľmi. Prvé normatívne spracovanie slovenského spisovného jazyka, obdivuhodné širokou koncepciou, spadá do doby pred zrodom novodobej európskej filológie; nesie stopy osvietenskej jazykovedy, vychádzajúcej z logickej koncepcie jazyka (Ivić, 1966). Metodologický prístup príznačný pre filológiu osvietenskej doby (Bernolákov protischolastický racionalizmus), veľký ideologický dosah a možno aj samotný rozsah Bernolákovho diela mali za následok, že jazykovedné dielo A. Bernoláka sa v minulosti hodnotilo dosť povrchne, rozpačito, zväčša kriticky i odmietavo. Charakteristickú ukážku takéhoto hodnotenia nájdeme v práci M. Weingarta Příspěvky k studiu slovenštiny (Sborník FF UK I, Bratislava 1923, s. 3—112). Až novšie historické a jazykovedné analýzy, ktoré berú do úvahy historicko-spoločenskú situáciu (spisovný jazyk ako dôležitý atribút formujúceho sa slovenského národa) a jazykovedné dielo A. Bernoláka hodnotia kritériami jeho doby, vedia správnejšie odlíšiť myšlienky a prvky dobové, tradičné od prvkov znamenajúcich trvalejší jazykovedný prínos (porov. napr. práce J. Stanislava, E. Paulinyho, K. Habovštiakovej, J. Tibenského).

V Bernolákovej pravopisnej, gramatickej, slovotvornej a slovníkovej kodifikácii má významné miesto šesťzväzkový Slowár slowenskí česko-laťinsko-ňemecko-uherskí (Budae 1825—1827). To, čo sme povedali o rozpačitom, ba kritickom hodnotení Bernolákovho jazykovedného diela, v plnej miere sa vzťahuje aj na jeho Slovár. Pravda, novší prehĺbenejší výskum tohto dôležitého lexikografického diela priniesol poznatky, ktoré nemožno obchádzať (porov. najmä J. Mihál, 1941, J. Považan, 1957; K. Habov-

štiaková, 1968). Slovár nepredstavuje typ veľkého dokladového slovníka. Bernolák cituje z použitej literatúry len Komenského, ľudovú botanickú a poľnohospodársku terminológiu využil z Fándlyho diel, príslovia a porekadlá čerpal najmä z prác D. Sinapiusa Horčičku (Neo-forum latino-slovenicum, 1678) a P. Doležala (Grammatica Slavico-bohemica, 1746). Využíval aj slovnú zásobu viacerých súvekých slovníčkov, ako bol slovníček k Lyczeiho Iter oeconomicum (1707) alebo k Alvarusovej gramatike (Syllabus vocabulorum Grammaticae E. Alvari, 1717). No pri spracúvaní slovnej zásoby sa opieral predovšetkým o hovorený úzus západoslovenskej inteligencie (čo bolo v súlade s požiadavkami osvietenskej filológie). Popri písanej a hovorenej podobe kultúrnej západoslovenčiny významný prameň slovnej zásoby v Slovári tvoria (nie okrajovo) západoslovenské nárečia; nie je však zanedbateľná vrstva slov známych zo západoslovenských i iných slovenských, najmä stredoslovenských nárečí. Bernolák sa opieral aj o českú jazykovú tradíciu na Slovensku. Zdá sa, že do Slovára zahrnul od pôvodu české lexikálne prvky, ktoré tvorili súčasť úzu západoslovenskej inteligencie (najmä také, ktoré nemali v nárečiach vhodný pendant). Ináč sa v celom Slovári prejavuje úsilie nájsť primerané proporcie v slovnej zásobe charakteristickej pre úzus západoslovenskej inteligencie v pomere k stredoslovenským nárečiam a v pomere k čeština. Kritický postoj k češtine ako k prameňu obohacovania slovenskej slovnej zásoby chcel Bernolák kompenzovať neologizmami (uvádza ich v radoch synoným). Preexponovaným slovotvorným úsilím platil však A. Bernolák najväčšiu daň starším dobovým tendenciám pri rozvíjaní slovnej zásoby z domácich fondov (bližšie najmä Habovštiaková, 1968).

TYPY LEXIKÁLNYCH VÝZNAMOV

Lexikálne významy sa vydeľujú:

(1.) podľa spôsobov nominácie (gramaticko-lexikologické kategórie)

nominačné, vzťahové, deiktické, interjekcionálne
denotačné (nomenklatúra a terminológia) — konkr.
denotačno-designačné
designačno-denotačné
designačné (ved. pojmy) — abstr.

(2.) vzhľadom na sémantickú motiváciu pri polysémii

základové (primárne, priame) ↔ **odvodené** (druhotné, prenesené)

(3.) podľa slovotvornej motivácie

slovotvorne nemotivované ↔ **slovotvorne motivované**

(4.) vzhľadom na genetické vrstvy slov (domáce, prevzaté, cudzie)

(5.) vzhľadom na kontextovú a lexikálnu spájateľnosť

kontextovo (relatívne) samostatné ↔ **kontextovo viazané**
konštrukčne, podmienené
transpozičné

Charakteristiky lexikálnych významov:

1. prevláda významová zložka — **nocionálna** ↔ **pragmatická**

2. vzhľadom na vývin jazyka a postavenie v sémantickej štruktúre — **stále; centrálne** (štylisticky bezpríznakové) ↔ **nestále; okrajové** (štylisticky príznakové)

3. frekvencia významového typu

A. modifikácia významu zmenou diferenč. príznaku
  1. pribúdanie A → Ab, zámena Ab → Ac
  2. ubúdanie Ab → A

B. zmena významu vnútornou prestavbou generických a diferenč- ných príznakov
  1. metaforické prenášanie
  2. metonymické prenášanie
  3. konverzia a enantiosémia
  4. samostatný (paralelný) význam (prechod k homonymii)
  5. sémantická analógia (podľa vzťahov v lexikálno-séman- tickej paradigme)

C. prechodné (miešané) typy
  1. voľnejší vzťah medzi významami
  2. Ad → Bd → Cd

D. 1. **sémantické kalky**
  2. **lexikálne kalky**

E. nejasný, málo zreteľný súvis medzi významami
  lexikalizované
  frazeologicky viazané

---

lexikálna jednotka ako znak prvotného označovania

druhotného označovania

využitie významu v texte

1. Pri hodnotení Slovára jestvuje dnes nová situácia v tom, že na základe dvojmiliónovej kartotéky pre HSSJ (v Jazykovednom ústave Ľ. Štúra SAV), z ktorej je viac ako tretina skoncipovaná, môžeme pomerne objektívne posúdiť, kde A. Bernolák nadväzuje na tradíciu kultúrnej západoslovenčiny a kde tvorí neologizmy v duchu starších dobových tradícií. Porovnanie s rukopisom HSSJ ukazuje, do akej miery sa Bernolákovi podarilo vystihnúť aspoň základné významy heslového slova a ich členenie. Pravda, tu treba jasne diferencovať dnešné lexikografické nároky, modernú lexikológiu lexikografie a prácu tímu kvalifikovaných jazykovedcov od možností jednotlivca pracujúceho takmer pred 200 rokmi.

1.1. Skôr než budeme posudzovať Bernolákov Slovár ako dielo stojace na začiatku kvalitatívne novej epochy, ktorou je kodifikovanie slovenského spisovného jazyka na základe kultúrnej západoslovenčiny — azda v styku s kultúrnou stredoslovenčinou (tak R. Krajčovič), — pokúsime sa získať niektoré východiskové poznatky z typologickej analýzy významovej stavby vybratého úseku slov z Bernolákovho Slovára. Pri semaziologickej analýze využívame našu klasifikáciu typov lexikálnych významov zo štúdie Princípy porovnávacej semaziológie (Blanár, 1986). Použitie tejto schémy ako matrice pri klasifikácii typov nominačných lexikálnych významov (typológiu vzťahových, deiktických a interjekcionálnych významov sme tu neriešili) predpokladá vymedziť najprv archetypy nominačných významov. Archetypy nominačných významov určujeme vzhľadom na tieto aspekty: a) či ide o jednosemémové alebo viacseménnové LJ, b) či ide o význam denotačný // designačný alebo denotačno-designančný // designančno-denotačný (v poňatí A. A. Ufimcevovej, 1974), c) či ide o neodvodenú alebo odvodenú LJ. Vychádzajúc z týchto kritérií rozoznávame lexikálne jednotky nečleniteľné // členiteľné na sémantické príznaky (t. j. gnozeologicko-logické prvky myšlienkového odrazu najnižšej abstrakčnej úrovne sa neintegrovali, resp. integrovali do lexikálneho významu) a neodvodené // odvodené, a to pri jednosemémových LJ (Ia, b, c, d), pri prvej seméme polysémických LJ (IIa, b, c, d) a pri druhej seméme a ďalších semémach polysémických LJ (IIIa, b, c, d). Archetypy Ia, b, c, d a IIa, b, c, d ďalej nečleníme. Odvodené významy polysémických slov (IIIa, b, c, d) detailnejšie špecifikujeme podľa vypracovanej matrice („typy lexikálnych významov"). — Ku každému jednotlivému významu v skupine I, II, III sa pri klasifikácii pridávajú štylisticko-frekvenčné ukazovatele 4 (poukaz na genetickú vrstvu slov domácich, prevzatých a cudzích), 5 poukaz, či ide o kontexto-

vo samostatné významy alebo o kontextovo viazané a konštrukčne podmienené významy a charakteristiky 1 (vzhľadom na prevládajúcu nocionálnu, resp. pragmatickú zložku), 2 (charakteristika vzhľadom na vývin jazyka: stále — nestále a postavenie v sémantickej štruktúre: centrálne, t. j. štylisticky bezpríznakové, a okrajové, t. j. štylisticky príznakové); charakteristika frekvenčnej distribúcie 3 je daná implicitne uvedením lexémy. — Významové typy D/1, D/2 môžu byť základové i odvodené; sú to výsledky interferenčných jazykových vzťahov. Celkove ide vlastne o typologickú a štylisticko-frekvenčnú klasifikáciu.

K priloženej matrici „typy lexikálnych významov" (používané skratky p. na konci). (Tabuľka s. 111.)

Archetypy nominačných významov
I. Jednosemémové LJ
   a) jednosemémové, nečleniteľné na SP (obsahový pojem neintegrovaný do lexikálneho významu), neodvodené LJ:

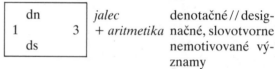

jalec + *aritmetika* — denotačné // designačné, slovotvorne nemotivované významy

   b) jednosemémové s nečleniteľným základom, odvodené LJ:

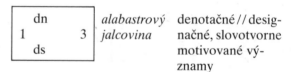

alabastrový jalcovina — denotačné // designačné, slovotvorne motivované významy

   c) jednosemémové, členiteľné na SP, neodvodené LJ:

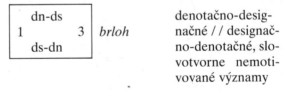

brloh — denotačno-designačné // designačno-denotačné, slovotvorne nemotivované významy

   d) jednosemémové, s členiteľným základom, odvodené LJ:

čudák — denotačno-designačné // designačno // denotačné, slovotvorne motivované významy

II. Viacsemémové LJ

a) prvá seméma, nečleniteľné na SP, neodvodené LJ:

dn			*granát*	denotačno / / designačné, základné, slovotvorne nemotivované významy
1		2 3		
ds				

b) prvá seméma, s nečleniteľným základom, odvodené LJ:

dn			*granátový*	denotačné / / designačné, základné, slovotvorne motivované významy
1		2 3		
ds				

c) prvá seméma, členiteľné na SP, neodvodené LJ:

dn-ds			*hospoda*	denotačno-designačné / / designačno-denotačné, základové, slovotvorne nemotivované významy
1		2 3		
ds-dn				

d) prvá seméma, s členiteľným základom, odvodené LJ:

dn-ds			*hráč*	denotačno-designačné / / designačno-denotačné, základové, slovotvorne nemotivované významy.
1		2 3		
ds-dn				

III. v rámci archetypov IIIa, b, c, d postupuje klasifikácia podľa matrice „typy lexikálnych významov":

a) druhá (a ďalšia) seméma, nečleniteľné na SP, neodvodené LJ:

dn			*granát*	denotačné / / designačné, odvodené, slovotvorne nemotivované významy
1		2 3		
ds				

b) druhá (a ďalšia) seméma, s nečleniteľným základom, odvodené LJ:

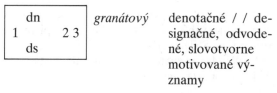

dn			*granátový*	denotačné / / designačné, odvodené, slovotvorne motivované významy
1		2 3		
ds				

c) druhá (a ďalšia) seméma, členiteľné na SP, neodvodené LJ:

dn-ds			*hospoda*	denotačno-designačné / / designačno-denotačné, odvodené, slovotvorne nemotivované významy
1		2 3		
ds-dn				

d) druhá (a ďalšia) seméma, s členiteľným základom, odvodené LJ:

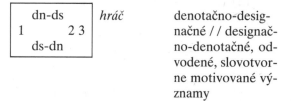

dn-ds			*hráč*	denotačno-designačné / / designačno-denotačné, odvodené, slovotvorne motivované významy
1		2 3		
ds-dn				

1.2. V ďalšom uplatníme vypracovaný klasifikačný postup na slová v písmene „A" Bernolákovho Slovára. Frekvenciu jednotlivých typov budeme uvádzať v číselných i percentuálnych hodnotách (percentuálne údaje sú vhodnejšie na porovnávanie).

Poznámky k štatistickým údajom. Do typologickej a štylisticko-frekvenčnej klasifikácie sme nezahrnuli vlastné mená a od nich odvodené prídavné mená (ak nefungujú v prenesenom význame), privlastňovacie prídavné mená a odkazy na hláskové varianty. — Keď je v Slovári odkaz od cudzieho slova na domáce polysémické slovo, cudzie slovo sa nepokladá za polysémické, lebo cudzie slovo nie je ekvivalentom každého uvádzaného domáceho slova, napr. + *artikel* v. *článek, hanka.* — Vychádzame z Bernolákovho hodnotenia slovnej zásoby, hoci ku kvalifikátorom (najmä ± „bohemicum") treba mať neraz výhrady. — Pri typologickej klasifikácii významov sa postupuje od základového významu k odvodeným významom. Ak v Slovári nie je takéto poradie významov,

113

poradie významov upravujeme. Keď Bernolák vyčleňuje ako samostatný význam kontextové použitie, do významovej klasifikácie ho nezahrňujeme, napr. (3) *áreštovať tovar* patrí k (1) „dočasne zadržať (osobu), zastaviť (vec)". — Kvalifikátor „stály - nestály" sa vymedzuje vzhľadom na dnešný stav spisovnej slovenčiny (v SSJ). Keď sa v SSJ slovo kvalifikuje ako ľudové, jeho význam hodnotíme ako „stály" a štylisticky „príznakový".

„A"

Vzťahové, deiktické, interjekcionálne LJ:

monosémické	18 LJ	
polysémické	10 LJ — 50 semém	

Nominačné LJ:

monosémické	224 LJ	
polysémické	18 LJ — 42 semém	

Sémantický rozptyl:

celkove 267 LJ a 324 semém = 1.21

monosémické LJ: 221 + 18 = 239 LJ = 1,—

polysémické LJ (nominačné):

$$\left.\begin{array}{l} 18 \text{ LJ a } 42 \text{ semém} = 2.33 \\ 10 \text{ LJ a } 50 \text{ semém} = 5, \end{array}\right\} 3.29$$

Nominačné monosémické LJ:

Ia 40 LJ 18.1 %
  (21 LJ 9.5 % a 19 LJ 8.6 %)

Ib 21 LJ 9.5 %
  (11 LJ 4.98 % a 10 LJ 4.52 %)

Ic 36 LJ 16.29 %
  (23 LJ 10.41 % a 13 LJ 5.88 %)

Id 124 LJ 56.11 %
  (86 LJ 38.91 % a 38 LJ 17.19 %)

Nominačné polysémické LJ:

prvá seméma (18)

IIa	2 LJ	11.1 %
IIb	∅ LJ	
IIc	11 LJ	64.1 %
	(10 LJ 55.6 % a 1 LJ 5.6 %)	
IId	5 LJ	27.5 %

druhá (a ďalšia) seméma (24)

IIIa	B/2	2	8.3 %	
	B/4	1	4.16 %	4 LJ 16.67
	⑤	1	4.16 %	
IIIb	B/4	1	4.16 %	
IIIc	A/1	2	8.3 %	
	A/2	1	4.16 %	
	B/2	6	25 %	13 LJ 54.17 %
	B/3	1	4.16 %	
	C/2	1	4.16 %	
	⑤	2	8.3 %	
IIId	A/1	3	12.5 %	
	B/1	1	4.16 %	6 LJ 25 %
	B/2	1	4.16 %	
	B/4	1	4.16 %	

Ak vychádzame z celkového počtu semém (42) polysémických LJ, prvá seméma

IIa	2 LJ	4.76 %	
IIc	11 LJ	26.19 %	
IId	⑤ LJ	11.9 %	

druhá (a ďalšia) seméma:

IIIa	B/2	2 LJ	4.76 %	
	B/4	1 LJ	2.38 %	4 LJ 9.52 %
	⑤	1 LJ	2.38 %	
IIIb	B/4	1 LJ	2.38 %	
IIIc	A/1	2 LJ	4.76 %	
	A/2	1 LK	2.38 %	
	B/2	6 LJ	14.29 %	
	B/3	1 LJ	2.38 %	
	C/2	1 LJ	2.38 %	
	⑤	2 LJ	4.76 %	
IIId	A/1	3 LJ	7.14 %	
	B/1	1 LJ	2.38 %	
	B/2	1 LJ	2.38 %	
	B/4	1 LJ	2.38 %	

1.3. Navrhnutý postup umožňuje vypracovať typológiu a na jej základe porovnávateľnú frekvenčnú distribúciu sémantickej stavby slova, a to vo vývinových štádiách jedného jazyka i rozličných jazykov. Hoci pri slovníkovom opise lexiky pod písmenom A patria slová, ktoré nepredstavujú dosť typickú časť slovnej zásoby, dá sa — podľa nášho názoru — zovšeobecniť poznatok, že polysémické „nenominačné" lexikálne jednotky majú v priemere bohatšiu významovú stavbu ako polysémické nominačné významové jednotky. Pri nominačných typoch nečleniteľných na sémantické komponenty je dôležité poznať obsahový pojem (lebo gnozeologicko-logické prvky myšlienkového odrazu sa neintegrovali do lexikálneho významu). Ostatné významové typy klasifikujeme podľa našej vypracovanej schémy. Počet analyzovaných semém v polysémických lexikálnych jednotkách (III) neumožňuje sledovať frekvenčnú distribúciu významových typov vo všetkých poliach matrice, ale aj tak je nápadná zhoda medzi najfrekventovanejšími významovými typmi pri druhej (a ďalšej) seméme u Bernoláka a v rukopise a archívnom materiáli Historického slovníka slovenského jazyka, ktorý sme z tohto hľadiska analyzovali. Ak hodnotíme významové typy odvodených polysémických slov (IIIa, IIIb, IIIc, IIId) ako celok, najfrekventovanejšie sú nasledujúce typy: B/2 (metonymické prenášanie) — 9 LJ 21,43 %; A/1 (modifikácia významu pribúdaním, resp. zámenou špecifikačných príznakov) — 5 LJ 11,9 %; B/4 (relatívne samostatný význam — prechod k homonymii) — 3 LJ 7,14 %; ⑤ (kontextovo viazaný, konštrukčne podmienený, transpozičný význam) 3 LJ 7,14 %. Štylisticko-konotačné a vývinové charakteristriky pomáhajú vnútorne diferencovať aj jednotlivé významové typy. Tak oproti kontextovo (relatívne) samostatným semémam stoja semémy iba kontextovo viazané (lexikalizované: *agač opravdiví* Ia; + *asa smradlavá*; *abecední chlapec*). Cudzie slová (④ cu) bývajú obyčajne štylisticky príznakové a z hľadiska vývinového nestále (2 ne + 2 príz), napr. + *akštagn* // *akštín*; + *alfiš*, + *angrešt*, + *angúria*, + *abbas*, + *archa*, a i. Sú to lexikálne prvky historické, dnes neživé alebo štylisticky príznakové. V Slovári je však dosť výrazná vrstva slov, ktoré sú cudzie a príznakové, ale z hľadiska vývinového stále; A. Bernolák ich rovnako označuje ±, t. j. „bohemicum", napr. + *ambra*, + *antimon*, + *armáles*, + *artikul*, + *arzenál*, + *arch*, + *appellácia*. Ide s slová, ktoré zdomácneli a dodnes sa v slovnej zásobe udržali. Medzi nimi sú aj novšie prevzaté lexikálne prvky, ako je aritmetika (rkp. HSSJ I; od r. 1663), *atrament* (rkp. HSSJ I; od 17. stor.), namiesto ktorých Bernolák navrhuje domáce slová (*počeťníctwí, počtowňíctwí; čerňidlo*). Pri novších prevzatiach ani nemožno vyčítať, že A. Bernolák neodhadol aprávne ich ďalšiu vývinovú perspektívu.

2. Bernolákov Slovár predstavuje taký prekladový slovník, v ktorom sa každý význam heslového slova ilustruje latinskými, nemeckými a maďarskými ekvivalentmi. Gramatické a štylistické kvalifikátory heslového slova, charakteristika jeho sémanticko--štylistických funkcií, ako aj rozličné poznámky a komentáre sa podávajú po latinsky. Za ekvivalentmi sa často uvádzajú slovenské synonymá (miestami sa poukazuje i na nárečové podoby — „vulg (are)") a niekedy sa uvádzajú aj české ekvivalenty („boh/emica vox"). Po slovensky sa uvádzajú okrem heslového slova a jeho tvarov a spomenutých synoným exemplifikácie heslového slova v typických, lexikálizovaných a frazeologických spojeniach, v prísloviach a porekadlách, a tiež sémantizácia i poukazy na lexikálno-sémantickú spájateľnosť, napr.: **čepi** *w hrdle* . . . 2) *na wreťeňe aneb hrádeli;* **hárek** *papíru;* **hodi** . . . *kostelné* . . . 2) *domácé* . . . 3) *po swaďbe;* **hrča** *na človeku, na howade* . . . 2) *riba:* silurus glanis Linn. Do latinčiny, nemčiny a maďarčiny sa prekladá v zásade každý druh exemplifikácie heslového slova.

Synonymá uvádza Bernolák tam, kde poznal, resp. si vedel utvoriť rovmoznačný alebo blízkoznačný ekvivalent, porov.: **dobročinnosť** . . . Syn. *dobroďeňí, dobrodínstwí, dobrota, dobroťiwosť*, ale **geleň** cervus bez synonyma. Niekedy však ako „syn." podáva Bernolák parafrázu slovného významu, napr.:

batalion . . . Syn. *zástup wogenskí s páťi neb ze šesť sto chlapow pozostáwagící*

faťinkovať sa . . . Syn. *druhého prízeň skrz pilnu službu hledať*

gáles . . . Syn. *guba, dubowá (gálesowá) šiška neb gulka. K čerňidlu (na atrament) sa potrebuge a u garbárow k wirábáňú koži (kožek)*

harinkáriť . . . Syn. *harinki predáwať, z herinkami kupčiť.*

V jednotlivých prípadoch Bernolák uvádza parafrázu významu za českým ekvivalentom, napr.:

faťinkáriť . . . boh. *faťiťi, fatkaťiťi, pri cudzém stole nože a widličky uťírať.*

V synonymických (heteronymických) radoch a medzi nárečovými slovami („vulg.", resp. +) nájdeme bohatú a rozmanitú lexiku, ktorá sa opiera sčasti o ľudovú reč (nárečová lexika je z celého slovenského územia), sčasti vyrastá z ústnej a písomnej podoby kultúrnej západoslovenčiny, ale istý podiel pripadá aj Bernolákovej individuálnej tvorivosti. Niekoľko príkladov:

bída . . . Syn. *chudoba, núdza, psota, súženosť, sužování, úzkosť.* vulg. *bgeda.*

hrb . . . (syn. chýba) vulg. *hrbol, hrbolec*

hon . . . 4) *na ribi* . . . Syn. *duridlo, ribárské weslo* 5) . . . *chitrosť, náhlosť, pospešnosť*

hrmot . . . Syn. *buchot, lomot, tresk, treskot, hrmowica, hučání, huk, zwuk.*

Ak je heslovým slovom zdomácnená podoba od pôvodu českého slova, ktoré sa stalo súčasťou kultúrnej západoslovenčiny, špecificky slovenské podoby nájdeme za značkou vulg., napr.: *aneb, anebo* . . . Syn. *neb, nebo, buď, buďto.* vulg. *aba, aľebo, ľebo.*

V doterajších prácach o Bernolákovom Slovári sa už neraz pripomenulo, že slabým miestom Slovára je priamočiare úsilie tvoriť nové pomenovania obvyklými slovotvornými postupmi. A. Bernolák postupoval podľa vypracovanej slovotvornej schémy, ktorú vypĺňal aj takými novotvarmi, ktoré sú utvorené podľa existujúcich slovotvorných postupov, ale vo vtedajšom jazyku pri daných odvodzovacích základoch sotva boli živé. Napr. Bernolák uvádza takéto odvodeniny od subst. **harfa:**

harfowí
harfowní
harfowať . . . Syn. *na harfu hrať*
a) *harfár* . . . Syn. *harfeňík, harfowník.* vulg. *citarár*
  harfárow poses.
  harfárka
  harfárčin poses.
b) *harfeňík*
  harfeňíkov

115

harfeňička v. harfárka
harfeňiččin

c) harfowňík
harfowňíkow
harfowňíčka
harfowňiččin
harfowňičárka

Všimnime si pomenovania od základu *harfa* v HSSJ a v súčasnom SSJ:

HSSJ: *harfa* (so širokou vý- SSJ: *harfa*
znamovou stavbou)   *harfový*
harfička   *harfovitý*
a) *harfár, harfáš*   b) *harfeník* zastar.
harfárka   d) *harfista*
harfársky   *harfistka*
b) *harfaňík*   e) *harfenista*
d) *harfista*
e) — *harfonista*

V HSSJ majú pendant formy *harfár, harfárka, harfaník* zo Slovára; medzi HSSJ a SSJ udržiavajú kontinuitu formy *harfaník, harfista, harfonista;* ani v HSSJ ani v SSJ nenájdeme pendanty pre Bernolákove formy *harfovať, harfowáňí, harfowňík, harfowňíčka.* Zdá sa, že čím išlo o pomenovania bližšie ľudovým reáliám a ľudovej nomenklatúre, tým viac odpovedajú ich podoby v Slovári živej reči; pri pomenovaniach z vyššieho kultúrneho slovníka a najmä v oblastiach, kde sa silnejšie uplatňujú konotatívne zložky, Bernolákova slovotvorná tvorivosť je výraznejšia. Porov. napr. rozvetvené slovotvorné hniezda pri *jachtavosť, faťinkovať sa, pochlebnosť* a i. oproti heslám *hrdlička, hrnec, hrdlo, hrebeň, hrib* a pod.

Pri výbere slov je väčšia paralelnosť medzi Bernolákovým Slovárom a HSSJ (ktorý je však výberom slov bohatší), ako medzi Slovárom a SSJ, no aj tak nájdeme v Slovári lexikálne prvky, ktoré majú pendant v SSJ, a nie v HSSJ (napr. *brud, brudnatí, brudnatosť, brudnaťeť - brud, brudný* v SSJ). Pre Bernolákov kodifikačný postoj sú charakteristické heslové slová, ktoré sa v HSSJ spracúvajú (napr.*brúk,brúkať*), kým Bernolák ich ako české nespracúva, ale odkazuje pri nich na slovenské ekvivalenty (+ **brúk** v. *chrúst,* + **brúkati** v. *dudlať, reptať, škamrať*).

Hoci sa exemplifikácie heslového slova neuvádzajú aj v českej podobe a za slovenskými synonymami sa české pendanty („boh.") neuvádzajú dôsledne, Slovár je „č e s k o-latinsko-nemecko-uherský" základným postojom A. Bernoláka k češtine a k českej slovnej zásobe. Výber slov, určovanie ich hláskovej a morfologickej podoby, ktorá nebola v kultúrnej západoslovenčine ustálená a hýrila variantnosťou, ako aj vymedzenie ich významovej stavby sa uskutočňovalo

v pomere a na pozadí češtiny (druhým článkom tohto katalyzátora bola stredná slovenčina, porov. **aksamét** . . . vulg. *aksamget;* + **fatgel** v. *fáteľ,* + **fatgelowí** v. *fáteľowí*). A to aj tam, kde sa explicitne nepoukazuje na český hláskový pendant, resp. na lexikálny bohemizmus, ako to vidíme napr. v prípadoch: + **čtrnáct, čtrnácte** v. *štrnásť;* **čtu** praes. ex *čísti,* pro *čitám:* v. *čitať;* **ficko** . . . Syn. *friškié piwo na kwasňicách.* boh. *patoki ržedina, ržedinka.* Ak si uvedomíme úskalia lexikálnej a lexikálnosémantickej kodifikácie vzhľadom na ontologickú stránku lexikálnych a lexikálnosémantických javov (táto zložitá problematika existuje aj v synchrónii, a tým viac pri samej prvej kodifikácii), oprávnené výčitky, ktoré sa dajú uvádzať vzhľadom na rozličné stránky tejto slovníkovej kodifikácie, v nemalej miere strácajú svoju silu.

Pravda, v Slovári nejde len o výber a kvalifikáciu prvkov slovnej zásoby, ale aj — a to predovšetkým — o vymedzenie ich významovej stavby. Pri porovnávaní významovej stavby heslových slov v Slovári (BS) s ich spracovaním v HSSJ zisťujeme v podstate tri logické vzťahy: vzťah totožnosti (BS = HSSJ), inklúzie, ktorá má dva prípady: HSSJ ⊃ BS (rozvitejšia je významová stavba v HSSJ) a BS ⊃ HSSJ (rozvitejšia je významová stavba v BS), a prienik BS ✕ HSSJ (slová sa odlišujú významovou stavbou). Tieto tri základné typy podobnosti sú vnútorne bohato diferencované.

Totožnosť: BS = HSSJ

Vzťah totožnosti zisťujeme predovšetkým v oblasti nomenklatúr a terminológií (*hrdlička, alabaster,* + *aritmetika* v. *počeťňictwí, počtowňictwí* a i.).

Pri mnohých slovách z predkodifikačného obdobia pozorujeme na konci 18. stor. a na zač. 19. stor. významovú diferenciáciu. V HSSJ materiál neumožnil rozlíšiť pri slovách *árendár, árendáš, árendátor, árendovník* konverzné významy „kto má niečo prenajaté od niekoho, nájomník" a „kto niekomu niečo prenajíma, prenajímateľ", Bernolák slovotvorne diferencuje (v zmysle Kuryłowiczovho pravidla) *árendár, árendáš, árendátor* ako „nájomník — Pachter, Pachtinhaber" a *árendowňík* „prenajímateľ — — Verpachter, Pachtherr".

Inklúzia: a) HSSJ ⊃ BS
Obidva prípady inklúzie sú charakteristické pre slová členiteľné na SP s polysémické.

Rozvitejšia významová stavba v slovách HSSJ oproti príslušným slovám v Slovári svedčí skôr o dôkladnejšom poznaní a spracovaní príslušných slov v HSSJ (napr. *abecedár, hadovník,* BS — *hadovec* HSSJ, *hájiť, harfa, hubiť, hospoda, hrča, značiť*). K intenzionálnym rozdielom pristupujú aj rozdiely

116

v externých jazykových vzťahoch, najmä ak Bernolák zaraďuje do synonymného radu aj neživé novotvary.

b) BS ⊃ HSSJ

Rozvitejšia významová stavba v BS zahrnuje aj významovú stavbu v HSSJ, napr. *cap, hlinka, hody.* Okrem intenzionálnych rozdielov sa slová odlišujú aj externými jazykovými vzťahmi.

Prienik: BS ⋊ HSSJ

Logický vzťah prieniku je charakteristický pre slová členiteľné na SP a polysémické. Slovo v BS sa odlišuje semémou, ktorú nepozná HSSJ, ale slovo v HSSJ má aj takú semému, ktorú BS nezaznamenáva, napr. *hadbáwňík* (BS) — *hodvábnik* (HSSJ), *had, baňka* (BS) — *banka* (HSSJ).

Uplatnený prístup umožňuje odhaľovať v Bernolákovom opise slovnej zásoby nové vzťahy a súvislosti. Podobné nové fakty umožní porovnanie BS s Atlasom slovenského jazyka, najmä s jeho slovníkovou časťou. Preto nepokladáme doterajšie hodnotenie Slovára za uzavreté. Niektoré možnosti prehĺbenejšej analýzy sme tu naznačili.

Skratky k archetypom nominačných významov

1	Nominačné významy	
	denotačné	1 dn
	designačné	1 ds
	denotačno-designačné	1 dn-ds
	designačno-denotačné	ds-dn
2	základné	2 zá
	odvodené	2 od
3	slovotvorne nemotivované	3 nemot
	slovotvorne motivované	3 mot
4	domáce	4 dom
	prevzaté	4 pre
	cudzie	4 cu
5	kontextovo samostatné	③ k sam
	kontextovo viazané	⑤ -le(xikalizované)
		⑤ fra(zeologické)
	konštrukčne podmienené	⑤ konštr. podm.
	transpozičné	⑤ trans

Charakteristiky lexikálnych významov

1	nocionálne	1 noc
	pragmatické	1 prag
2	stále; štylisticky bezpríznakové	2 st + 2 bezpríz
	nestále; štylisticky príznakové	*2* nest + 2 príz
3	frekvencia je daná uvádzanými lexikálnymi jednotkami	

Literatúra

BLANÁR, V.: Významová zmena z diachronického a typologického hľadiska. Slovenská reč, 52, 1987, s. 238−246, nem. res. s. 246.

BLANÁR, V.: Princípy porovnávacej semaziológie. Referát na sympóziu II. Opolskie spotkania językoznawcze, Opole − Szcedrzyk, 29. sept. 1986 (po poľsky v materiáloch zo sympózia (v tlači) a po nemecky vo Wiener slavistisches Jahrbuch, 1988), 33, 1988, s. 113−122.

HABOVŠTIAKOVÁ, K.: Bernolákovo jazykovedné dielo. Bratislava, Vyd. SAV 1968, s. 444.

Historický slovník slovenského jazyka I. Vypracoval kolektív autorov. Red. M. Majtán ai. Bratislava, Veda, vyd. SAV 1991, s. 535.

IVIĆ, M.: Kierunki w lingwistyce. Preložila A. Wierzbicka. Wrocław − Warszawa − Kraków, Zakład narodowy imienia Ossolińskich − Wydawnictwo 1966, s. 263.

MIHÁL, J.: Bernolákov Slowár. Zborník Matice slovenskej, 19, 1941, s. 356−388.

POVAŽAN, J.: Slovár Antona Bernoláka. Zborník FF UK, Philologica, 10, 1958, s. 120−134.

Slovník slovenského jazyka. Zv. 1−6. Red. Š. Peciar. Bratislava, Vydavateľstvo SAV 1959−1968.

UFIMCEVA, A. A.: Tipy slovesnych znakov. Moskva, Izd. Nauka 1974, s. 206.

Slovná zásoba Bernolákovho Slovára a slovenské nárečia

ANTON HABOVŠTIAK

Bernolákov Slowár slowenskí, česko-latinsko-ňemecko-uherskí (Budae 1825—1827), na svoje časy pozoruhodné, priam monumentálne lexikografické dielo je – a naisto aj dlho bude – predmetom záujmu lingvistov. A to nie bez príčiny. Bernolákov Slovár je zhrnutím lexikálneho bohatstva západoslovenských vzdelancov žijúcich v západoslovenských kultúrnych centrách a zároveň je pozoruhodným odzrkadlením lexikálnej diferenčovanosti slovenských nárečí.

Hodnoteniu Slovára z rozličných aspektov venovali už pozornosť viacerí jazykovedci. Napriek tomu sa však ešte dlho budú vracať k Bernolákovmu Slováru ako významnému dokumentu o rozsahu a sémantickej členitosti prvej verzie slovnej zásoby spisovnej slovenčiny. V popredí ostáva aj otázka vzťahu Bernolákovej spisovnej slovenčiny, najmä Bernolákovho Slovára, k slovenských nárečiam.

Hoci už doterajšie analýzy slovnej zásoby Slovára, a najmä synoným v Slovári, presvedčivo poukázali na úzku spätosť slovnej zásoby Slovára so slovnou zásobou slovenských nárečí a jej lexikálnou variabilitou (Habovštiaková, 1968, s. 229—240, 1983, 1987), predsa vo svetle najnovších jazykovozemepisných výskumov slovenských nárečí (osobitne po dokončení lexikálnej časti Atlasu slovenského jazyka IV, Bratislava 1984) vystúpi ešte výraznejšie väzba medzi slovnou zásobou Slovára a slovnou zásobou slovenských nárečí.

Lexikálna nárečová variabilita je v Slovári spracovaná v synonymických dvojiciach, ba aj vo väčších radoch synoným, pričom daktoré z uvedených synoným sa hodnotia kvalifikátorom „vulg." – ako ľudové nárečové slová, alebo kvalifikátorom „boh." (bohemicae – výraz český) ako nevhodné pre spisovný jazyk (kvalifikátorom boh. sa označujú zvyčajne slová z okrajovo západoslovenskej oblasti, používané aj v čeština).

Je známe, že Bernolák chcel v Slovári zachytiť najmä reč vtedajších vzdelancov. Sám však pripomína, že niektorí používatelia Slovára môžu hodnotiť podaktoré slová ako „horňácke" či vlastne nárečové alebo ľudové (Habovštiaková, 1968, s. 229). A naozaj, v Slovári je pozoruhodná vrstva rovnoznačných slov, ktoré majú korene v jazykovo-zemepisnej členitosti slovenských nárečí. Vzhľadom na to, že sa po druhej svetovej vojne získal metódu jazykového zemepisu obsiahly lexikálny materiál, možno porovnávaním slovnej zásoby Slovára (najmä uvádzaných synoným) so stavom v slovenských nárečiach bližšie určiť, z ktorých oblastí Bernolák získaval materiál pre svoj slovník. Analýza slovnej zásoby Slovára z tohto hľadiska poukazuje na to, že Bernolák akoby kládol zreteľ aj na „geografický aspekt", t. j., že pri voľbe istých slov zámerne neuprednostňoval iba slovník jednej oblasti, ale všímal si aj používanie slov v živom súčasnom jazyku a volil zvyčajne slová v slovenských nárečiach najrozšírenejšie. A to aj napriek tomu, že o rozšírení lexikálnych zvláštností nemohol mať podrobnejšie údaje. Z materiálu v Bernolákovom Slovári vidieť, že Bernolák zreteľne uprednostňoval nárečovú lexiku rozšírenú na väčšej zemepisnej oblasti.

O slovnej zásobe Slovára sa dá všeobecne povedať, že nemá úzko lokálny, ale skôr akoby krajový charakter. S nárečovými slovami príznačnými pre niektorý mikrorajón, či mikrodialekty sa v Slovári stretávame skôr iba v jednotlivých prípadoch. Ale početné doklady z menších nárečových oblastí dokazujú, že v Slovári je zastúpená aj táto vrstva a slov.

V doterajšej jazykovej literatúre sa už poukázalo na to, že preukazné sú slová oravskej, resp. hornooravskej proveniencie. Výrazné lexikálne hornooravizmy sú napr. slová, ako bardzo „veľmi" 119, vírek „posteľ pre pastierov v kolibe" 3825, kaňák „klobúk" 876, repa „zemiaky" 2709 (názov uvádza v podobe ustáleného spojenia švábska repa v. krumple, zemák 1108), a viaceré iné (Habovštiaková, 1968, s. 232–237).

V Slovári však možno nájsť aj slová z iných miest, resp. mikrorajónov či mikroregiónov, najmä zo Záhoria alebo z okolia Trnavy a Nových Zámkov. Bernolák má ako heslové slovo napr. nešpor (syn. olevrant, holevrant 1179) rozšírené v trnavskom nárečí i na okolí Nových Zámkov (resp. v časti juhozápadoslovenského územia). Na Záhorie sa viaže názov svačina (1719), ale Bernolák ho hodnotí ako české slovo. Pri názve kukurica Bernolák uvádza aj synonymný názov turecké (žlté) žito 1128 známe iba na Záhorí.

Príklady na slová prevzaté z oravského regiónu do Bernolákovho Slovára možno, pravdaže, zväčšovať aj napriek tomu, že niektoré z nich sa vyskytujú aj za hranicami Oravskej stolice. V pozoruhodnom rozsahu je v Slovári zastúpená napr. plátennícka terminológia. Bernolákova rodná obec Slanica bola jednou z najvýznamnejších i najznámejších plátenníckych obcí. Je známe, že jej obyvatelia sa v nej zaoberali takmer tri stáročia tkaním plátna a jeho predajom nielen v domácom prostredí, ale neraz aj v ďalekej cudzine. Bernolák dobre poznal slová z tohto významového okruhu. V Slovári sa stretávame s názvami niekoľkých druhov plátna; podľa neho plátno môže byť ľanové i konopné, činovaté (alebo jednoducho činovať) rozlišuje hrubé a tenké plátno, potom aj kúdelné (zrebné, počesné i počestkové plátno) a pozná podšívkové plátno na podšívku 2122.

Bohaté sú aj odvodeniny od slova plátno. Medzi ne patria slová, ktoré sa medzi ľuďmi naozaj používali ako plátenko, plátnisko i pláťeňisko, pláťeňík, pláťenička, pláťeňikár, pláťeňikárka, pláťeňikovať, plátenkáriť, pláteníctví, pláťení, pláťeňickí 2118, 2119.

Z iných textílií ako sú plátenné výrobky uvádza viaceré druhy látok, napr. aksamét (vulg. aksamiet 7), barchan 41, atlas 23, hedváb (hadbáv, hadbáb, dedbáb) 674, kanafas 876 alebo aj kartún 906.

Pri slove šátor (tureckého pôvodu a známeho vo všetkých slovanských jazykoch; Machek 1968, s. 604), t. j. objekt, v ktorom plátenníci po jarmokoch predávali textilný tovar, Bernolák uvádza aj názvy jeho častí: šátorní kol, šátorní štek, šátorná plachta, šátorná posteľ, šátorná žerť 2870, a napokon aj ustálené spojenia ako „postaviť, vistaviť šátori, šátori dolu zložiť" 2879. Uvádza aj termín poňva „plachta z nepremokavého plátna na zakrytie šiatra i plátenníckeho voza" (porov. aj maď. ponyva), ktorý hornooravskí plátenníci dobre poznali. Pozornosť vzbudzuje bohatá škála údajov, ktoré sa vzťahujú na farby (v Slovári sú doklady na viac ako 70 druhov a odtieňov farieb). Viaceré naisto poukazujú na hornooravskú provenienciu, napr. spojenia belasá aneb svetlá farba (prídavné meno modrí hodnotí ako české slovo 70), brunatná, dúbová, fačková, jablková a jablčná farba, ňebeská a oblaková, popelová alebo meňistá a ťenká (rédka) farba a iné spojenia. V reči niekdajších plátenníkov boli tieto i iné spojenia frekventovanou súčasťou vyjadrovacích prostriedkov.

Zo slovnej zásoby Slovára zreteľne vidno, že poznal život rodnej „plátenníckej dediny" i profesionálne záujmy slanického obyvateľstva, resp. obyvateľov blízkeho okolia. Slovár zachytáva veľa slov z okruhu ľudovej dopravy (ako sú názvy voza a jeho častí alebo častí konského postroja). Možno uviesť doklady ako oprati, vulg. vodcka 3995, lévč v. lušňa 1228 (lušňa je zo záhorských nárečí), rázvora na voze 2701, lóňik, v. nakolesník i zakolesník 1263, oplen na voze medzi rebrinami 1930. V Slanici i na okolí sa obyvatelia zamestnávali aj stínaním a odvozom i plavením dreva. Charakteristické je v Slovári aj hornooravské znenie pult v. plt (ako mask. a s tvrdým t) 2675 i odvodeniny pultňik v. pltňik 2675, pultňica v. pltňica, t. j. „pltníčenie, splavovanie dreva po rieke" 2675.

Viaceré názvy spojené s hospodársko-spoločenským životom na dedine však nemožno spájať iba s Bernolákovým rodiskom a oravským regiónom, resp. s miestami, v ktorých Bernolák účinkoval. Rozbor slovnej zásoby ukazuje, že ich provenienciu treba hľadať v širšom, v mnohých prípadoch celoslovenskom kontexte a iné zas iba v miestnych, prípadne regionálnych lokalitách.

V súvislosti s hodnotením slovnej zásoby Slovára vystupuje do popredia otázka, v akom rozsahu sa uplatnili v Slovári nárečové heteronymá, najmä tie, ktorých existenciu máme podopretú výskumami a spracovaním Atlasu slovenského jazyka IV (Bratislava, 1984). Rozbor slovnej zásoby Slovára ukazuje, že je v ňom bohato zastúpená nárečová lexika z celého Slovenska. Aj napriek tomu, že jednotlivé areály, či regióny sú zastúpené nerovnomerne, zaznamenávajú sa v ňom rady heteroným známych v slovenských nárečiach až do dnešných čias. Pozoruhodné je zistenie, že sa v ňom stretávame so slovami vzťahujúcimi sa na všetky základné významové okruhy vtedajšieho hospodársko-spoločenského života; nachádzame v ňom početné doklady z tých okruhov, ktoré boli predmetom spracovania pre lexikálnu časť Atlasu slovenského jazyka IV (Bratislava, 1984). Materiál zo Slovára svedčí o tom, že Bernolák kládol dôraz na získanie a zaznačenie údajov z rozličných miest na Slovensku, pričom preferovanie slov rozšírených na väčšej zemepisnej oblasti svedčí nepriamo aj o akomsi uplatňovaní geografického zreteľa.

Bernolák zreteľne uprednostňoval v Slovári slovnú zásobu rozšírenú na väčšej zemepisnej oblasti. Pozoruhodné sú jeho postupy pri výbere slov. Ak sa na území Slovenska (resp. na dvoch makroareáloch) vyskytujúc dve slová, v Slovári zaznamenáva obidva výrazy (porov. aj Habovštiaková, 1983, s. 60). Tak napr. z dvojice slov, ktorými sa na Slovensku pomenúva ,,slávnosť v deň uzavretia sobáša'', v Slovári sa uvádzajú obidva názvy, a to svadba i syn. veselí 3239. Názov veselí je rozšírený v časti západoslovenských a východoslovenských nárečí, názov svadba na strednom Slovensku i v juhozápadoslovenských nárečiach. Aj názvy pre samca husí zaznamenáva v dvoch podobách, a to gunár známy v západoslovenských nárečiach, na Orave a v Liptove i názov husar (na ostatnej oblasti), najmä na východnom Slovensku, teda tak, ako sa vyskytujú v terajších nárečiach.

Ako názov žrde na upevnenie nákladu na voze uprednostňuje západoslovenské a východoslovenské slovo pavúz 2057 (strsl. žrď), ale napokon zaznamenáva obidva názvy: pavúz 2057 i žerď 1292.

Slovo rozšírené iba na menšej oblasti(či v mikrorajóne) zvyčajne nezaznamenáva; napr. pri dvojici názvov vrece / mech (vulg. vreco) 4026 vynecháva hornooravské slovo vorek známe aj v goralských nárečiach na Spiši. Ani pri dvojici názvov kosák / srp (vulg. kosér, kosjer 1040, 3114) neuvádza hornooravské slovo šaluot. Z heteronymnej dvojice slov tvaroch/sir máme v Slovári obidve slová, ale v rozličnom význame (v časti zsl. nárečí sa používa slovo sir (sier) vo význame tvaroh).

V Slovári sú však zastúpené aj dlhšie heteronymné rady. Pre hesle chrámať Bernolák zaznamenáva aj slová krívať a kuľhať 248. Z nárečového heteronymného radu chýba v Slovári iba heteronymum šantať z Gemera (porov. aj ASJ IV, 1984, s. 275). V Slovári sa zachytávajú aj štyri základné názvy pre záhlavok (podhlavok); uvádza ich pri hesle hlavnica vedno s názvami poduška, vankúš a napokon aj polštár 719. Slovo polštár známe na Záhorí však hodnotí ako české slovo. Tieto štyri názvy v ich základných podobách sa spracúvajú aj v Atlase slovenského jazyka IV (Bratislava, 1984, mapa V/42).

Ako názvy pre ,,vajíčka upražené na masti'' Bernolák zaznačil názvy praženica, praženina, škvareňina 2463 i vaječnica, vaješnica, pražené vajca 3566.

V Slovári sa neuvádzajú iba východoslovenské podoby ratota, rantota (z maď. rántota) a pankuch. Slovo pankuch je známe na Spiši a v Gemeri (z nem. Pfannkuchen; porov. ASJ IV, 1984, s. 175).

Ako heteronymné názvy pre ,,tvrdú uzlinu na povrchu i vnútri dreva'' Bernolák uvádza základný názov suk 3227, a zároveň aj synonymá suč, hliza, hluza, uzg, uzel a pri hesle hrča 784 ďalšie heteronymá guja i hluza. Z bohatého heteronymného radu chýba v Slovári iba východoslovenský názov hira.

Pri hesle brechať je v Slovári aj ščekať 136 a ako osobitné heslo sa uvádza sloveso haukať (700). Z heteronymného radu Bernolák nezachytil iba slovo blafkať známe v záhorských nárečiach (porov. ASJ IV, Bratislava 1984, s. 101–102). Pri hesle stukať 3209 (slovo je známe na hornej Orave, v Gemeri a vo východoslovenských nárečiach) odkazuje aj na heslo stonať. Má aj heslo jojkať, syn. bedákať, a tak vlastne zachytáva celý heteronymný rad známy v terajších nárečiach.

Ako názov pre ,,remene, ktorými pohonič vedie záprah voza'', nachádzame v Slovári heslo láce (1115) i oprata (1936); pri hesle oprátka uvádza ako syn. opratečka, vodidlo, otažka a ako vulg. aj hornooravské vodca (1936). Z tohto heteronymného radu chýba iba novohradsko-gemerský názov obodze (obdze). Pri hesle bocaň (103) sa ako synonymá spracúvajú aj ďalšie názvy známe v nárečiach, ako je bogdál, bogdán, bokáň i góľa (čes. čáp). Z heteronymného radu chýba iba názov cuban známy z gemerských nárečí (porov. ASJ IV, Bratislava, 1984, s. 75).

Z názvov na pomenovanie staviska, v ktorom sa uskladňuje obilie, seno a hospodárske náradie, uvádza sa v Slovári (ako heslo) slovo humno (816). Bernolák zaznačil aj syn. stodola, šopa a vulg. pajta (816), t. j. názvy rozšírené vo väčších oblastiach. Pri hesle stodola sa zas stretávame so syn. obilnica, humno a pajta (3164). Bernolák nespracúva iba úzko lokálne názvy štál (okolie Zvolena), kolešňa (Gemer) a tok (hont. novohradské nárečia).

Pri hesle perašín (2074) (názov perašín je na Orave a v západnom Liptove) Bernolák uvádza aj syn. petruška a petržel; ako vulg. dodáva aj znenia patržel, patržal, patržil a petržal. Petržel sa vyskytuje aj v časti západoslovenských nárečí i na strednom Slovensku, petruška je známa pre východoslovenské nárečia (z lat. petroselinum: porov. aj ASJ IV, 1984, s. 63).

Pri hesle klebetiť 948 zaznačil dokonca bohatší synonymný či skôr heteronymný rad ako sa spracúva v Atlase slovenského jazyka IV (Bratislava, 1984, s. 233). Ako synonymné doklady uvádza aj slová klebeti robiť, klebetať, buchať, plesť, pluzniť, klekotať, klepať, kleptať, vulg. aj tárať, triznič 948. Z heteronymného radu spracovaného v Atlase slovenského jazyka neuvádza iba gemerské rajkať a sloveso ohovárať, ktoré sa v tomto význame zachytilo iba jednotlivo.

Pozoruhodné je Bernolákovo stanovisko k príslovke včil // teraz (3583). Ako heslové slovo uvádza totiž iba včil (3583) a zároveň aj syn. včilek, včilka, vulg. včilák, včul, včulek, včuleka a nakoniec aj slovo teraz. Bernolák nepokladal za spisovné slovo teraz (azda ho hodnotil ako polonizmus) rozšírené vo väčšine stredoslovenských a východoslovenských nárečí, ale slovo včil príznačné pre väčšiu časť západoslovenských nárečí a Tekov. Ako heslové slovo však uvádza aj znenie teprv, teprva (porov. aj vsl. teper/ceper a gem. trpov).

Bohatý heteronymný rad sa v Slovári uvádza pri príslovke veľmi 3602, ktorá je v tejto podobe rozšírená najmä v stredoslovenských nárečiach. Ako synonymá Bernolák zaznamenal znenia a podoby velice, prevelice, hrube, tuho, ku poďivu, k·poďiveňí, nad meru, više meri, v. práva, v. sposobu, neobičajňe, vulg. bardzo (znenie známe na hornej Orave). V Slovári sa neuvádza iba podoba mocno známa jednotlivo v zemplínskych a užších nárečiach (porov. ÀSJ IV, 1984, s. 45).

Bernolák sa vyhýbal slovám cudzieho pôvodu a vždy ich ani neuvádzal v synonymných radoch. V Slovári nenachádzame napr. slovo cimermen/crmomán (z nem. Zimmermann) charakteristické pre stredoslovenské a východoslovenské nárečia i slovo jalč (z maď. ács) známe v Zemplíne a v Above. Bernolák spracoval ako heslo slovo tesár (3301), t. j. slovo domáceho pôvodu. Azda z tejto príčiny Bernolák uprednostnil jednoznačne aj západoslovenský a východoslovenský názov kolíska (1002), kým stredoslovenský názov belčov (z maď. bölcsö) nepokladá za spisovné slovo a ani ho neuvádza.

Bernolák uvádza dvojicu názvov, ktorými sa pomenúvajú náušnice, a to v podobe naušnice v. zaušnica (1646). Ale do Slovára už nezaraďuje názov známy v časti západoslovenských a stredoslovenských nárečí v podobe oringle (z nem. Ohringe; ASJ IV, 1984, s. 214).

Ako názvy „kováčskej dielne" sa v Slovári uvádza niekoľko podôb, a to kuzeň, v. kuzňa, kuzna v. kováčka vihňa (1144), kováčňa, kováčka vihna (1053), šmikňa v. kuzeň, vihňa (3029), vihňa v. kováčká vihna, kovárna v. kováčka vihňa, kužňa (1053), kováleň v. kováčká vihňa, kováčňa v. kováčka vihňa (1053). Bernolák zaznamenal takmer všetky najrozšírenejšie názvy (i znenia a podoby) známe v slovenských nárečiach (ASJ IV, 1984, s. 221—222).

Nezaznamenal iba slovo vrštať (z nem. Werkstätte) rozšíreného v tomto význame sporadicky na území západného Slovenska. Ale okrem názvu vrštať Bernolák zaznamenal všetky názvy (a viaceré nárečové podoby) známe tak na západnom ako aj strednom a východnom Slovensku.

Pri hesle rebrík (2701) máme aj heteronymum drabina (vulg. drabinečka), ale už vynecháva južnostredoslovenský názov lojtra (z nem. Leiter). V Slovári sa stretávame aj s názvami drabina, drabinka i rebrina a rebrinka (482) ako súčasť voza, t. j. „rebríkové boky na voze". Neuvádza sa však názov lojtra rozšírený na menšej oblasti, a to v časti južnostredoslovenských nárečí (z nem. Leiter).

Bernolák pri spracúvaní Slovára zámerne neobchádzal ani jeden región a usiloval sa zúžitkovať všetky údaje získané naisto viacerými cestami. V porovnaní so západoslovenskými a stredoslovenskými nárečiami sa prejavuje istá absencia dokladov z východného Slovenska a čiastočne aj z Novohradu a Gemera. A predsa v Slovári nachádzame aj preukazné doklady z východoslovenského nárečového areálu. Dosiaľ sme spomenuli názov ako petruška príznačný pre východné Slovensko. Ale dokladov môžeme nájsť naozaj viac. Tak napr. pri hesle stádo sa uvádzajú ako heteronymá aj slová gibeľ a guľa (3117). Pozoruhodný je údaj guľa, ktorý sa v tomto význame vyskytuje iba vo východoslovenských nárečiach (porov. ASJ IV, 1984, s. 97—98). Z heteronymného radu však chýba stredoslovenský názov črieda, teda jeden z názvov, ktorý nie je charakteristický pre oravské nárečia.

Ako názov kefy na drhnutie dlážky Bernolák uvádza dva názvy: kefa (924), vulg. kartač, t. j. názov príznačný pre západoslovenské nárečia. A predsa uvádza v tomto význame aj slovo ščetka, ktoré explorátori zapísali pri výskume pre Atlas slovenského jazyka v zemplínskych nárečiach (porov. ASJ IV, Bratislava, 1984, s. 259). Aj v tomto prípade Bernolák nezaznačil iba úzko lokálne názvy, a to šikarka, rižak, rajbák a mošovka známe skôr sporadicky ako na súvislej oblasti (porov. ASJ IV, Bratislava, 1984, s. 258—259).

Aký dôraz kládol A. Bernolák aj na údaje z východného Slovenska, resp. z východnej polovice územia Slovenska, zreteľne vidno z dokladov, ktoré z geografického aspektu rozdeľujú Slovensko na dve polovice (Habovštiaková, 1983, s. 60). Sú to dvojice názov, ako napr. prídavné meno lační (1155) v juhostredoslovenských nárečiach a na východnom Slovensku proti hladní známemu na ostatnej oblasti. Pre západnú polovicu Slovenska sú príznačné aj dvojice prídavných mien horní – dolní. Vo východnej polovici Slovenska máme už skôr prídavné mená višní – nižní. Tieto znenia zaznačil v Slovári aj Bernolák, a to horňí i dolňí (433), (764) i ňižňí (1750) a višňí (3877).

Bernolák zaznamenal aj dvojice prídavných mien chrobačňí, syn. červiví (257) „prederavený, prežratý červami, húsenicami alebo larvami", t. j. slová, ktoré sú v slovenských nárečiach najrozšírenejšie. Podoba chrobačný je charakteristická pre hornú Oravu, Kysuce a pre celé východné Slovensko (ASJ IV, 1984, s. 69). Neuvádza iba podobu bobáčni, ktorá sa používa v tomto význame v Novohrade a v gemerských nárečiach.

V súvislosti s dvojicami príznačnými približne pre západnú a východnú polovicu Slovenska treba spomenúť, že zvláštnosti rozšírené vo východoslovenských nárečiach sú vo viacerých prípadoch známe aj v hornooravskej (i stredooravskej) oblasti, a to najmä vplyvom tzv. valašskej kolonizácie.

Pri hesle kura zaznamenáva aj synonymný názov sliepka (133) charakteristický pre juhozápadoslovenský areál. Názov kura je rozšírený na severovýchodnej polovici Slovenska. Synonymné dvojice sme zistili v Slovári aj v prípadoch ako sošňa „sosna" (v tejto podobe je názov známy aj v súčasných nárečiach) a borovica (3050) alebo aj praslica „nástroj na pradenie" v juhozápadoslovenskej oblasti, proti kúdeľ 2454 na severovýchodoslovenskej oblasti. V Slovári je aj západoslovenský názov koberec (982) rozšírený na Orave, v Turci a v Liptove (v Trenčianskej stolici je známa podoba kobar); zároveň sa však uvádza aj pokrovec (2263) charakteristický pre juhovýchodnú polovicu Slovenska, najmä pre východoslovenské nárečia.

Z týchto a iných dokladov sa dá usudzovať, že Bernolák pri kodifikovaní slovnej zásoby spisovnej slovenčiny a pri spracúvaní synoným v spisovnej slovenčine, resp. aj pri ich hodnotení z hľadiska normy spisovného jazyka vychádzal v širokom rozsahu zo slovnej zásoby slovenských nárečí, že poznal – dnešnou terminológiou povedané – nárečové heteronymá, a to priam v obdivuhodnom rozsahu.

Napokon vzniká ešte otázka, ako získaval Bernolák nárečové údaje z oblastí, s ktorými nebol v styku v čase štúdií a v čase pôsobenia na farách v západoslovenskej nárečovej oblasti. Isté je, že Bernolák nevykonával terénne výskumy na tých miestach, ako by na to mohli poukazovať doklady v Slovári. Ani jazykovozemepisná metóda na získanie nárečového materiálu nebola známa; metódy lingvistickej geografie sa začali uplatňovať iba neskôr. Bernolák však mal možnosť získať nárečové údaje od svojich spolužiakov a štu-

dentov počas štúdií, s ktorými bol v ustavičnom styku. Početné zastúpenie študentov z rozličných krajov Slovenska mu k tomu poskytovalo dostatok príležitostí. Podľa M. Vyvíjalovej bolo v r. 1784–1790 zapísaných v bratislavskom generálnom seminári z územia Slovenska 594 študentov, z ktorých až 442, t. j. 80,66 % ovládalo slovenčinu.

Študenti pochádzali zo všetkých stolíc na Slovensku, ale v nerovnakom zastúpení, a to zo stolice Bratislavskej 145, Nitrianskej 124, Trenčianskej 87, Komárňanskej 25, Ostrihomskej 1, Oravskej 24, Liptovskej 14, Turčianskej 5, Zvolenskej 13, Hontianskej 22, Novohradskej 5, Tekovskej 46, Gemerskej 15, Turnianskej 3, Spišskej 37, Abovskej 9, Šarišskej 16, Zemplínskej 2, Užhorodskej 1 (Vyvíjalová, 1987, s. 24).

Z údajov vidieť, že najväčší počet študentov bol zo západoslovenského územia, najmä z Bratislavskej a Nitrianskej stolice, menej už zo stredného a najmenej bolo zastúpené východné Slovensko. Študenti zo stredného a východného Slovenska navštevovali školy aj v iných mestách. Dá sa predpokladať, že návštevníci škôl odovzdávali Bernolákovi nárečové údaje nielen počas štúdií, ale aj po ich skončení a najmä po založení Slovenského učeného tovarišstva (v r. 1789). Je známe, že viacerí z nich (v počte 116) sa stali aj jeho členmi (Vyvíjalová, 1987, s. 24).

Záznamy študentov a neskôr aj ako členov Tovarišstva, ako aj vlastné záznamy a údaje iných znalcov miestnych nárečí Bernolák nakoniec zúžitkoval aj vo svojom Slovári. Pozoruhodná je hojnosť týchto záznamov a z dialektologického aspektu aj ich hodnovernosť a presnosť zápisu. A práve preto je Slovár naďalej dôležitým prameňom poznania slovenského jazyka v istom vývinovom období.

Literatúra

BERNOLÁK, A.: Slowár slowenskí, česko-laťinsko-ňemecko-uherskí. Budae, Typis et Sumtibus Typogr. Reg. univers. Hungaricae 1825–1827.
HABOVŠTIAK, A.: Atlas slovenského jazyka IV. Lexika. Časť prvá. Mapy. Bratislava, Veda 1984. 464 s. – Časť druhá. Úvod – komentáre – dotazník – indexy. Bratislava, Veda 1984. 868 s.
HABOVŠTIAKOVÁ, K.: Bernolákovo jazykovedné dielo. Bratislava, Vydavateľstvo SAV 1968. 444 s.
HABOVŠTIAKOVÁ, K.: Synonymá v Bernolákovom Slovári. – In: Jazykovedné štúdie 18. Z dejín slovenského jazyka. Red. J. Doruľa. Bratislava, Veda 1983, s . 59–67.
MACHEK, V.: Etymologický slovník jazyka českého. 2. vyd. Praha, Nakladatelství ČSAV 1968. 886 s.
VYVÍJALOVÁ, M.: Bernolákovci v kontexte európskeho osvietenstva. Bratislava 1987 (rukopis 51 strán).

Administratívno-právna terminológia cudzieho pôvodu v Bernolákovom Slovári

RUDOLF KUCHAR

Slovnej zásobe Bernolákovho Slovára venovali pozornosť viacerí bádatelia.[1] Terminológii spracovanej v Slovári sa dosiaľ nevenovala primeraná pozornosť.[2] V príspevku venujeme preto pozornosť administratívnej a právnej terminologickej zložke slovnej zásoby Slovára. Spracovanie tejto lexiky v Slovári je dobrým základom pri posudzovaní vývinu a stavu tejto zložky slovnej zásoby v predspisovnom období. Spracovanie tejto časti terminológie môžeme podrobiť analýze preto, že 1. poznáme ju už v staršom období slovenského jazyka[3] (môžeme ju preto konfrontovať) a 2. ľahko môžeme zistiť, aká tendencia prevládala v Bernolákovom Slovári pri uvádzaní a hodnotení prevzatých (zdomácnených) alebo domácich jazykových prostriedkov. Z uvedených aspektov sme prečítali a preštudovali celé skúmané slovníkové dielo.

V porovnaní s dokladovým materiálom k Historickému slovníku slovenského jazyka (ďalej HSSJ) je v Bernolákovom Slovári pomerne malý počet administratívno-právnych termínov z cudzích jazykov. Ide o termíny (a ich odovodeniny) prevzaté z latinčiny a nemčiny.

Z latinčiny sa v Bernolákovom slovníku uvádzajú právne výrazy z dvoch okruhov. Ide o termíny z okruhu a) procesného a trestného práva: ‾appellácia, arest, fiškál, komisár, konšal, notárius, *prokurátor, tabula – všetky s odvodeninami a b) majetkového práva: arenda, ‾armáles, ‾armalista, dežma, interes, ‾inventář, kapitál, kartabianka[4], *kredit, kvitancia, ‾obligátor, ‾port, porcia, pas, ‾restanciga, ‾restant, *resolucia, *rezolúcia, ‾testament, ‾tribút.

Termíny z nemeckého jazyka sa takisto dotýkajú obidvoch okruhov. Z procesného a trestného práva sa v slovníku vyskytujú výrazy fojt, ‾gvalt, ‾kvalt, ortel, ‾richta, richtár. Okruh majetkovo-právnych termínov zahŕňa lexémy grunt, kassír, ‾kšaft, naborgovať.

V Bernolákovom slovníku sa ako maďarský uvádza právny výraz išpán (s celým slovotvorným hniezdom), ktorý bol vlastne staršou výpožičkou zo slovenského jazyka (o tom Doruľa, 1977, s. 21–22).

Malý počet uvedených lexikálnych jednotiek právnoterminologického významu cudzieho pôvodu je dôkazom toho, že A. Bernolák hodnotil slovnú zásobu a jej terminologickú zložku z istého aspektu, a to z kodifikačného a uzuálneho aspektu, uprednostňoval pritom domáce, slovenské výrazové prostriedky podobne ako Doležal a i. (porov. Habovštiaková, 1968, s. 226). V lexikografickom diele A. Bernoláka nenachádzame napríklad latinské výrazy cesia, cedovať, cesionár s dubletným tvarom cesionáriuš, ktoré boli v staršom období vývinu slovenského jazyka a právnej terminológii, resp. praxi bežné (Kuchar, 1974, s. 334; 1984, s. 358). A. Bernolák namiesto nich uvádza vo svojom Slovári lexémy postúpenie, postupovanie: (Postupeňí – 3) cessio alicuius rei, decessio de aliqua re. Syn. Postúpaňí, Postupowáňí), postúpiť – 2) recedere, regredi. Syn. popustiť, postúpať, postupovať. Usus. Ňekomu swoge Práwo postúpiť, decedere iure suo, cedere de iure suo – III, s. 2378.

Rovnako postupuje pri latinskom slove apelácia. Autor slovníka hodnotí túto lexému ako českú[5] a dáva prednosť domácemu viacslovnému vyjadreniu odvolávanie k vyššiemu právu (‾Appellácia v. Odwoláwaňí k wiššému práwu – I. s. 18[6]). Častý je v Bernolákovom diele prejav úsilia o priblíženie významu prevzatých cudzích slov pomocou slovenských synoným, napr. árendár, syn. úročňík, nagemňík, árendáš; arest, syn. wezeří, ťemňica, vulg. kamerlík (Habovštiaková, 1968, s. 263).

V hesle testament nachádzame podobnú hodnotiacu črtu, keď autor Slovára odkazuje na heslo poručenie a odporúča ho používať (⁺Testament v. Poručeří – IV, s. 3304).

V skúmanom diele je však dosť príkladov, v ktorých autor ponecháva používanie cudzích, už skôr zdomácnených výrazov popri domácich. Ide o živé jazykové formy a prostriedky, akými sú napríklad lexikálne jednotky árenda, arest, dežma, interes, kapitál, kredit, kvitancia, ortieľ, porcia, prokurátor.

O uvedených lexémach by sme chceli hovoriť podrobnejšie. Aj sám autor slovníka im venuje dosť pozornosti tým, že v slovníku uvádza obyčajne celé ich slovotvorné hniezdo:

ÁRENDA (Arenda – vulg. arenda, syn. Úrok) (s odvodeninami: Arendár, Arendárčin, -ka,[7], -ow, -ski, -skí, -stwí, -áš, Arendátor -ka, -ow, -ski, -skí, -stwí, -stwo, -owať, -owní, -owňík, -I, s. 20–21).

Lexémou árenda sa v staršej slovenčine (ďalej stslov.) pomenúval: 1. nájom, prenájom niečoho a 2. poplatok za árendu; úrok (Kuchar, 1974, s. 335). V HSSJ okrem slov uvedených u A. Bernoláka nachádzame ešte lexikálne jednotky árendácia a árendatúra s významom prenajímanie, prenajatie, árendášsky s významom týkajúci sa árendáša, árendátora, árendovaný s významom týkajúci sa prenájmu, určený na prenájom a variant árendírovať k slovesu árendovať, ktorých význam v sts. bol „dávať, dať do prenájmu". Ide o administratívne termíny.

Slovník slovenského jazyka (ďalej SSJ – I, s. 43) uvádza ešte slovotvorné hniezdo od slova árenda (árendátor, árendátorka, árendátorský, árendátorstvo, árendálny, árendovný, árendový) bez kvalifikátora, hoci uvedená inštitúcia patrí už len minulosti (porov. KSSJ, s. 39).

ÁREŠT (Arest – Syn. Wezeří, Šerhowňa, Temňica) (Arestant, -čín, -ka, -ow, -ski, -skí, -owaní, -owať, -owáwání, -owáwať – I, s. 21).

K východiskovému slovu árešt s druhotným významom „väznica" má HSSJ navyše ešte adjektívum áreštný a áreštový s významom „týkajúci sa áreštu, väzenia". Pôvodný význam lexémy árešt „zadržanie, zabránenie, podmienečný zákaz disponovania" (porov. Doruľa, 1972, s. 48) je doložený od 17. stor. v administratívno-právnych písomnostiach slovenskej proveniencie.

Slová utvorené od základu árešt sú v súčasnej spisovnej slovenčine klasifikované ako zastarané (KSSJ, 1987, s. 38).

DEŽMA (Dežma v. Desátek, Dežmár, v. Dežmowňík) (-árski, -skí, -stwí, -stwo, -owaní, -owáří, -owať, -owí, -owka, v. Dežmowáří, -owní, -owňicki, -ckí, -owňictví, -ctwo; Dežmowňík v. Dežmár, dežmowňíkow, -owstwí v. Dežmowáří, Dežmowstwo – I, s. 376–377).

Ako vidieť z hesla, slovo dežma malo v staršej slovenčine bohato rozvinutú slovotvornú paradigmu. Lexéma dežma mala význam „naturálna, finančná alebo iná dávka odvádzaná vrchnosti, desiatok, daň". V HSSJ sa navyše dokladá variant stredného rodu dežmo (1698), dežmička, dežomný s významom „týkajúci sa dežmy", dežmálovanie „vyberanie dežmy", dežmiť „určovať alebo vyberať, vyrubovať dežmu, dežmovať", dežmovávať (frekv.) a dežmovateľ (= dežmár).

V SSJ I, s. 256 sa uvádza okrem základného slova dežma iba adjektívum dežmový (obidve slová bez kvalifikátorov). V súčasnom spisovnom jazyku je uvedená lexikálna jednotka už iba historizmom (porov. KSSJ, s. 74).

INTERES (Interes – census, usura. Syn. Lichwa, Úrok – Peňáze na Interes dať – I, s. 833).

V dokladovom materiáli HSSJ sa popri podobe interes a jeho hláskovej forme interest používanej v maskulíne vyskytuje aj dubletný tvar neutra, resp. femína interese. Dokladá sa aj sloveso interesovať s troma významami: 1. zväčšovať sumu úrokom, pripočítavať úrok (1735); 2. platiť úrok (1658) a 3. brať do prenájmu; platiť nájom, árendu (1767) a adjektívum interesový (1622).

V SSJ, I, s. 610 sa uvádza ešte lexéma interes. Sledovaný terminologický význam „úroky" hodnotí už ako zastaraný. Na 1. mieste sa uvádza význam „záujem". Sloveso interesovať sa tiež uvádza len vo význame „vzbudzovať záujem, zaujímať, pútať", teda už v neterminologickom význame. Slová interes a interesovať zaznamenáva pre súčasný spisovný slovenský jazyk KSSJ (s. 137) ako hovorové v neterminologickom význame.

KAPITÁL (Kapitál – summa capitalis Pecuniae) (*Kapitalista, Kapitálňik, *kapitálskí adj. Kôň, etc. v. hlawří – II, s. 884).

Kartotéka HSSJ popri slove kapitál (Kuchar, 1974, s. 334) obsahuje aj dubletnú lexému kapitálium (1769), deminutívnu formu kapitálček a adjektívum kapitálny (okrem hesla uvádzaného u Bernoláka kapitálskí).

V súčasnej spisovnej slovenčine je bežné používanie slov kapitál, kapitálový, kapitálik v oblasti ekonomických vzťahov (SSJ, I, s. 673; KSSJ, s. 148).

KREDIT (*Kredit v. Wera – II, s. 1079).

Pre staršie obdobie slovenčiny sa okrem slova kredit s významom „dlh, dlžná čiastka, úver" dokladajú aj ďalšie lexémy: kreditor (1590 s významom „dlžník"), kreditorka (1727), resp. aj kreditorkyňa (1741 s významom „dlžníčka" – Kuchar, 1973). Kreditorom sa v sts. pomenúvala aj „osoba, ktorá poskytovala dakomu dačo na úver, veriteľ".

Používateľovi súčasného slovenského spisovného jazyka je slovo kredit známe, ale ako lexéma z pasívnej slovnej zásoby (porov. KSSJ, s. 167).

KVITANCIA (Kwietancia v. Kvitancia) (kwietowaní v. kwitowaní, Kwietowaňí v. Kwitowaňí, kwietowať v. kwitowať, kwietowní v. kwitowní, Kwietowňík v. Kwitowňík; Syn. Kwit, Kwietancia, Kwitowní List, Spis; Usus. Kwitanciu dať v. kwitowať 2 (Proťikwitancia, Proťikwietancia – II, s. 1151–1152).

V stslov. je latinský slovný základ slova kvitancia (1472) s významom „dlžobný úpis, potvrdenka" bohato využitý. Popri výrazoch doložených v Slovári sa dokladajú ešte lexémy kvitancionálsky (1717) s významom „týkajúci sa‚ kvitancie, potvrdenky", kvitírovať (variant k slovesu kvitovať) s dvoma významami: 1. s väzbou z čoho má význam „prestávať, prestať voči niekomu uplatňovať pohľadávku a 2. s väzbou na čo má význam „potvrdzovať, potvrdiť príjem niečoho (ide o obojvidové slovesá) a kvitung (variant slova kvitancia – 1577).

Slová kvitancia a kvitovať s terminologickým významom „poukážka, potvrdenka, poistenka", resp. „potvrdzovať, potvrdiť (príjem niečoho) zostali ešte aj dnes v spisovnom jazyku. Sú príznačné pre administratívny štýl (porov. SSJ, I, s. 804; KSSJ, s. 175).

ORTIEĽ (Ortel – sententia, judicium, judicatum, deliberatum) (ortelní, †ortelňí, Orteľník, Ortelowáňí, -owať, Syn. odsudzowat, Ortelstwí – III, s. 1944).

O starom začlenení slova ortieľ (nem. Urteil stredohornonem. urteil – porov. Kluge, 1960, s. 810) do slovnej zásoby v staršej slovenčine sú dobrým svedectvom kontexty právneho charakteru v písomných pamiatkach slovenskej proveniencie. Ide o slovo polysémické. Označovalo sa ním 1. rozhodnutie právnej povahy získané na základe skúmania a posúdenia právnych faktov pred súdom alebo vrchnosťou, rozhodnutie súdu, rozsudok" (1557); 2. zisťovanie právnej podstaty (na základe ktorej sa obšírnejšie zdôvodňuje rozhodnutie súdu) (1473); porov. Doruľa, 1972, s. 166 a 3. vykonanie rozhodnutia súdu, výkon trestu (1586). Z významového okruhu termínu ortieľ okrem Bernolákom uvádzaných slov sa v dokla-

dovom materiáli HSSJ vyskytujú ešte výrazy ortieľovaný (1726) a ortielerovať (1771) s právnym významom „súdený" a „súdiť".

Z hľadiska normatívnosti slovo ortieľ sa v dnešnej spisovnej slovenčine hodnotí ako spisovné, avšak s príznakom knižnosti (porov. KSSJ, s. 268). Je príznačné už len pre umelecké, resp. publicistické prejavy.

PORCIA (Porcia – contributio, portionale quantum, tributum. Syn. Danka, boh. Daň, †Port – III, s. 2328) (†Port v. Porcia, Danek, Dánka – III, s. 2336).

Lexikálna jednotka porcia je typická pre feudálny spoločenský a hospodársky systém. Označovala sa ňou „naturálna, finančná alebo iná dávka odvádzaná vrchnosti, daň, poplatok". V sts. boli známe viaceré adjektíva utvorené od slova porcia: porcijný, porcionálsky, porciový a porciovský. Všetky mali význam „týkajúci sa dane, poplatku odvádzanej alebo odvádzaného vrchnosti".

So slovom porcia sa môžeme stretnúť len v umeleckej a náučnej spisbe ako s historizmom (porov. SSJ, II, s. 292 – slová porcia, porciový boli v slovníku staršej generácie – hodnotia sa ako zastarané, to značí, že v 60-tych rokoch ustupovali). V KSSJ sa uvedený význam neuvádza.

Prokurátor (*Prokurátor v. Zástupec, Zástupňík) (*prokurátorski v. zástupňícki, *-skí v. -ckí, *-stwo v. -stwí).

Na príklade spracovania lexémy prokurátor si možno dobre ilustrovať Bernolákovu kodifikáciu, resp. jeho lexikografické postupy. Skratkou „v." upozorňuje na možné synonymné výrazy, resp. na ich (hláskové) varianty. V našom prípade ako prvé, teda aj vyhovujúce, nosné, ústrojné a spisovné uvádza sa slovo zástupec (to napokon vidieť z celkového spracovania uvedeného hesla – štyri významy, na každý uvádza synonymá, resp. aspoň jeden synonymný výraz – III, s. 4215). Druhým slovotvorným variantom je lexéma zástupník (III, s. 4216). A. Bernolák odkazuje používateľa na heslo zástupec, ktoré pokladá z hľadiska sémantickej štruktúry a ústrojnosti za najvhodnejšie na používanie v spisovnom jazyku (bernolákovčine). V spôsobe spracovania tohto hesla vidíme výraznú tendenciu aj v právnej terminológii používať, resp. kodifikovať domáce, t. j. slovenské lexikálne jednotky.

So slovom prokurátor (zriedkavo aj prokátor – 1611) sa stretávame už od roku 1455. Pomenúvala sa ním „osoba konajúca v mene inej osoby, zastupujúca niekoho, obhajca" (Kuchar, 1974, s. 336). V stslov. však táto lexéma plnila aj inú funkciu. Používala sa v administratíve a označovala sa ňou „osoba dozerajúca na majetok niekoho, hospodársky správca". S uvedeným východiskovým slovom súvisia ďalšie odvodené výrazy právneho charakteru: prokurát (1652), prokurátorovať (1584 = vykonávať funkciu prokurátora, obhajcu), prokurátorenie (18. stor. = vykonávanie funkcie prokurátora), prokuratória (1580) s dubletou prokurátorstvo (1577 – s významom „funkcia prokurátora").

V súčasnej spisovnej slovenčine sa ešte stretneme so slovom prokurátor a jeho odvodeninami. Z pôvodného významu „právny zástupca" sa vyvinul v slovenčine význam „štátny zástupca v súdnom konaní" (porov. KSSJ, s. 359). Význam „právny zástupca, obhajca", ktorý sa uvádza ešte v SSJ, III, s. 625 s kvalifikátorom zastaraný je už v dnešnej spisovnej slovenčine historizmom.

Koncepciu A. Bernoláka, ktorú sme sa pokúsili tu naznačiť, potvrdzuje aj spracovanie ďalšieho množstva slov, resp. termínov cudzieho, ale najmä domáceho pôvodu. Ide napríklad o lexému zápis. V slovníkovej stati o slove zápis sa ako tretí význam uvádza syngrapha (chartabianca – syngraphus, syngraphum, chirographum et chirographus; vulg. Obligátor, Kartabianka. Usus. Straňiwa Dluhu Zápis wzať od ňekoho V, s. 4173).[8]

Na margo spracovania niektorých slov v Bernolákovom Slovári treba poznamenať, že autor viaceré slová hodnotí nenáležite, t. j. označuje ich značkou† = ako bohemizmy. Túto značku nachádzame aj pri takých slovách, ako sú apelácia, armáles, armalista, gvalt, inventář, obligátor, testament. Ide o latinské lexikálne prvky (Kuchar, 1974, s. 338), ktoré už skôr zisťujeme v starších slovenských jazykových pamiatkach (boli celkom organicky začlenené do slovenskej slovnej zásoby v staršom období vývinu slovenčiny – zachytáva ich aj HSSJ – a mnohé z nich sú bežné aj v súčasnej spisovnej slovenčine – inventár, testament, apelácia, apelačný, apelovať).

Z podrobnejšieho pohľadu na administratívnoprávne termíny cudzieho pôvodu v Bernolákovom slovníku sa nám ukázalo, že 1. uvádzajú sa v ňom latinské, nemecké, resp. aj maďarské termíny (išpán); 2. väčšinu skúmaných termínov (árenda, árešt, interes, kapitál, kvitancia, ortieľ a porcia) autor slovníka odporúča používať popri domácich výrazových prostriedkoch; 3. v slovníku sa vyskytuje istý počet termínov, ktoré sú označené ako české (†), hoci ich pôvod je zjavne iný (apelácia, obligátor, gvalt, kšaft, inventár, richta, testament, tribút)[9]; 4. autor odporúča používať predovšetkým domáce termíny desátek, odvolanie, poručenie, vera oproti dežma, apelácia,

testament, kredit, hoci nepostupuje tu vždy dôsledne (napríklad Fiškál v. Fiškáliš, Kwietancia v. Kwitancia)[10]; 5. v porovnaní s kartotékou HSSJ je počet administratívno-právnych termínov v Bernolákovom Slovári nepomerne malý; 6. mnohé z výrazov, ktoré Bernolák označoval kvalifikátorom označujúcim na vylúčenie zo spisovného jazyka alebo uprednostnenie skôr domáceho slova, sú bežné aj v súčasnej spisovnej slovenčine (kredit, kvitovať, prokurátor, testament).

Poznámky

[1] Najvšestrannejšie toto dielo zhodnotila K. Habovštiaková v práci Bernolákovo jazykovedné dielo (1968). Z ďalších bádateľov podrobili čiastkovej analýze Bernolákov Slovár J. Škultéty, J. Mihál, M. Hayeková, B. Rusinský, E. Jóna, J. Považan a i., ktorých autorka uvádza v c. d., s. 218–219.

[2] Otázke spracovania terminológie, a to špeciálne botanickej sa venovala dosiaľ iba K. Habovštiaková v príspevku K charakteristike slovnej zásoby a terminológie u Bernoláka (1962).

[3] Pri porovnávaní sa môžeme oprieť o kartotéku HSSJ, ktorá je uložená v Jazykovednom ústave Ľ. Štúra SAV v Bratislave.

[4] Lexéma kartabianka (chartabianka) sa v Slovári neuvádza ako samostatné heslové slovo, ale zistili sme ju ako ekvivalent lexémy obligátor v heslovom slove zápis (V, s. 4173).

[5] V dokladovom materiáli HSSJ je lexéma apelácia (1548) aj so slovotvornými variantmi apeláta (1758), apelovanie (1759) dostačujúco doložená už dávno pred A. Bernolákom i s odvodeninami apelant (1759), apelovať (1506), apelírovať (sa) (1649). Preto je takéto hodnotenie nenáležité. Toto konštatovanie sa týka aj slova armalista (1693–1694), na ktoré je v dokladovom materiáli dosť dokladov, ba dokonca je v ňom zachytené aj základné slovo armáles (1703).

[6] Tento výraz však nachodíme v hesle Odwoláňí – Usus. Odwoláňí k wiššému Práwu: appellatio, provocatio a v hesle odwolávať – Usus. Odwoláwať sa na wetšé Práwo (III, s. 1877–1878).

[7] Pre úspornosť uvádzame iba skrátené podoby lexém.

[8] V HSSJ sa dokladá a aj uvádza lexéma chirograf (1589), ktorá je synonymom slov obligátor a kartabianka (je spracovaná v 1. časti I. zväzku HSSJ (A–J) odovzdaného do vydavateľstva SAV VEDA koncom roku 1986).

[9] O používaní značky † sa zmieňuje K. Habovštiaková (1968. s. 261). Autorka hovorí, že A. Bernolák ju použil na označenie slov nielen českého, ale vôbec cudzieho pôvodu, ktoré pokladal za nevhodné pre spisovný jazyk. Nám sa zdá, že autor tu uvažuje, ako to z hodnotenia jednotlivých termínov vyplýva, skôr o češtine ako o sprostredkujúcom jazyku, z ktorého sa podľa neho prevzali cudzie výrazy do slovenčiny.

[10] Na diskutabilnosť použitia † alebo * a na nedôslednosť, ktorá z toho pramenila v Bernolákovom Slovári upozornila už aj K. Habovštiaková (s. 261) a M. Hayeková (1958, s. 107).

Literatúra

DORUĽA, J.: Slováci v dejinách jazykových vzťahov. Bratislava, Veda, 1977. 136 s.

DORUĽA, J.: Z histórie slovenskej slovnej zásoby (Temnica,

väzenie, árešt a ďalšie príbuzné slová). Kultúra slova, 6, 1972, s. 46—50.

DORUĽA, J.: Z histórie slovenskej slovnej zásoby (Osud, posudok, záväzok a ďalšie príbuzné slová). Kultúra slova, 6, 1972, s. 163—171.

HABOVŠTIAKOVÁ, K.: K charakteristike slovnej zásoby a terminológie u Bernoláka. Československý terminologický časopis, 1, 1962, s. 321—331.

HABOVŠTIAKOVÁ, K.: Zoologická terminológia v prírodovedných dielach Grossingera a Kraľovanského. In: Sborník Filozofickej fakulty Univerzity Komenského. Philologica. 16. Časť A. 1964. Red. E. Pauliny. Bratislava, Vydavateľstvo SAV 1966, s. 78—90.

HABOVŠTIAKOVÁ, K.: Bernolákovo jazykovedné dielo. Bratislava 1968. 445 s.

HAYEKOVÁ, M.: Slovnikárske poznámky k Slováru A. Bernoláka. Slovenská reč, 23, 1958, s. 102—116.

KLUGE, F.: Etymologisches Wörterbuch der deutschen Sprache. Vyd. 18. (prepracoval W. Mitzka). Berlín 1960. 917 s.

Krátky slovník slovenského jazyka. 1. vyd. Red. J. Kačala. Bratislava, Veda, 1987. 592 s.

KUCHAR, R.: Slová dlh, dlžník vo vývine slovenčiny. Slovenská reč, 38, 1973, s. 357—363.

KUCHAR, R.: Latinské právne termíny v starej slovenčine. Právny obzor, 57, 1974, 4, s. 332—343.

KUCHAR, R.: Genetické súvislosti slovenskej administratívno-právnej terminológie. In: Obsah a forma v slovnej zásobe. Bratislava, Veda 1984, s. 356—360.

Slovník slovenského jazyka 1.—6. 1. vyd. Red. Š. Peciar. Bratislava, Vydavateľstvo SAV 1959—1968.

Botanické názvy v Slovári A. Bernoláka

MÁRIA MAJTÁNOVÁ

Vyvrcholením kodifikátorských snáh A. Bernoláka je jeho šesťzväzkový päťjazyčný *Slowár slowenskí česko-laťinsko-ňemecko-uherskí* (Budae 1825–1827). Je prirodzené, že tento slovník ako reprezentačné dielo o slovnej zásobe bernolákovskej spisovnej slovenčiny bol zhruba od polovice minulého storočia predmetom záujmu viacerých bádateľov, no na druhej strane do dnešných čias zostáva živým a doteraz v dostatočnej miere nedoceneným prameňom poznávania dejín slovenskej slovnej zásoby (Habovštiaková, 1968, s. 218–219).

Vieme napr., že kmeňovú vrstvu slov v Slovári tvoria popri slovách základného slovného fondu aj mnohé slová terminologického charakteru, pričom najviac pozornosti sa venovalo botanickej a zoologickej terminológii. Na tom mal nemalú zásluhu aj redaktor a vydavateľ Bernolákovho Slovára J. Palkovič, o ktorého usilovnej zberateľskej aj redakčnej práci svedčia jeho rukopisné *Criticae observationes in lexicon Bernolakianum circa tria regna naturae (Nomenclator botanicus, Nomenclator zoologicus)* (Habovštiaková, 1968, s. 252).

Problematiku botanického názvoslovia v Bernolákovom Slovári z rôznych hľadísk najviac naznačili J. Považan, 1957 (najmä s. 141; s. 153–158), K. Habovštiaková, 1968 (najmä s. 227 a s. 252–258) a F. Buffa, 1972 (s. 78–82), no na vyčerpávajúci výskum treba zatiaľ čakať.

Porovnaním názvov rastlín z Bernolákovho Slovára a zo slovníkov pobernolákovských slovnikárov zistil J. Považan, že kým pod písmenom B uvádza Bernolák 38 názvov rastlín, je týchto názvov u Kálala iba 22, u Tvrdého 19 a u Hvodzika 26, čo znamená, že Bernolák uvádza o 44 % botanických názvov viac ako uvedené neskoršie slovníkové diela, pričom v Slovári nachodíme takmer 80 % botanických názvov známych do dnešných čias (Považan, 1957, s. 153–155). Akú závažnú súčasť slovnej zásoby predstavovali v minulosti práve botanické názvy, nasvedčuje skutočnosť, že v *Historickom slovníku slovenského jazyka* v rámci písmena B je spracovaných 159 názvov rastlín (bez ohľadu na hláskové varianty), čo je štyri a pol ráz viac ako u Bernoláka.

V ukážke označujeme botanické názvy doložené u Bernoláka podčiarknutím, názvy vyskytujúce sa u Bernoláka aj u Fándlyho dvojitým podčiarknutím; názvy bez podčiarknutia sú doložené v slovenských jazykových pamiatkach z predkodifikačného obdobia, pričom názvy vyskytujúce sa navyše aj u Fándlyho (a nie u Bernoláka), označujeme poznámkou aj F:

Príklady:
babia jahoda, babí koláč, babka, *bačovo zelie — aj F,* **baldrián, balšan,** *b. gréckí,* b. hôrny, *b. kočací, b. koreňowí, b. kučerawí, b. P. Márie,* **b. planí,** *b. wodňí,* b. zahradňí — len F, balšánek, b. polný, balšánová zelina, *balzam, balzamina, balzamka, arabská b.* balzamové jablko, bandurka, banka menšia — aj F, bakr, baracka, *baraňí gazik,* baraní ocas, baraní polýnek, barbora, barevník, baršč, barveník, **barwínek,** *baštrnák — aj F.* bawlna, *baza,* **bazalička,** *planá bazalička — len F.* bazalika, **planá b.,** *bazalka,* bazička, bazilika, *citronowá b.,* planá b. — aj F, poľná b., bazilikon, bazilka, **bederňík** *(beberňík/bebrňík),* bedrňík, b. menší — aj F. *b. pohanskí,* b. väčší *b. wláski,* b. židovský, bedrníček, *behawňík, behen bíli, beheň čerweňí,* belasák, belie, *belina lekarska,* belohríbok, bolokvietok, belún, bén biely, b. červený, benedička, **benedik***(t),* b. červený — aj F, b. biely, benediktový koren, *benedisk,* beř, *bertram — aj F,* bez/**gbez,** *čerweňí b., podzemňí/podzemskí b., poľní b., španiel-*

skí b., *tureckí b.*, *zahradní b.*, bezová huba, bezové drevo, bezová zelina, *bezowí strom*, bezvršník, bičík Matky božej, bielolist, biely benedikt, biely bodláč, biely elebor, biela ľalia, biely mak, biela repa, *bikowec*, býkové korenie, *bilina čípková*, b. dnavá, b. draková, b. hromová, b. rohožná, *bílolist*, bižalma, bľakotina, **blen**, *bíli b.*, *černi b.*, *blešňík/blšňík*, blchavá bylina, blchavá zelina, *blít*, *blšná zelina*, *bluma*, blyštek, **bob**, *planí b.*, **bobek**, *vlčie bobky*, bobkowí strom, *boborelka*, bobowňík, bocanňínosek, bodláč, bodlák, *b. biely b. drobný, b. komárový, b. lesný, b. oslový, b. vysoký, bodlavá palma − len F*, **bolehlaw**, *b. wetší, b. wodňí*, boleráz, **bor**, bora, **borák**, borinka, **borowica**, morská b. − len F, *borowička rusňacká, borowka*, borový strom, božcové korenie, *božedřewco*, božedrevina, božie drevo − aj F, boží tráva, Matky boží len, Matky boží slzy, *aronowa brada*, **kozá brada,** *bradawičňík*, brečtan, stromowí b., *zahradňí b.*, brek, *brekiňa, brekowí strom, breskew, breskiňa, breskinka, breskva*, brest, **breza**, brezvršník, *brezulka červená, brezulka swetlá, brňeg*, brnisel − aj F, *broskew, broskyňa*, **brotan**, **brslen/bršlen,** *brusňice*, brustvorec, *břek, břekiňe, bříza*, bstrieň, *buk, čerwení b., bukew*, bukovica, *bukowka*, bukva, **bukwica, bílá b., čerwená b.,** *brunatná b.*, bukvicové korenie, bušpán, buxpan.

Viac ako pol storočia sa v slovenskej jazykovede traduje názor M. Weingarta, že Fándlyho ľudovú, najmä poľnohospodársku terminológiu, ako aj botanické názvy zo *Zeľinkára* zachytil Bernolák v Slovári úplne (1923, s. 50).

O Zeľinkárovi je všeobecne známe, že Fándly nie je jeho autorom: napísal iba úvod a zredigoval a pripravil knihu na vydanie. Inak, ako to vyplýva zo spisov trnavského generálneho vikariátu, na spracovaní vlastnej liečiteľskej časti mali podiel klerici bratislavského seminára, a najmä nemenovaný kňaz nitrianskej diecézy. Prevažná časť zdravotných rád Zeľinkára je napokon prevzatá z diela evanjelického farára J. Tonsorisa *Sana consilia medica* vydaného r. 1771 v Skalici. Za ďalší z excerpčných podkladov Zeľinkára sa považuje aj rukopis Fr. Bukovinského *Herbarum usus* z r. 1790 (Vaverčáková, 1984), ako aj zatiaľ bližšie neurčený rukopisný *Zelinkár wikladagjcy nakráce wlastnosti a moc zelyn w nemocech obidwogeho ludskeho pokolenj* z 18. storočia. Porovnaním botanických názvov z týchto pamiatok môžeme sledovať Fándlyho kodifikačnú prax (Majtánová, 1986). Botanické názvy predlôh upravoval Fándly do bernolákovčiny viac ako ortograficky; odstraňoval napr. typicky české hlásky *ř* a *ě* (repa − *řepa* T, *patilístek* − *pětilistek* T), podoby s typicky českými

hláskovými znakmi, ako je prehláska 'a>e (*bukwica* − *bukwice* T), 'u>i (*plúcnik* − *plicnjk* T), 'aj>ej *polag* − *poley* T), úženie é>í (*mléč* − *mlíč* T). Ustaľoval názvy s typicky slovenským znením, ako *hrach* (*hrách* T), *gablčňík* (*gablečnjk, gabličnjk* T), *koper* (*kopr* T), *andelika* (*angelika* T), ale na druhej strane odstraňoval výrazné nárečové prvky, ktoré nezodpovedali bernolákovskej norme; napr. používal názvy *celer* (*zeler* T), *hermánek* (*romanček* T), *konskí šťáw* (*konský sstiaw* T), *kmín* (*rasca* T), *weronika* (*vložnjk* T).

Všetky takto upravené názvy prebral aj A. Bernolák do svojho Slovára, s ojedinelými malými úpravami, napr. *pátolistek* (*patilístek* F), *ganofít* (*ganofík* F), *wstawač* (*stawač* F), *konskí ščáw* (*konskí šťáw* F), *morské pšeno* (*morské proso* F), alebo Fándlyho názvy uvádza iba vo forme odkazov, napr. *gbez* v. *bez, krušpan* v. *grušpan* (*krušpán* F), zatiaľ čo vôbec neuvádza nárečové názvy typu *romanček, zeler, úložník.*

Takisto sú v Slovári zafixované všeobecne známe a rozšírené názvy rastlín (ktoré sa v našom prípade vyskytujú vo všetkých štyroch pamiatkach), ako sú napr. *aloe, aníz, balšan, blen, bolehlaw, černobíl, černohláwek, čertkus, bílí mak, bílá pupawa*, príp. sú doložené iba zo Zeľinkára a z niektorej z jeho rukopisných predlôh, ako *gbez, kršláč, wraťsazas, zimozel.*

Naproti tomu viaceré z názvov doložených u Fándlyho a v niektorej z predlôh sa v Slovári nevyskytujú, ako napr. *banka menšá* (F, Zel), *baštrnák* (F, Zel), *čárka menšá* (F, Zel), *izronová zelina/izron* (F, Zel), *kiselá gatelina* (F, Buk), *kolowá repa* (F, Zel), *krawske kopitko* (F, Zel, Buk), *križin* (F, Zel), *kunegunda* (F, Zel), *lečidlo* (F, Zel), *ločika* (F, Zel, Buk), *morské proso* (F, Zel), *morskí kwet* (F, Zel), *ohánka menšá* (F, Zel), *pleška* (F, Zel, Buk), *prchawica* (F, Zel), *ragská rúža* (F, Buk) *wlaská rúža* (F, Buk), sw. *Gána zelina* (F, Zel), *spanilá zelina* (F, Zel), *špartum* (F, Zel), *ťelacé ucho* (F, Zel), *trogica* (F, Zel, Buk), *wíno sw. Gána* (F, Buk), *wlčí zub* (F, Zel), *wodňá šošowica* (F, Zel), *wšeckodobré* (F, Zel), *zubowá zelina* (F, Zel) ap. F. Buffa zasa upozorňuje na mimoriadnu zhodu botanických názvov Fándlyho s názvami Slovenského lekárskeho rukopisu zo 17. storočia a ďalej poznamenáva, že okrem názvov, ktoré mohol Bernolák priamo čerpať z domácej staršej literatúry, uvádza vo svojom Slovári aj mnohé názvy, s ktorými sa v našej predchádzajúcej literatúre nestretávame, ktoré sú teda obohatením našej dovtedajšej momenklatúry. Podľa Buffu Bernolák tieto názvy čerpal väčšinou z „českej nomenklatúry" a z domácich ľudových názvov, prípadne aj sám tvoril (kalkovaním) (1972, s. 78—79). J. Považan sa pozastavil nad okolnosťou, že v Slovári prevládajú jednoslovné názvy oproti dnešným „združeným pomenovaniam". Túto skutočnosť vysvetľuje tým, že A. Bernolák čerpal botanické termíny z hovorového jazyka ľudu, ktorý pochopiteľne nepoznal Linného vedeckú systematiku rastlín. Dvojslovné a viacslovné botanické názvy nachodiace sa v Slovári (typ *baraní gazik, kozá brada, konské kopito wetšé*) sú motivované zväčša zovňajšou podobou. Iba zriedka sa vyskytujúce „pomenovania dnešného typu" (*kopica menší, planí owes, bolehlav wetší, bolehlaw wodní, apich wodní* chápe J. Považan ako zrejmé „vedecké termíny" aj u Bernoláka (1957, s. 158).

Naše odlišné hodnotenie vyplýva z viacročných skúseností pri štúdiu slovenských botanických názvov predspisového obdobia v prípravných fázach práce na Historickom slovníku slovenského jazyka v Jazykovednom ústave Ľ. Štúra SAV.

Na konci 18. storočia bola už aj u nás vo vedeckých kruhoch známa a používaná Linného sústava, podľa ktorej sú rastliny usporiadané do botanických rodov a jednotlivé druhy sa v rámci rodu pomenúvajú zväčša dvojslovnými termínmi, pričom základný (substantívny) výraz je totožný s názvom rodu a atribút určuje špecifikum daného druhu. Tak napr. v rode *Scorzonera* (hadomor) sa nachádzajú druhy *S. austriaca* (h. rakúsky), *hispanica* (španielsky), *humilis* (nízky), *parviflora* (maloúborový), *purpurea* (purpurový), *rosea* (ružový). Linného názvoslovie bolo latinské, pričom transpozície do jednotlivých národných jazykov (v priebehu 18. a 19. stor.) vychádzali jednak z domáceho úzu (pri všeobecne známych a pomenúvaných druhoch rastlín), jednak upravovali a najmä prekladali Linného názvoslovie latinské. Vcelku však možno povedať, že vedecké botanické názvoslovie (nomenklatúra) je v podstate mladé a umelé. U nás napr. Linného sústavu a latinské názvoslovie využíva S. Lumnitzer v diele *Flora Posoniensis* z r. 1791, a to bez akejkoľvek snahy o jeho transpozíciu do národného jazyka; slovenské názvy sa tu uvádzajú len sporadicky pri najznámejších druhoch, najmä liečivých rastlín, ktoré mali staré domáce názvy už zo skorších čias. Prvý pokus o slovenské vedecké botanické názvoslovie je až v *Kvetne Slovenska* od G. Reussa (1853). V Čechách je tvorcom národnej botanickej nomenklatúry J. S. Presl (1819, 1848).

Pre staršie obdobie je typické, že základným (substantívnym) názvom sa pomenúva viacero vzájomne často botanicky odlišných rastlín, ktorých zhody sa týkali iných sfér, ako je napr. celkový vzhľad, farba kvetov, tvar listov, vôňa, liečivé (skutočné alebo len predpokladané) účinky a i. Tak napr. názvom *fiala, fialka* sa označovali nielen naše fialky (rod *Viola*), ale aj iné druhy rastlín s fialovým kvetom (napr. *chlpatá fialka* je rastlina z rodu lupina *Lupinus, biela fiola* je fiala sivá *Matthiola incana*) alebo silne aromatické rastliny (napr. *nočná fialka* je večernica voňavá *Hesperis matronalis, žltá fiala, žltá fialka* alebo *žltá zimná fialka* je cheirant voňavý *Cheiranthus cheiri, fialkový* alebo *fiolný koreň* je rastlina z rodu kosatec *Iris*).

Ako z uvedeného vidieť, táto „dvojslovná" terminológia nemá s vedeckou botanickou terminológiou veľa spoločného. Základným substantívom sa tu pomenúvajú zhodne rastliny rozličných botanických rodov (pri súbornejších názvoch typu *svalník, cibuľa, cesnak, višňa, jahoda* môže ísť o rastliny celých desiatok rozličných botanických rodov). Takto tvorené názvy sa v herbároch a rastlinároch vyskytujú od stredoveku (niektoré poznáme už aj z antiky), a to tak v latinskej ako aj domácej (národnej) jazykovej podobe, ktorá vo väčšine prípadov vychádzala z latinského vzoru (modelu), ako napr. *chelidonium maius* → *lastovičník väčší, centaurium minus* → *zemežlč menšia*. V jazyku ľudu sa používali zvyčajne v jednoslovnej podobe *lastovičník, zemežlč*. Dvojslovné výrazy sa však bežne používali v písomnom vyjadrovaní, v herbároch, rastlinároch a lekársko-liečiteľskej spisbe.

Bernolákove názvy typu *apich wodní, planí owes, bolehlaw wetší, bolehlaw wodní* patria tiež do tejto skupiny. Sú dedičstvom starších tradícií a poplatné svojej dobe. Hľadať v nich ohlasy „moderného" vedeckého (Linného) názvoslovia by bolo ahistorické: národnej vedeckej terminológie koncom 18. a začiatkom 19. storočia na Slovensku nebolo a netvoril ju ani A. Bernolák.

Dvojslovné botanické názvy typu *baraní gazik, kozá brada (konské kopito wetšé)* môžu mať starý domáci ľudový základ, ale často aj pri nich badáme stredoveké (poprípade antické) knižné herbárové tradície. Vznikali umelým napodobnením (kalkovaním) cudzojazyčných, najmä grécko-latinských názvov do národných jazykov, pričom metafora zostávala natoľko aktuálna, že tieto názvy rýchlo prenikali a udomácňovali sa aj v jazyku ľudu, kde splývali s metaforickými názvami z domácich zdrojov.

Tak napr. o názve *kozá brada* (dnes *kozia brada*, v slovenčine predspisového obdobia aj *kozí brada, kozobrada, kozí brádka*, čes. *kozí brada*, stčes. *kozia brádka*, poľ. *kozia broda*, slovin. *kozja brada*, ukr. *kozja boroda*, nem. *Bockbart*) sa tvrdí, že vznikol prekladom gréckeho *tragopógon* a latinského *barba hirci*, ale vzhľadom na skutočnosť, že atribút *kozí* býva v ľudovom botanickom názvosloví Slovanov dosť častý, nemožno vylúčiť ani možnosť, že ide o domáce slovenské pomenovanie nezávislé na cudzích vzoroch (Machek, 1954, s. 235).

Podobne o názvoch *baraní gazik* (čes. *beraní jazyk*, poľ. *barankowy jezyk*, chorv. *ovčji jezik*) a *konske kopito* (čes. *konské kopyto*, poľ. *końskie kopyto*, luž. *konjace kopyto*) sa predpokladá, že vznikli kalkovaním stredolatinských herbárových názvov *arnoglossa a ungula caballina* (Machek, 1954, s. 218 a s. 250).

Trojslovné pomenovanie typu *konské kopito wetśé* je pritom typicky knižné, herbárové pomenovanie, ktoré nepreniklo do jazyka ľudu a zostalo obmedzené iba na písomné vyjadrovanie. V Slowári ho preto možno tiež pokladať za pokračovanie starých tradícií.

Väčšie množstvo botanických názvov, najmä názvov kultúrnych rastlín obsahuje Fándlyho *Pilný domajší a poľný hospodár*. Aj na nich môžeme ukázať, že A. Bernolák väčšinu prevzal do Slovára, ale celý rad názvov v Slovári nenachádzame, alebo sú len označené ako nárečové alebo české (Majtán, 1987).

Tak ľuľok zemiakový *Solanum tuberosum* čiže zemiaky J. Fándly najčastejšie označuje plurálovým pomenovaním *krumple*. Popri tom spomína aj výrazy *kolempír, podzemské gablka, erdepľe, zemnáki, zemáki, šwábska repa* a *šwábka*. Bernolák pri hesle krumpla (ž.) uvádza ako synonymá (bez nárečového označenia) názvy *podzemné/podzemské gablko, zemák, šwábska repa* a *šwábka*. Všetky tieto výrazy okrem pomenovania *podzemné/podzemské gablko* sú v Slowári aj ako samostatné heslá. Do normy teda Bernolák nepojal pomenovanie *zemnák*, ktoré sa mu zrejme videlo ako nadbytočné pri názve *zemák*, ani adaptácie cudzích názvov: *erdäpľe* z nem. *Erdäpfeln*, *kolempír* z maď. *kolompír*. Nie je vylúčené, že úmyselne obmedzil aj názvy *podzemné/podzemské gablko* ako cudzojazyčný kalk nemeckého *Erdapfel*.

Pre lucernu siatu *Medicago sativa* uvádza Fándly popri najčastejšom pomenovaní *lucerna* aj synonymá *brniseľ, burgundská gaťelina, kozorožec* a *medeka trawa*. A. Bernolák z nich použil iba odkazový výraz lucerna (s označením +), a to v 2. význame ako vulg. pre *gaťelina konská*. Tento názov (v rámci hesla gaťelina) dopĺňa lat. ekvivalentmi *trifolium caballinum, Trifolium pratense Linn*, ako aj nemeckým pomenovaním *der Pferdeklee* a nemeckým výkladom významu: ein Futterkraut, wie die Wicke wird zum Futter des Viehes gesäet. S názvom *konská jatelina* sme sa v slovenských textoch z predkodifikačného obdobia nestretli (poznáme iba *konskj lednjk* z r. 1760 z Oravy pre poľadenec *Tetragonolobus* a *koňská bylina :lotos:*, t. j. rastlina z rodu ľadenec *Lotus* z Kamaldulského slovníka z r. 1763). Je pravdepodobné, že pomenovanie *konská gaťelina* vzniklo napodobnením cudzích predlôh (lat. *trifolium caballinum* alebo nem. *Pferdeklee*) a utvoril ho azda sám Bernolák.

Pre vičenec vikolistý *Onobrychis viciifolia* uvádza J. Fándly popri názve *ešparzeta* synonymné výrazy *ledníček, turecká gaťelina* a *woňawá wika*. V Slovári sa nenachádza ani jeden z nich; vyskytuje sa tu iba pomenovanie *ledník*, syn. *ladník* s lat. ekvivalentom *orobus* a s nem. názvami *wald Erbse, wilde Erbse* (ide pravdepodobne o nejaký druh hrachoru — rod *Lathyrus* — príp. o poľadenec *Tetragonolobus*).

Záverom možno zhrnúť: Bernolákov Slovár predstavuje vyvrcholenie jeho kodifikačných snáh a hoci sa mu ako takému venovala už dlhší čas bádateľská pozornosť, predsa dodnes ostáva nie vždy celkom preskúmaným zdrojom informácií o bernolákovčine v najširšom zmysle slova.

To platí napokon aj o takej čiastkovej a špecifickej oblasti, akou je botanická terminológia. Pri jej spracúvaní sa A. Bernolák opieral o staršie tradície a najmä o diela J. Fándlyho, no ani jeho terminológiu neprevzal úplne. Z radov synonymných botanických názvov, ktoré Fándly často uvádzal pre sprístupnenie svojich kníh širším ľudovým čitateľským vrstvám, A. Bernolák vybral do Slovára iba tie, ktoré zodpovedali jeho koncepcii spisovnej slovenčiny, prípadne ich ešte upravil a doplnil hodnotiacimi kvalifikátormi. Slovenské názvy rastlín Bernolák spresnil uvedením ich latinských ekvivalentov (starších aj z Linného), ale v nijakom prípade sa neusiloval o tvorbu novodobej slovenskej vedeckej botanickej terminológie, pre ktorú nemal vzor v nijakom z vtedajších slovanských spisovných jazykov.

Literatúra

BUFFA, F.: Vznik a vývin slovenskej botanickej nomenklatúry. Bratislava, Vydavateľstvo SAV 1972. 426 s.
HABOVŠTIAKOVÁ, K: Bernolákovo jazykovedné dielo. Bratislava, Vydavateľstvo SAV 1968. 444 s.
MACHEK, V.: Česká a slovenská jména rostlin. Praha, Nakladatelství ČSAV 1954. 366 s.

MAJTÁN, M.: Slovná zásoba vo Fándlyho diele Pilný domajší a poľný hospodár. Slovenská reč, 52, 1987, s. 269—276.

MAJTÁNOVÁ, M.: Botanické názvy Fándlyho Zeľinkára (rkp. 1986. 14 s. — v tlači).

POVAŽAN, J.: Slowár Antona Bernoláka. Diplomová práca. 1957. 214 + VIII s.

VAVERČÁKOVÁ, K.: Rukopis trnavského receptára z r. 1790. In: VIII. vlastivedný seminár v Trnave. Zost. J. Šimončič. Trnava 1984, s. 66—75.

WEINGART, M.: Příspěvky k studiu slovenštiny. In: Sborník FFUK I. Bratislava 1923.

Prirovnanie ako motivačný faktor botanického názvoslovia v Bernolákovom Slovári

IVOR RIPKA

1.0 Podobnosť je jedným zo základných sémantických vzťahov, s ktorým sa v jazyku možno stretnúť v mnohých podobách. Podobnosť jazykových prostriedkov (z hľadiska obsahu i formy), ktorá umožňuje ich klasifikačné zoskupovanie do podobnostných celkov, je prirodzene daná podobnosťou v rozličnej miere sprostredkovanej, modifikovanej a typizovanej reality; pri úvahách o podobnosti treba mať vždy na zreteli skutočnosť, že v zásade ide o semiotický vzťah k denotátom rozličného typu a ich vzájomný pomer (porov. Slovník českej frazeológie a idiomatiky, 1984, s. 464).

1.1. Na pomenúvanie vecí a javov mimojazykovej skutočnosti sa v jazyku okrem jednoslovných pomenovaní, dominantne charakterizovaných súvzťažnosťou formy a obsahu (slovo je primárnou a základnou pomenovacou jednotkou) v značnom rozsahu využívajú aj iné prostriedky, a to najmä viacslovné pomenovania. Všeobecne sa prijíma téza, že v lexike jestvujú dve hlavné skupiny viacslovných (najmä dvojslovných) pomenovaní, a to a) voľné spojenia – b) ustálené (al. viazané) spojenia; obidve sa využívajú a rozličným spôsobom spracúvajú pri všetkých lexikografických inventarizáciách slovnej zásoby. Sú bohato zastúpené aj v šesťzväzkovom a päťjazyčnom slovníku A. Bernoláka (Slowár slowenskí, česko-laťinsko-ňemecko-uherskí), ktorý predstavuje aj vyvrcholenie jeho kodifikátorského úsilia.

Pri tejto príležitosti si chceme všimnúť len istú časť v jeho slovníku spracovaných menných dvojslovných spojení, a to terminologizované názvy rastlín, utvorené na základe jednoduchého prirovnania (typ *kozia brada*). I pri takomto vymedzení predmetu výskumnej analýzy sa však nemožno vyhnúť tomu, aby sa aspoň heslovite nenaznačilo vlastné chápanie problematiky slovných spojení (determinujúce vždy aj lexikografickú prax). Takisto nemožno obísť (bez parafrázujúceho komentovania) niektoré doterajšie hodnotenia Bernolákovho spracovania skúmaných botanických názvov.

2.0. Viacslovné spojenie má istý tvar (štruktúru), môže vykonávať niekoľko funkcií a má istý významový obsah. Z tejto konštatácie vychodí, že viacslovné spojenia skúmajú viaceré jazykovedné disciplíny používajúce niekedy rozdielny pojmový a terminologický aparát. Niektoré (aj frekventované) termíny sa v literatúre nepoužívali jednotne, navyše sa pri pokračujúcich výskumoch obsah termínu neraz prehodnocuje. Tak je to napr. aj s termínom združené pomenovanie, ktoré sa vyskytuje vari vo všetkých úvahách o viacslovných pomenovaniach z oblasti lexikológie i frazeológie.

E. Pauliny (1981, s. 27) zdôrazňuje, že ustálené spojenia nie sú syntagmami vo vlastnom zmysle slova, pretože ich význam ako celok je obyčajne posunutý (obrazný), nie je daný podmienkami aktuálne vznikajúcej syntagmy, ktorá odráža vzťahy medzi javmi reality. Združené pomenovanie pokladá za také spojenie slov, ktorým sa vyjadruje jeden intelektuálny význam; ak sa používa v odbornom názvosloví, nie je expresívne zaťažené. Pokiaľ ide pri nich o obrazné alebo prenesené pomenovanie, je citová stránka obraznosti obmedzená alebo eliminovaná.

Platnosť, obsah i vývinové peripetie termínu združené pomenovanie vo frazeológii si všíma J. Mlacek (1977). Zisťuje, že pôvodne sa všetky frazeologické jednotky rozdeľovali na menné výrazy, ktoré mávajú aj terminologickú platnosť (t. j. združené pomenovania) a na ostatné zvraty (označené termínom ustálené spojenia). V súčasnosti väčšina bádateľov ZP s nepreneseným významom nepokladá za frazeologické jednotky; za tie sa pokladajú iba ZP s preneseným (obrazným) významom. Medzi tie druhé autor zaraďuje napr. aj dvojslovné spojenia typu *volov chvost* a *žabie očko,* ktoré sú predmetom nášho výskumu.

2.1. Inštruktívne a inšpirujúce sú výsledky výskumov E. Kučerovej, ktorá v lexike jestvujúce slovné spojenia člení na A. voľné (a/ vlastné, b/ typické) a B. ustálené (a/ lexikalizované, b/ frazeologizované). V rámci frazeologizovaných spojení sa potom vyčleňujú US s jedným frazeologizovaným komponentom (môžu byť terminologické a neterminologické) a US s obidvoma frazeologizovanými komponentmi (tzv. frazeologické spojenia vlastné al. celkové), ktoré takisto môžu byť terminologické alebo neterminologické (porov. Kučerová, 1974, s. 17 a n.).

Ustálené slovné spojenia (na rozdiel od voľných spojení) majú nielen komunikatívnu, ale aj nominatívnu funkciu. Je pre ne príznačná nemennosť formy (stálosť komponentov) i obsahu (neopakovateľnosť lexikálneho významu spojenia). Ďalšie členenie tejto veľkej skupiny na a) lexikálne či b) frazeologicky ustálené slovné spojenia už nie je také nesporné, no pre lexikografickú prax má mimoriadny význam i dosah.

2.2. Pri odlišovaní lexikálne a frazeologicky ustálených spojení sa používajú termíny lexikalizácia a frazeologizácia. Prvým sa označuje proces, v dôsledku ktorého sa vytvára medzi členmi (komponentmi) spojenia vnútorný vzťah, ich významy vytvárajú nové pomenovanie. Frazeologizácia označuje tvorenie (vznik) nových frazeologických jednotiek; je to proces, v priebehu (a v dôsledku) ktorého sa v jazykovej praxi stabilizujú a upevňujú isté jazykové komplexy charakterizované nezvyčajnou (metaforickou, obraznou) prenesenosťou, sémantickým posunom. Často sa zdôrazňuje, že komponenty tvoriace frazeologizmus strácajú svoj pôvodný nominatívny význam; novozískaný sa viaže vždy len na príslušné spojenie. Táto kvalitatívna zmena tvorí jednu stránku frazeologizačného procesu; druhou je skutočnosť, že ,,frazeologizácia obsahuje v sebe súčasne aj lexikalizáciu, lebo slovné spojenie ako celok sa stáva novou lexikálnou jednotkou" (Kučerová, 1974, s. 24). Zistenie, že posledným štádiom frazeologizácie je absolútna lexikalizácia, má mimoriadnu závažnosť najmä pre hodnotenie (a slovníkové spracovanie) menných dvojslovných spojení, majúcich terminologickú platnosť. Pokúsime sa dokázať, že Anton Bernolák vo svojom Slovári spracoval dvojslovné botanické názvy (utvo-

rené na základe istej podobnosti časti rastliny a časti tela zvierat, zrejmej pri porovnávaní týchto dvoch rozdielnych denotátov) primeraným spôsobom, ktorý zodpovedá dobe vzniku diela, autorovým individuálnym možnostiam i predpokladaným cieľom slovníka.

3.0. Bernolákove slovenské názvy rastlín sa všestranne posudzujú v monografii o vzniku a vývine slovenskej botanickej nomenklatúry (Buffa, 1972). Slovár sa od všetkých predchádzajúcich diel líši svojím rozsahom, a preto je prirodzené, že uvádza aj nepomerne väčší počet botanických názvov. Mnohé sú nové a obohacujú dovtedajšiu literatúru; Bernolák ich čerpal väčšinou z českej nomenklatúry a z domácich ľudových názvov, prípadne ich sám tvoril kalkovaním podľa cudzích vzorov. F. Buffa konštatuje, že dvojslovných rodových mien je v Slovári pomerne málo a väčšinou sa uvádzajú ako synonymá (c. d., s. 81); inde možno nájsť formuláciu, ktorá tomuto zisteniu v istom zmysle protirečí. Potvrdzuje totiž zistenie viacerých bádateľov, že Bernolák vo svojom Slovári uvádza mnoho synoným, pre ktoré je charakteristické, že na rozdiel od spravidla jednoslovných hlavných hesiel sú veľmi často dvojslovné, a to v podobe známej už zo staršej literatúry (s. 80). Medzi príkladmi na toto tvrdenie uvádza aj názvy *divizna − medveďá zelina − volov ocas, čertkus − čertoví kus − čertovo rebro.* Skutočnosť, že synonymami k mnohým jednoslovným názvom sú často dvojslovné metaforické mená typu *bezoví strom* (k bez), *všivavá zelina (k všivec), čertoví kus, čertové rebro* (k čertkus) vyzdvihol J. Buffa aj v zhrnujúcom bilancovaní vývinu slovenskej botanickej nomenklatúry (s. 255).

3.1. Celé jazykovedné dielo A. Bernoláka podrobne zhodnotila K. Haboštiaková (1968). V kapitolách venovaných rozboru prameňov Slovára, v ňom predstavenej lexiky i vlastných lexikografických postupov Bernoláka sa autorka na viacerých miestach dotýka i problematiky botanických názvov. Sumuje zistenie viacerých bádateľov a prináša štatistické údaje o počte v Slovári zachytených botanických názvov. Z konfrontácie s neskoršími slovníkárskymi dielami (Kálal, Tvrdý, Hvozdzik) napr. vychodí, že Bernolák zachytil o 44 % viac botanických názvov ako títo autori. Štatistika (i keď je urobená iba na základe názvov rastlín uvedených v Slovári pod písmenom B) podporuje tézu, že Bernolák venoval botanickej (i zoologickej) terminológii v svojom diele značnú pozornosť. Predpokladá sa, že nemalé zásluhy má v tomto smere i redaktor a vydavateľ Slovára J. Palkovič.

Konkrétnym spracovaním dvojslovných botanických názvov typu *kozia brada* sa monografia K. Habovštiakovej prirodzene nezaoberá.

4.0. Je prirodzené, že na tomto mieste možno komentujúco hodnotiť iba minimálnu časť v Bernolákovom Slovári zaregistrovaných dvojslovných názvov rastlín. Zúženie výskumného záberu a ďalšia selekcia materiálu sa opierajú o zistenie, že treba rozlišovať názvy typu *kozia brada* (pri ktorých ide o jednoduché a priame porovnanie rastliny ku brade kozy) od názvov typu *vlčie jablko* či *hadia cibuľa*, ktorými sa označujú pre človeka nepoužiteľné (iba pre zvieratá vhodné) rody alebo druhy rastlín. Ďalšie názvy sú tvorené tak, že sa rastliny pomenúvajú nepriamo (niekedy ani konotácia nie je motivovaná). Viaceré z nich vznikli tak, že sa využilo motivujúce znamenie veci (latinský termín signatum rerum; porov. Machek, 1954, s. 12); vyjadrujú teda skutočnú alebo predpokladanú liečivú či magickú spôsobivosť rastliny (napr. *chlapská láska*).

Z naznačeného výberu vychodí, že si všímame iba terminologické viacslovné názvy rastlín (v našom chápaní združené pomenovania), ktoré vyjadrujú istú morfologickú vlastnosť či kvalitu (črtu, znak) pomenovanej rastliny na základe z prirovnania zrejmej podobnosti s istou časťou zvieracieho tela. Dvojslovné spojenia tohto typu, utvorené zo slov prevzatých z mimobotanickej oblasti, označujú denotát metaforicky; sú to lexikálne jednotky so sémantickou (transpozičnou) motiváciou (s priamym, bezkonotačným prenášaním významu). V týchto typoch ustálených spojení vonkajší i vnútorný determinatívny vzťah zanikol; tvoria kompaktný významový celok, ktorý neutvára samostatný syntagmatický vzťah.

Konkrétne budeme teda v Bernolákovom Slovári sledovať spracovanie tých (najmä rodových) dvojslovných názvov rastlín, ktorých substantívny komponent tvoria slová brada, chvost, jazyk, noha, oko, rebro, ucho (s príslušnými deminutívami). Týchto sedem substantívnych komponentov (názvov častí zvieracieho tela, pripodobňovaných vzhľadom k rastlinám alebo ich častiam) sa spája s rozličnými (variabilnými) určujúcimi adjektívnymi komponentmi utvorenými od názvov všeobecne známych zvierat (typu baraní, hadí, jelení, kozí, myší, stračí a pod.). Doklady zo Slovára transliterujeme. Upravujeme tiež evidentné tlačové chyby.

4.1. Heslo **brada** má v Bernolákovom Slovári (I. zväzok, s. 124) tri významy, a to časť tváre (v poradí prvý význam Bernolák nikdy neoznačuje číslicou), 2. ochlpenie na tejto časti tváre, 3. úver (v slovníku odkazový výklad v. vera, doplnený vulg. kvalifikátorom označeným slovom borg; vulgárny znamená

ľudový, nárečový), vyčlenený na základe uzuálneho (t. j. hovorového) výrazu „na bradu dať ňeco ňekomu". Dvojslovné spojenie *kozá brada* sa spracúva pod 2. významom takto: a) na kozi; b) zelina: Tragopogon. Treba poznamenať, že rodový názov *kozia brada* mal dlho platnosť nomenklatúrneho termínu; iba najnovšie Slovenské botanické názvoslovie (Červenka a kol., 1968) nahradilo toto dvojslovné spojenie (podobne ako všetky ostatné dvojslovné názvy) termínom *kozobrada*.

V hesle **kozí** (II/1056) zachytáva Bernolák viaceré voľné i ustálené spojenia s týmto adjektívom. Podobne ako v iných adjektívnych heslách uvádza v zásade najprv spojenia s tvarom mužského adjektíva *(kozí cicek, kozí pastír, kozí sír* − poradie určuje začiatočné písmeno substantíva, uplatňuje teda vnútri hesla abecedný princíp), potom ženské *(kozá brada, kozá daťelina)* a nakoniec stredné rody adjektív *(kozé maslo* a pod.). Spojenie *kozá brada* má iba vysvetľujúci odkaz: v. brada. Je zaujímavé, že iba v tomto hesle (a navyše v nesúlade s vyššie citovaným zaraďovaním spojení) sa spracúva botanický názov *kozí list* (Lonicera caprifolium, zemolez kozí − SBN); v hesle *list* sa nespracúva.

4.2. Trocha odlišným spôsobom sa spracúvajú názvy rastlín v hesle **chvost** (I, 276). V rámci základného významu (lat. cauda) Bernolák spracúva spojenia *konskí chvost* (a/ chvost koňa, b/ zelina: v. praslička), *mišací chvost* (a) chvost myši, b) zelina: vide rebríček) a *voloví chvost* (a/ chvost vola, b/ zelina: Verbascum; divozel − SBN). Latinský ekvivalent majúci funkciu výkladu uvádza teda iba pri poslednom názve, ktorý nemá jednoslovnú slovenskú podobu. Na miestach príslušných odkazov nachádzame takéto spracovanie: *praslička* (III, 2454) − 2. zelina, s kterú sa cíň drhňe: Equisetum (SBN praslička) a na konci heslovej state (inojazyčný materiál nepreberáme) uvedené synonymum *škríp*. V hesle **rebríček** (IV, 2701): 2. zelina, rebríček tisiclistovní, Achillea millepolium (SBN rebríček obyčajný), syn. *mišací chvost*.

V hesle **koňskí** (II, 1024) sa uvádza spojenie *koňskí chvost*, no iba s výkladom cauda equina; zmienka o názve rastliny (príd. odkaz na hesle chvost) chýba. V hesle **mišací** (II, 1392) je za doloženým spojením *mišací chvost* odkaz (v.) na heslo **chvost**. Podobným spôsobom sa spracúva spojenie *voloví chvost* v hesle adjektíva *voloví* (V, 4010).

K myšiemu chvostu sa prirovnávali aj plody chvostíka z čeľade iskerníkovitých (lat. Myosorus, SBN). Táto motivačná podobnosť bola v ľudových názvoch využívaná a rodový názov *myší chvostík* bol fixovaný aj v oficiálnej nomenklatúre. Slovník slovenského jazyka ho napr. spracúval pri adjektíve myší (prihniezdovanom k heslu myš; SSJ II, 208); pri substantívnom komponente chvostík sa názov nespracoval. Je zaujímavé, že Bernolák tento rodový názov nezachytáva vôbec; heslá **miší** a **chvosťík** sú iba odkazové (bez materiálu).

4.3. Listy niektorých rastlín pripomínajú svojím tvarom jazyk zvierat; v dvojslovných botanických názvoch je substantívny komponent jazyk značne frekventovaný. Bernolák spracúva v hesle **jazik** (I, 624) príslušné názvy v samostatnom význame: 3. cum adiectivis herbas indigitat − *baranňí jazik:* v. čelňík; *jelenňí jazik:* v. ceterák; *haďí jazik:* Sagittaria (dnes SBN šípovka) a upozorňuje, že odlišný (aliud est) je *haďí jazíček; psí jazik:* Cynoglossum officinale (SBN psojazyk lekársky); *voloví jazik:* Anchusa officinalis (SBN smohla lekárska).

V hesle **baraňí** (I, 40) sa názov *baraňí jazik* označuje ako hovorový (kvalifikátor usus) a opäť sa odkazuje na heslo **čelňík.** Pri tomto hesle (I, 186) je výklad: zelina (Plantago lanceolata; v SBN má tento druhový názov slovenský ekvivalent skorocel kopijovitý). Na doplnenie sa uvádzajú aj synonymá *baraňí (baranňí) jazik, kopica menšá.*

Adjektívum **jeleňí** (I, 641) má v heslovej stati zaradené spojemie *jeleňí jazik* vysvetlené takto: a) jazyk jeleňa (lingua cervi); b) zelina v. ceterák. Toto heslo (I, 209) sa vykladá ako zelina (Asplenium, SBN slezinník) a Bernolák udáva aj synonymum *písaní trank.* Prekvapuje poznámka, že odlišné (aliud) sú názvy *jelenňí jazik, planí cesnak.*

Ďalšie tri názvy rastlín (s adjektívami hadí, psí, voloví) boli vysvetlené (latinskými ekvivalentmi) v hesle svojho substantívneho komponentu jazyk (p. vyššie), a tak by sa dalo predpokladať, že pri adjektívach sa spojenie iba zaregistruje a odkáže sa na substantívny základ prirovnania. Tak je to v heslách **haďí** a **voloví;** v hesle **psí** (III, 2668) sa však názov *psí jazyk* spracúva odlišne. Názov rastliny sa aj tu vykladá (zelina Cynoglossum officinale) a odkaz na heslo jazyk sa nezaraďuje.

4.4. Viacero názvov spracúva Bernolák aj v heslách **noha** (II, 1751) a **nožka** (II, 1759). V prvom majú botanické názvy vyčlenený samostatný 5. význam (nonnulis adjectivis junctum hoc substantivum herbas notat), no doložené sú iba dve spojenia, a to *kuracá noha* (v. kurinoha) a *zajačá noha* (vyložené latinským lagopus). Pri adjektíve **kurací** (II, 1133) spracované spojenie *kuracá noha* odkazuje na heslo **kuránoha,** no tam sa latinský ekvivalent neuvádza. V hesle **zajačí** (IV, 4105) sa spojenie *zajačá noha* uvádza v takomto

kontexte: − zajačá datelina: v. *zajačá noha* (nožka), zelina (Trifolium arvense; v SBN druhový názov ďatelina roľná). Odkaz na heslo **noha** (vari preto, že tam lat. ekvivalent chýba) sa neuvádza.

Komplikovanejšie sa sledujú v Bernolákovom Slovári vzájomné zväzky medzi názvami rastlín spracovanými v heslovej stati deminutíva **nožka** (II, 1759). Majú samostatný význam (2. nonnulis adjectivis iunctum herbas notat), v rámci ktorého sa uvádza spojenie *husá nožka* v. *husá* (v istom zmysle netradične sa teda odkazuje na adjektívum) a *stračá nožka* (Delphinium; SBN stračonôžka). (Ostrohovité kvety tejto rastliny pripomínajú vzdialene nohu straky.) Pri adjektíve **husí** (I, 820) spracovaný názov *husá nožka* označuje podľa Bernoláka dve ,,zeliny", a to a) Chenopodium (SBN mrlík); b) Alchemilla vulgaris (SBN alchemilka − ekvivalentný druhový názov neuvádza). Heslo **stračí** (IV, 3173) prináša opakované vysvetľujúce údaje o názve *stračá nožka* (dlabka), no hodnotí ho ako hovorové (úzus). Odkaz na heslo **nožka** chýba.

4.5. Kvety (alebo plody) rastlín s istou licenciou pripomínajú aj oči niektorých zvierat. Heslo oko (III, 1984) má v Slovári značný rozsah, no Bernolák zaregistrúva iba dvojslovný názov *volové oko.* Príslušné spojenie sa vysvetľuje takto: a) oko vola; b) zelina (Buphtalmum; SBN volovec), v. kvetec. Na toto heslo sa odkazuje aj pri adjektíve **voloví** (V, 4010), kde sa síce určuje, že *volové oko* je zelina, no latinský ekvivalent sa neuvádza. Je to skôr výnimočné spracovanie, pretože všetky ostatné tu uvádzané spojenia *voloví jazik, voloví chvost, volová hlava i volové ucho)* sa odkazujú na substantívny komponent spojenia (v. jazik, chvost a pod.).

Heslo **kvetec** (II, 1150) má výklad: zelina − Buphtalmum, (i) Anthemis tinctoria (SBN ruman farbiarsky). Ako synonymá sa uvádzajú názvy *bikovec, volovec, bikova zelina.* Možno poznamenať, že volovec i ruman (podľa SBN) majú podobné kvety, a preto je motivácia (a zhoda názvov) pochopiteľná.

4.6. Bohatý heteronymický rad (týmto termínom označujeme rovnoznačné slová pochádzajúce z rozmanitých nárečových oblastí) utvárajú v slovenských dialektoch ľudové názvy paprade samčej (SBN Dryopteris filix-mas). Už ukážkový zväzok Slovníka slovenských nárečí (1980, s. 239) spracúva pri hesle papraď množstvo názvov, medzi ktorými majú významné zastúpenia dvojslovné názvy so substantívnym komponentom rebro (napr. *čertovo, diablovo, kozie, vlčie rebro).* Je zaujímavé, že Bernolák nezaznamenáva pri hesle **rebro** (spracovanom na troch riadkoch) ani jediný dvojslovný názov rastliny, a to nielen ako pomenovanie paprade (Dryopteris), ale ani rebrovky (SBN Blechnum). Aj táto negatívna konštatácia má však pri skúmaní spracovania podobnosťou motivovaných názvov rastlín svoj význam.

4.7. Posledným z radu slov (názvov častí zvieracieho organizmu), ktoré sme chceli v tejto súvislosti sledovať, je substantívum **ucho.** Bernolák ho spracúva v IV. zväzku svojho Slovára (s. 3386). V druhom význame (vyčlenenom opäť na základe toho, že v spojení so zvieracími adjektívami označuje ucho rozličné rastliny) spracúva tiež názvy: *medveďé ucho* v. uško; *mišasé ucho* v. uško; *volové ucho* v. *kolocír velkí; zajačé ucho* v. uško. Opäť teda inovované odkazovanie, no nie celkom presvedčivé a zodpovedajúce lexikografickej praxi Slovára. Pri deminutíve **úško** (kvantita sa dodržiava aj v dokladoch; p. IV, 3502) sa síce uvedené názvy v novom význame spracúvajú, no opäť sa odkazujú na ďalšie heslá: 5. zelina − *medveďé úško,* v. bukvica bílá; *mišacé úško,* v. chlupáček; *zajačé úško* a) v. kolocír; b) v. kotrč 2. význam (2 Nro); c) istá huba: v. kotrč 1.

Pri pokusoch o dešifráciu treba teda nájsť heslo **kolocír** (II, 1005), v ktorom sa uvádza výklad: zelina Plantago major (skorocel väčší) a poznámka „aliud est kolovratec, kotrč et pupkova zelina". Spojenie kolocír velkí, na ktoré sa odkazuje v hesle **ucho** pri názve *volové ucho,* sa v Slovári nenachádza. Slovo kotrč (II, 1051) sa vykladá takto: (1) *zajačá huba, zajačí (!) uško,* Bupleurum (SBN prerastlík); 2. „zelina, kteráž v jačmeni rosťe", Avena fatua (SBN ovos hluchý) so synonymami klasnačka, ovsiha, planí oves, sverepec. Heslo **bukvica,** na ktoré sa odkazuje pri názve *medveďé úško* (v hesle **úško** i v hesle **medvedí**) vysvetľuje citované spojenie *bílá bukvica* ďalším odkazom (v. prvnička), takže hľadanie latinského ekvivalentu názvu *medveďé úško* je náročné.

Pri hesle **chlupáček** (I, 238) možno zistiť, že je to „zelina Hieracium Pilosella". Táto rastlina z čeľade čakankovitých má množstvo druhov; SBN navyše uvádza samostatný rod Hieracium (jastrabník) i Pilosella (chlpánik).

5.0. Poznatky zistené pri analýze úzko vymedzenej tematickej skupiny botanických názvov v Bernolákovom Slovári zaiste nemožno absolutizovať, no napriek tomu sa dajú využiť pri spresňovaní doterajších všeobecných zistení o teoreticko-metodologických východiskách i lexikografických praktikách autora tohto výnimočného slovníka. Detailné štúdium potvrdilo, že názvy rastlín sú v diele zaregistrované v bohatej miere. Pri podobnosťou motivovanom pomenúvaní rastlín sa nestvárňuje vždy ten istý príznak vonkajšej reality, ale jazykové pomenovanie

vychádza z existujúcich lexikálno-sémantických vzťahov; isté spojenia sémantických komponentov sú doložené práve v týchto dvojslovných (lexikalizovaných) spojeniach. Ich lexikalizácia (defrazeologizácia) je zavŕšením istého procesu. Skúmaná skupina názvov rastlín v Bernolákovom diele navyše preukazne dokazuje, ako sa pomenovacím motívom stávajú rozličné príznaky tej istej veci. Bernolák sa usiloval zaevidovať tieto dvojslovné názvy (klasické združené pomenovania) pri obidvoch komponentoch spojenia. V rámci príslušnej heslovej state substantívneho komponentu pre ne vyčlenil (a tým vlastne inšpiroval ďalších slovenských lexikografov) samostatný význam. Spracovanie všetkých názvov rastlín nie je jednotné, Bernolák mení svoju lexikografickú prax, no v zásade ho možno hodnotiť pozitívne. Podobne treba oceniť aj úsilie autora vybudovať v slovníku dôkladný odkazový systém (napr. pospájať vzájomnými odkazmi obidva komponenty spojenia) a uplatniť aj tzv. vecné odkazovanie, t. j. pokus odkazovať dvojslovné názvy, pri ktorých zvyčajne chýbajú výklady, na „oporný" jednoslovný termín s kompletnou výkladovou zložkou (s uvedením latinského ekvivalentu domáceho názvu). Užitočné je aj uvádzanie synoným v jednotlivých heslách spracúvaných názvov a upozornenia na odlišnosti názvov (t. j. prípady, keď ten istý alebo hláskovo či slovotvorne minimálne diferencovaný názov pomenúva rozličné reálie).

Na základe získaných poznatkov možno vysloviť (a potvrdiť) názor, že Bernolákov Slovár je aj vyše dvestopäťdesiat rokov po svojom vzniku (a vydaní) materiálovo nasýteným a inšpiratívnym dielom. Nezanedbateľný prínos (najmä z aspektu overovania a konfrontácie dialektnej lexiky) predstavuje aj pre pripravovaný Slovník slovenských nárečí.

Literatúra

BERNOLÁK, A.: Slowár slowenskí, česko-laťinsko-ňemecko-uherskí. 1. vyd. Budae 1825−1827. 5 + 1 zv. 4446 + 856 s.
BUFFA, F.: Vznik a vývin slovenskej botanickej nomenklatúry. 1. vyd. Bratislava, Vydavateľstvo SAV 1972. 428 s.
ČERVENKA, M. a kol.: Slovenské botanické názvoslovie. 1. vyd. Bratislava, Príroda 1986. 520 s.
HABOVŠTIAKOVÁ, K.: Bernolákovo jazykovedné dielo. 1. vyd. Bratislava, Vydavateľstvo SAV 1968. 446 s.
KUČEROVÁ, E.: Z problematiky slovných spojení. In: Štúdie z porovnávacej gramatiky a lexikológie. Red. Š. Peciar. Bratislava, Veda 1974, s. 7−40.
MACHEK, V.: Česká a slovenská jména rostlin. 1. vyd. Praha, Nakladatelství ČSAV 1954. 366 s.

MLACEK, J.: Slovenská frazeológia. 1. vyd. Bratislava, Slovenské pedagogické nakladateľstvo 1977. 120 s.

PAULINY, E.: Slovenská gramatika. 1. vyd. Bratislava, Slovenské pedagogické nakladateľstvo 1981. 324 s.

RIPKA, I.: Vecný slovník dolnotrenčianskych nárečí. 1. vyd. Bratislava, Veda 1981. 338 s.

RIPKA, I.: Viacslovné spojenia a ich lexikografické spracovanie. In: Jazykovedné štúdie. 21. Dialektológia. Red. I. Ripka. Bratislava, Veda 1987, s. 7—20.

Slovník slovenského jazyka. Red. Š. Peciar. 1. vyd. Bratislava, Vydavateľstvo SAV 1959—1968. 6 zv.

Slovník slovenských nárečí. Ukážkový zväzok. Ed. I. Ripka. Bratislava, Veda 1980. 284 s.

Slovná zásoba vo Fándlyho diele Pilný domajší a poľný hospodár a Bernolákov Slovár

MILAN MAJTÁN

1. J. Fándly patril medzi najvýraznejších predstaviteľov Slovenského učeného tovarišstva a medzi najhorlivejších rozširovateľov a propagátorov bernolákovskej kodifikácie spisovnej slovenčiny. Jeho ľudovýchovné diela, štyri vydané (a štyri nevydané) zväzky Pilného domajšieho a poľného hospodára (1792 – 1800; ďalej Hospodár) a spisy O úhoroch aj včelách (1802), Slovenský včelár (1802), Zelinkár (1793) mali veľký praktický dosah a mohli účinne pôsobiť v širokých vrstvách slovenského roľníctva, polemický spis Dúverná zmlúva (1789), odpovede na hanopisy i vydané kázne iste zohrali svoju úlohu pri rozširovaní bernolákovčiny medzi vtedajšou slovenskou inteligenciou.

2. Svoju slovenčinu charakterizoval J. Fándly už v predhovore k Dúvernej zmlúve, keď o nej napísal, že mladí kňazi, chovanci prešporského seminára, jeho „domagšú wimluwnosť ze svogím chwalitebním usiluwáňím naprawili w mnohích místách podle regule nowég dobropisebnosti našeho slawného slowenského národu" (t. j. podľa Bernolákovej kodifikácie). Čitateľom odporúčal i „običagnú domagšú každodennú slowenskég reči wímluwnosť" (t. j. živú ľudovú reč) i „podľa dobropísebnosti čistotnú slowenčinu" (t. j. bernolákovskú pravopisnú kodifikáciu).

Už v týchto úvodných slovách je obsiahnutý jeho vzťah k spisovnému jazyku, ako aj jeho základná charakteristika: živá reč ľudu („okolotrnawská običagná wimluwnosť"; Zahambení posmiwač, s. 223) a bernolákowská kodifikácia. Svoje dve hlavné zásady odporúčal všetkým Slovákom, najmä mladým kazateľom, ktorí by sa mali jazykom bernolákovskej kodifikácie približovať svojim poslucháčom (cit. podľa výberu z diela J. Fándlyho, s. 97). Dúverná zmlúva

vyvolala ostrú polemiku. Autori hanopisov, ktoré vyšli ešte v tom istom roku (1789), označili Fándlyho živý ľudový jazyk za „ne slowenský ale hornácký" (Odporné smluvánj, s. 209) a pod „nowosedláckími šátormi pozbíranú domagšú slowenčinu" (Antifándly, s. 221). J. I. Bajza mu ústami mnícha Teodolusa vyčitoval takto: „... wi s nimi (t. j. s Naháčanmi) ani nehoworíťe, ani nehútoríťe, ani nerozpráwaťe, než gako we wreci od duba k dubu sa tlučete, tak we slowenčine gediňe wendcíťe, bencíťe a podobňe" (Antifándly, s. 222). Poslednými slovami J. I. Bajza útočil na nárečové tvary neurčitku slovies typu najcit, vendit, pomocit (= nájsť, vojsť, pomôcť), ktoré J. Fándly používal.

Slovenské učené tovarišstvo prijalo Bernolákovu kodifikáciu za svoju. J. Fándly v druhom obetovaní prvého zväzku Hospodára (1792) odporúčal všetkým Bernolákove spisy, aby mohli písať podľa nich čírou, čistou slovenčinou, a vysvetlil, že aj sám sa zaviazal dodržiavať bernolákovskú kodifikáciu, a preto nemôže podľa svojej vôle zachovávať všetky znaky ľudovej reči, nárečia trnavského okolia: „Gá téš, poňewáč sem sa zawázal k tímto predmenuwaním prawidlám, ňemôžem po méj wúľi we všetkém temto písme mogého kragu običagnú slowenčinu zachowáwať" (s. 254). Ale po výčitke, že mu chovanci bratislavského seminára museli slovenčinu opravovať, musel sa brániť slovami: „w mogég kňiške mogá slowenčina zostala, od luckích (t. j. cudzích) rúk sú len nové literi, podla našég nowég dobropísebnosti pokladené" (Zahambení posmiwač, s. 223).

O Fándlyho reči v Dúvernej zmlúve A. Bernolák napísal (1790), že je číra a čistá, hoci s niektorými výčitkami (napr. o tvaroch neurčitku) súhlasil. Zho-

139

vievavý postoj odôvodnil tým, že nová kodifikovaná slovenčina nemala vtedy ešte ani gramatiku, ani slovník (porov. Toto maličké písmo, s. 239; porov. aj Kotvan, 1939/1940, s. 289).

Bernolákovský pravopis J. Fándly zachovával, hoci mal voči nemu pravdepodobne výhrady. Možno tak usudzovať už podľa spomínaných úvodných slov z Dúvernej zmlúvy, že mu bratislavskí chovanci seminára upravovali rukopis tohto diela, ale najmä z polemického spisu Ňečo o epigrammatéch anebožto malorádkoch J. I. Bajzi (1794), v ktorom jeden z účastníkov dišputy Lifand (Fándly) uvažuje, že by sa Bernolákova graféma g mala nahradiť grafémou j, graféma ğ grafémou g a dvojité w jednoduchým v pri zachovávaní ostatných znakov Bernolákovho pravopisu. Za autora tohto spisu sa pokladá A. Bernolák, aj on mohol tu tlmočiť Fándlyho kritické poznámky, ale rovnako by mohol ním byť aj I. Fándly. J. Fándly však vo všetkých svojich dielach, ako aj v tých, čo vyšli po r. 1794, bernolákovský pravopis dodržal. Niektoré odchýlky od Bernolákovej Ortografie v hláskosloví i v tvarosloví uvádza I. Kotvan (1939/1940, s. 291).

O hláskových a o tvaroslovných javoch charakteristických pre Fándlyho slovenčinu podrobnejšie písala L. Svrčková (1950).

2. Slovná zásoba Fándlyho Hospodára je ukážkou ľudovej, nárečovej slovnej zásoby západoslovenských nárečí, najmä nárečia trnavského okolia patriaceho do juhozápadnej skupiny západoslovenských nárečí. Charakterizujú ju všeobecne západoslovenské slová, ako sú okno, mračno, barina, žihlawa, plánta, zelina (= burina), otava, stádo, kočka, stodola, hospodár (dnes iba na Záhorí, inde gazda), nátoň, otawa, duchna, poduška, peceň, zásmažka, kmín, warecha, wčul/wčil, žufan, žbánek, hrotek a i.

Ďalšiu charakteristickú vrstvu tvoria slová príznačné pre južnú skupinu západoslovenských nárečí alebo slová obmedzené iba na menšie územie tejto skupiny. Také sú napr. boğdál, koroptwa, gabrátka, stupka, krumple, ocas, hránt, noša, oklep, otka, húra, podlaha (= povala), žmolki, slíže, ňešpori (= olovrant), škridla (= pokrievka), randlík, gbelík, tunka, stádo, lichwa, klnuť, fčil, drúh (= drúk), pantok (= veľká sekera), klapiňec (= kravské lajno), lowíšek (= mliečnik), nápoki (= náročky), ničemní (= naničhodný), škarupina, škarup a i.

Slovné bohatstvo Fándlyho literárneho diela bolo A. Bernolákovi základným a najdôležitejším prameňom pri zostavovaní slovenskej časti Slovára (Mihál, 1941; Považan, 1958). Podľa J. Považana A. Bernolák veľmi starostlivo vyexcerpoval z Fándlyho diel najmä slová z oblasti roľníckeho života, botanické názvoslovie, menej už lexikalizované a frazeologické spojenia. Vo Fándlyho dielach je podľa tohto autora iba veľmi málo slov, ktoré A. Bernolák v Slovári neuvádza (ako príklady spomína slová košaruwať, obnowka, olimpiánska hra, pešár, ranostag, rukowní, ukrogní, uradskí, buchetka, skášať – Považan, 1958, s. 128). Slovár podľa neho obsahuje 93,9 % Fándlyho slovnej zásoby (porov. Habovštiaková, 1968, s. 227).

2.1. J. Fándly v Hospodári cieľavedome, často blízko seba, ale i na rozličných miestach v texte používal dva i viaceré synonymné (heteronymné) výrazy, aby dielo bolo ešte zrozumiteľnejšie a svojím jazykom prístupné čo najväčšiemu okruhu čitateľov. Tak kapitolu o lucerne siatej (Medicago sativa) uviedol synonymnými výrazmi lucerna, burgundská gaťelina, brniseľ, medaka tráwa, kozorožec, v texte používal však iba lucerna. A. Bernolák má z uvedených slov v Slovári ako nárečové slovo (označené hviezdičkou) iba slovo lucerna s vysvetlením „pro gaťelina konská". Ostatné v Slovári nie sú. Ďalšia kŕmna rastlina, ktorú J. Fándly v Hospodári odporúčal, vičenec vikolistý (Onobrychis viciifolia) má v úvode kapitoly uvedené názvy ešparzeta, woňawá wika, ledníček, turecká gaťelina, v ďalšom texte iba ešparzeta. Bernolákov Slovár nemá ani jeden z uvedených názvov. V poučeniach o zemiakoch (ľuľok zemiakový Solanum tuberosum) sa v Hospodári uvádzajú výrazy krumpľe, kolempír, podzemské gablka (erdepľe), zemnáki, zemáki, šwábská repa, šwábka, v texte sa najčastejšie používa pomenovanie krumpľe. A. Bernolák má v Slovári slová krumpľa, podzemné (podzemské) gablko, zemák, šwábska repa, šwábka; neuvádza slová zemnák, erdepľa, kolempír.

Z pomenovania rastlín možno uviesť aj ďalšie synonymné výrazy, napr.:

žito – pšenica, turecké žito – kukurica, réžná matka – planá réž – sporíček, rímski bob – konskí bob – swinskí bob, polní ohárek – psí ohárek – oslowí ohárek, polná horčica – planá horčica – ohňica – repnica, malí slez – polní slez – sirišťowá bilina – zagačí slez – pánbohowe koláčki, úžerná zelina – letawice, nádašník – oponka, čistec – konskí kmín, mesíčkowí kwet – pahnustek, diwizna – dziwina – wolowí ocas, kršláč – šťetka, čírná čemerica – čírná kichawka – sw. Ducha čírní koren, ščaw – šóška – šťábel – štiáwik, kamil – ormán, okun (!) – zimowit – polna cibula – planá cibula, kolokwint – slonowé wši, weronika – prítržník, thimián – wlaská maťeriná dúška, potoční pórr – židowski cesnek, pastírska kapsa – kodoška – bočowé zelé, krwawňík – lastowičňík – chelidon, kolocér – itrocel, mesačná ruta – mesačňík – wraťsazas, mišací chwost – rebríček, réw – wiňič, zemskí ğbez – chabzda, maďeránka – mariánek a pod.

Mnohé ďalšie slová sú aj z iných oblastí, napr.: hospodár – gazda – sedlák, gazďina – hospoďin, domkár – hofer – hoštatňík – chalupár – pešár, dworskí – uradňík – oficír, felčer – barwír – bradoholáč – lazebňík, gáǧer – horňí, zastawač – patrón, taškár – pletkár, bosorák – čarodowňík, korheľ – opilec – ožralec – pitel – piák, piť – lokať – strebať, opilí – oslopaní – ostrebaní –otreščení – ožralí, gazik laloce – brboce – plúzňí, otrowa – ged, ňezdoba – paškawa – hrích, chosen – osoh – užitek, osožní – osožliwí – osožitní, šenk – hosťinec, šarhowňa – wazeňí –pokutní dom – cuchthaus, činž – auscígel, mršina – skapacina, boğdál – čáp, swiňa – ušipaná, swinskí – brawčowí (o mase), odlúčiť – odstawiť (o prascoch), lichwa – dobitek – statek – bidlo, huba – papula, pečeňa – gátrá, ložisko – čiščidlo (= placenta), klapiňec – krawaciňec, behawka – bruskawica – dristačka – sračka, wred – padúcá ňemoc, čerwené ňeštowice – osípki, ureceňí – ňemoc z oči, kolika – madra, žaboškrekini – žabácí wagička, kmínské wčeli – zloďegki, smad – žížeň, šmak – chuť, lahodki – maškrtki, činğír – wodnár, mladé máslo – puter, kragíček – šmidka (chleba), cipaw – postruhen, nácesto – žmolki – pár, kráďeš – kmínstwo, čari – boboni – poweri, predmlúwať – prorokowať, pripíľiť – prispíšiť, wiškrábať – wiškohliť, čudní – ďiwní, fagka – pipka, šáf – škopek, tunka – gbelík – kaďečka, panwica – rendlík – kastról, meca – merica, wazaňica – zwazek, ğréfi – rebrini, ruda – rez (sneť), zelená zrdz – krinšpán, winohrad – winňica, barina – kalužina, blato – náňes – múl, sľín – merğeľ, ğrunt – základ – fundament, spošika – šikom – ševerom (šikmo), gaseň – podzimek, ledeň – hrubí sečeň, unor – malí sečeň, Krásopanna – Ďeňica – Swetluška – Zwíratná hwezda (Venuša) a i.

2.2 Viaceré prevzaté, ale i domáce slová, ktoré boli a sú súčasťou slovnej zásoby západoslovenských nárečí a ktoré použil J. Fándly v Hospodári, označil A. Bernolák v Slovári za nárečové a odkázal na domáce „spisovné" slovo (uvádzame ho v zátvorke), napr.:

banowať (lutowať), barwír (felčar), cipaw (pecen), cipawek (pecňík), doktor (lekár), ğaliba (prekážka), ğréfi (rebrini), ğutna (ğdúla), hagow (loď), hachlowať (česať), handlér (kupec), handlowať (kupčiť), humplowať (hubiť), chosen (osoh), chosňiť (osožiť), gáǧer (lowec), guhás (owčár), knedla (haluška), lucerna (gaťelina konská), maďerka (sadzar), muzika (hudba), ňemóresní (ňemrawní), ratúz (radňica),

šacowať (ceniť), šnidlink (pažitka), šnupák (smrkáč), šóška (ščáw), štráfať (karhať), štuchať (pichať), trešter (mláto wínowé), trunğ, trunek (nápog), čudní (ďiwní), čudno (diwňe), počudowať sa (podiwiť sa), alebožto (aneb), cecať (cicať), celkom (celkem), čeľesno (čeľustňík), člowačiňec (člowečiňec), fazuľa (fizuľa), hajloch (hajlok), hedbáw (hadbaw), huďica (uďica), gaslá (gesľe), klbáska (klobáska), kobola (kobila), koňwa (kánew), krem, krema (krom), ništ (nič), ohrablo (ohreblo), opatance (opentance), skapacina (skapaťina), sňach (sňeh), strewica (črewica), warečka (wareška), wazeňí (wezeňí), wčulagší (wčilagší), wďační (wďečňí), wnútornosťi (wnúternosťi), zagtra (zítra), zaščípiť (zaščepiť), zgawiť sa (zgewiť sa), žríba (žréba) a pod.

2.3. Viaceré slová, ktoré tvoria súčasť slovnej zásoby Hospodára, hodnotil A. Bernolák ako bohemizmy a odkazoval na „spisovné" slová:

antimonialskí (špisglasowí) armaria, armarka (kasna), čáp (bocan), fundácia (založeňí), heisek (frčkár), hubán (práchno), húľ (paľica), charba (sinokwet), kolébka (koľíska), korábek (kóra), korotwa (garabica), kotúč (trdelňík, kotulka), kwintľík (kwantľík), lazebňík (kúpelňík), plinúť (plwať), pošmúrní (mračňí), puchír (plezğír), erz (zrdz, sňeť), spúrní (hlawatí, twrdošigní), striž (strihačka), strížek (králiček), šíf (loď), škopek (šáf), šlechetnosť (statečnosť), šperka (cifra), špičkowať (pichať), tunka (kaďečka), zoft (ščáwa), zoftnatí (ščawnatí) a pod.

Za české označil A. Bernolák slová s niektorými zvukovými vlastnosťami, napr. vňitrní (wnuterní), wokun (okun), zagisťe (zaiste), zewniterní (zewníterní) a aj niektoré podoby spoločné češtine a (niektorým) západoslovenským nárečiam, napr. cecek (cicek), dole (dolu), ğantár (kantnár), iterná (uťérňa), sír (sir), sirowátka (serwátka), škarupina (škorupina, škrupina), takowi (takí), wihlídať (wihlédať), wilízať (wilézať), wišmeknut (wišmiknúť), zbírať (zberať), zrníčko (zrnečko) a i.

2.4. Osobitnou problematikou sa vyznačujú slová, ktoré sa vo Fándlyho Hospodári vyskytujú, ale A. Bernolák ich v Slovári z istých príčin nevyužil, hoci sa literárne dielo J. Fándlyho označuje za najdôležitejší prameň Bernolákovho Slovára. Z Hospodára možno uviesť stovky základných a odvodených slov domáceho i cudzieho pôvodu, ktoré sa do Slovára nedostali.

Zo slov cudzieho pôvodu, ktoré A. Bernolák do Slovára nezaradil, vyberáme:

akwawite, auscígel, brand, cenzúra, cuchthaus, dozis, ekzemplár, erdepľe, ešparzeta, fáz, fázik, fluspapír, fundament, ğabka, ğrán, haras, harpúder, hofera (= ofera), kalendárista (autor kalendára), kolokwint, kwantum, kwargle, lunt, magnézium, menďík, mergeľ, mistpet, mundír, muštra, oleander, orleán, orwetán, pankrot, podaš, prognostika, puter, rachétľa, riteršporn, rotangel, súsgeld, škrupel, teleskóp, trokár, tuškulán, zodiak.

Pri niektorých z týchto slov pridáva aj J. Fándly na objasnenie čitateľovi domáce alebo viac zdomácnené ekvivalenty, napr. cuchthaus – pokutní dom, erdepľe – podzemské gabka (a i.), ešparzeta – woňawá wika (a i.), harpuder (wlasposípka), kwargle – twaroški, medeka – lucerna (a i.), mergeľ – sľín, puter – mladé máslo a i.

Ďalšie slová cudzieho pôvodu (ale aj niektoré z tých, ktoré sme už uviedli) sú hlbšie začlenené do slovnej zásoby slovenčiny a nemožno jednoznačne povedať, či ich A. Bernolák nezaradil do Slovára pre ich cudzí pôvod alebo pre ich nárečový charakter. Ide o slová, ako sú napr. bíreš, bíreška, cwerğlowí, fráľať, futráž, luft, luftnatí, oficír, šľichtawí, ufardžiť a pod.

A. Bernolák asi vedome nezačlenil do Slovára Fándlyho útvory alebo kalky typu kazoreč, krmosemeno, meľihuba (to bude skôr slovo prezývkového typu z ľudovej reči), okowiďeňí, ostrozubatí, ranostag (ranné vstávanie), spoluwiďícki, swetomiláček, ale iste nedopatrením sa do Slovára nedostali napr. slová dogňica, chwastať sa, skromní, skromnosť, trňina a i.

V Slovári sa nezachytávajú desiatky ďalších nárečových slov a významov:

bobona, bohiňa, brbotať, bruskawica, buchetka, čiščidlo, čičurátka (Bernolák čučorétka), ďiwák, dochowica, dúčeľa, frndzič sa, hánka (= vrúbeľ), hepa, horki-dolki, húščar, húščik, chowánka, gabraciňi (= osičie), gáderňica (= štepnica), konopňica, kowadelňice, lichwička, marast, meca, mecka, mrdúsek, múl, náňes, ňezdoba (= hmyz), ostroški, pecini, pečeňa, plánečňík (= ocot z plánok), plaňina (= podpník), poleg (= lejak), prepáska, prchkí, prowislo, pupáček, pupák, pupek (= pupeň), rebrinki, repka (= koreň chvosta), riťowí (na snope), rozpinka, ruda (= sneť), segáč, šľepoťiť, spošika (= šikmo), struha (= pstruh), šanowať, šewerom (= šikmo), ťelačňík, truski, wrablačí, wriwí, zahibák, zámis, žbílí, žinčica, žkance, žurľiwí a pod.

Z názvov rastlín sa z Hospodára nedostali do Slovára okrem už spomenutých ani výrazy benedička, kamil, kršačka, kršáková ščetečka, mordowňík, ormán, ormánek, pritržník, zemewit a i.

A. Bernolák neprevzal do Slovára celé skupiny odvodených slov, ktoré by boli doplnili a obohatili príslušné slovné čeľade. Okrem už spomenutých slov sa v Slovári zo substantív neuvádzajú viaceré slová s príponami:

-iteľ (napr. pitel, od piť), podwoďitel, predplaťitel), -(o)ba (šanoba, zwažba) a -iščo (ciceriščo, fazulišťo (!), haleniščo, kurwiščo, mraweniščo, nátoňiščo, plántowiščo, poriščo, šošowiščo, wičiščo, wičňiščo, žabiňiščo).

Z adjektív nie sú tam niektoré s príponami:

-agší, -egší (napr. loňegší, odpoledňagší, poledňegší, poledňagší, sobotnagší, wečernagší, zwenkagší), -astí (belmastí, čerwenastí, kremenastí, lupinastí, swetlastí, zeľinastí), -atí (bahnatí, hlawičkowatí, luftnatí, marastnatí, olegowatí, prásnatí, rohowatí), -istí (olegowistí), -ití (glegowití, hľinowití, mochowití, ranowití, slameňití, storočití, šmakowití, wadowití), -ní (gaťelinní, kapitální, knutelní, krídelní, marastní, máselní, maťerní, mrkewní, panchartní, petržalní, planétní, rowášní, rukowní, sklení, uhorní, wíchirní, wíchorní), -awí (hodonkawí, šľichtawí), -owí (belmowí, krkowí, krumpľowí, nosowí, plántowí, puškowí, ulmowí), -skí (fundacionálskí, chowanskí, gatelinskí, komínskí, kraginskí, mineralskí, mláďenskí, našinskí, našozemskí, oborskí, osadskí, planétskí, podzemskí, proğnostickí, wčelárskí, winohradskí), -lí (oškwrlí, wikwítlí, zahorelí, zarostlí a i.).

Zo slovies nie sú v Slovári niektoré desubstantívne slovesá typu bobonowať, košarowať, pinkowať, raubšicowať, sračkowať a viaceré predponové slovesá s predponami:

do- (dokúsať), na- (nahledať, naosíwať), o- (ogasňiť, okádzať, olúpať, oňezdraweť, oprobowať, oretowať, osádzať sa, ostuďenowať, owlažiť), od(e)- (odbehať sa, odcediť, odekriť, odhádnuť, odklnať, odkútať, odščiknuť), po- (pohrmíwať, pokášať, pokliť, poňezdobiť, poodstlať, pooplakúwať, posmelowať, poštarcháwať, pozacpáwať, pozdechať, pod(e)- (podeťať, podkadiť, poducsiť sa), pri- (pricifruwať, prifrndiť sa, prihráť sa, pritrefiť sa), roz(e)- (rozebírať, roztafáriť), u- (udichťiť sa, uhadzowáwať sa, usádliť sa), w(e)- (wewálať, wewaliť sa, wletowať), wi- (wicaichnuwať, wihnuť, wimaškrťiť, wioťepiť, wipurgowať, wisračkowať, wiweriť), za- (zahádať, zahnésťiť, zachlopiť, zakoreňiť sa, zamakať, zaňezdobiť, zaoďáť, zapowrhať, zatláčať, zatrňiť, zawršiť), z(e)- (zbugňeť, zbutnaťeť, zdupačiť sa, zepsoťiť, zešrotowať, zetknuť sa, zňičowať, zrepiť sa a i.).

3. Konfrontácia jazyka a predovšetkým slovnej zásoby Fándlyho Hospodára s Atlasom slovenského jazyka (1968–1984) a s Bernolákovým Slovárom zreteľne ukazuje, že prvý kodifikovaný slovenský spisovný jazyk nebol iba novým kvalitatívne odlišným jazykovým útvarom v porovnaní s kultúrnou slovenčinou predkodifikačného obdobia západoslovenského typu, ale aj spisovným jazykom majúcim dobrý

a pevný základ v západoslovenských nárečiach. Súčasne ukazuje, že Fándly vychádzajúc z nárečia trnavského okolia, usiloval sa vniesť do nového spisovného jazyka čo najviac slov z ľudovej reči, z nárečovej terminológie hmotnej i duchovnej kultúry a so zreteľom na čitateľov a na ľudovýchovný a náučný charakter diela uvedením viacerých synonymných výrazov ešte viac priblížil text čo najväčšiemu počtu používateľov aj zo vzdialenejších nárečových oblastí. I napriek svojej „nárečovej bernolákovčine", napriek odchýlkam od bernolákovskej kodifikácie bol J. Fándly, ako to konštatoval už I. Kotvan (1929/1940, s. 291), najlepším štylistom bernolákovskej školy.

Porovnávanie slovnej zásoby Hospodára s lexikografickým spracovaním bernolákovskej lexiky v Slovári dáva možnosť sledovať výber slov, formovanie hniezd zo slov so spoločným slovotvorným základom, a tak aj kodifikačnú prax A. Bernoláka, hodnotenie a kvalifikovanie vyexcerpovanej a v Slovári použitej lexiky. Možno, pravda, s dvestoročným odstupom a so zreteľom na dvestoročný vývin spisovnej slovenčiny komentovať a prehodnocovať Bernolákove hodnotenia, ale faktom ostáva, že autor Slovára rozhľadene a cieľavedome hodnotil, kvalifikoval, a tým aj kodifikoval slovnú zásobu prvého slovenské-

ho spisovného jazyka. A v tom je jeho veľká a trvalá zásluha o ďalší rozvoj spisovnej slovenčiny.
* Uverejnené aj v čas. Slovenská reč, 52, 1987, s. 269–276.

Literatúra

Atlas slovenského jazyka. Bratislava, Veda 1968–1984. 4 zv.
BERNOLÁK, A.: Slowár slowenskí, česko-laťinsko-ňemecko-uherskí. Budín, Univerzitná tlačiareň 1825–1827.
FÁNDLY, J.: Poľní domagší a poľní hospodár. W Trnawe, W. Geľinek 1792–1800. 4 zv.
FÁNDLY, J.: – Výber z diela. Pripravil, úvod a poznámky napísal J. Tibenský. Bratislava, Vydavateľstvo SAV 1954. 412 s.
HABOVŠTIAKOVÁ, K.: Bernolákovo jazykovedné dielo. Bratislava, Vydavateľstvo SAV 1968. 445 s.
KOTVAN, I.: Juraj Fándly a slovenský jazyk. Linguistica Slovaca, 1–2, 1939/1940, s. 286–291.
MIHÁL, J.: Bernolákov Slovár. In: Zborník Matice slovenskej, 19, 1941, s. 356–388.
POVAŽAN, J.: Slowár Antona Bernoláka. In: Zborník Filozofickej fakulty Univerzity Komenského. Philologica. Zv. 10. Bratislava, Slovenské pedagogické nakladateľstvo 1958, s. 120–133.
SVRČKOVÁ, L.: Juraj Fándly a bernolákovská jazyková norma. In: Jazykovedný zborník SAVU, 4, 1950, s. 193–208.

Vinohradnícka terminológia
v diele Juraja Fándlyho
v konfrontácii so Slovárom a nárečiami

JOZEF R. NIŽNANSKÝ

Novú epochu v našom národnom živote znamenajúci Bernolákov kodifikačný čin (1787) dostal účinnú podporu v literárnych prácach, ktoré autori tvorili a upravovali podľa požiadaviek jeho základných normatívnych diel. Popri tvorbe iných spisovateľov bernolákovcov rozhodne najväčšmi zavážilo rozsiahle dielo Juraja Fándlyho (1750—1811), autora najmä národohospodárskych spisov. Po *Dúvernej zmlúve* (1789), ktorá podľa pôvodcu sledovala ,,kratochvíľu" a pobavenie mladých vzdelancov, čiže mala literárne ambície, Fándlyho národohospodárske diela *Piľní domajší a poľní hospodár I—IV* (1792, 1800), *Slovenskí včelár* (1802), *Zeľinkár* (1793) i ostatné spisy a vydania podobného odbornovzdelávacieho žánru sú zamerané na poučenie slovenského pospolitého ľudu. Národne uvedomelý a vzdelaný ,,hospodár" Fándly takýmto spôsobom burcuje sedliakov do vzdelávania, vyššej hospodárskej produktivity a učí ich budovať lepší vlastný život s perspektívou dosiahnutia sociálnej slobody — vykúpenia sa z poddanstva (Žatkuliak, 1951, s. 56).

1. Náučná spisba J. Fándlyho sa vyznačuje jadrným a zemitým ľudovým jazykom, nezriedka umocneným lexikálnymi (terminologickými) pleonazmami, slovnou zásobou značne sa odlišujúcou od úzu západoslovenských vzdelancov a učencov, ktorý A. Bernolák pokladal za hlavnú oporu kodifikačnej normy spisovnej slovenčiny. Slovný fond i vetná stavba Fándlyho náučnej prózy vychádza zo živej lexiky a syntaxe trnavského dialektu, uplatňujúcich sa vtedy (ba zhruba vari podnes) v severnej časti malokarpatskej oblasti, obývanej roľníkmi a vinohradníkmi. Tendenciou demokratizácie spisovného úzu vzdelancov sa vyznačuje najmä najrozsiahlejšie Fándlyho náučné dielo *Piľní domajší a poľní hospo-*

dár, z ktorého knižne vyšli štyri diely (*stránki)*, štyri ostali v rukopise (z nich dva posledné diely sa doteraz nenašli).

Piľní hospodár je ,,populárna encyklopédia všetkých základných vtedajších poznatkov o poľnohospodárstve" (Tibenský, 1973, s. 20). Nášmu veľkému osvietencovi, vzdelávateľovi ľudu, národnému buditeľovi a kritikovi ešte stále mocného feudálneho systému išlo nielen v tomto diele predovšetkým o hospodárske pozdvihnutie ľudových vrstiev, ale aby v zlepšených životných podmienkach aj vlastným pričinením skôr pochopili nevyhnutnosť vzdelávania a národného uvedomenia.

2. Hospodárske zveľadenie sedliaka mohlo umožniť najmä intenzívnejšie obrábanie pôdy, čo znamenalo väčší výnos z nej. Na pôdny fond nemal však poddaný voľné dispozičné právo, no vinice mohol predať, vymeniť, dať do zálohu, zmeniť na sad alebo ornú pôdu a podľa voľného dedičského práva mohli vinice dediť zákonní alebo testamentárni dedičia (Rebro, 1959, s. 276). Z viníc býval vyšší výnos než z poľa, aj ich zdanenie bolo preto oveľa vyššie. Teda vinice či tržba za ich produkty mohli byť značným zdrojom zlepšenia sociálnych pomerov poddaných. Akiste aj preto venuje J. Fándly pozornosť obrábaniu viníc a opatere vína.

2.1. V druhom diele Piľného hospodára (1792) vo forme mesačného kalendária poúča alebo upozorňuje autor hospodára či *úkoľníka,* čo má v ktorom ročnom období urobiť alebo nezanedbať vo vinohrade aj v pivnici a komore. Tieto nárady zaraďuje do tematických statí pod názvami *Ve vinohrade, Pri dome* a nakoniec ich dopĺňa vtedy obľúbenými pranostikami, ba ako dobrý rozprávač sprístupňuje ich aj v besednici *XXI. príkladom* (s. 213—218).

V stati na október (II, s. 136) upozorňuje Fándly čitateľov, aby čakali „aj o inších pri vínu potrebních, spolu užitečních kunštoch... obzvláštné naučeňí o vínu". Autor prevdepodobne pripravoval alebo mal už napísaný dodatok či samostatný diel o vinárskej technológii, ako to realizoval v Slovenskom včelári, hoci v kalendáriu druhého zväzku Piľného hospodára uvádzal na každý mesiac aj state *Pri včelách* o chove včiel.

3. Juraj Fándly väčšinu svojho činorodého života strávil v rodnom kraji so starou vinohradnou agrikultúrou (Častá, Naháč, Ompitál-Doľany). Ako vzdelaný a odborne fundovaný národohospodár veľa pozornosti aj času venoval teoretickému i praktickému ovládaniu tém, o ktorých písal. Pravdaže, vychádzal zo situácie vo vtedajších poddanských hospodárstvach, zaostalú a nevyhovujúcu technológiu odsudzoval a narádzal progresívnejšie postupy, odpozorované z inojazyčnej literatúry aj zo skúseností modernejšej praxe (napr. na hospodárskych školách).

Vo vinohradníctve kládol Fándly dôraz najmä na včas vykonané a nevyhnutne potrebné už známe práce, čo by potvrdzovalo, že malokarpatské vinohradníctvo sa držalo na istej odbornej úrovni. Fándly – vinohradník si všíma iba priebežne detaily reálií, pozornosť upriamuje na podstatné problémy vinohradnej agrikultúry a vinárskej praxe. Akiste preto nachádzame v jeho inštrukciách menej terminológie, súvisiacej napr. s detailami vegetácie vinice a jej ošetrovaním, čo zasa využíva zavše Ján Hollý vo svojom diele (Nižnanský, 1987, stade i všetky ostatné citácie Hollého vinohradníckej terminológie s uvedením literatúry a prameňov). Aj v Bernolákovom Slovári sa niekedy vyskytujú bohatšie synonymné rady vinohradníckych a vinárskych termínov, pričom autor niektoré Fándlyho pomenovacie lexémy pokladá za dialektizmy vo vzťahu k spisovnej slovnej zásobe – úzu vzdelancov (Habovštiaková, 1968, s. 270–271). O vinohradníckej terminológii vo Fándlyho diele hodno ešte spomenúť, že sa vo veľkom rozsahu zachovala až do súčasnosti medzi staršou generáciou severnej časti malokarpatskej oblasti, ako svedčia údaje z terénneho výskumu podľa dotazníka Vinohradníctvo (1969) a materiály v Kartotéke Slovníka slovenských nárečí aj v Archíve nárečových textov (dialektologické oddelenie JÚĽŠ SAV v Bratislave).

3.1. Závažným činiteľom pri pestovaní viniča je vinohradník. U Fándlyho sa stretáme s termínom *úkolňík*, označujúcom skúseného odborníka vincúra, najatého za mzdu alebo naturálie na „úkol, akord", čiže načas urobiť niektoré hlavnejšie alebo všetky

potrebné práce vo vinici. Autor totiž poučenia adresuje „hospodárovi", ako nasvedčujú aj doklady: *Dohlídaj úkolňíkovi, abi mnoho oček ňezrezuval ...abi dobré koreňi ňerozdával* (II, s. 53). No pritom *rozumní úkolňík ohlídá aj obává sa* (mrazov) *do svatého Urbana* (ibid.) a uznávajú sa jeho skúsenosti aj mienka: *Po čem máš zrelosť klča poznať ...opítaj sa skuseného úkolňíka, vícej a ľepší ťa naučí skusenosť, okoviďeňí lež múj spis* (II, s. 402). Namiesto termínu „vinohradník" – majiteľ vinice používa Fándly sporadicky dvojslovný výraz *vinohradskí hospodár* (s. 214): *Preto si vinohradskí hospodár sve taške unuváňí lúta, že čo* (hrozna) *škodľivé zveri zeďá, s tím bi móhol pána skoncuvať.*

Bernolák v Slovári (V, s. 3762) pri hesle *vinohradňík* uvádza synonymá *vincúr, vinár, viňičňík, úkolňík* a pri heslovej lexéme *vinohradníctví* medzi synonymami aj *úkolňíčeňí, úkolňíctví.* J. Hollý slová *vinohradník,* a *vincúr* uplatňuje ako synonymá.

V stredoslovenských nárečiach (okolie Krupiny, Sielnica) termín *úkol* znamená sezónnu prácu na akord a *úkolňík* bol napr. najatý žnec. V skalickom dialekte príslovka *úkoụem* má spisovný ekvivalent „vedno, všetko, spolu".

V tejto súvislosti používa Fándly ešte jedno pomenovanie pracovníka vo vinici, a to slovo *tovarichár* (II, s. 214): *Hned mosí víno od prešu odpredať, abi mohól svoje dánki, svoje dlhi, svojích tovarichárov splacit.* V juhozápadoslovenských nárečiach znamená tento výraz kopáča i nádenníka pri vinohradných zelených robotách.

3.2. Kultivovanú zem vysadenú viničom označuje Fándly termínom *vinohrad: Po sanici* (január) *vivážaj hnoj do vinohrada* (II, s. 12); *Ľen kapustu, khel, strapačku aňi kvaku ňetrp ve vinohraďe, to veľmi škodí klču aj hrozňom.* Synonymum *vinica* používa autor prenesene ako symbol územia, spoločenstva, národa: *Vinica naša kvitnúť buďe, jestľi sa mi včil do tehoto nového Tovarišstva spojíme* (Piľní hospodár I, s. 35). Na základný význam sa v Slovári (V, s. 3764, 3767) uvádzajú lexémy *vinohrad, viňica, vinnica.* J. Hollý používa vo svojom diele ako synonymné výrazy *vinohrad, viňica, viňňica.*

V západoslovenských nárečiach až po tok rieky Nitry sa stretáme s termínom *vinohrad,* na východnej strane tejto izolexy sa uplatňuje pomenovanie *viňica,* príp. *viňic* (Nižnanský, 1982, s. 26).

3.2.1. Chotárny hon kompaktne alebo značne vysadený vinicami pomenúva Fándly termínom *vrch,* spojením *vinohradskí vrch* (II, s. 213): *Je* (to) *dobrí chotár v rovném poli, len že ho je málo, mnoho je v ňem vrchov a na ňích vinohradov; ešče sa tam mnohé vinohradské vrchi zľe zrábajú.* Bernolák v Slovári k heslovej lexéme *vrch* (V, s. 4023) uvádza synonymum *hora* a pri hesle *hora* (I, s. 756) zasa synonymá *vrch, viňičná hora* s odkazom na *viňicu* a *vinohrad.* Druhý význam heslového adjektíva *viniční* (V, s. 3764) exemplifikujú spojenia *viniční vršek, viničné vrchi.* Ekvivalentmi týchto výrazov sú lat. *mons, (promontorium),* nem. *Berg, Weinberg,* maď. *hegy, szőlőhegy.*

Aj v nárečiach sa slovom *hora, hori* označoval chotárny hon s vinicami takmer na celom vinohradníckom území (*Aj to bola hora, vinohradi:* Dvorníky; *Čo ňedá hora, dá doľina:* Hor. Strehová; na východe *hura, hurka*) a zachovalo sa najmä vo viacčlenných toponymách ako *Stará hora, Zlatá hora, Nové hori, Hola hurka* a pod. Na južnom stredoslovenskom území sa v tomto význame vyskytujú dvojslovné toponymá s členom *vrch, vŕšok* (*Noví vrch, Starí vrch, Mihalov vršok* a iné; porov. Kišon – Hanák, 1962).

3.2.2. Z lexémy *hora* je odvodený termín poplatku zemepánovi z viníc *horné* (II, s. 214): *Musá ten chibného roku zaňedbaní devátek, to horné dávať v budúcem úrodném roku.* Bernolák v Slovári toto slovo uvádza (I, s. 373), v tom čase bolo ešte bežné, ale pre obrodné hnutie neaktuálne.

Podobnou odvodeninou je i názov obcou zvoleného alebo vymenovaného dozorného orgánu nad miestnymi vinicami, akým bol *horní* (II, s. 216): *Taki* (zemepáni) *bi maľi vidať jágrom, horňím príkaz* (strieľať škodnú zver vo viniciach). Bernolák (I, s. 764) v druhom význame heslového slova *horní* definuje jeho obsah ako (*horní) nad viňicami, nad vinohradmi,* uvádza ekvivalenty *magister montium, Bergmeister über die Weinberge,* ľudovo *pereg, peregmajster.*

V nárečiach sa pri výskume vinohradníckej terminológie už nezastihol výraz *horní,* ale od bratislavskej Rače po Čajkov v Tekove termín *pereg/-k,* pl. *peredzi/-ci/-gi,* v Slepčanoch *pered,* pl. *peredi,* vo V. Záluží aj *peregmešter.*

3.2.3. Vinice oddeľujúcu medzu (z kamenia, s rozličným porastom i čistú) označuje Fándly prevzatým slovom záhorskej a malokarpatskej nomenklatúry – *rúna: Rúni čisťi* (II, s. 33); *Klčuj rúňi a trňiňi* (s. 146) atď. Ustálenejšie dvojslovné spojenie *krajná* či *posledná rúna* môže znamenať terasovitú, okraj jednej alebo viacerých viníc na približne rovnakej úrovni tvoriaciu medzu na svahu; *chotárna rúna* medzu od celku ornej, zatrávnenej, zalesnenej alebo hraničiacej so susedným chotárom: *Na krajních, posledních, chotárních rúnách, na haťách … stavaj ňíské sťeňi* (II, s. 146, 439). Je však možné, že sú to synonymá.

Bernolák (IV, s. 2850) túto reáliu pomenúva slovom *rún* m. a pri hesle *medza* uvádza ako synonymá *rún* m., *rúno* s. J. Hollý použil odvodeninu *odronek* (polriadok, polspon vedľa rúny) trnavsko-hlohovského typu.

V susedných severotrnavských, hlohovských a juhopovažských nárečiach označujú vinohradnú medzu hláskovým variantom *róna, rovna, róvna* a synonymami *medzník/mezník, chodník/chonník, brázda.*

Termín *hať* znamená medzu oddeľujúcu vinohradnú horu od pasienkov, polí a pod., miestami sa vyskytuje aj v nitrianskych a severohlohovských dialektoch *(hať/hat).* A. Bernolák (I, s. 699) k heslovej lexéme *hať* uvádza ako synonymá *gát, jaz, haťina.* Slovo *hať* zdá sa byť synonymom výrazu *chotárna rúna.*

3.2.4. Na strmších svahoch mávajú viničné terasy stupňovitú úpravu, ktorej hraničné okraje a nárožia tvoria hlinené stienky alebo kameňové múriky. Na označenie tejto reálie Fándly používa základný tvar *sťena* (II, s. 439): *Stavaj ňíské sťeňi, ľen dobre pomíšaj sipkú zem, hlinu, trávňik, moch; s takúto maltu stavaj kameň, utlač skaľi a štrk.* V Slovári majú heslové lexémy *sťena* a *sťenka (*IV, s. 3149, 3150), *múr múrek* (II, s. 1478) všeobecnejší význam.

V nárečiach vínorodých krajov sa ako názvy podperných múrikov viničných terás uplatňujú najmä výrazy *scenka/scénka/sťenka* (malokarpatská oblasť), *sťienka* (Hont), *múr, múrik* (Hont, Novohrad), *murik* (Zemplín), miestami *násip* (Súlovce), *hrádza* (Zl. Moravce), *opera* (Čachtice), *ockok v bočine* (Hlohovec), *schoda* (Sebechleby), *garadža* (zempl. Novosad), v malokarpatskej oblasti synonymá *šlóg, šlág* (porov. Nižnanský, 1982, s. 337).

3.2.5. Vo viniciach sa stavali objekty so strážnou, uskladňovacou, zavše aj ubytovacou funkciou. Prevzatý termín *hajloch/-k,* čo používa Fándly pri inštrukciách, znamená zrejme jednoduchšiu stavbu, domec na vinohradnícke náradie, sudy s vínom do vykvasenia, príp. krátke pobudnutie v ňom: *Jeľi ve vinohrade hajloch a v ňem preš, prehlédňi* (september) *všetki jeho částki, chibné poprav aľebo znovu za včasu zaopatri* (s. 147); *Prevážaj z hajloka víno po lahodnej saňici* (s. 439). V Bernolákovom Slovári (I, s. 681) sa ako spisovná lexéma uvádza tvar *hajlok,* jeho synonymum *vinohradská búda (koliba)* a ako nárečové *hajloch.* Na území vinohradníckej agrikultúri sa takéto objekty nazývajú *búda, hajlok* (Modra, severná malokarpatská oblasť, Tekov, Hont), *hajloch,* príp. *chajloch* (trnavsko-hlohovská oblasť a ďalej až po východoslovenské rajóny) i ako synonymá *ľoch, chiška, chraňec, borház,* na východe *jatka* a *borhaz* najčastejšie s pivnicou, miestami aj bez pivnice.

Objekt na lisovanie hrozna Fándly označuje termínom *prešovna (Jestli doma prešuješ a ňé v hajlochu, pozoruj, abi komora lebo prešovna bola čistotná;* II, s. 166). Bernolákov Slovár (III, s. 2540) názov tejto reálie kodifikuje slovom *prešovňa.* V dialektoch sa vyskytuje výraz *prešovna,* zried. *presovňa* (Skalica) na juhozápadnom území, v Tekove a Honte, na Záhorí aj synonymum *prešhaus.*

Spomínané objekty nahrádzala pri dome *komora* (II, s. 166): *Ve smradlavéj, v plesňivéj komori skór sa mušt aj nové víno v suďe pokazí.* Aj Bernolák v Slovári (II, s. 1010) uvádza polysémne slovo *komora.*

V nárečiach viacslovné výrazy konkretizujú umiestenie a využitie tohto priestoru či objektu. Napr. v zried. spojení *nádvorná komora* (Brestovany) adjektívny člen poukazuje na vchod z dvora a hospodárske využitie; *vinohracká komora* (Lapáš), *komora na víno* (Šintava) znamená objekt vo vinohrade bez pivnice alebo miestnosť nad pivnicou (Pastuchov), ktoré vedno tvoria *hajloch.*

3.2.6. Zemný priestor na uskladnenie vína (pri dome i vo vinici) označuje Fándly lexémou *pivňic* (II, s. 58): *Keď je suchí brezeň, mokrí dubeň, chladní máj, naplňíš stodolu, pivňic aj komoru chistaj* atď. Takýto nominatívny tvar sa vyskytuje v juhozápadoslovenských a v južných stredoslovenských nárečiach popri forme *pivnica.* V tekovských a sporadicky aj v hontianskych dialektoch termín *pivňica* znamená i podpivničený vinohradný domec hajloch. A. Bernolák (III, s. 2107) pri hesle *pivňica* uvádza spojenie *vinná pivňica.* J. Hollý spomína v korešpondencii *pivňicu vo vinohradoch.*

3.2.7. Podpernou reáliou vo vinici bývali pri viničoch koly, kolíky, ktoré Fándly označuje juhozápadoslovenským termínom *štek* (syn. *kol/kól, kolek,* zried. *tika:* Čachtice), v juhostredoslovenských dialektoch sa používajú výrazy *tič, tíka, tíčka, tík, kuol/kou, kolok, kolík,* v Tekove i *štek,* vo východných rajónoch *kol/kul, kolik.* J. Hollý vo Svatoplukovi využíva jednostopový termín *tík;* Bernolák v Slovári (IV, s. 3147, 3148) kodifikuje lexému *štek* a ako synonymum uvádza spojenie *víňičná tička,* úzus *šteki tlúct* s jednoslovným synonymom *štekovať.*

Fándlyho pripomienka *Po oberački vitahuj šteki a suché poklaď na hromádki nad zemu* (II, s. 162) vyjadruje spôsob a miesto uloženia vyťahaných kolov na zimu. Určenie ,,nad zemu" a nie ,,na zem" akiste znamená uloženie na skrížené podstavce z kolov, ktoré sa v nárečiach označujú viacerými synonymami či heteronymami ako *šráki/-gi, šragle, kolépka* (topo-

nymá *Kolépki!), kolíska, koliba, nožnice, kríže, koza, kone, krosínká* na juhozápadnom území; *rakáče/-še, kozi, koňík, koňe, kobolini, bak, krosienka* v juhostredoslovenských rajónoch (údaje získané dotazníkom Vinohradníctvo, 1969, bod 114; stade aj ostatné nárečové doklady).

4. Vinič všeobecne aj vo význame viničného kra a viničných prútov označuje Fándly prevzatými slovami *rív, riví* a v jednom význame aj synonymom *klč: Včil* (pri oberačke) *najlepší poznáš, kterí je starí klč a ňerodňí rív* (II, s. 146); *Riví zahibuj a písečnatú zemu zakládaj* (s. 33). A. Bernolák v Slovári (II, s. 2711, 2712) uvádza v tomto význame heslové slová *rév ž., réva* a synonymá *vinič, vinná ratolest, vinní prút.* J. Hollý v diele uplatňuje tvary *rév, réva, réví.*

Na juhozápadnom území sa v nárečiach vyskytujú formy *rév/-f, rêví/-ié, rîva, rîví* a ich synonymá *vinič, vinik, viničo.*

4.1. Pojem odrody viniča i jeho plodu hrozna vyjadruje autor kalendária (II, s. 146) termínom *šlachta: Naznač dobréj šlachti klče, abi si s ňích móhol množiť* atď. Aj Bernolák má v Slovári (IV, s. 2994) heslovú lexému *šlachta* so synonymami *fajta, fála.*

V nárečiach malokarpatskej oblasti a na priľahlom území trnavsko-hlohovských rajónov staršie generácie používali v tomto význame slovo *šlachta* popri synonymách *odroda/odruda, sorta,* ktoré sa s výrazom *fajta* uplatňujú aj na ostatnom našom vinohradníckom území.

4.2. Reáliu ,,viničný ker" vyjadruje Fándly termínom *klč* i združeným pomenovaním *vinní klč* a synonymami *pňíček, koreň* (II, s. 109): *Jestli víchor šťeki ľebo klče poválal, pozdvihuj a upevňi jích; Naznač aľebo k zemi prihňi klče, s kterích buďeš maďerki zahibuvat, abi asnaď pres tuhú zimu ňezmrzľi* (s. 162); *Keď hadopeňici hlas zuňí a brňí prv, lež vinní klč pučí, je úffaňí dobrého roku* (s. 72); *Vihadzuj stare pňíčki, zakládaj dolóvki* (s. 53). Slovár v hesle *klč* (II, s. 945) uvádza synonymá *ker, klat, kmen, koreň, krč, krnáč* a úzus *klče vikopávať.* J. Hollý vyjadruje kíč výrazmi *rév* a *vinní ker.*

V juhozápadoslovenských nárečiach túto reáliu nazývajú najmä *kíč* a synonymnými výrazmi *peň/-n, pňík, rév/-f, réva, koreň,* miestami *krč* (Rača, Pezinok), v juhostredoslovenských dialektoch *kŕč,* na východe *pňak, pňačok,* zried. *korč.*

4.2.1. Zdrevnatené letorasty na viničnom kre označuje Fándly substantívom *prut* (II, s. 53): *Dohlídaj úkolňíkovi ...abi dobré pruti nezrezuval.* J. Hollý používa dvojslovný výraz *révné prútí,* Bernolák v Slovári (II, s. 2711, 2712) ako heslo uvádza *prut* i *prút* a k nim exemplifikáciu *vinní prút.*

V dialektoch sa stretávame s nárečovými synonymami *rév, réví/-ié, ríví, rívoví, prut, drevo, vinič/-k, viničo, vinička, viničí* na juhozápade; *prút, prúťie/-ia/-a, mláňe* na stredoslovenskom juhu a na východe *prut, pruti, prutok, prutki, viňik,* zried. *lože* (Sobrance).

4.2.2. Základ novej vegetácie (spiaci) puk Fándly označuje termínom *očko* (… *abi mnoho oček ňezrezuval;* II, s. 53), frekventovanom na celom našom vinohradníckom území popri synonymách a heteronymách *oko,* už vo vegetácii *pucka, pucek, pupok, pupček, púčik/-ek, puchír* a s vatovým obalom expr. *holúbatko* (Hor. Orešany), *sova* (Pukanec). Fándly *očko* vo vegetačnom štádiu nazýva *pupek* (II, s. 78): *Abi vincúri aňi inšé obžirné muški na klču ňevižíraľi pupki aňi kvet, podkuruj klči.* A. Bernolák v tomto význame uplatňuje heslové slovo *pupenec,* synonymum *pupeň,* úzus *pupenec púščať.*

4.3. Rodiacu už viničnú výsadu možno rozmnožovať, Fándlyho výrazom *množiť* (II, s. 146). Priame rozširovanie alebo dopĺňanie vinohradnej plochy sa v staršej praxi uskutočňovalo prihýbaním, zahybovaním (potápaním prútov priamo z viničných hláv), podobne i dolovaním prútov alebo celých hláv aj s prútmi (II, s. 146): *Ňerodňí rív vihoď a na to místo zasaď aľebo prihňi druhí; Chcešľi v jeseň ríví do jam zahibuvať, včil* (august) *móžeš robiť jami* (s. 126); *Ríví zahibuj* (január) *a písečnatú zemú zakládaj* (s. 33); *Zakládaj dolóvki* (marec) *ľebo mladé maďerki* (s. 53); *maďerki zahibuvať* (s. 162). V Slovári sa vyskytujú heslové lexémy *dolovať* so synonymom *hrúžiť,* ľudovo *bujtašovať; dolovka* a synonymá *jamník, hrúžeňica, rivák, revák, rozvod, záhiba,* ľudovo *bujtáš* (I, s. 434) s upozornením, že iné je *sadzar* (IV, s. 3862) a synonymá *saďba, sadka, saďenica, saďeňík, presadňík,* ľudovo *maďarka.*

V juhozápadoslovenských nárečiach sa v týchto významoch uplatňujú slovesá *zahnúť, zahíbat, prihíbat, dotahuvat, stahuvat, dolovat/-uvat, válat* (hlavi, vinohrat), *maderkuvat* (Doľany), *butášuvat, bujtuvat;* podobne i v juhostredoslovenských dialektoch popri typických synonymách či heteronymách *prisípať, grubuvať, bujtášiť* a pod. Takto získaný nový viničný pník sa v staršej praxi označoval napr. termínmi *zahibák, dolovka/-úfka, dolec, bujtáš, prísipok/-ek, prísipka* miestami s významovými variantmi.

Korenáč z potápanca sa po presadení nazýval *maderka, madarka/maďarka, korenáč, priesada, prísipok, prisipanec, bujtáš,* vo východoslovenskej oblasti zväčša *bujtáš.*

4.3.1. Z iných závažnejších vinohradných prác pripomína Fándly zrezovanie (novšie strihanie) ročného viničia *rezačku* (II, s. 53): *Keď sňeh zleze, zem rozmrzňe, ponáhľaj z ostatnú rezačku,* známu v nárečiach všetkých našich vinohradníckych rajónov, na okolí Bratislavy aj *reska* a inde i spodstatnené *rezanie* v nárečových variantoch. Na pomenovanie obdobia tejto práce sa používal plurálový tvar *rezački, reski.* A. Bernolák [IV, s. 2714, 2715) v hesle *rezba* uvádza synonymum *rezačka,* pri heslovom slovese *rezať* ako úzus *viňič rezať.*

Akčné sloveso vyjadrujúce túto činnosť sa v Piľnom hospodári vyskytuje v spojeniach *vinohrad rezať, klče zrezuvať, pruti zrezuvať* (II, s. 12). Termín *rezať* (aj nožnicami), príp. *zrezovať, zrezávať (vinohrad, vinicu)* v nárečových variantoch sa uplatňuje všeobecne.

4.3.2. Odstraňovanie, vytínanie (suchého, neúrodného) viniča označuje Fándly slovesami *vikoreňiť, klčuvať* (II, s. 162, 217): *Naznač ňerodňí a zléj šlachti klč, abi si ho po oberački vikoreňil; Po tito roki kam dál vícej sa vinohradi klčujú, orú sa, sejú sa;* podobne i spojením *vihadzuvať pňíčki* (s. 53). A. Bernolák v Slovári (II, s. 946) uvádza k heslu *klčovať* (rolu) synonymá *kučovať, viklčovať, vikmeňiť, vikoreňiť, vikučovať, visekať.*

V nárečiach malokarpatskej oblasti sa v podobnom zmysle používajú slovesá *klčovat/-uvat, kučovat* i *vicínat, vitat;* rovnako v trnavských, hlohovských a nitrianskych dialektoch (*klčuvat, vittat/vitat, vitnút, vihodzit, vikopať* a pod.

4.3.3. Lexému *kopačka* vo význame hlboké jarné kopanie vinice používa Fándly v združenom pomenovaní (II, s. 53): *Ponáhlaj z ostatnú rezačku, kopaj prvnu kopačku* (marec), *vihadzuj staré pňíčki.* Všeobecne známy termín *kopačka* má v nárečiach jednoslovné i viacslovné synonymá, príp. heteronymá ako *jarná kopačka, prvá kopačka, pósná kopačka, ponajprf kopáňí, prvuo kopaňia, perše/-i kopaňe, posnica, posnice, vikrívaňia, otkrívaňia.* Omeškanú jarnú kopačku miestami (kde je *posnica*) nazývajú expres. termínom *masňica* alebo až *svatodušňica* (skalické nárečie).

Rozšírené sloveso *kopat/-ť* sa používa v spojeniach *kopat posňicu/posnicu, hlboko kopať* popri synonymách či heteronymách *posnit* (Modra), *greftovat* (Záhorie), *ríluvat, otkrívať, vikrívať* (hlavi), *ortovac* a pod. J. Hollý sa obrazne vyjadruje spojením *motikmi kopajú.* Bernolák v Slovári (II, s. 1025, 1026) k heslu *kopačka* uvádza synonymum *okopávačka (kopáňí)* a heslové sloveso *kopať* dokladá úzom *vinohrad kopať.*

4.3.4. Plytké kyprenie a odstraňovanie buriny vo vinici koncom jari a v lete vyjadruje Fándly (II, s. 78, 89) viacslovným výrazom *po druhí ráz kopať, po treťí ráz pokopať,* čo sa v nárečiach označuje spojeniami *napodruhé kopat, kopat trecí rás,* slovesami *okopávat/ -ť, šintuvať, šincovaťi* a najmä *škrábat, škrabať.* (Skalickí vinohradníci však tvrdia, že *erteple sa okopávajú, vinohrat sa dicki kope.)*

Tento druh práce sa v dialektoch pomenúva slovami a spojeniami *škrábačka/škrabačka, škrábaňí, okopávka, okopávačka, plitká kopačka, zelená kopačka, kopačka na zeleno, šintuvačka/-ovačka, kopaňe.*

4.4. Vytiahnuté viničné koly, šteky treba po hlbokej kopačke zastoknúť a zatĺcť k zostrihaným hlavám, pňom, ako pripomína Fándly (II, s. 64, 89): *Tlč šteki* (apríl) *a obvazuj rívi k ňím; Keď bi si stačil, pri konci mesíca* (jún) *kopaj… tlč šteki, váž.* Bernolák v Slovári (IV, s. 3147, 3148) uvádza úzus *šteki tĺcť* a ako slovesné synonymum *štekovať.*

V záhorských dialektoch túto prácu vyjadrujú spojenia *kole, kolí, šteki túct/túcit,* v malokarpatskej a trnavsko-hlohovskej oblasti *tĺct/tĺcit šteki,* miestami *koli/kóli.* Táto činnosť sa v južnejšej časti Malých Karpát označuje jednoslovným termínom *tukačka,* kompozitami *štekotukačka/štekotĺkačka, štekotĺčka* aj spojeniami *tlčeňí šteků, zatúkaňí šteků.*

4.5. Slovesami *vázať, obvazuvať* vyjadruje J. Fándly privázovanie viacročného drevnatého viniča (v nárečiach *dolófka/dolúfka, grni, kocúr* ap.) ku kolíkom, čo je v malokarpatskej oblasti *suchá váska, vazačka,* alebo zelených letorastov (II, s. 64, 78, 89, 90): *Tlč šteki, dvihaj a obvazuj rívi k ňím* (apríl); *S predešlého mesíca zameškané roboti vinahradz, začni vázať; Váž, pľej, dokaď hrozeň ňekvitňe* (jún); *Keď vážeš vinohraďi, ňeváž spolu aj lisť vinňičí, to škoďí, že drevo svojej zrelosťi ňedójďe.*

A. Bernolák v Slovári (V, s. 3576) uvádza synonymá *vázačka, vazba,* spojenie *vázaňí vo vinohraďe* ako činnosť i obdobie tejto práce.

V nárečiach je všeobecne rozšírený termín *vázat, viazať/-c* popri viacerých synonymách.

4.5.1. Lexémy *pľeť, opľeť, vipľeť* vo Fándlyho inštrukciách znamenajú vylámať prebytočné viničné letorasty na hlave, pníku alebo zálistky z pazúch listov zeleného viniča: *Pľej, dokaď hrozeň ňekvitňe* (II, s. 89); *Pri konci mesíca* (júl) *možeš … pleť* (s. 109); *Plej prostredno* (august), *abi krupobiťí a kámen ňezbil holé hrozňi, tak jích merkuj opľeť, abi jích predca slnko zahrívalo* (s. 126); *Jestľi si okolo s. Jana Hlavustaťí* (29. 8.) *ňevipľel vinohraďi, túto robotu … daľeko ňeodaluj* (s. 146). A. Bernolák heslovým slovesom *pľeť,* spojením *z motiku pleť,* synonymom *okopávať, okopať,* podobne slovom *plevačka* (s. 2133), synonymami *pleťí* – činnosť, *plevački* – obdobie tejto práce a úzom *na plevačku isť* vyjadruje dvojakú činnosť

– pletie, škrabanie buriny vo vinici a vytŕhanie zbytočných výhonkov na viniči, čo možno konštatovať aj v staršej vinohradníckej praxi.

4.5.2. V júli a v auguste pripomína Fándly vincúrovi *vrší sňímať* čiže zrezovať, stŕhať dlhé či vysoké vršiaky viniča prečnievajúce kolíky, šteky (II, s. 109): *Pri konci mesíca možeš vrší sňímať.* Slovár (V, s. 4030) uvádza heslo *vrší* a úzus *vrší zhádzať, podlamovať, podlámať.*

V juhozápadných nárečiach sa táto vrchná časť viničného kra nazýva *vrchi, vrški, vŕší, vršáki,* ďalej na východ *vrche, vršia, vrchouce, vrchovina* a *verchi, verški, faťuhi* v spojeniach so slovesami *zežínat, štucovat,* najmä *sňímat, stŕhat, zrezuvat, skášat, zvrhat, lámat, zlamuvat, zalamuvat, zhadzuvat, zberat, orezavac, zrezac* atď.

4.6. K najočakávanejším vinohradným prácam patrí oberanie hrozna, všeobecne označované termínom *oberačka,* ktorý uplatňuje aj Fándly (II, s. 162): *Z oberačku aňi ňeponáhlaj, aňi velice ňeoddaluj; skorá oberačka dá kiselé a tvrdé vína a ňeskorá je unuvatá.* J. Hollý vo svojej poézii aj korešpondencii používa výrazy *oberačka, oberački/obirački, obíraňí.* Bernolák v Slovári (III, s. 1775) uvádza ako heslová slová *oberačka, oberáňí.*

V dialektoch sa všeobecne stretáme s termínom *oberačka* v nárečových variantoch, iba v skalickom nárečí sa vyskytujú kompozitá *vinobraňí* označujúce činnosť, *vinobraňá* ako obdobie popri synonymách *obíračka, obírački.* Miestami aj vo východoslovenskej oblasti nachádzame výraz *vinobraňe* ako synonymum pomenovacích lexém *obiračka/oberačka, obiraňe* (porov. Nižnanský, 1982, s. 29).

4.6.1. Sloveso vyjadrujúce činnosť oberania hrozna vo viniciach má vo Fándlyho terminológii dva vidové varianty – *obírať* a *obrať* (II, s. 161–163): *Keď buďeš pri jasném časi obírať, buďeš mat dobré a trvácé víno; Keď buďeš pod déšďom obirať, buďeš mať vodnaté víno; Červené hrozni … maľi bi sa skórej pred bílíma obrať.* J. Hollý využíva metricky nedokonavé *obírať,* A. Bernolák v Slovári (III, s. 1775, 1776) uvádza ako heslové slová *oberať, obrať.*

V juhozápadných nárečiach sa uplatňujú slovesá *obírat/obiérat,* v juhostredoslovenských *oberať/-ri,* na východe *oberac/obirac,* zriedkavo ako synonymá *obrivac* (Priekopa) a *vinobraňic* (Kaluža).

5. Fándly vinohradník v inštrukciách pre hospodára a vincúra si všíma aj súčasti viniča za vegetácie. Slovom *list* (II, s. 90, 162) vyjadruje hromadne viničné lístie: *Keď vážeš vinohraďi, ňeváž spolu aj lisť vinňičí, to škoďí; Najlepšé bi bolo, keď bi sa aňi lisť aňi hrozňové stupki ňemúciľi, ňeprešuvaľi.* A. Bernolák

v tomto význame uvádza spojenie *viňičňí (vinní) list* (Slovár II, s. 1251).

5.1. Výsledok vinohradníkovej práce podmieňuje už kvitnutie viniča, viničný kvet. J. Fándly venuje tejto vegetačnej fáze náležitú pozornosť: *Váž, plej ... dokaď hrozeň ňekvitňe* (II, s. 89); *Keď klč kvitňe v plném mesíci, hrozni dobre uzrejú* (s. 78); *Keď vinohraďi pred Vítom odkvitnú, je úffaňí dobrého vína* (s. 101); *Pri vinohradském kvetu potrební je ťichí a jasní čas a po kvetu déšď* (s. 90); *Jestľi si títo roboti ... zameškal pred kvetom, dosaď jich po kvetu* (s. 89). Autor tu používa tradičný vinohradnícky úzus, ako sa v podstate udržal i v nárečiach *(vinohrat, viňica pret kvetom, kvietem; f kvete, na kvete, u kvece,* zried. *pot kvetom* [Čajkov]; *po kvete, kviete, kvece, po otkveťe, otkvitnuťí).*

Bernolák v Slovári (II, s. 1149) pri hesle *kvet* uvádza spojenie *vínoví (vinní) kvet;* (s. 1153) *vinohrad kvitňe,* (III, s. 1846) *odkvitnúť.*

Priebeh kvitnutia a jeho ukončenie je predzvesť – *ukážka* úrody. V tejto súvislosti Fándly radí hospodárovi (II, s. 84): *Keď je koňec mája pekní a vinohraďi ṁajú dobrú ukášku, predávaj loňejše víno.*

5.2. Plod viniča Fándly označuje termínmi *hrozen,* zried. i *hrozno* (II, s. 126): *Ve včilajších* (august) *ťeplích nocách dobre zrejú hrozňi; Ňezrelé sa obírajú hrozna.* Podobne pomenúva viničný plod J. Hollý. Bernolák v Slovári (I, s. 800, 802) heslovými lexémami *hrozen* m. a *hrozno* s. označuje plod viniča tvarom *hrozen* i strapec hrozna.

V nárečiach sa hrozno označuje singulárovými aj plurálovými tvarmi (od Záhoria po užskú oblasť): *hrozen – hrozni, hrozno – hrozne, hrozná, hruozno, hruozence* (Sklabiná), *hrožňe* (Novosad), zried. *hrozón* (Tesáre) i synonymum *víno* (Stupava), *vino* (Kaluža).

Sfarbenie hrozna motivuje i jeho všeobecnejšie pomenovanie ako sorty (II, s. 161, 162): *Ešče bi bolo lepšé víno, keď bi sa* (pri oberačke) *červené hrozni medzi bílé ňemíšaľi; Na červené hrozni skórej docházdajú osi a hňilosť aj porušeňí, preto maľi bi sa skórej pred bílíma obrať.*

Nárečové názvy hrozna podľa sfarbenia vyskytujú sa jednoslovné i v spojeniach ako *bílá šlachta, sorta, bílé,* zried. *bili vino* (Kaluža); *ružové sorti, odrudi, hrozná/-e, rúžové, ružovuo, ružáki* i *červená fajta, sorta, červenuo/-ie, červenice, čevenki/-énki,* zried. *červenuo víno* (Plášťovce); *čérné/čierne/čarni sorti, odrudi, fajti, hrozni, čérné, čierno, čarne, černák* i *červené, červenuo hrozno, červenica, červenie/-uo,* zried. *červenuo víno* (Čajkov).

5.2.1. Typickým útvarom viničného hrozna je *strapec* (u Fándlyho i Bernoláka *hrozen)* so stopkovou kostrou, ktorú Fándly nazýva dvojslovným výrazom *hrozňové stupki* (II, s. 163): *Najlepšé bi bolo víno, keď bi sa aňi list aňi hrozňové stupki ňemúciľi, ňeprešuvaľi.* A. Bernolák v Slovári (IV, s. 3212) slovo *stupka* vykladá všeobecnejším významom (na ovocí, kvete ap.), no v aktualizovanom použití ako synonymum termínu *hrozen* (strapec) uvádza viacslovné pomenovanie *hroznoví hreben bez zrnek;* spojenia *hroznoví hreben ze zrnkami* a *hroznová parutka* znamenajú strapec hrozna (I, s. 800).

V juhozápadných nárečiach sa stretávame s označeniami tejto reálie jednotnej i množnej formy ako *stupa – stupi, stupki, kostrn* ž. (Lukáčovce), *kostrna – kostrni, kostrnka – kostrnki, kostrnce* (Lapáš), expr. *kostrbina – kostrbini* (Brestovany), *kampa* (Smolenice, Hor. Orešany); *stupka – stupke, strapina, (holá) strapka* i *sťepka, rebierka* na južnom stredoslovenskom území a na východe *čutka, chvosciki, suš* (Kaluža), *(prazni) firc* i *fert.*

5.2.2. Bobule strapca pomenúva Fándly lexémami *zrno, zrnko (padané zrná:* II, s. 162; *zrelé zrnká:* s. 109; *zrnká sa pukajú:* s. 163 atď.). J. Hollý vo svojej poézii uplatňuje *zrnko (zobú už piskami zrnka);* A. Bernolák v Slovári (V, s. 4405) *zrnko,* ako synonymum *zrnečko.*

V nárečiach sa vyskytujú označenia *zrno, zrnko, zrnéčko/-íčko,* zried. i *oko, oči* (Modra), *bobuľa, bobuľka, bombuľka* (Plášťovce), *gulka, gulečka/-ička,* miestami aj *hrozno, hrozénko, hrozen (Na hroznovi je šupka, rása, vnútri zrnka ščáva:* Šintava), na východe *bobok, bopka, bombuľka.*

5.2.3. Proces zretia hrozna ilustruje Fándly skúsenosťou, v ktorej používa združené pomenovanie *koška zrnka* (II, s. 163): *Keď prindú pred oberačku dva, tri lahodné mrázki, pod ňima hroznového zrnka koška odmakňe, aj od teho buďe víno sladšé.* Bernolák (IV, s 3232) heslo *šupina* exemplifikuje spojením *šupina (kožka) na hroznách* a pripája synonymum *šupa.*

S týmito označeniami šupového obalu hroznovej bobule korešpondujú aj nárečové pomenovania *šupa, šupka* i *koža, koška* od severnej časti malokarpatskej oblasti po Novohrad, na východe *lupa, lupka* i *skura, skurka.*

5.3. Poslednú fázu vegetácie viniča a jeho plodu znamená zrenie, dozrievanie hrozna i dreva, ktoré Fándly vyjadruje slovami *zamakať, zreť, dozreť, uzreť, zrelosť, prezreť: Ve včilajších* (august) *ťeplích nocách dobre zrejú hrozňi* (II, s. 126); *Včil* (november) *najľepší poznáš, jestľi dozrel klč ... po čem máš zrelosť*

150

klča poznať (s. 401, 402); *Keď hrozni zamakajú, tedi dostává aj víno v pivňicách jakú takú premenu* (s. 98); *Keď klč kvitňe v plném mesíci, hrozni dobre uzrejú* (s. 78); *Móžeš volakteré čerstvé zrelé hrozňi o Michali na zimu zavesiť, dokáď ňeprezrejú a hniť ňezačnú* (s. 150). V Bernolákovom Slovári (V, s. 4402) sa v tomto význame uvádzajú lexémy *zreť; zrelí,* synonymá *uzretí, dozrelí, dozrení; zrelosť,* syn. *uzrelosť; dozreť, dozírať; prezreť, prezrelí, prezreňí; odmakať, odmaknúť.*

So slovesom *zamakať* stretáme sa najmä v juhozápadoslovenskej vinohradníckej terminológii: *zamakat, zamiakat, zamakávat − bíle hrozná zamakajú* i *zažlkajú (čírne sa zapalujú, čierne zabroňievajú)* popri *zret, dozírat* a pod.; v stredoslovenských a východných rajónoch i *zamekať, meknúť, mäknúťi, meknuc, ždrec, doždrivac.*

Okrem výrazu *prezret/prezrát* sa na Záhorí a v malokarpatskej oblasti uplatňuje aj zmrašťovanie prezretého hrozna vyjadrujúce slovesá *sfíkovaťit/-cet, sfíkoviet/-it, sfíguvacet, sfígovet,* zried. *scibébaťit.*

5.4. Z chorôb a poškodení hrozna uvádza Fándly *hňilosť, hňilé hrozni,* pukanie a vyvetrávanie zrniek: *Na červené hrozni skórej dochádzajú osi aj hňilosť* (II, s. 162); *Ešče bi bolo lepšé víno ... keď bi sa hňilé hrozni a padané zrná ňedávaľi medzi čerstvé* (ibid.); *Veľiké vetri škoďá hroznom, ľebo sa pod ňima zrnká pukajú, a tak najľepša sladkosť s ňích vischňe, vivetrí* (s. 163). V Bernolákovom Slovári nachádzame lexémy *hňilí, zhňilí* (I, s. 736); *hňiťí, hňiloba, hňilosť, hňilina* (I, s. 737); pri hesle *vivetrať* ako úzus sa uvádza spojenie *víno vivetrelo* (stratilo chuť, zvetralo).

Na celom našom vinohradníckom území za mokrého počasia dozrievajúce hrozno ohrozuje i dnes *hňiloba/hniloba, hňice* a *práskaňí hroznú* (napr. Bernolákovo) či *pukaňie hrozna, pukání/-ié hrozén.*

5.4.1. Cez leto prináša na vinice skazu prírodný živel *krupobiťí* a *kámen,* ktoré *zbije* hrozno (Fándly II, s. 126): *Plej prostredno* (august), *abi krupobiťí* a *kámen ňezbil holé hrozňi.* Aj Bernolák v Slovári (II, s. 1109) uvádza *krupobiťí,* jeho synonymá *krúpi, kameň, hrad* a úzus (II, 872) *kameň padá.* J. Hollý v korešpondencii uplatňuje výrazy *kameň (ne)padá, krúpi vinohradi na kvas zbili.*

Z dialektov poznáme v tejto súvislosti najmä termíny *krupobitie, ľad, ľadovec, kąmeň, kamenec, krúpi* (snehové alebo ľadové) v nárečových variantoch, synonymá či heteronymá *krúpec, krúpovec, búrka, hrad, hráb, chmel, hrach, jedovať* a sloveso *zbiť,* expr. *stĺct/-cit* (Nižnanský, 1982, s. 349).

5.4.2. Zo živočíšnych škodcov viniča a hrozna znepokojovali vinice „vespusť behaicé zveri" (Fándly,II, s. 214) ako jelene, srnce, zajace, vtáky a „všeli-

jaké obžirné mušky", Fándly uvádza menovite *vincúra,* spôsobujúceho skrúcanie listov: *Abi vincúri aňi inšé obžirné mušky na klču ňevižíraľi pupki aňi kvet, podkuruj klči ze zoftom ľebo suchu ľen gumu ménem galbanus* (II, s. 78); *Po kvetu* (jún) *obíraj zavinuté viňičé listi, ľebo v ňích sú všelijakích obžirních mušek vajíčká* (s. 90). A. Bernolák (V. s. 3762) v druhom význame hesla *vincúr* pripája synonymum *vinní (révoví) červ.*

V nárečiach je známy termín *vincúr* (zubonoska viničová), miestami so synonymom *martinka* (Čajkov), v Honte *fabrikant* (skrúca listy „do cigár").

6. Špeciálne vinársku technológiu v praxi všíma si Fándly v statiach kalendária na zimné mesiace roka a sľuboval ju rozpracovať podrobnejšie (porov. 2. 1.). No aj tak samy v druhom zväzku Piľného hospodára publikované inštrukcie sú už témou samostatnej kapitoly, ktorou sa dokresľuje Juraj Fándly ako skúsený vinohradník − vinár.

7. Konfrontácia Fándlyho vinohradníckej terminológie s pomenovacími lexémami tohto tematického okruhu v Slovári aj nárečiach poukazuje na živú kontinuitu bernolákovskej publicistickej i normovanej a ľudovej slovnej zásoby. A. Bernolák zaradil síce do svojho významom i rozsahom skutočne veľkého diela aj také slová, ktoré sa vo Fándlyho inštrukciách nevyskytujú − v iných vecných okruhoch je to zasa opačne (porov. Majtán, 1987) − čo však nemožno hodnotiť negatívne. Fándly čerpal vinohradnícke názvoslovie najmä z terminologickej vrstvy nárečia svojej juhozápadoslovenskej oblasti, kým Bernolák vedome zohľadňoval lexiku nielen svojho intelektuálneho a širšieho nárečového povedomia, ale akiste aj iných členov obrodného národného hnutia. A konfrontácia Fándlyho, Bernolákovej a nárečovej vinohradníckej lexiky potvrdzuje, že kodifikačným činom r. 1787 a jeho uplatňovaním najmä v náučnej (odbornej) spisbe sa začal skutočný, hoci ešte nerovnomerný zjednocovací proces slovenskej spisovnej slovnej zásoby s rešpektovaním viacerých tradovaných a územných jazykových špecifík − slovom, definitívna jazyková integrácia.

Literatúra a pramene

BERNOLÁK, A.: Slovár slovenskí, česko-laťinsko-ňemecko-uherskí. 5 zv. Budín 1825. 4446 s.

FÁNDLY, J.: Piľní domajší a poľní hospodár... Zv. I, II. Trnava 1792.

HABOVŠTIAKOVÁ, K.: Bernolákovo jazykovedné dielo. Bratislava, Vydavateľstvo SAV. 446 s.

Kartotéka Slovníka slovenských nárečí, dialektologické oddelenie JÚĽS SAV.

KIŠON, A.–HANÁK, R.: Rajonizácia viniča v ČSSR. Bratislava, Vydavateľstvo SAV 1962. 332 s.

MAJTÁN, M.: Slovná zásoba vo Fándlyho diele Pilný domajší a poľný hospodár. Slovenská reč, 52, 1987, s. 269–276.

NIŽNANSKÝ, J. R.: Územné rozloženie niektorých vinohradníckych termínov. Slovenská reč, 47, 1982, s. 23–32.

NIŽNANSKÝ, J. R.: Členitosť vinice a jej nárečová terminológia. Slovenská reč, 47, 1982, s. 332–340.

NIŽNANSKÝ, J. R.: Vinohradnícka terminológia v diele Jána Hollého. Slovenská reč, 52, 1987, s. 276–288.

REBRO, K.: Urbárska regulácia Márie Terézie a poddanské úpravy Jozefa II. Bratislava, Vydavateľstvo SAV 1959. 668 s.

TIBENSKÝ, J.: Juraj Fándly v slovenskom národnom obrodení a literatúre. In: Juraj Fándly, Rozprávky rozmarné i poučné. Výber zostavil a štúdiu napísal J. Tibenský. Transformoval J. R. Nižnanský. Bratislava, Tatran 1973. 278 s.

Vinohradníctvo. Výskum nárečovej lexiky. Pripravil J. Nižnanský. Bratislava, JÚĽS SAV (nárečové odd.) 1969. 623 bodov, 4 obr.

ŽATKULIAK, J. G.: Ľudovýchovný pracovník Juraj Fándly. Bratislava, Tatran 1951. 164 s.

Frazeológia v Bernolákovom Slovári

EMA KROŠLÁKOVÁ

Bernolákovmu Slováru (Slowár Slowenskí, Česko-Latinsko-Ňemecko-Uherskí. Budae 1825–1827) sa už od polovice 19. storočia venovala istá pozornosť (bližšie o tom Habovštiaková, 1968 a, s. 218–219), avšak doteraz nebol všestranne a dostatočne analyzovaný.

Neprebádanou oblasťou v Slovári zostáva frazeológia, i keď bola parciálne zhodnotená v súvislosti s rozborom Bernolákovho diela (Hayeková, 1958, Habovštiaková, 1968). Najnovšie sa zameriava na hodnotenie Bernolákovej frazeológie J. Mlacek (1987).

Cieľom nášho príspevku je bližšie si všimnúť rozsah a spôsob spracovania frazém v Slovári, vzťahy medzi slovenskými a inojazyčnými frazémami a spôsob vysvetľovania významu frazém.

Bernolák vo svojom Slovári zhrnul slovnú zásobu vzdelancov západoslovenských kultúrnych centier (Trnava–Bratislava–Skalica), pričom sa opieral aj o nárečový stav na západoslovenskom a sčasti i na stredoslovenskom teritóriu. Bernolák čerpal zo živého ľudového jazyka, o čom svedčí aj bohatá škála synoným, ustálených slovných spojení a bohatstvo frazeológie v najširšom zmysle slova.

Bernolák sa v Slovári zameriava na slovnú zásobu všeobecne; frazeológia tvorí iba doplnok slovníkového hesla. Frazémy (z hľadiska súčasnej frazeologickej teórie) sa nachádzajú v hesle za slovkom „Usus" (teda v exemplifikácii významov slovníkového hesla), za označením „Tropice" a za skratkou „Prov.P" (proverbium).

V slovníkovom hesle (za značkou „Usus") sú doklady frazeologického i nefrazeologického charakteru. Je tu zachytené množstvo bežne používaných, uzuálnych zvratov, avšak mnohé sú neobrazné, nefrazeologizované. K niektorým jednotkám je pridaná exemplifikácia alebo vysvetlenie, ktoré pomáha bližšie určiť charakter uvedeného zvratu; teda, či ho možno zaradiť k frazémam alebo nie. Na ilustráciu uvádzame aspoň jeden príklad, heslo hňew (bez latinskej, nemeckej a maďarskej exemplifikácie) v zjednodušenej podobe: hňew. Syn. hňewáňí, hňewliwosť. Do hňewu príwesť i. e. rozhňewať ňekoho. Do hňewu prisť: od hňewu, z hňewu; hňew zložiť, zanechať, upustiť. Hňew zachádza, upúšča, míňa (sedá) sa. Prov. Hňew a gazik na uzde drž: v. gazik. Hňew bez vlády nic nerádí: v. hňewať sa. Hňew prátelstwí ruší (čloweka na mnoho nese, k wšeličemu priwádza). Braterskí (prátelskí) hňew naghorší. Slunce na wáš hňew nech nezapadňe. Od hňewu ženského neňí na sweťe horšého. W hňewe sa nepomstwi (nikdi neber pomstwi). Milugícich hňewi. Hňewa sa nebogím, o lásku nestogím, kedi chcem, z wínečkem preto si powolím (s. 732–733).

Za skratkou Prov. (kde je uvedený najväčší počet frazém) sa nachádza frazeologický materiál v najširšom zmysle slova – frazémy s vetnou i súvetnou konštrukciou: príslovia, porekadlá, ale i pranostiky, povrávky, sentencie, gnómy. Z frazém s nevetnou stavbou najčastejšie sú slovesné jednotky. Za označenie Prov. zaraďuje Bernolák aj často používané citáty latinských a gréckych autorov, napr. Kdo sa požaluge, bolesť utišuje: per lachrymas levatur, egeriturque dolor. Animo aegrotanti medicus est oratio. Plutarch (s. 115); Mrcha gest to pták, kterí do swého hňézda nečistotu robí: mala avis, quae poprium inficit (coinquinae) nidum. Aristophanes (s. 2671). V týchto prípadoch nejde vlastne ani o frazeológiu, ale o umelé paremiologické jednotky, literárne mikrotexty. Mnohé z nich však zovšeobecneli, ich literárny pôvod upadol do zabudnutia, a tak za skratku Prov. sa neraz dostali aj jednotky umelej, nefolklórnej proveniencie, nielen útvary ľudového pôvodu prevzaté zo živého hovoreného jazyka.

Pod značkou „Tropice" väčšiu časť uvedených jednotiek môžeme z hľadiska súčasného jazyka označiť ako ustálené metafory. I tie zväčša do oblasti frazeológie patria.

V jednotlivých prípadoch, najmä pri označení tzv. ľudových názvov alebo termínov je tiež uvedená frazeológia. Frazémy tu vystupujú ako ekvivalent, ako synonymný výraz pre jednoslovné pomenovanie, napr. ribezla – syn. Swatogánski winič (s. 2719).

V Slovári, hoci ide o slovensko-česko-latinsko-nemecko-maďarský slovník, Bernolák české frazémy neuvádzal, teda v oblasti frazeológie slovník je len štvorjazyčný. Napríklad: Medzi štirma oči: sine arbitris, inter quatuor oculos: unter vier Augen: senki hallattára; negy szem között (s. 1896). Dakedy uvádza len paralelné latinské frazémy či sentencie (bez nemeckého a maďarského ekvivalentu napr. s. 372, 1360 a i.).

O viacerých frazémach možno predpokladať, že boli utvorené podľa latinskej frazémy, napr. Swého stínu sa báť, lekať, obawať: umbris (umbra sua) terreri (s. 3156); Tri weci sú dobré, málo gesť, k práci sa brať, a chrániť sa bugnosti: tria saluberrima: vesci citra saturitatem, non refugere laborem, natura sunem conservare (s. 404).

Pri väčšine frazém Bernolák neodkazuje na použité pramene; príležitostne cituje iba Latinsko-maďarský a maďarsko-latinský slovník F. Pápaiho (1762); odkazuje naň skratkou Par. Páp. Pre neuvádzanie použitých prameňov a citátov z literatúry bol v minulosti Bernolákov Slovár ostro kritizovaný (Weingart, 1923). Napriek istým nedostatkom v lexikografickom spracovaní slovnej zásoby slovenčiny zasluhuje si Bernolákov Slovár slová uznania a obdivu ako pozoruhodné dielo jednotlivca a zvlášť si zasluhuje pozornosť aj pre rozsah a spôsob spracovania frazeológie.

Osobitne si treba všimnúť vzťahy medzi slovenskými frazémami a ich cudzojazyčnými ekvivalentmi, ako aj spôsob ich sémantickej interpretácie. Zvyčajne je slovenská frazéma preložená do latinčiny, nemčiny a maďarčiny náležitou ekvivalentnou frazémou s rovnakou obraznosťou a s rovnakými komponentmi ako v slovenčine. Napríklad: Kdo skoro dáwá, dwa rázi dáwá: qui cito dat, bis dat: wer bald gibt, der gibt doppelt: kétszer ád, a' ki hamár ád (s. 353); Čas wšecko wigewí; tempus omnia revelat: die Zeit endeckt alles: az idő mindeneked ki-nyilatkozlat (s. 175). Inokedy sa slovenská frazéma interpretuje v cudzom jazyku synonymnou alebo blízkoznačnou

frazémou, napr. Kdo mlčí, ten swedčí: qui tacet, consentire videtur (s. 1411); Mnoho prať, málo wešať: multum clamoris, parum lavae: viel Geschrei, wenig Arbeit: sok szó, kevés munka (s. 2455); Mi sme hňezda zhodili, druzí pobrali mlade: hos ego versiculos feci, tulit altere honore: wir haben die Arbeit gethun, und anderr haben den Nuzen davon: dolgoztung, és más szedi az epret (s. 735).

V niektorých prípadoch slovenská frazéma nemá latinský, nemecký alebo maďarský frazeologický ekvivalent. Vtedy Bernolák uvádza zovšeobecnený význam frazémy (interpretáciu či opis jej významu). Napríklad: Prst na usta položiť: tacere: der Finger auf den Mund legen: halgatni (s. 2662); Do oči sa mi trúsi: dormitúrio: es schlafert mich: álmos vagyok (s. 1896); Písek wázať, wodu hrabať: actum agere. Aquam scidere. Aerem verberare. Aethiopem lavare. Scopulis canere: nichts ausrichten, unnuse Sache machen: hijában fáradni (s. 776).

Ojedinele sa stalo aj to, že slovenská frazéma bola preložená neadekvátnou (sémanticky neekvivalentnou) inojazyčnou frazémou, napríklad: Magú miši hodi, keď kočka doma neňí – Minden szentek nótája (s. 1391).

Mnohé slovenské frazémy Bernolák za označením i. e. (id est = t. j.) vysvetľuje archisémou, ktorá je približným významovým ekvivalentom obrazu a môže sa realizovať viacerými spôsobmi. Bežné je vyjadrenie „významu" frazémy synonymným jednoslovným alebo viacslovným výrazom, ktorý býva v zátvorke alebo aj bez nej. Napríklad: za wlas (máličko) (s. 886); Lámu sa mu kolesa i. e. blázní sa (s. 1000); gako pres mrežu i. e. ledabolo (s. 1457).

Na osvetlenie významu frazém Bernolák používa aj synonymné výrazy a opisy, ktorými explicitnejšie, konkrétnejšie podáva význam frazémy, napr. ňekomu kapitolu čítať (wičítať) ňekoho hrešiť (wihrešiť, čistiť, miť, zmitt (s. 885); Z lampášem w dne chodiť i. e. zretedelne (widomu) wec wiswetlowať (s. 1177); Koň žádá gármo, a wol sedlo i. e. žáden neňí swím stawem spokogení (s. 1016).

Neraz sa význam frazémy vysvetľuje inou synonymnou frazémou, resp. aj viacerými synonymnými frazémami. Napríklad: Ňekomu pres počti čáru pretáhnuť i. e. Usta utreť (s. 169); Skoro kikiríkat i. e. Ešče nepreskočil, a powedá uš, hop! (s. 929). Dakedy Bernolák kombinuje dva postupy výkladu frazémy: vysvetlenie frazémy voľným synonymným výrazom a zároveň aj inou frazémou: Kam noha, tam ruka, kam ocas, tam hlawa i. e. Búcháňí od duba k dubu; neporádné mluweňi (s. 869).

Z naznačených príkladov vidieť, že Bernolák volil

podľa potreby viaceré možnosti interpretácie významu slovenských frazém. Vcelku možno toto jeho úsilie hodnotiť ako úspešné začlenenie slovenskej frazeológie do širšieho kultúrneho kontextu. Bernolákovo usúvzťažnenie slovenskej frazeológie s latinskou, nemeckou a maďarskou frazeológiou bola práca náročná a významná aj z hľadiska jazykovej kultúry.

Osobitne treba zdôrazniť aj to, že Bernolák zachytáva v značnom rozsahu variantnosť frazém. Variantnosť frazém v Slovári dobre odzrkadľuje vývinovú tendenciu slovenskej frazeológie. Ide najmä o lexikálnu variantnosť frazém, ktoré majú:

a) nárečovo diferencované komponenty, napr. Ruku na hubu (na usta) klásť (s. 942); Kočku w mechu (we wreci) kúpiť (s. 986); Od mála k wetšému snadní (lahčí) je prestup (s. 1308); Každá líška swog ocas (chwost) chwálí (s. 1250);

b) komponenty sémanticky úplne odlišné „Uderil mu klin (džbán) do hlawi (= napil sa, s. 958); Ňekomu po hlawe (nose) tancowať (s. 3278); Geden deň neňí rok (swet) (s. 346); Stará líška (opica) ťažko sa chitiť dá (s. 1250);

c) synonymné, resp. blízkovýznamové komponenty, napr. Dať si do karet kúkať (hleďet, pozírať; s. 904); Swého sťínu sa báť, (lekať; obawať; s. 3165); Krátka radosť, dluhá (wečná) žalosť (s. 2689); Šata je dobrá (pekná), ale futro mrcha (s. 589); Lahko (snadno, dobre) je pri kope kláski zbírať (s. 1025).

Z morfologických variantov sú v Slovári časté varianty predložkových i bezpredložkových pádov podstatného mena (vyjadrujúceho predmet alebo príslovkové určenie) vo frazéme, napr. K swég škode (ze swú) škodu skúsil (s. 851); Do srdca (k srdcu, do hlawi) ňečo si brať (s. 132); Hňewem (od hňewu) rozpálení (s. 2793) i varianty v gramatickom čísle podstatného mena: za ucho (za uši, za nos) sa škrabať (s. 3388) a varianty slovesných komponentov frazémy, napr. Nowí klobúk na klin zawesugú (wesagú; s. 981); Gakobi kameň do wodi uhodil (hodil; s. 872). Nowá metla dobre mete (pometá; s. 1374).

Pozornosť si zaslúžia varianty frazém, ktoré sa navzájom odlišujú prítomnosťou alebo, naopak, neprítomnosťou istého fakultatívneho komponentu, napr. Nemisleť, a mluwiť, ge (z motiki) streliť a nemíriť (s. 1418); Nedal mi, čobi len za mak bolo (stálo; s. 1303).

V Slovári su zaznačené aj niektoré viacvýznamové frazémy, ktoré sú aj v súčasnom frazeologickom fonde pomerne zriedkavé. Na ilustráciu uvádzame: Pri kachlách (pri peci) vždi sedí: a) nič nerobí, b) medzi ludí neide (s. 855); Mnoho mu na hlawe leží: a) mnoho starosti má, b) mnoho wši má (s. 1237). Ak porovnáme jednotlivé významy frazém, zistíme, že jeden z nich je bližší k východiskovému významu tohto spojenia ako druhý. Vznik mnohovýznamovosti frazém súvisí s jednotlivými etapami procesu frazeologizácie (Mlacek 1985, s. 63).

V Bernolákovej lexikografickej metóde vystupuje do popredia akcent na synonymné (resp. blízkoznačné) vzťahy, a to medzi slovami, ale aj medzi frazémami. Všimnime si napríklad frazémy vyjadrujúce pojem „robiť zbytočnú, bezvýslednú prácu": Písek wázať, wodu hrabať (s. 776); capa dogiť, capovi sito (hrotek, dogilnicu) podkladať (s. 166); w powetrí ribi lapať a we wode ptákow chitať (s. 2414); we wode lowiť, a w powetrí ribi lapať (s. 1269); ribi na lep, ptákow na uďicu lapať (s. 2717); ribu plawať učíš (s. 2717); hlawu o sťenu uďeriť, uraziť (s. 3654); gako na sťenu hrach (s. 777); z hluchím sa rozprávať a z nemím počet robiť (s. 727); do Dunaga wodu nosiť (s. 3994); oheň mečem kutať (s. 1342); Klučem drewo kálať, a sekerú dwere otwárať (s. 965); pod bugákem ťela hledáš (s. 155); muchi oháňa (s. 1470). Zaznačené frazémy predstavujú synonymický rad výstižných, živých komunikatívnych frázem, ktoré sa v niektorých prípadoch diferencujú expresivitou. Mieru expresivity v značnej miere podmieňuje celkový obraz zvolený na vyjadrenie neúčelnej, bezvýslednej roboty. Viaceré rovnoznačné frazémy možno nájsť v Slovári aj na vyjadrenie archisémy „priaznivá životná situácia": Má sa gako ve woďe riba (s. 2717); Dobre sa mu woďí. Má dobré dni (s. 400); swet mu kwitňe (s. 3252); chrbtem gest k ohňu, a bruchem k stolu (s. 3166) alebo archisémy „bezpečná situácia": Daleko od ohňa, neňí sa čo báť popáleňá; od ohňa wzdálení, nebíwa pálení (s. 1884). Žiaľ, že mnohé z týchto výrazných obrazných frázem zanikli a nedostali sa do fondu súčasnej frazeológie.

Bernolák zaznamenáva frazémy jednak v abstrahovanej (lexikografickej) podobe: Písek wázať, wodu hrabať (s. 776), jednak v základnej komunikatívnej, kontextovej forme, a tak zoradil vedľa seba frazémy, ktoré zo súčasného aspektu predstavujú rozličné formy a typy variantov, napr. Nemať misli doma; nemá misli doma; na misel prisť; prišlo mi na misel; aňi mi na misel neprišlo; komu bi to bolo na misel prišlo? (s. 1394). Zaznačenie väčšiny variantov frazém je potrebné a opodstatnené, pokladáme však za zbytočné uvádzať dve paradigmatické formy tej istej frazémy, napr. Nemať misli doma; nemá misli doma (s. 1394). V jednom hesle sa dakedy uvádzajú aj významovo antonymné frazémy: Newilož každému wšecko na misu — Wšecko sa ti na misu wiložiť musí (s.

1392) i frazémy, ktorých sémantická blízkosť vychádza z recipročného antonymného významu slovies, napr. Za mišlenki dosawad sa ešče ne bráwali (nedáwali) dánki (= dane; 1395).

Bernolák v Slovári zaznačil aj mnohé ustálené prirovnania, ktoré tvoria osobitnú skupinu frazém. Jednu skupinu ustálených prirovnaní tvoria prirovnania so slovesným komponentom na ľavej strane porovnávacej štruktúry, napr. otrase sa, gako pes (s. 2080); hledí, gako ťela na nowé wráta (3292). Na rozdiel od súčasných podôb prirovnaní Bernolák uvádza prirovnania v rozšírenej podobe smerujúcej k explicitnosti, napr. hltá (hlce) gako wlk, (a wždí má lavor prázni (s. 725); analogická konštrukcia je aj v latinčine, nemčine a v maďarčine); trase sa, gako pes na pazderi (s. 2081). Niektoré ustálené prirovnania uvádza pri jednom hesle vedľa seba a dnes ich môžeme hodnotiť ako synonymné prirovnania: Miluge ma, gako wlk owcu; Miluge ho, gako koza nóž; Miluge gako pes kočku (s. 1283).

Do druhej skupiny prirovnaní patria ustálené prirovnania s adjektívnym komponentom na ľavej strane porovnávacej štruktúry: Nahí, gako prst (s. 1536); rowní gako swíca (s. 3257); chitrí, gako olowení pták; sprostí gako osel (s. 1950).

Podobne ako iné typy frazém, aj ustálené prirovnania sa uvádzajú často v konkrétnej kontextovej podobe, napr. gak rak očerweňel (s. 2693); čerwení ge (rozčerveňil sa, očerweňel), gako kohut (s. 992).

Z uvádzaných ustálených prirovnaní ustupujú prirovnania s predložkovými výrazmi, napr. s predložkou od s genitívom: od miši nahegší (s. 1536); wagce chce biť od slépki múdregšé (s. 1907), komparácie pomocou inštrumentálu: balzamem voňať (s. 37); cícerkom técť (s. 280), ako aj prirovnania s komparátorom než; napr. Bližša ge košela, než kabát (s. 97).

V slovníkovom materiáli nachádzame početné frazémy, ktoré zo synchrónneho aspektu treba hodnotiť ako ustupujúce, zanikajúce, resp. už zaniknuté. Na ich ústup či vypadnutie zo súčasného frazeologického systému mal vplyv zánik bývalých sociálno-ekonomických podmienok, starých životných situácií, vecných a ideologických reálií, napr. habit nerobí mňicha (s. 670); W krpcoch musí člowek na peňáze robiť, a w čižmách gich trowiť (s. 2072); Kde pán nazírá, tu lichwa prospíwá (s. 1242); Piláta s Herodesem zmereňí (= uskutočnenie niečoho nemožného; s. 703). Zo živého úzu vypadli aj frazémy s nárečovými a archaickými komponentmi, napr. Ani chuti, ani šmaku nemá (s. 267); Každého swog pípec bolí (s. 2096); Weselí towariš na cesťe za dobrí koč stogí (s. 3324); i frazémy so staršími slovnými tvarmi a neživými syntaktickými

konštrukciami: Šata čloweka robí (s. 2877); Pes psu brat (s. 2742).

Vo viacerých prípadoch sa spomedzi lexikálnych variantov v neskoršom vývine jazyka uplatnil iba jeden z variantov a druhý vypadol z bežného používania. Napr. z dvojice Ňekomu po hlawe (nose) tancowať sa v súčasnej frazeológii uplatňuje iba prvá podoba s lexikálnym komponentom „hlava" (s. 3278); podobne ustúpil napr. aj variant Mnoho reči, ňič účinku (s. 2701) oproti dnešnému Mnoho rečí, málo účinku i variant Mnoho kucharow presolí kašu (s. 907); (druhý variant má nominálny komponent „polévka").

Vo vývine slovenskej frazeológie sa prejavuje tendencia obmedzovať variantnosť frazeológie. V Slovári uvádza Bernolák napríklad na mieste dnešného porekadla Čo na srdci, to na jazyku tieto podoby: čím srdce wre (nawre), tím gazik (huba) kipí, zňe, páchňe; Čo w srdci wre, to w ustach kipí; Čo w srdci, to na gaziku (s. 3108); miesto súčasného zíde z očí, zíde z mysle má tieto podoby: Mimo oči, mimo misli; preč z očí, ven z misli (s. 1897). Týmto viacerým formám zodpovedá v súčasnosti iba jediná podoba príslušného príslovia.

O istej redukcii, avšak z iného aspektu, možno hovoriť aj pri porovnávaní dvoch foriem porekadla: Ta wec ge celému swetu známa. Wrabce gu po strechách roznášagú, rozhlasugú a kriča (s. 185) a dnešná podoba: O tom (to) už vrabce (na streche) čvirikajú (SSJ II, s. 159) alebo porekadlo: Gakí ge wčil čas, že psa není hodno wen wihnať (s. 172), v súčasnej slovenčine: (Ani) psa nehodno von vyhnať; ani psa by nevyhnal (z domu) (MFS 1974, s. 183). Redukcia nastala v dôsledku eliminovania konkrétnej, kontextovej zložky, akéhosi konektora, ktorým sa porekadlo organicky zapojilo do kontextu a nadviazalo na konkrétnu komunikačnú situáciu. Pravda, v prvom prípade ide aj o redukciu lexikálnych komponentov a ich nahradenie blízkoznačným komponentom (čvirikajú) a čiastočnú prestavbu porekadla.

Parciálne hodnotenie spracovania frazeológie v Bernolákovom Slovári naznačilo, že jadro frazeológie v Slovári tvoria frazémy zo živého hovorového jazyka. Popri nich Bernolák zaznamenal aj knižné frazémy a frazeológiu neľudového pôvodu. V Slovári zachytil rozličné varianty frazém a vo väčšine prípadov aj presne vystihol ich archisému, ako aj náležitý ekvivalent v latinčine, nemčine a maďarčine. Bernolákov Slovár napriek niektorým nedostatkom má vo vývine slovenskej frazeológie významné miesto, o čom svedčí aj vývinová dynamika frazém, ktorá na

156

jednej strane v značnej miere kontinuitne nadväzuje na frazémy v Slovári a na druhej strane naznačuje aj zreteľnú vývinovú variabilitu podmienenú viacerými spoločenskými, ideologickými a jazykovými faktormi.

Poznámka redakcie

Substantíva na rozdiel od Bernolákovej grafiky píšeme malým písmenom, iné znaky Bernolákovho pravopisu prepisujeme v pôvodnej podobe.

Literatúra

BERNOLÁK, A.: Slowár Slowenskí, Česko-Laťinsko-Ňemecko-Uherskí. 1.–5. diel. Budae 1825–1827. 4440 s.

ČERMÁK, F. – HRONEK, J. – MACHAČ, J. a kol.: Slovník české frazeologie a idiomatiky. Přirovnání. 1. vyd. Praha, Academia 1983. 496 s.

HABOVŠTIAKOVÁ, K. (1968 a): Bernolákovo jazykovedné dielo. 1. vyd. Bratislava, Vydavateľstvo SAV 1986. 445 s.

HABOVŠTIAKOVÁ, K. (1968 b): Slovník slovenského jazyka a Slowár slovenskí, česko-latinsko-ňemecko-uherskí. Slovenská reč, 33, 1968, s. 3–7.

HABOVŠTIAKOVÁ, K.: Synonymá v Bernolákovom Slovári. In: Jazykovedné štúdie 18. Z dejín slovenského jazyka. Red. J. Doruľa. Bratislava, Veda 1983, s. 59–67.

HAYEKOVÁ, M.: Slovnikárske poznámky k Slowáru A. Bernoláka. Slovenská reč, 23, 1958, s. 102–116.

MIKO, F. A KOL.: Frazeológia v škole. Učebné texty pre štúdium slovenského jazyka. Nitra, Pedagogická fakulta 1985. 254 s.

MLACEK, J.: Slovenská frazeológia. 2. vyd. Bratislava, Slovenské pedagogické nakladateľstvo 1984. 159 s.

MLACEK, J.: O lexikálnych zmenách v prísloviach a porekadlách. Kultúra slova, 15, 1981, s. 110–117.

MLACEK, J.: O vývine zloženia prísloví a porekadiel. Kultúra slova, 15, 1981, s. 38–44.

MLACEK J.: Slovenská frazeológia v Bernolákovom diele. In: Studia Academica Slovaca 16. Prednášky XXIII. Letného seminára slovenského jazyka a kultúry. Red. J. Mistrík, Bratislava, Alfa 1987, s. 275–290.

Slovník slovenského jazyka. 1–6. Red. Š. Peciar. Bratislava, Vydavateľstvo SAV 1959–1968.

SMIEŠKOVÁ, E.: Malý frazeologický slovník, 1. vyd. 1974. Bratislava, Slovenské pedagogické nakladateľstvo. 296 s.

Bernolákov Slovár – dôležitý medzník v slovenskej lexikografii

MATILDA HAYEKOVÁ

Pravda je, že už pred Bernolákovým Slovárom vznikli a vyšli na Slovensku aj iné slovníky so slovakizujúcimi a slovenskými ekvivalentmi. Bolo ich 46. Ale čo sa slovenčiny v nich týka, odrážajú len tápanie a hľadanie správneho výrazu. Zachované rukopisné slovníky okrem kamaldulského boli len pomôcky ,,ad hoc", ktoré si ten-ktorý kňaz zostavil ako: 1. pomôcky pre písanie vlastných kázní, pre ktoré čerpal materiál z latinskej literatúry, alebo 2. ako pomocnú učebnicu latinských slov pre svojich súkromných žiakov, ktorými boli buď deti zemepána, alebo daktorý dedinský chlapec, ktorý sa chystal na kňazskú dráhu. Len Bortnického stredný Latinsko-maďarsko-nemecko-slovenský slovník, ktorý vyšiel r. 1822, teda pred vyjdením Slovára, ale po Bernolákovej smrti, keď už bol rukopis SLOVÁRA deväť rokov hotový, možno pokladať za prvý stredný slovník bernolákovskej západoslovenčiny. Bernolákov Slovár je však veľký slovník, taký, aké už v tom čase mali Poliaci aj Rusi.

Tak ako sa české nárečie univerzitného mesta Prahy stalo východiskom pre Husovu češtinu, tak sa i západoslovenské nárečie z okolia univerzitného mesta Trnavy a domovských obcí tam pôsobiacich profesorov stalo podkladom pre spisovnú západoslovenčinu. Prvým dokladom toho sú trnavské vydania Alvarusovej učebnice latinského jazyka, ktorej prvé dva zväzky tvorí gramatika a tretí zväzok slovník. Táto učebnica vyšla vo viacerých vydaniach v Trnave (1703, 1717) a po prenesení univerzity aj v Budíne (1777). Celú túto učebnicu a najmä jej slovník pretlmočili trnavskí profesori do materinských jazykov väčšiny svojich poslucháčov – do slovenčiny a do maďarčiny.

A práve túto učebnicu latinčiny s jej päťjazyčným slovníkom používali po preložení trnavskej univerzity do Budína aj študenti v bratislavskom generálnom seminári. Medzi nimi bol i neobyčajne nadaný a húževnatý Anton Bernolák (1762–1813). Trnavské aj budínske vydania Alvarusovej gramatiky aj slovníka inšpirovali Antona Bernoláka ku kodifikovaniu spisovnej slovenčiny, k napísaniu slovenskej gramatiky ,,Grammatica Slavica" a k skocipovaniu päťjazyčného Slovára.

Hoci Anton Bernolák pochádzal zo stredoslovenskej Oravy, pri svojej kodifikácii slovenčiny rešpektoval reč, úzus univerzitného mesta Trnavy, ktoré zachytila už tamojšia Alvarusova učebnica. Bernolákovu latinskú učebnicu slovenčiny, ktorá vyšla r. 1790, preložil bernolákovec, sóskútsky farár Andrej Brešťanský do nemčiny, aby ju sprístupnil širšiemu okruhu laikov, ktorí latinčinu ovládali len čiastočne.

Bernolákov Slowár slowenskí, česko-latinsko-nemecko-uherskí zostal pri autorovej predčasnej a náhlej smrti v roku 1813 v rukopise. Preto potom vyšiel až v rokoch 1825–1827 zásluhou mecéna kanonika Palkoviča.

Čo sa týka hesiel Slovára, to už nie je len prosté pretlmočenie latinského heslového slova do ďalších štyroch jazykov vtedajšej monarchie, ako to nachádzame v predchádzajúcich slovníkoch. Bernolákove heslá sú skoncipované vedeckou metódou podľa dovtedy najnovších veľkých slovníkov, najmä ruského a poľského. Veď prvé zväzky Lindeho Słownika języka polskiego vyšli ešte za Bernolákovho života (v rokoch 1807–1814).

Heslá Bernolákovho Slovára už vydeľujú osobitné významy heslového slova, ktoré exemplifikujú spojeniami a pri daktorých sa uvádza ako exemplifikácia aj zaužívané príslovie, fráza alebo riekanka. Pri substantívach sa ako gramatická charakteristika uvádza koncovka genitívu i rodová skratka; pri adjektívach sú zas rodové koncovky. To v predchádzajúcich starších slovníkoch nebývalo. Bernolák síce neuvádza reakciu slovies ako ich gramatickú charakteristiku, ale nájdeme ju v exemplifikáciách. Je zaujímavé, že substantíva ako heslové slová zapísal Bernolák veľkým začiatočným písmenom, hoci v hesle sa už píšu s malým začiatočným písmenom. Možno, že sa pre tento spôsob rozhodol pod vplyvom za jozefinizmu preferovanej nemčiny alebo preto, aby používateľ ľahšie a rýchlejšie našiel v Slovári hľadané podstatné meno medzi ostatnými slovnými druhmi. Ako príklad uvedieme dvojvýznamové substantívum Brána. (Dnes tieto „významy" už pokladáme za homonymá.)

Brána, -i f. *porta,* ae f. v. g. domalis, arcae Civitatis: das Thor, z. B. eines Hofes, einer Stadt: kapu. Usus. Bránú (vulg. Bránow) ísť, wísť: per portam exire, zum Thore hinaus gehen, a kapun kimenni. 2) *occa,* ae f. crate soccatoria, irpex, -picis, m. Varr. urpex Cato sarculum, i n. et dentale is n. Pariz Pápay die Egge: borona et barona Pár. Páp. Syn. Wláčka. Aliud est Smik.

Ako z uvedeného hesla vidíme, popri spojeniach v uzákonenej západoslovenčine predsa len ako ľudový/nárečový uviedol Anton Bernolák aj stredoslovenský tvar zo svojho rodného nárečia: Bránow ísť.

V Slowári sú spracované ako osobitné heslá aj typické stredoslovenské hypokoristiká, napr.:
Kača, i f. in usu plebeio, Catharina, ae, f. Katalin. Syn.
Kačena, vulg. Kata, Kaťica, *Katuša, Katruša,* boh. Káča. v. Katarina.
Ako osobitné heslá spracoval A. Bernolák aj deminutíva, napr.:
Káča, aťa, n. Plur. nom. atá: gen. čat: pullus anatinus, eine junge Ente, katsa-fi, boh. Káče.

Aj opätovacie slovesá sa v Slovári uvádzajú ako osobitné heslá, hoci ide o odvodeniny od základných slovesných tvarov, ako napr. *mračiť sa* a *mračíwať sa.* Ale zvratné slovesá sú spracované v spoločnom hesle s nezvratnými, ako napr.:
narobiť, il, ím V. P. imp. narob, cum gen. *multum facere:* viel machen: sokat tenni, boh. nadělaťi: Usus. Tí narobá kriku: isti clamant: die machen ein Geschrei: azok sokat kiáltanak, lármáznak. II. rec. *narobiť sa, diu multum laborare* (operari): lange, viel arbeiten: sokat dolgozni: boh. nadelaťi se.

Ako z uvedených ukážok vidieť, Bernolákov Slovár už nie je ani školskou príručkou, ani príručkou ad hoc, ale vedeckým dielom pre potrebu vedeckého skúmania slovenského jazyka a dobrá pomôcka pre prekladateľov vedeckej i umeleckej literatúry. Je to vlastne i prvý slovensko-český slovník a súčasne suploval aj tri ďalšie slovensko-inojazyčné slovníky: slovensko-latinský, slovensko-maďarský aj slovensko-nemecký slovník.

Keď si všimneme slovenský pravopis Slovára, zistíme, že Anton Bernolák progresívne predišiel nielen svojich súčasníkov, ale aj budúcich slovenských lingvistov. I ďalší kodifikátor spisovnej slovenčiny Ľudovít Štúr prevzal pre spisovnú stredoslovenčinu bernolákovský pravopis bez ypsilonov a s dôsledným (bez výnimiek) označovaním mäkkých spoluhlások mäkčeňmi. Že si spomedzi viacerých vybral práve Bernolákovu pravopisnú metódu, o tom svedčí aj Štúrov anonymný „Levočský slovníček" z roku 1834, v ktorom uvádza rôzne slovenské ekvivalenty k maďarským heslovým slovám písané: bibličtinou, bernolákovčinou, aj stredoslovenčinou (ale bernolákovským pravopisom!). Takýto pravopis najlepšie zodpovedal duchu slovenčiny, kde sa *y*psilon nevyslovuje odlišne od *i*oty, ako napr. v ruštine.

Bernolákov predhovor k Slováru
a jeho ideovo-politický kontext

JURAJ CHOVAN

Hovorí sa, že história je učiteľkou života. No aj napriek tomu oprašovanie starých tém, k akým zaiste patrí aj problematika Bernolákovho Slovára a jeho predhovoru, by sa už mohlo javiť ako málo sľubné podujatie na objavovanie nových poznatkov. A možno povedať aj to, že o Bernolákovom predhovore k Slováru sa v posledných desaťročiach uverejnilo naozaj dosť, najmä kontroverzných stanovísk, hoci je rovnako potrebné dodať, že dnes už viaceré z nich nestoja ani za zmienku. Namiesto seriózneho textologického skúmania išlo totiž najčastejšie o politikum.[1]

V našom príspevku sa chceme pokúsiť posunúť aspoň o malý krôčik textologický výskum tejto otázky, a to upozornením na niekoľko inštruktívnych momentov, ktoré načrtávajú skutočnú alebo aspoň možnú podstatu veci a ktoré v umelo nastoľovanom spore, či bol Bernolák maďarónom alebo nie, stáli kdesi bokom vôbec nepovšimnuté. V ňom totiž často prevážili ideologické princípy výskumu nad metodologickými a vecnými.[2] Preto ak aj utíchli tieto spory, literárni historici sa vracali iba k tým neutrálnejším konštatovaniam z minulosti, ktoré sa potom prenášali z generácie na generáciu, takže v tomto mechanickom trende preberania starých informácií nemali veľké šance na upútanie pozornosti ani novšie pozitívne zistenia. V tejto súvislosti by sme chceli opätovne upozorniť aspoň na jednu zdanlivú maličkosť: kto bol vlastne skutočným vydavateľom Slovára?

Ktosi sa bol totiž pred pol storočím vyslovil, že Bernolákov Slovár vydal na vlastné náklady známy mecén bernolákovskej literatúry Jur Palkovič a odvtedy už nemožno toto tvrdenie, ktoré je nepravdivé, sprevodiť zo sveta, hoci už viac ako tridsať rokov prešlo, čo sa aj na základe archívnych dokumentov

dokázalo,[3] že Slovár vytlačila a na svoje náklady vydala Kráľovská univerzitná tlačiareň v Budíne. No napriek tomu iba v rozpätí decénia osemdesiatych rokov tohto storočia vyšlo viacero vážnych literárno-historických diel, kde sa zotrvačne opakuje zafixované tvrdenie o Palkovičovom mecénášstve aj pri vydaní a financovaní tohto Bernolákovho diela. Pritom vôbec nebolo treba uchyľovať sa ani k onomu náročnému archívnemu skúmaniu, aby sa táto skutočnosť dala celkom priamo zistiť z titulného listu Bernolákovho Slovára.[4]

Ide o zistenie pre niekoho možno nepodstatného významu. Preto väčšiu a ,,ochotnejšiu" pozornosť vyvolávali iba veci kontroverzného charakteru, aj to viac s úmyslom skompromitovať celé Bernolákovo dielo (i jeho samého), než pátrať o pravých príčinách týchto kontroverzností. Vyvolávali ich niektoré pasáže z Predhovoru Slovára z roku 1825, podľa ktorých cieľom Slovára bolo pripraviť cestu, aby sa Slováci mohli čo najprv a najpohodlnejšie naučiť maďarskú reč, určenú za úradný jazyk Uhorska namiesto dovtedy používanej latinčiny.

Dialektika týchto súvislostí nás nabáda k tomu, aby sme predsa venovali viac pozornosti na prvý pohľad takej odťažitej veci, akou je otázka skutočného edičného mecénášstva pri vydaní Slovára. Nám totiž názor na určenie pravého vydavateľa Slovára pripomína pohľad na ľadovec, z ktorého iba malá časť vyčnieva nad hladinu, pričom tá podstatná je skrytá kdesi hlboko pod ňou. A práve o túto skrytú časť nám tu ide predovšetkým. Veď sotva by sa tu dalo niečo pozoruhodnejšieho dávať do súvislostí pri tvrdení, že mecénášom aj pri vydávaní Slovára bol Jur Palkovič, keďže dôvod takéhoto mecénášstva aj v tomto prípade by bol celkom jasný a pochopiteľný. No finančne veľmi náročná edičná veľkorysosť (dvadsaťtisíc zlatých!) v podstate národne indiferentnej inštitúcie prirodzene navodzuje otázku, v čom treba hľadať dôvod alebo príčinu takéhoto spoločenského počinu, a to navyše v okolnostiach, ktorý práve z hľadiska vtedajšej oficiálnej ideovo-politickej orientácie štátu nebol celkom bez rizika.

Podstatu veci možno v stručnosti navodiť zväčša už známym historicko-spoločenským pozadím. Bernolákov Slovár bol súčasťou toho národnoosvietenského úsilia, ktoré malo svoje korene v jozefínskom hnutí. Jozef II. sa pomocou neho usiloval o vybudovanie hospodársky, a tým aj politicky mocného štátu, a to aj za cenu všeobecnej osvety ľudu jednotlivých národností, ktorá bola nemysliteľná bez prostredníctva reči ľudu. Tým sa utvorila známa protirečivosť cieľa a jeho prostriedkov, lebo hlavným snažením jozefínskeho hnutia bolo upevnenie národnopolitickej hegemónie Rakúska. Práve tieto protirečenia vyvolávali dôsledky, ktoré ktosi neskôr vtipne charakterizoval konštatovaním, že Jozef II. sa snažil vybudovať mocný štát, avšak podarilo sa mu „stvoriť" iba novodobé národy. To však pôsobilo aj ako katalyzátor dovtedy viac-menej latentných hegemonistických ašpirácií Maďarov v Uhorsku, čím sa tradičný stavovsko-politický zreteľ v pojme „uhorského národa" začal pretvárať na etnopolitický. A pomerne krátke časové rozpätie týchto politických okolností zasiahlo práve vo svojej negatívnej fáze záverečné kodifikačné úsilie A. Bernoláka pri vydávaní Slovára. Lebo už dva roky po smrti Jozefa II. (1792) uhorské stavy zvolali snem, na ktorom sa prijal zákon, ktorý vo svojom 7. článku po prvýkrát v dejinách Uhorska určil maďarčinu za úradnú reč namiesto latinčiny (i jozefinizmom nanucovanej nemčiny). Bezprostredne potom v nacionalistických kruhoch Uhorska nasledovalo priam militantné horlenie za maďarčinu, ktorému bol proti srsti každý čin, čo jednoznačne nespĺňal tento cieľ. V takýchto okolnostiach Bernolák písal v roku 1796 svoj známy predhovor k Slováru v nádeji, že ho v tom roku vydá trnavský tlačiar Jelínek. Predhovor pod tlakom týchto okolností bol na viacerých miestach poznačený obranou proti neznámym invektorom, ktorí chceli vydanie slovníka prekaziť, ba na viacerých miestach bol upravovaný tak, aby z vecného ba aj psychologického hľadiska mohol náležite umlčať protivníkov. Cenzorským zásahom sa však predsa len celkom ubrániť nemohol. Tieto, ale aj iné, najmä finančné ťažkosti spôsobili, že slovník napokon aj tak ostal len v rukopise, ktorý sa zatiaľ nepodarilo objaviť. Zachoval sa iba spomenutý predhovor v odpise s doplnkami a upravovanými podobami po cenzorských zásahoch, a to v pozostalosti samotného Martina Hamuljaka.[5]

Avšak neskorší kritici a žalobcovia A. Bernoláka vychádzali prevažne iba z tlačenej a skrátenej podoby tohto predhovoru, publikovaného v roku 1825, keď napokon celý Slovár vyšiel zásluhou spomenutej univerzitnej tlačiarne. Tu sa rukou dosiaľ nezisteného autora objavili ďalšie úpravy pôvodného predhovoru, ktoré už Bernolák robiť nemohol, pretože v roku 1813 zomrel. Dnes nám však o tieto spory nejde, lebo ich možno pokladať už len za epizodickú záležitosť, ktorej ideové pozadie je známe. Zdá sa však, že oveľa menej známe je skutočné historické, či presnejšie povedané – politické pozadie problematiky tak celku, ako i jednotlivých kontroverzností.

Jednako za východisko našich úvah aj my využijeme tie ominózne miesta predhovoru, ktoré doteraz boli terčom najväčšej kritiky, akoby jediným zmyslom Bernolákovho Slovára bolo úsilie pomocou neho naučiť Slovákov po maďarsky. Jedným z takýchto miest je aj táto veta: „Si cunctis Pannoniis Slavis notum fuerit idioma ungaricum, maxima ex parte ungaricam mox conspicere licebit Hungariam."[6] Tento citát je vzatý z jedného zo štyroch dôvodov, ktorými A. Bernolák vysvetľuje poradie jazykov svojho Slovára, najmä však to, prečo sa slovníkové heslá začínajú práve slovenčinou.

Úprava predhovoru sa podstatnejšie dotkla práve týchto dôvodov, ktorých bolo pôvodne päť. Pôvodný druhý a tretí bod editori spojili do jedného a doplnili ho o práve citovanú vetu. Doplnili ho však aj o ďalšiu malú vsuvku, ktorú si vlastne nikto zo súčasných posudzovateľov tohto predhovoru nevšimol, hoci práve ona bola najkontroverznejšia a pozbavila tento bod všetkej logiky, ktorou Bernolák pri obhajovaní východiskových (teda slovenských) hesiel operoval. V pôvodnom znení tohto dôvodu v rukopisnom predhovore totiž stojí, že „Slováci ďaleko prevyšujú pestré jazykové zloženie národov obývajúcich Panóniu, a preto, keď zostavoval svoju príručku, patrilo sa dať prednosť väčšine, aj keby nechcel…".[7] No text tlačeného predhovoru sa upravil v tom zmysle, akoby prevaha Slovákov v pestrom „jazykovom zložení Panónie" nasledovala až „po Maďaroch",[8] podľa čoho väčšinu by tvorili Maďari, no jednako poradie jazykov, čiže základ slovníka, sa nezmenilo a prednosť sa ponechala slovenčine, teda relatívnej menšine!

A v tejto súvislosti sa nám natíska potreba nazrieť na vec analytickejším okom, než je iba púhe konštatovanie formálne logického lapsusu korektorov-vydavateľov, respektíve cenzora, alebo možného demografického omylu A. Bernoláka. Lebo doterajšie a zjavne povrchné konštatovanie „ominóznosti" tohto predhovoru by sa aj našim čitateľom mohli zdať málo koherentné s cieľom našej úvahy, kde – práve naopak – aj napriek všetkému, čo v predhovore musel v dôsledku politických okolností napísať už sám Bernolák, chceme vyzdvihnúť viaceré nové ideové aspekty, ktoré okrem zmyslu diela samého osebe predstavujú slovenský krišťáľovo čistý národnovlastenecký profil Bernoláka. Nejde však len o A. Bernoláka, ale ešte vari o pozoruhodnejšie ideovo-politické súvislosti, ktoré aj vydavateľ Bernolákovho slovníka mohol v danej konštelácii pomerov sledovať.

O čo teda vlastne išlo? Edičnú zásluhu Kráľovskej univerzitnej tlačiarne pri vydaní Bernolákovho Slovára možno azda najlepšie pochopiť z posúdenia zámeru tejto tlačiarne, ktorý sledovala 3. vydaním známeho Wagnerovho Frazeologického slovníka. Tento slovník v prvých dvoch vydaniach vyšiel ako viacrečový slovník latinský – maďarsko, nemecko, český (so slovakizmami), pričom v 3. vydaní české (slovakizované) heslá vystriedali slovenské, upravené podľa Bernolákovej gramatiky, ako sa to uvádza v predhovore, a nie je vylúčené, že autor tejto slovenskej časti (Ján Ev. Bortnický) si vypomáhal aj rukopisným Bernolákovým slovníkom.[9] No v našich úvahách nemenšiu pozornosť si zasluhuje aj pomerne stručný úvod tlačiarne, kde sa editori priznávajú k tomu, že týmto Wagnerovým slovníkom ako „dávno žiadaným a pre Uhorsko nadovšetko potrebným dielom" sa sleduje „oživenie a rozkvet latinčiny". To je v súvislosti s pôsobením a stále dovtedy platným 7. čl. zákona z roku 1792 o pestovaní maďarčiny ako úradnej reči namiesto latinčiny zámer, z ktorého možno dedukovať niekoľko vecí.

Najprv to, že pôsobením tohto zákona latinčina v Uhorsku (najmä v školách) naozaj upadla, najmä čo sa týka mladšej generácie, a bolo treba robiť niečo na jej oživenie. No pritom podstatnejší úspech nemusela zaznamenať ani maďarčina, lebo je známe, že generácia nemaďarských vzdelancov roku 1822, keď Wagnerov slovník vyšiel, zotrvačne používala ešte latinčinu v korešpondencii, najmä v cirkevnej administratíve, pretože maďarsky nevedela alebo len slabo (napríklad Fándly, Bajza), ba že pôvodné nadšenie za roky, ktoré nasledovali po vyhlásení spomenutého článku zákona, opadalo, čím slabol aj účinok tohto zákona. Naproti tomu silnela proti nemu aj možná opozícia, najmä z cirkevných kruhov.

V politickej situácii vtedajšieho Uhorska nastupujúci nacionalizačný trend nekorešpondoval totiž s cirkevnými pomermi, ktoré pomerne dlho poznačovali tendencie univerzálnej a nadnárodnej cirkvi, ktorej úradnou rečou bola latinčina, ba v tejto fáze úradne vyhlásenej maďarizácie Uhorska do čela uhorskej cirkvi sa dostali práve príslušníci nemaďarskej národnosti. Takýmto bol aj uhorský prímas Alexander kardinál Rudnaj, známy navyše ako uvedomelý Slovák. Avšak bez ohľadu na národnú príslušnosť v kruhoch značnej časti katolíckeho kléru možno tu logicky predpokladať aspoň určitú zdržanlivosť, ak už nie priamu opozíciu.

Obidva prúdy totiž v podstate ovplyvňovalo to isté ideové pozadie jozefinizmu. – V jednom prípade ako opozitum k národnohegemonistickým snahám Rakúska, v druhom prípade ako ideová averzia k voľnomyšlienkárskemu, najmä slobodomurárskemu hnutiu jozefinizmu, ktorá sa formovala ako tzv. rímskokatolícka reštaurácia, oproti reštaurácii „rakúskokatolíckej", čo síce tiež bojovala proti tejto voľnomyšlienkárskej odnoži jozefinizmu, ale na platforme partikularizmu, teda národnej cirkvi bez podriadenosti pápežovi. Takto cirkev v Uhorsku, tradične lojálna Rímu, vystupovala v opozícii nielen proti nacionalistickým (partikularistickým) snahám v cirkvi v Rakúsku, ale zároveň aj proti nacionálnopolitickým tendenciám v Uhorsku (ktoré tak či onak tiež nahlodávali tradičnú univerzálnosť cirkvi), kde najmä v prvej fáze oduševnenia za duchovnú obnovu a obranu pred všetkými formami sekularizácie usilovali sa zachovať aj latinčinu ako integrujúci faktor cirkevnopolitického života.

Možno teda usúdiť, že tieto cirkevné tendencie v Uhorsku, prechodne utlmené výbuchom národnopolitických nálad, sa postupne opäť hlásili o slovo, ktorým bol aj pokyn na vydanie spomenutého Wagnerovho Frazeologického slovníka. Možno tak usúdiť preto, že pred vydaním tohto slovníka Univerzitná tlačiareň vydala na pokyn Najvyššej kráľovskej miestodržiteľskej rady v Uhorsku Uhorskú gramatiku Fr. Versegyho, čiže gramatiku maďarčiny, ktorú panovník schválil ako učebnicu pre školy v Uhorsku, ako sa to uvádza v predhovore citovaného Wagnerovho slovníka. Takéto odporúčanie najvyššej politickej reprezentácie vydanie Wagnerovho slovníka zrejme však nemalo, pretože by ho bolo v spomenutom predhovore tak isto spomenulo. Preto ho možno hodnotiť iba ako súkromnú iniciatívu tlačiarne a najbližších cirkevných kruhov, ku ktorým nepochybne patril aj riaditeľ tlačiarne.[10] Vydanie Wagnerovho slovníka sa tu lakonicky odôvodňuje iba všeobecnou potrebou a žiadosťou bližšie neurčených mešťanov, ktorý mal tiež plniť úlohu školskej učebnice, podľa všetkého však len ako neoficiálna učebná pomôcka.

No podľa týchto úvah vychodí, že v pozadí vydania Wagnerovho slovníka stála predovšetkým slovensky orientovaná cirkevná reprezentácia (aj diplomacia), lebo tento slovník v podstate umožňoval najprirodzenejšiu cestu na to, aby sa popri ňom mohol vydať i Bernolákov Slovár, ako v podstate inverzný pendant k Wagnerovmu. Svedčí o tom aj skutočnosť, že podľa prvotných úmyslov tlačiareň mala v pláne vydať aj Bernolákov slovník vo dvoch zväzkoch, ako vyšiel slovník Wagnerov. Jedno i druhé teda napovedá, že obidva slovníky vyšli ako jednotný edičný počin − v podstate koherentný viacrečový slovník, teda aj latinsko-slovenský a slovensko-latinský slovník, ako sa na to poukazuje aj v príslušnej poznámke Predhovoru k Slováru z roku 1825.[11] No prepracovať Bernolákov Slovár do dvoch zväzkov bola úloha nepochybne veľmi náročná, takže pre editorov bolo jednoduchšie vydať už do tlače pripravený rukopis Bernolákovho Slovára a pre používateľov Wagnerovho slovníka vyhotoviť iba stručné repertórium.

Vydať kompletný Bernolákov Slovár mohlo napomôcť aj priateľské gesto riaditeľa tlačiarne, o ktorom sme sa už zmienili, že bol Bernolákovým konseminaristom, s ktorým ho viazali aj spoločné ideové putá a intencie rímskokatolíckej reštaurácie, ktorú v generálnom seminári predstavoval najmä jeho rektor Ondrej Sabó. Z tejto primárne cirkevnej orientácie tých čias sa hierarchicky odvodzoval aj tradičný neutrálny postoj cirkvi k národnostiam Uhorska. Preto možno povedať, že aspoň pre toto obdobie neplatí, že ideová orientácia tejto tlačiarne bola promaďarsky nacionalistická, ako sa o tom hovorilo na konferencii v Budapešti v roku 1977.[12]

Avšak politické okolnosti, a to práve v čase, keď sa tlačil Bernolákov Slovár, sa opätovne začali nacionálne priostrovať a v politickom živote Uhorska sa znova začala nastoľovať maďarčina, ktorá si ešte stále nezískala to postavenie v spoločnosti, aké mal na mysli uhorský snem v roku 1792. Možno to dedukovať z toho, že otázkou maďarčiny ako úradnej reči Uhorska sa opätovne musel zaoberať uhorský snem zvolaný v roku 1825, teda práve v roku, keď tlačiareň začala tlačiť Slovár. V súvislosti s týmto opäť ožili aj nacionalistické vášne, ktoré vydavateľom Bernolákovho Slovára iste narobili nemálo starostí, aby tento čin aspoň z formálneho hľadiska zosúladili s duchom najnovších snemových uznesení. To však bolo možné iba primeranou, a zdá sa, že aj dosť unáhlenou úpravou predhovoru, pretože aj citovaná logická zvrátenosť odôvodňovania poradia jazykov Slovára naznačuje, že mohla najskôr vzniknúť len v dôsledku určitej časovej tiesne. No isté skutočnosti naznačujú,

že úpravu predhovoru robil človek do veci nezasvätený, ktorého pozornosti unikli niektoré lexikálno-sémantické intencie Bernolákovho Slovára, stopy ktorých možno ešte pozorovať aj v predhovore k Wagnerovmu slovníku z roku 1822.

Bernolák v pôvodnom predhovore z roku 1796 totiž zreteľne operuje termínom Panónia, ako označením slovenského etnického územia, čo už v tom čase bola tendencia dosť známa a jej počiatok možno pripísať profesorovi Trnavskej univerzity Martinovi Sentivánovi − Svätojánskemu. Pod pojmom Panónia Bernolák teda nemal na mysli celú historickú Panóniu, synonymickú s pojmom Uhorska.[13] Preto aj Bernolákova charakteristika všestranných prírodných darov aj pestrého národnostného zloženia tejto Panónie[14] v dôsledku prílevu Nemcov v časoch kolonizácie i Maďarov po vpáde Turkov do Uhorska sa môže vzťahovať len na dnešné územie Slovenska, prípadne ešte na „slovenský juh v stredoveku". Preto aj Bernolákom uvádzaná národnostná prevaha Slovákov na území takto interpretovanej Panónie bola z demografického hľadiska správna a z toho logicky nasledovalo aj etnonymum „Pannonius" vo význame Slovák, v snahe vyhnúť sa latinskej ekvivokácii pojmov Slovan a Slovák (Slavus a Slovacus). A práve z týchto nedorozumení vyplýva, ako musel Bernolák zápasiť o národnú identitu Slovákov. Z politického ohľadu v slovníku priamo kodifikovať pojem Panónie ako synonymického označenia Slovenska si ešte netrúfal (zrejme spoliehajúc sa aj na to, že túto kodifikačnú funkciu vykoná úzus),[15] a z pochopiteľných dôvodov si netrúfal nahradiť ani etnonymum Pannonius etnonymom Slovacus, ktorý ako novotvar nezodpovedal vtedy striktne chápanej klasickosti latinčiny. A že takéto ohľady pretrvávali u nás až do našich čias, svedčí fakt, keď vo vedení farských matrík toponymické adjektíva v latinčine sa neutvárali od súčasných slovenských podôb miestnych názvov, ale od „klasických", čiže maďarských a nemeckých!

Podobné tendencie pozorovať u Bernoláka aj pri latinskom pomenovaní maďarčiny, ktoré bolo vlastne derivátom nemčiny (lingva ungarica, ungarice). Iba neskôr možno pozorovať synonymizáciu etnonymických a lingvonymických pojmov pri pomenúvaní maďarčiny v podobách lingva ungarica − lingva hungarica. Bernolák sa však pojmu lingva hungarica dosť očividne vyhýbal, lebo v čase, keď zostavoval Slovár, v pojme „uhorskej reči" sa ešte chápala latinčina „ako reč vlasti", čiže „paterlingva", zatiaľ čo maďarčina sa ponímala ešte iba ako „lingva vernacula" − teda materlingva. V takomto zmysle uviedol aj latinské pomenovanie svojho slovníka − čiže Lexicon

Slavicum Bohemico-Latino-Germanico-Ungaricum. Preto adjectívum ungarus možno chápať aj ako lingvonymický korelát k pojmu latinus, čiže nie v zmysle etnonyma, ale vo vzťahu k úradnej rečovej praxi. Podľa tohoto ani nami citovaná veta z dobového hľadiska nepôsobí tak ominózne, ako ju bez rešpektovania týchto súvislostí pochopili jej prví kritici. Lebo ako pojem „latinák" nemožno pokladať za označenie dajakého „Rimana", analogicky treba chápať aj jeho korelát ungarus, čiže ako úradné označenie používateľa príslušného jazyka.

Okrem toho zo zrejmého odklonu od hodnotenia bernolákovského pojmu Panónia v úprave predhovoru Slovára z roku 1825 vyplýva, že pod pojmom „Pannonii Slavi" už nemožno chápať iba obyvateľov Slovenska[16] (Slovákov), ale aj celého Uhorska, čiže Slovanov. To znamená, že aj inkriminovanú vetu Si cunctis Pannoniis Slavis notum fuerit idioma ungaricum, maxima ex parte ungaram mox conspicere licebit Hungariam treba chápať s primeranou dištinkciou: „Ak bude všetkým Slovanom v Panónii maďarská reč známa, potom bude možné usúdiť, že Uhorsko je z prevažnej stránky jazyka maďarské," čo v nadväznosti na úradné nadraďovanie maďarčiny nad latinčinu znamená, že sa tým už nemyslí Uhorsko „latinské". Nemožno totiž strácať zo zreteľa skutočnosť, že znalosťou a používaním jazyka sa v tom čase podľa tradičnej (úradnej) rečovej praxe nevyjadrovala ešte národnosť! Tieto historické aspekty treba pri súčasnom posudzovaní problematiky náležite rešpektovať, aj keď treba pripustiť, že už v tom čase sa črtali príznaky splývania týchto dvoch tradičných uhorských kritérií, len čo sa nadnárodná latinčina začala nahrádzať rečou národnou. To sa jasne prejavilo už v upravenom texte predhovoru z roku 1825, kde sa v latinskom názve Slovára miesto titulnej podoby adjektíva „Ungaricum" použil už aj výraz Hungaricum,[17] čím sa dovtedy „vernaculárna" maďarčina hierarchicky posunula do hodnosti štátnej reči ako „paterlingva". Jednako povýšenie maďarčiny na reč štátnu nevyhnutne nepodmieňovalo likvidovanie slovenčiny ako tradičnej „lingvae matris". Veď ináč ťažko by bolo predpokladať, že by sa napríklad aj Jur Palkovič podujal na také mecenášstvo a obranu zjavne stratenej veci pri vydávaní bernolákovskej literatúry.

Avšak v súvislosti s pojmom Hungaria – Pannonia u Bernoláka je evidentný zápas o národnú identitu Slovákov, ale aj zreteľná snaha o vyjadrenie ich štátnopolitickej entity, aj keď túto snahu nemohol v Slovári vyjadriť priamo, ako by si to bol iste želal. Veď musel čeliť zjavným národnostným vášňam, keď vlastne ako prvý zo slovenských vlastencov použil termín nacionalizmus a odsúdil jeho vtedajších oportunistických nositeľov v Uhorsku ako predstieraných vlastencov, čo „až do pobúrenia žlče" horlili za maďarskú reč, hoci sami často boli iba potomkami uhorských privandrovalcov. No aj keď v snahe o špecifikáciu poňatia národného územia Slovákov mohol cieľavedome nadviazať na určitú tradíciu v novodobom nastoľovaní pojmu Panónie, zjavné ťažkosti sa mu dostávali do cesty pri tradičnom, v súdobej literatúre zaužívanom pomenúvaní Uhorska (Hungariae) ako štátneho územia i zároveň v jeho etnonymickom chápaní vo význame Maďar/Uher.

Bernoláka v tejto veci priam škrupulózne determinovala táto tradícia, proti ktorej mohol nanajvýš postaviť niečo charakterom aspoň približne rovnocenné. Zavádzať dajaké novotvary, ako sme povedali, si v tomto ohľade z klasických dôvodov vôbec netrúfal, hoci vec by sa mu bola podstatne zjednodušila, keby bol namiesto označenia „Uher" ako etnonym uviedol v Slovári termín Maďar. Avšak aj tento výraz sa v tom čase mohol pokladať za netradičný, a teda aj nenáležitý. I tu sa teda snažil rešpektovať vtedajšiu nepísanú právnu normu, tzv. úzus vzdelancov, na ktorý sa v predhovore na viacerých miestach aj odvolával.

Ambivalencia etnonymického a štátnopolitického pojmu Uher Bernoláka musela iste znepokojovať, no zdá sa, že v daných podmienkach jej nedokázal praktickejšie čeliť. Isté je však iba to, že si ju uvedomoval, čo možno dedukovať z toho, ako sa práve v takejto súvislosti priamo vyslovil a prezradil v jednej zo svojich protibajzovských polemík, keď sa Bajzu káravo pýta: „A čo sú to za potvori tí Uhro-Slováci?!" Tu mal na mysli práve tú spomenutú etnickú slovensko-maďarskú ambivalentnosť, čiže niečo, čo je napoly Slovák, napoly Maďar (aj dnes často používané – félig Magyar, félig Tót).

Evidentné je i to, že Bernolák v Slovári jasne rozlišuje pojmy národných, respektíve etnických území Uhorska, keď hovorí o „slovenskej krajine" – Tót ország a krajine Maďarov – Magyar ország. Aj pri týchto heslách Bernolák však iba rešpektoval úzus, ktorý v tomto prípade iste ochotne využil. Termín slovenská krajina ako etnicky špecifikujúci sa pojem napríklad nachádza aj v najstarších u nás zachovaných kázňach františkánskeho misionára Imricha Terchoviča z roku 1695. Tento pojem Bernolák v Slovári uvádza ako rovnocenný pendant k pojmu maďarská krajina, z čoho teda jasne vyplýva, že ho nestotožňoval s pojmom maďarského kráľovstva! Pojem Uhorské kráľovstvo Bernolák chápal skôr ako administratívny termín, ale sa zdá, že akoby v snahe vyhnúť sa jeho sémantickej dvojznačnosti radšej aj v takomto prípade použil namiesto označenia pojmu uhorský jeho deiktickú náhradu, napríklad v spojeniach tejto vlasti, tohto kráľovstva (hujus patriae, hujus regni), čo sa potom v upravovanom predhovore zväčša pozmenilo tak, že sa v tomto spojení zvýraznil pojem Uhorska (uhorskej vlasti, uhorského kráľovstva).

Jediné, čo tu Bernolákovi (a ostatným slovenským vlastencom) umožňovalo hľadať pre slovenské národnopolitické ambície prijateľnejšie východisko, bola možnosť nadviazať na starší, klasický pojem Panónie, pričom akoby sa tu boli vymenili spomenuté pozície ambivalentnosti pojmu Uher (Uhor), pretože tu sa označenie Panónia v užšom zmysle začalo uplatňovať i na označenie národného územia Slovenska, v širšom zmysle i na označenie štátnopolitického územia ako synonymum Uhorska. Zjavná kontaminácia týchto pojmov poznačovala aj pôvodný Bernolákov predhovor k Slováru z roku 1796, ba akoby tieto intencie boli rešpektovali aj editori spomenutého Wagnerovho slovníka v citovanom predhovore tlačiarne.

Logicky teda vyplýva, že ako politické protiopatrenie možno chápať i neskoršiu zmenu týchto termínov v úprave predhovoru k Slováru z roku 1825, kde sa vo viacerých prípadoch slovo Panónia nahradilo termínom Hungaria.

Naznačené ideovo-politické súvislosti by bolo teda užitočné ešte textologicky podrobnejšie preskúmať a porovnať ich s výskumom ostatných súdobých historických súvislostí tejto problematiky.

Poznámky

[1] Za takéto politicum možno pokladať najmä úsilie o konštituovanie vlastnej spisovnej reči Slovákov, pretože týmto činom sa oslabovali odnárodňovacie ašpirácie vo vzťahu k Slovákom, ktoré rovnako vychádzali z nacionalistických kruhov maďarských a českých. Preto raz sa označovalo ako politicum hungaricum, inokedy ako politicum bohemicum.

[2] O polemikách na túto tému pozri: RAPANT, Daniel: K pokusom o novú koncepciu slovenského národného obrodenia. Slovenská literatúra, 12, 1965, č. 5, s. 493–506; TIBENSKÝ, Ján: K starším i novším názorom na A. Bernoláka, bernolákovské hnutie a slovenské národné obrodenie. Historický časopis, 14, 1966, č. 3, s. 329–371; CHOVAN, Juraj: Predhovor k Bernolákovmu Slováru z roku 1796, In: Literárny archív 1967. Martin 1967, s. 47–91; CHOVAN, J.: K diskusii o národnom profile Antona Bernoláka. Slovenská literatúra, 15, 1968, s. 406–410.

[3] POVAŽAN, Ján: Príprava a vydanie Bernolákovho Slowára. Jazykovedný časopis, 9, 1958, s. 88–102.

[4] Tu celkom jednoznačne stojí: „Typis et Sumtibus (podč. J. Ch.). Typogr/aphiae/ Reg/iae/ Univers/itatis/ Hungaricae 1825.

[5] Tento predhovor sme uverejnili v origináli a v slovenskom preklade v roku 1967. In: Literárny archív 1967. Martin 1967, s. 47–91.

[6] Porovnaj Slowár Slowenskí... Praefatio VI, ods. 1.

[7] Porovnaj pozn. 2 a 5 (citovaný preklad predhovoru, s. 74).

[8] Porovnaj pôvodný text predhovoru (pozn. 5, s. 55):..., quod diversos populos, Pannoniam incolentes, relate ad distinctum labium singillatim sumtos, numero longe exsuperent Slavi... partis majoris rationem me hebere vel invitum oportuerit..., ako aj text tlačeného predhovoru (Praefatio VI): „Cum item post Ungaros (podč. J. Ch.) plurimi sint numero in Pannonia Slavi..., partis maioris rationem me habere vel invitum oportuit."

[9] Toto tretie vydanie Wagnerovho slovníka je vlastne prvým latinsko-slovenským slovníkom v dejinách spisovnej slovenčiny.

[10] Riaditeľ tlačiarne Ferenc Sághy bol kňazom ostrihomského arcibiskupstva a Bernolákov konškolák z čias bratislavského generálneho seminára.

[11] Porovnaj: „Latino Vagneriano quadrilingui Slavi quoque accuratissime distinguens,... uti possunt (Praefatio VII)."

[12] Pozri I. Käfer v zborníku vydanom k výročiu založenia Univerzálnej tlačiarne v Budíne.

[13] Potrebu dištinkcie pojmu Panónie v našom citovanom preklade sme si v tom čase ešte plne neuvedomovali a výraz Pannonia sme prekladali len ako Uhorsko.

[14] Porovnaj: „... na úrodnej pôde Panónie, kde láskavá matka príroda akoby sústredila v hojnosti takmer všetky bohatstvá, ktoré inde udelila len jednotlivo. A tak premnohé národy prišli sem vo veľkom počte" (c. š. 73).

[15] Úzus v Uhorsku sa v tom čase aj v právnom ohľade považoval za kanonizačný faktor a dlho táto prax pretrvávala aj v našom občianskom práve.

[16] V takomto zmysle možno tento výraz chápať v predhovore k Wagnerovmu slovníku z roku 1822.

[17] Porovnaj Praefatio V.

Bernolákovčina na východnom Slovensku

LADISLAV BARTKO

1. Ako je všeobecne známe, bernolákovčina vznikla na báze kultúrnej západoslovenčiny, teda z geografického hľadiska na báze okrajového – pravda, v tom čase najvyspelejšieho – variantu kultúrnej slovenčiny. Pritom v čase jej vzniku a používania hospodársko-spoločenský a kultúrny vývin v jednotlivých oblastiach Slovenska (máme na mysli zaužívané členenie na tri zemepisno-jazykové oblasti: západoslovenskú, stredoslovenskú a východoslovenskú) nebol rovnaký, a teda ani podmienky na jej prijatie a fungovanie v týchto oblastiach nemohli byť totožné. Preto, ako sa nazdávame, má svoje opodstatnenie aj územné hľadisko v pohľade na tento náš prvý spisovný jazyk v hodnotení jeho celkového významu v našich národných dejinách.

Z takto vymedzeného zorného uhla sa v príspevku pokúsime bližšie objasniť niektoré otázky súvisiace s rozšírením a funkciami bernolákovčiny na druhom, náprotivnom územnom okraji slovenského národnojazykového celku – na východnom Slovensku.

2.1. Hospodársky, politický, spoločenský a kultúrny vývin východnej časti Slovenska sa v porovnaní s vývinom v jeho ostatných oblastiach prakticky od samých začiatkov formovania slovenskej národnosti vyznačoval istými špecifickými črtami. Pomerne značne členené prírodné pomery, nemecká bariéra na severe a od 16. stor. i Turkami obsadená južná časť územia medzi stredným a východným Slovenskom, z toho vyplývajúca obmedzená miera hospodárskych, kultúrnych a iných kontaktov východného Slovenska s ostatnými oblasťami, navyše – v 16. a 17. stor. – orientácia východoslovenských miest a stolíc mocensky na Sedmohradsko a obchodne na Poľsko, to všetko viedlo k tomu, že integrácia východného

Slovenska s ostatným slovenským územím bola slabšia a vývin národného povedomia sa tu jednak do značnej miery oneskoroval, jednak nadobúdal regionálny charakter (porov. Tajták, 1967, s. 69, 125; Sedlák, 1970, s. 10–11, 19–20; Kotulič, 1969, s. 363 – pozn. 67; Pauliny, 1983, s. 104, 122). Istým svedectvom uvedeného zaostávania je napr. známy prípad „etnickej konverzie" vysťahovalcov z južného Zemplína a Abova, ktorí sa „národne prebudili" a postupne „uvedomili" až v novom prostredí (na Dolnej zemi, v severovýchodnej časti dnešnej Juhoslávie), no nie ako Slováci – hoci hovorili a dodnes hovoria slovenským zemplínsko-abovským nárečím –, ale ako Rusíni (porov. Pauliny, op. cit., s. 158; Švagrovský, 1984, najmä s. 253–258).

2.1.1. Pravda, oblasť východného Slovenska nemožno v tomto zmysle chápať ako homogénny, vnútorne nediferencovaný celok. Boli tu totiž isté rozdiely medzi jej jednotlivými menšími územnými jednotkami v hospodárskej a kultúrnej vyspelosti, v možnostiach kontaktov s ostatnými oblasťami Slovenska, a teda i v podmienkach pre integráciu s nimi v národno-spoločenskom zmysle. Spomínané oneskorovanie vývinu národného povedomia na Zemplíne, ktorý spolu s územím bývalej Užskej stolice predstavoval najvýchodnejšiu časť i v rámci východoslovenského regiónu, sa iste v plnom rozsahu – máme na mysli nielen časový aspekt, ale aj hľadisko intenzity – nevzťahuje na všetky ostatné menšie územné jednotky východného Slovenska. Zo slávnej breuerovskej tlačiarne v Levoči vyšlo totiž v 17. a 18. stor. nejedno dielo prezrádzajúce výrazný stupeň národnouvedomovacieho procesu; spomenúť tu možno diela takých autorov, akými sú B. Szőllősi (Encyklopédia Slovenska, 5, s. 677), D. Sinapius-Horčička (ibid., s. 237) a T. Masník (Bartko, 1985, s. 168–170). Myšlienky uvedených, ale aj ďalších autorov iste neostali bez vplyvu na čitateľov ich kníh, a to nielen na Spiši, predstavujúcom v zmysle geografickom a čiastočne i jazykovom spojovací most medzi stredným a východným Slovenskom, ale s veľkou pravdepodobnosťou aj v širšom celoslovanskom prostredí.

2.2. Vcelku menej priaznivé podmienky vývinu národnouvedomovacieho procesu na východnom Slovensku ako celku sa negatívne odrazili aj na vývoji jazykovej situácie v tejto oblasti. Kultúrna východoslovenčina ako oblastný variant kultúrneho jazyka formujúcej sa slovenskej národnosti sa tu vyvíjala pomalšie ako ostatné varianty a v porovnaní s nimi je aj v najväčšej miere poznačená prvkami územných dialektov (Pauliny, op. cit., s. 122).

Formovanie kultúrnej východoslovenčiny spomaľovalo viacero činiteľov. Spomenúť možno napr. absenciu čisto slovenských hospodárskych a kultúrnych centier v tomto regióne (v najvyspelejších mestách, akými boli Košice, Prešov, Bardejov, Levoča a ďalšie, mal silné pozície aj nemecký, resp. i maďarský živel) a s ňou súvisiaci nedostatok domácej, slovenskej inteligencie, ako aj skutočnosť, že sa tu — v dôsledku spomínaných obchodných kontaktov a iných vzťahov (napr. zálohovanie trinástich spišských miest a ľubovniansko-podolínskeho hradného panstva) s Poľskom — v sfére praktického písomného dorozumievania už od 16. stor. používala popri spisovnej češtine aj poľština (porov. Doruľa, 1977, s. 47–54; Pauliny, op. cit., s. 122).

2.2.1. Aj vo vývine jazykových pomerov na východnom Slovensku možno zaznamenať určité diferencie, zväčša dosť presne korešpondujúce s tempom a intenzitou vývinu národného povedomia. Možno to dokumentovať porovnaním situácie v obidvoch okrajových častiach východného Slovenska, teda na Zemplíne a na Spiši. Na Zemplíne — najmä v južnej časti — zaznamenávame ešte aj v polovici 18. stor. nedostatočné rozšírenie češtiny, čo bola zrejme jedna z príčin, pre ktoré východoslovenskí kalvíni začali ako svoj obradový jazyk používať domáce nárečie (Pauliny, op. cit., s. 153), presnejšie územný variant kultúrneho jazyka (Kotulič, 1968, s. 148–149). Na druhej strane na Spiši sme svedkami nielen dávnejšieho udomácnenia češtiny ako kultového jazyka evanjelikov, ale aj prenikania prvkov kultúrnej stredoslovenčiny do jazyka textov rôznych žánrov (nachádzame ich napr. v známom levočskom vydaní Komenského učebnice Orbis sensualium pictus z roku 1685; k tomu pozri

Novák, 1976, s. 294–298; Bartková, 1976, s. 309, 315–317 a 1978, s. 361–365, 375–376; Pauliny, op. cit., s. 110), ba aj pokusu o gramatické a pravopisné ustálenie kultúrnej západoslovenčiny kamaldulskými mníchmi v polovici 18. stor. (Pauliny, op. cit., s. 146–149).

2.3. Na dokreslenie kultúrno-jazykovej situácie na východnom Slovensku pred Bernolákovým vystúpením treba spomenúť aj niektoré ďalšie skutočnosti, ktorým možno pripísať funkciu pripravovateľov pôdy, kliesniteľov cesty na prijatie bernolákovského hnutia a s ním i bernolákovčiny v tejto oblasti.

Takého charakteru je napr. činnosť príslušníkov viacerých katolíckych reholí (jezuitov, piaristov, kamaldulov, minoritov a i.), ktorí sa venovali ľudovýchovnej, kultúrnej a literárnej činnosti. Širší, celoslovenský kontext činnosti reholí a pomerne častý pohyb ich členov z oblasti do oblasti prispievali k nadväzovaniu a prehlbovaniu kontaktov východného Slovenska so stredným a západným Slovenskom (Sedlák, op. cit., s. 42–43).

Predbernolákovské tradície na východnom Slovensku rozširovali aj mnohí katolícki kňazi, ktorí sem prichádzali najmä zo západného Slovenska (na východnom Slovensku v tom čase ešte nebol ani jeden teologický seminár; tamže, s. 44).

Pozitívnu úlohu v tomto smere zohralo aj založenie a činnosť košickej univerzity (a jej pokračovateľky — od roku 1777 — akadémie). Bola spravovaná jezuitmi a udržiavala úzke kontakty s univerzitou v Trnave (tamže, s. 43).

Pôdu pre prijatie bernolákovčiny ako prvého spisovného jazyka Slovákov na východnom Slovensku bezprostredne pripravovala kultúrna západoslovenčina, ktorá sa tu rozširovala a používala jednak prostredníctvom náboženskej literatúry, školských príručiek a rôznych administratívnych textov (tlačených aj vo východoslovenských tlačiarňach — napr. v tlačiarni košickej univerzity, v spomínanej breuerovskej tlačiarni v Levoči, ďalej v Bardejove a i.), ako aj tým, že sa tu používala na niektorých školách — základných, gymnáziách a pravdepodobne i na uvedenej košickej univerzite (Kotulič, 1987, s. 267).

3. Možno teda povedať, že napriek uvedeným špecifikám historického vývinu východného Slovenska v predspisovnom období boli pre prijatie a rozšírenie bernolákovského hnutia a bernolákovského spisovného jazyka na sklonku 18. stor. v tejto oblasti už relatívne priaznivé podmienky. Najlepšie o tom svedčí skutočnosť, že východné Slovensko sa nielenže stalo integrálnou súčasťou celoslovenského bernolákovského pohybu, ale v niektorých fázach tohto pohybu,

napr. v posledných rokoch činnosti Slovenského učeného tovarišstva na sklonku 18. a na začiatku 19. stor. a potom i neskôr, v 20. a 30. rokoch minulého stor., bolo dokonca jeho oporou (Sedlák, op. cit., s. 13, 79).

3.1. Jedným z činiteľov, ktoré vplývali na takýto vývoj, bolo, že podobne ako v ostatných oblastiach Slovenska aj do východoslovenského prostredia začali pomerne skoro i v nemalom rozsahu prenikať idey osvietenstva. Ich propagátormi a šíriteľmi boli tu najmä predstavitelia postupne sa vzmáhajúcej vrstvy domácej inteligencie.

Na strane evanjelikov to boli jednak viacerí profesori na východoslovenských lýceách – v Kežmarku napr. Ján a Kristián Genersichovci, v Prešove Ján a Žigmund Karlovskovci, v Levoči Martin Liedemann a iní –, ale aj ďalší vzdelanci, ako napr. ekonóm a právnik Gregor Berzeviczy, prekladateľ a spisovateľ Samuel Fábry a i. (Sedlák, op. cit., s. 35–37.)

Na katolíckej strane to boli najmä rýchlo sa formujúce osvietenské strediská v Košiciach, Jágri a Rožňave (od začiatku 20. rokov 19. stor. aj v Spišskej Kapitule), šíriace idey racionalizmu, osvety, vzdelanosti, ako aj myšlienky boja proti rozličným druhom povier a predsudkov. Osobitnú zmienku tu zasluhuje skutočnosť, že na čelo novozriadeného biskupstva v Košiciach (v roku 1804) sa dostal významný stúpenec osvietenskej ideológie, bývalý študent a potom správca trnavského seminára a viedenského Pázmánea, horlivý podporovateľ myšlienky pestovania slovenského národného jazyka Ondrej Szabó; je známe, že za jeho pôsobenia vo funkcii rektora bratislavského generálneho seminára vznikli na pôde tejto ustanovizne priaznivé podmienky pre aktivizáciu skupiny mladých slovenských osvietencov okolo A. Bernoláka, ktorej výsledkom bolo vystúpenie s premysleným návrhom na kodifikáciu prvého spisovného jazyka Slovákov (v roku 1787). V podobnom duchu sa O. Szabó usiloval pracovať aj v Košiciach (Sedlák, op. cit., s. 38), pravda, v tom čase – po smrti Jozefa II. a po odhalení jakobínskeho sprisahania v Uhorsku – bola už na celom Slovensku iná, menej priaznivá spoločenská situácia a bernolákovské hnutie ako celok prežívalo krízu (Pauliny, op. cit., s. 165, 170, 173–174).

3.2. Rovnako dôležité sú zistenia, že v celkových zámeroch vedúcich osobností bernolákovského hnutia, ako aj v ich plánoch na šírenie bernolákovského spisovného jazyka východné Slovensko stálo na tom istom stupni dôležitosti ako ostatné oblasti Slovenska. A. Bernolák, J. Fándly a ďalší bernolákovci z ich kruhu od samých začiatkov vyvíjali veľké úsilie na získanie čo najväčšieho počtu príslušníkov vzdelaneckých vrstiev i príslušníkov rôznych nižších stavov na východnom Slovensku pre svoje snahy. Ako ukazujú výsledky doterajších (najmä literárnohistorických) výskumov tejto problematiky, do značnej miery sa im to podarilo.

3.3.1. Svedčí o tom napr. zachovaná korešpondencia východoslovenských vzdelancov s archivárom a pokladníkom Slovenského učeného tovarišstva J. Fándlym. Deväť listov (predpokladá sa, že štyri sú z okruhu rožňavského a jeden z okruhu solivarského pobočného stánku Tovarišstva, ostatné zo Spiša) prezrádza vysoký stupeň stotožnenia sa s bernolákovským národnobuditeľským i jazykovým programom a zároveň veľkú snahu rozširovať slovenské knihy a bernolákovčinu medzi široké ľudové vrstvy (Sedlák, op. cit., s. 57–60).

3.3.2. V oblasti organizačnej činnosti v prvej fáze bernolákovského hnutia dôležitú úlohu aj na východnom Slovensku zohrali najmä tzv. pobočné stánky Slovenského učeného tovarišstva. Pozitívne je doložená činnosť troch takýchto stánkov – v Solivare, Rožňave a Jágri.

Pobočný stánok v Solivare vznikol ako jeden z prvých vôbec na Slovensku – už v roku 1792. Hoci podľa počtu členov bol najmenším a svoju činnosť vyvíjal iba krátky čas (do roku 1794), značnou mierou sa zaslúžil o rozšírenie bernolákovských myšlienok v strednom a južnom Šariši. Z členov tohto stánku hodno spomenúť jeho organizátora, v tom čase miestneho kaplána Ondreja Kazičku (v roku 1794 odišiel do Košíc a zapojil sa do činnosti pobočného stánku v Jágri) a významného podporovateľa bernolákovského pohybu, farára v blízkom Prešove a zároveň jágerského kanonika (rodáka z Pečovskej Novej Vsi pri Sabinove) Ladislava Péchyho (Sedlák, op. cit., s. 47–48, 296).

Pobočný stánok v Rožňave (vznikol v roku 1794) sa zaradil k najaktívnejším stánkom na Slovensku. Viacerí jeho členovia sa popri organizačnej práci úspešne venovali aj tvorivej činnosti – najmä na poli vedy a literatúry. U niektorých táto činnosť prerástla hranice regiónu a zaradila sa k hodnotám celoslovenského významu.

K takým členom tohto stánku patrí napr. Anton Benčič. Pochádzal zo západného Slovenska (Vištuk), no po absolvovaní teologických štúdií v Košiciach natrvalo ostal na východnom Slovensku. Po kratších zastávkach na viacerých miestach od roku 1788 až do svojej smrti (1808) pôsobil ako slovenský kazateľ v Rožňave. Bol zakladajúcim členom Tovarišstva, ktoré hradilo „útraty" vydaní niektorých jeho prác.

Vynikol najmä ako prekladateľ rozsiahlych náboženských diel z maďarčiny a latinčiny; takými boli napr. Manna spasitelna od J. Gusztinyiho (vyšla v štyroch zväzkoch v Trnave) a Gonteriov Kameň probujíci (Sedlák, op. cit., s. 51–52; porov. Kotvan, 1957, s. 63–67).

Medzi popredných bernolákovcov v celoslovenskom kontexte sa zaradil aj ďalší člen rožňavského pobočného stánku Anton Vojtech Gazda. Rodák z Vyšného Kubína po absolvovaní teológie v Jágri pôsobil na viacerých miestach na Slovensku (na východnom Slovensku popri Rožňave to boli ešte pôsobenia v Košiciach a v Humennom). Aj on bol zakladajúcim členom Tovarišstva, ktoré vydalo tri z jeho početných kazateľských prác. Na tomto mieste hodno odcitovať jeho názor na podobu bernolákovčiny, ktorý vyslovil v latinskom úvode k svojej prvej vydanej práci Fructus maturi, to jest: Zrelé Owocá... (Trnava 1796): „Čo sa týka živosti reči slovenského štýlu, chcel som nastúpiť zväčša jasnú cestu a podľa metódy Slovenského tovarišstva, nakoľko možnosť bola napodobiť nárečie; nemal som totiž na starosti domáhať sa vznešenosti vybranými slovami, ale skôr, aby som vyhovel chápavosti poslucháčov, súc istý so sv. Augustínom, že lepšie je, aby ma gramatici pokarhali, než aby ma ľud neporozumel." (Sedlák, op. cit., s. 53)

Pobočný stánok v Jágri bol z východoslovenských stánkov nielen najväčší (napr. v roku 1795 mal vyše tridsať členov), ale mal aj najširšiu územnú pôsobnosť (popri meste a jeho okolí „pokrýval" širokú oblasť Abovskej, Šarišskej a Zemplínskej stolice). Teologický seminár a akadémia s tromi fakultami (teologickou, právnickou a filozofickou), na ktorých študoval značný počet študentov z východoslovenskej oblasti, ďalej tri knižnice s veľkým počtom kníh (medzi nimi i slovenských, vrátane jazykovedných diel A. Bernoláka, ľudovýchovných prác J. Fándlyho, prekladov A. Benčiča a ďalších) a udržiavanie úzkych kontaktov jágerského náboženského a kultúrneho centra s Trnavou a ostatnými strediskami na Slovensku vytvárali priaznivé podmienky na šírenie bernolákovských myšlienok a bernolákovčiny na východnom Slovensku.

3.3.3. V druhej fáze bernolákovského hnutia – najmä v 20. a 30. rokoch minulého stor. – sa do dejín tohto hnutia na východnom Slovensku zapísali bernolákovské strediská v Spišskej Kapitule, Rožňave a v Košiciach.

Z činnosti spišského strediska treba spomenúť predovšetkým zriadenie učiteľského ústavu v Spišskej Kapitule. Prvým riaditeľom tohto ústavu (od jeho založenia v roku 1819 do roku 1823) bol bernolákovec Juraj Páleš, ktorý pre budúcich učiteľov napísal v bernolákovčine učebnicu Paedagogia Slowenská pre Triwiálske Školi Biskúpstwa Spišského (Levoča 1820). Na tomto ústave čiastočne (popri latinčine, resp. i nemčine) a potom v plnom rozsahu na cvičnej škole zriadenej pri ňom (v roku 1821) bola vyučovacou rečou bernolákovčina. Je len prirodzené, že uvedené skutočnosti zohrali v otázke šírenia bernolákovčiny na východnom Slovensku hneď v počiatkoch druhej aktivizácie celého bernolákovského hnutia mimoriadne dôležitú úlohu.

V 30. rokoch sa na Spiši v tomto smere vyznamenal blízky spolupracovník Martina Hamuljaka (zakladateľa Spolku milovníkov reči a literatúry slovenskej v Budíne) Michal Madanský. Ako vicerektor seminára v Spišskej Kapitule a potom ako farár v Spišskej Teplici veľa vykonal najmä v otázke rozširovania slovenských kníh a časopisov.

Z činnosti rožňavského bernolákovského strediska si pozornosť zaslúžia dve skutočnosti, a to, že od roku 1830 tu vychádzal periodický zborník kázní v bernolákovčine a že člen tohto strediska Andrej Matúšik napísal – čiastočne podľa vzoru všeslovanskej gramatiky Jána Herkeľa – po latinsky jazykovednú príručku jednotnej abecedy a pravopisu všetkých jazykov sveta.

Košické bernolákovské stredisko nadväzovalo v tom čase na staršie bernolákovské tradície. Akadémia ako filiálka budínskej univerzity udržiavala úzke kontakty s budínskym bernolákovským centrom (napr. jej rektor Michal Barlay bol v osobnom styku s M. Hamuljakom); biskup Imrich Palugyay patril k mecénom Spolku milovníkov reči a literatúry slovenskej; košická tlačiareň vydala viaceré diela, ktoré prispievali k šíreniu osvietenských ideí (Sedlák, op. cit., s. 102–103).

4. Aj na základe nášho stručného prehľadu vybraných faktov možno urobiť záver, že bernolákovčina ako prvý spisovný slovenský jazyk mala na východnom Slovensku vcelku také isté pozície a funkcie ako v ostatných oblastiach Slovenska, zohrala v tejto časti slovenského národného a jazykového celku rovnakú národnouvedomovaciu a kultúrno-osvetovú úlohu ako v iných častiach tohto celku a nezmerateľnou mierou tak prispela k urýchleniu a prehĺbeniu procesu postupného konštituovania sa novodobého slovenského národa. I z nášho relatívne úzko vymedzeného pohľadu na bernolákovčinu sa ona teda javí ako mimoriadne významný a nezastupiteľný fenomén v našich národných dejinách, ktorý si zasluhuje trvalú a všestrannú pozornosť.

Literatúra

BARTKO, L.: Pramene a charakter Masníkovej Správy písma slovenského. In: Práce z dějin slavistiky. 10. Starší české, slovenské a slovanské mluvnice. Red. J. Porák. Praha, Univerzita Karlova 1985, s. 167–177.

BARTKOVÁ, M.: Pravopisný rozbor levočského vydania Komenského diela Orbis pictus z roku 1685. In: Nové obzory, 18. Red. I. Michnovič. Košice, Východoslovenské vydavateľstvo 1976, s. 301–321.

BARTKOVÁ, M.: Hláskoslovný rozbor levočského vydania Komenského diela Orbis pictus z roku 1685. In: Nové obzory. 20, Red. I. Michnovič. Košice, Východoslovenské vydavateľstvo 1978, s. 355–377.

DORUĽA, J.: Slováci v dejinách jazykových vzťahov. Bratislava, Veda 1977.

Encyklopédia Slovenska. 5. Red. J. Vladár. Bratislava, Veda 1981.

KOTULIČ, I.: O formovaní kultúrneho jazyka slovenskej národnosti. Jazykovedný časopis, 19, 1968, s. 134–149.

KOTULIČ, I.: K otázke kultúrneho jazyka slovenskej národnosti. In: Nové obzory, 11. Red. I. Sedlák. Košice, Východoslovenské vydavateľstvo 1969, s. 345–371.

KOTULIČ, I.: Bernolákovská spisovná slovenčina a kultúrna západná slovenčina. Kultúra slova, 21, 1987, s. 265–271.

KOTVAN, I.: Bibliografia bernolákovcov. Martin, Matica slovenská 1957.

NOVÁK, Ľ.: Levočská škola a kultúrna stredoslovenčina. In: Nové obzory, 18. Red. I. Michnovič. Košice, Východoslovenské vydavateľstvo 1976, s. 293–300.

PAULINY, E.: Dejiny spisovnej slovenčiny (od začiatkov po súčasnosť). Bratislava, Slovenské pedagogické nakladateľstvo 1983.

SEDLÁK, I.: Strieborný vek. Národno-kultúrny a literárny pohyb na východnom Slovensku v období národného obrodenia. Košice, Východoslovenské vydavateľstvo 1970.

ŠVAGROVSKÝ, Š.: K otázke genézy a konštituovania jazyka juhoslovanských Rusínov (Rusniakov). Slavica Slovaca, 19, 1984, s. 248–263.

TAJTÁK, L.: Spoločenské a národnostné pomery na východnom Slovensku v 19. a začiatkom 20. storočia. In: Prešovské kolégium v slovenských dejinách. Red. I. Sedlák. Košice, Východoslovenské vydavateľstvo 1967, s. 69–92, 125–126.

Kategória času u Bernoláka

PAVOL ŽIGO

Kategória času ako filozofická kategória sa líši od pojmov bežného vedomia, teda aj od gramatickej kategórie času, ktorú v jazykovede definujeme ako vzťah medzi momentom deja a momentom výpovede tým, že nie je teoretickým výrazom reálnych vzťahov prírody ako takej alebo myslenia ako takého, ale je „abstrakciou reálnych vzťahov medzi prírodou, spoločnosťou a myslením, medzi poznávanou objektívnou realitou a poznávajúcim myslením" (Černík, Farkašová, Viceník, 1980, s. 90). Preto aj filozofická kategória času vystupuje vo vzťahu ku gramatickej kategórii času ako jej abstraktný obsah, ktorý je vo vzťahu ku konkrétnemu obsahu jeho obsahovou formou. Univerzálnou vlastnosťou filozofickej kategórie času je nerozlučná súvislosť s priestorom a pohybom hmoty, trvanie, asymetria, nezvratnosť, necyklickosť, jednota pretržitosti a nepretržitosti, spätosť, závislosť od štruktúrnych vzťahov v hmotných systémoch. Nekonečnosť ako vlastnosť času je pritom protikladom dočasnosti a ohraničenosti konkrétnych telies ako foriem existencie hmoty. V tejto súvislosti vyniká do popredia i otázka uskutočňovania sa („stávania sa") jednotlivých dejov v prípade a spoločnosti. Toto „stávanie sa" je také striedanie jedného okamihu druhým, že každý jednotlivý okamih pri svojom vzniku zároveň mizne, zaniká. Skutočné „stávanie sa" je oblasť, pre ktorú je charakteristická práve táto nepretržitá plynulosť vecí a javov. Jeden okamih tu nemožno oddeliť od druhého, pretože napriek svojej fixácii každý z nich ihneď zaniká a ponecháva miesto druhému okamihu (pozri Losev, 1977, s. 3–4). Z interdisciplinárneho hľadiska nie je bezpredmetnou ani otázka nehomogénnosti času, jeho nerovnomernosti, nelineárnosti. V klasickom newtonovskom poňatí času sa táto kategória chápala ako absolútny pojem. Súčasné prírodovedné a spoločenskovedné disciplíny však chápu čas jednak ako lineárny a homogénny proces (meranie času v mechanike, tzv. kalendárny čas určovaný dĺžkou rotácie Zeme okolo osi), jednak sú v jednotlivých vedných disciplínach kritériom meradla času základné prírodovedné a spoločenskovedné procesy, ktoré sú predmetom výskumu jednotlivých vied (základnou jednotkou atomického času je polčas rozpadu atómov konkrétnych chemických prvkov, základom biologického času je doba rastu organizmu; fyziologický čas meria jednotlivé úseky podľa dĺžky hojenia sa rán, pojmom psychologický čas sa označuje v psychológii doba potrebná na učenie, resp. naučenie sa konktrétneho množstva učiva, v jazykovede kategóriou času pomenúvame vzťah medzi momentom deja a momentom výpovede o tomto deji, pojmom spoločenský čas sa zasa vo filozofii označuje doba, resp. „množstvo práce vynaloženej pracovnou silou pri výrobe konkrétneho tovaru" (Mészáros, 1983, s. 436). Plynutie času teda z hľadiska jednotlivých disciplín môže mať obrazne rôznu „hustotu" (pozri Zeman, 1982, s. 400).

Pri charakteristike času sa v jednotlivých prírodovedných a spoločenskovedných disciplínach uvádzajú dve základné chrakteristiky, resp. opisy času:

1. kvalitatívny (psychologický), resp. dynamický, pri ktorom je hlavným meracím bodom okamih prehovoru a táto charakteristika pozostáva z postihnutia základného vzťahu v rámci triády minulosť – prítomnosť – budúcnosť;

2. kvantitatívny, statický opis, ktorý je založený na časovom usporiadaní javov, pričom plynutie času vo vzťahu k momentu prehovoru je irelevantné, resp.

nie je potrebné o ňom nič povedať. Rovnako irelevantná je tu i zmena, premena objektu, pretože to, že sa niečo stáva „minulejším", nemusí ešte byť skutočnou zmenou. Konkrétne tu ide o následnosť dvoch dejov, ktoré nasledujú po sebe v rovnakom časovom stupni odlišnom od momentu prehovoru. Obidva spôsoby majú pochopiteľne svoj odraz i v gramatickom systéme.

Z gnozeologického hľadiska musí každá z kategórií určitého systému vyjadrovať nevyhnutný stupeň v poznávaní konkrétneho objektu, pričom vzájomné väzby kategórií musia v dostatočnej miere zabezpečovať jeho všestranné myšlienkové zobrazenie. Kategória času v jazykovede, t. j. gramatická kategória času, vystupuje zo všeobecného hľadiska ako odrazový činiteľ, ktorý je určovaný bytím. Z hľadiska dialektiky však gramatická kategória času konkretizuje, resp. sprostredkúva odraz vo vzťahu k základnému prvku, ktorým je moment prehovoru. Na prehovore sa pritom zúčastňuje nielen pasívna zložka jeho autora, ale aj jeho aktívne vedomie času (o tom Čmejrková, 1986, s. 199). Toto vedomie a odraz času je výsledkom aktívnej a cieľavedomej činnosti subjektu pri osvojovaní si sveta a je podmienený tým, že svet chápeme na pozadí ďalších kategórií — jednotlivého, zvláštneho a všeobecného, podstaty a javu, nevyhnutnosti a náhody, príčiny a účinku, možnosti a skutočnosti, formy a obsahu.

II. Z hľadiska národného spisovného jazyka je dôležitým poznatkom nielen pohľad na jednotlivé filozofické kategórie a ich vzťah ku gramatickým kategóriám zo synchrónneho hľadiska, ale i retrospektívny pohľad na vývin týchto kategórií a jazykovedného myslenia v jednotlivých etapách dejín spisovnej slovenčiny. Jedným z týchto hraničných období je i bernolákovské obdobie a prvá kodifikácia spisovnej slovenčiny. Ako chápal Bernolák a bernolákovci kategóriu času vo všeobecnosti i vo vzťahu k jazyku? Známe sú fakty, že študoval teológiu, t. j. že bol pod vplyvom idealistickej filozofie, že žil v období osvietenských reforiem a často sa v súvislosti s jeho gramatickým dielom uvádza i silný vplyv J. V. Rosu a P. Doležala na jeho jazykovedné práce. Na niekoľkých príkladoch z Bernolákovho diela sa pokúsime rekonštruovať jeho chápanie času ako všeobecnej i gramatickej kategórie.

Vo svojej Gramatike (kap. 10, § VII) uvádza A. Bernolák štyri gramatické časy: imperfektum (vyjadruje nedokonavý, dlhšie trvajúci dej), pluskvamperfektum (vyjadruje nedokonavý dávnominulý dej pri nedokonavých slovesách; dokonavé sloveso v pluskvamperfekte vyjadruje, že dokončená činnosť sa stala „predtým" — actio perfecta pridem praetirisse significatur), prézent (vyjadruje práve sa konajúci dej) a futúrum (pri nedokonavých slovesách sa dej nekončí, alebo sa uskutoční viacerými aktmi, alebo jedným dlhším dejom neistého výsledku; pri dokonavých slovesách pôjde o dej, ktorý sa buď ukončí, alebo sa určite stane). Pri charakteristike gramatickej kategórie času sa teda Bernolák líši od P. Doležala, ktorý uvádza vo svojej Gramatike (§ 27, s. 96, 110 a 111) tri základné časové stupne: prézent, futúrum a préteritum. V XI. kapitole pri § III. svojej Gramatiky Bernolák kodifikuje namiesto časových vedľajších viet gerundiálny spôsob vyjadrovania časového významu: Si inter duo verba intercedant conjunctions a, kdiž, poňeváč, keď etc., unum ex illis verbis pulchrius effentur per modum gerundivum objecta conjunctione, ut: ...poraziwši (kdiž porazil) ňepráťela, odpočíwal; ubití súc (kdiž ho ubili) plakal. Takýto spôsob vyjadrovania časového významu uvádza i Doležal v IV. kapitole Participiorum, Regula 46 (s. 155), najmä však v Regule 47 (s. 156). Participium Passivum, construitur etiam comodo, qvo apud latinus, ut: vbity odessel, loco: když ho vbili, contuus abiit, teprw otrhaný vssel, loco, když se otrhal... Ďalší výklad tohto spôsobu vyjadrovania argumentuje P. Doležal na s. 156 (Regula 47, typ vbit gsa) / / (gsa vbit odchádzý; gsa vtrhán teprw wandruge). Vo vzťahu ku gramatickej kategórii času uvádza A. Bernolák pri príslovkách času (Caput III. De Adverbio, § III) príslovky minulého času (Praeteriti temporis: wčera, pred wčerom, wčeragškím, prw, predtím, ňedávno, oňehda, oňehdi, oňahdi, predešľe, wtedi, dávno, ňekdi, ňekedi, uš), prítomného času (Praesentis temporis: dňes, dňeska, ňiňí, teras, wčil, wčiľek, podňes, podňeska, dodňes, dodňeska, posawáď), budúceho času (Futuri: zítra, zaitra (gutro), pozaitra, pozitri, pozaitri, pozitreku, budúčňe, potom, pozatim, potomňe, na potom, hňeď, hňedki, poráď (zaras); príslovky neurčitého času (Indeterminanti: často, wždi, wždicki, stáľe, ustawičňe, časňe, skoro, pozďe, ňeskoro, ňekdi, ráno, na poludňa, wečer, zas, zase, zasek, ešče). P. Doležal (Grammatica..., V. Adverbiorum, Regula 48—50, s. 156—157) časové príslovky nevydeľuje ako osobitnú skupinu.

Ďalším slovným druhom, ktorý sa zúčastňuje na vyjadrovaní časového významu, sú spojky. A. Bernolák uplatnil vo svojej Gramatike pri ich triedení sémantické kritérium (Caput IV., § 2) a rozdelil ich na želacie (optantes), pripúšťacie (permissivae), podmieňovacie (conditionales), účelové (intentivae), príčinné (causales), vylučovacie čiže rozlučovacie (exclusivae seu disjunctivae), odporovacie čiže adverzatívne

172

(opponentes seu adversativae), uzatváracie čiže kolektívne alebo racionálne, resp. rozumové a dôvodové (concludentes, seu collectivae, aut rationales vel rationativae et illativae) a vysvetľovacie (explicativae). V Slovári však uvádza i spojky, ktoré v súčasnom chápaní syntaxe uvádzajú časové vedľajšie vety (kdiž, ked, dokadkolwek, dokál, dokálkolwek, dokállen, pokád; za nedomáce označuje spojky dokud, dokudkoliv, dokudlen, pokud, pokudž, odkud, odkudkoli, odkudž, odkudžto, odkadz). Podrobnejšie sa ich významovým členením nebudeme zaoberať, pretože s touto tematikou nás podrobnejšie oboznámi príspevok A. Ferenčíkovej. Okrajovo sa gramatickej kategórie času dotýka A. Bernolák i vo svojej Etymológii (De derivatione, Caput III, Substantiva a verbis formata); pri deverbatívnych substantívach uvádza substantíva utvorené od minulého času (A praeterito substantiva — typ choďil — choďíl, dostal — dostál) a prítomného času (A tertia plur. praesen. indicativi substantiva, typ prosá — prosebnosť, píšú — písebnosť). Z hľadiska chápania gramatickej kategórie času však tieto problémy nie sú z nášho hľadiska rozhodujúce.

III. Kategóriu času ako filozofickú kategóriu i gramatickú kategóriu chápal Bernolák na pozadí tradície. Jednak na pozadí tých prác, ktoré sa dovtedy zaoberali systémom jazyka, ktorý bol blízky domácim kultúrnym predspisovným útvarom (Rosa, Doležal), jednak na pozadí gramatík latinčiny.

Porovnaním zhôd a rozdielov v chápaní gramatickej kategórie času u Doležala a Bernoláka vychodí, že okrem tvarov pluskvamperfekta a prísloviek času u Bernoláka nie sú medzi týmito jazykovedcami rozdiely. Skupina prísloviek času u Bernoláka je v porovnaní s Doležalom progresívnym prvkom. Otázka pluskvamperfekta je z gramatického hľadiska signálom, ktorý Bernolákovo jazykovedné myslenie v porovnaní s jeho predchodcami posúva do sféry odlišného chápania tejto kategórie. Nezanedbateľná je pravdepodobne i tá skutočnosť, aký jazykový základ vzal Bernolák za základ svojej kodifikácie, a Bernolákov pôvod, pretože typ pluskvamperfekta, ktorý kodifikoval Bernolák, sa vyskytuje v stredoslovenskom jazykovom areáli. Napriek tomu, že sa toto pluskvamperfektum okrem stredoslovenského jazykového areálu vyskytuje i v češtine, Doležal ho pokladal za cudzie, pretože ho, vzhľadom na svoj pôvod, z domáceho prostredia nepoznal. Bernolák ovplyvnený dovtedajšou jazykovednou tradíciou, osvietenským svetonázorom i poznaním jazykového útvaru, ktorý používali trnavskí vzdelanci, chápal čas nielen na pozadí idealistickej filozofie ako čosi ne-menné, ale — z dnešného pohľadu — ako kvalitatívno-kvantitatívny stupeň poznávania konkrétneho objektu, t. j. vzťahu medzi momentom výpovede a momentom deja, o ktorom je vo výpovedi reč. Okrem základnej triády časov (prítomný — minulý — budúci), ktorá vyjadruje kvalitu, resp. dynamiku, sa pomer préteritum — pluskvamperfektum v skupine minulých časov prezentuje kvantitatívne a nie je u Bernoláka v priamom vzťahu k momentu výpovede. Medzi minulým dejom, vyjadreným pluskvamperfektovým tvarom, a prézentom, resp. súčasnosťou sa totiž predpokladá určitý, i keď nevyjadrený (alebo mediálny) dej, ktorý je z časového hľadiska tranzitívnym, pritom rozhodujúcim prvkom, sémanticky vyjadrujúcim skutočnosť, že sa medzi pôvodným — „minulejším" — dejom a súčasnosťou niečo stalo. Ak sa pozastavíme pri tom, že zo súčasného hľadiska Bernolák nepostavil proti sebe parataktické a hypotaktické súvetia, ale že model, ktorý dnes vyjadrujeme časovou vedľajšou vetou vyjadril gerundiálnym spôsobom, zistíme, že tu nejde o nepochopenie základných väzieb jednotlivých kategórií, ale o konkrétny obsah, ktorý má svoju formu podmienenú nedomácou tradíciou a vtedajším kultúrnym rozmerom. Zo súčasného hľadiska sa tento spôsob vyjadrovania časového významu a z neho vyplývajúca absencia spojok so špecifickou funkciou možno zdá anachronickým alebo aspoň archaickým. Nemožno to Bernolákovi zazlievať. Jeho intelektuálne vedomie mu v prostredí, v ktorom sa formovalo jeho jazykovedné myslenie, umožnilo vytvoriť dielo, v ktorom z jazykovedného hľadiska, z hľadiska vyjadrovania gramatickej kategórie času, konkrétny obsah má adekvátnu, dobovo špecifickú formu vyjadrujúcu nepretržitú plynulosť času. Moment prehovoru, ktorý sa pri posudzovaní časového významu stal objektívnym meradlom, nie však absolútnym kritériom (moment prehovoru jedného hovoriaceho nemusí — a v dialógu ani nemôže — byť totožný s momentom prehovoru iného hovoriaceho), je v dialektickom rozpore s nekonečnosťou.

A. Bernolák na vtedajšej úrovni vývinu vedy, národa a spoločnosti vytvoril dielo, ktoré ani s odstupom času nemožno hodnotiť ináč ako významný jazykovedný, kultúrno-reprezentatívny a v nemalej miere i politický čin.

Literatúra

BERNOLÁK, A.: Grammatica Slavica. Posonii 1790, s. IX, 261.
BERNOLÁK, A.: Slowár slowenskí, česko-latinsko-ňemecko-uherskí. Budae 1825—1827, zv. 1—6.

ČERNÍK, V. – FARKAŠOVÁ, E. – VICENÍK, J.: Teória poznania. Bratislava, Pravda 1980. 416 s.

ČMEJRKOVÁ, S.: Kategorie času v jazykovém odrazu. In.: Linguistica. XVI. Red. J. Nekvapil, O. Šoltys. Praha, Nakladatelství ČSAV 1986, s. 192−218.

DOLEŽAL, P.: Grammatica Slavico-Bohemica. Posonii, Typis Royerianis 1746. 321 s.

LOSEV, A. F.: Antičnaja filosofija v istorii. Moskva, Nauka 1977. 205 s.

MÉSZÁROS, O.: Dvojaký charakter práce a sociálny čas. In.: Filozofický časopis, 38, 1983, s. 436−446.

ZEMAN, J.: K otázce přetržitosti a nepřetržitosti času. In.: Filosofický časopis, 30, 1982, s. 399−405.

Hypotaktické vyjadrovanie medzivetného časového vzťahu v bernolákovskej slovenčine

ADRIANA FERENČÍKOVÁ

1. Pri spracovaní syntaktickej problematiky vychádzal Bernolák zo starších českých gramatických predlôh, najmä z gramatiky J. V. Rosu a P. Doležala. Zhodne s Rosom a Doležalom a približne rovnakým spôsobom podal v stati o syntaxi iba spájanie slovných druhov a tvarov, a to v dvoch oddieloch – 1. *O skladbe ohybných čiastok reči,* 2. *O skladbe neohybných čiastok reči.* Na rozdiel od nich ako osobitný oddiel začlenil do syntaxe aj poznámky o slovoslede (K. Habovštiaková, 1968, s. 192–193). Problematiku vety a súvetia Bernolák v súlade so svojimi predlohami osobitne nerozobral. Dotýka sa jej iba okrajovo v súvislosti s inými otázkami.

Pokiaľ ide o taký vnútorne bohato diferencovaný syntaktický jav ako časové podraďovacie súvetie, sú aj nepriame údaje v Bernolákovej Gramatike veľmi skromné. Jedného druhu časových viet, a to viet časovo zaraďujúcich dej nadradenej vety k predčasným dejom sa Bernolák dotýka v 3. § kapitoly *O skladbe* osobných slovies so slovesami, kde namiesto kombinácie spojky a slovesa radí používať gerundívum a svoje odporúčanie ilustruje aj príkladom *poraziwši (kdiž porazil) ňepráťela odpočíval.* Povedané jeho slovami ,,Ak by sa medzi dvoma slovesami vyskytli spojky *a, kdiž, poňeváč, keď* atď., jedno z týchto slovies sa vhodnejšie vysloví gerundiálnym spôsobom" (Gramatické dielo A. Bernoláka, s. 333). Treba ho však doplniť, že použitie konštrukcie s gerundívom je možné iba vtedy, ak je agens totožný.

V kapitole *O skladbe spojok* v rámci Syntaxe neuvádza Bernolák ani jednu časovú spojku. Ani v kapitole O spojke v rámci morfológie časové spojky osobitne nevyčleňuje, no spojkám *keď, kdiž a pokúď,*

uvádzaným medzi podmieňovacími spojkami, pripisuje aj časový význam latinskými ekvivalentmi *quando, cum, dum, donec.* Ich použitie však nedokladá. Výrazy dokál, dokawáď, dokúď preberá len v kapitole *O príslovke* medzi tzv. príslovkami opytovania a vykladá ich latinským ekvivalentom quousque, no posledný z nich – výraz dokúď – má v stati *Porekadla slowenské* (Adagia Slavica), tvoriacej záver Gramatiky, zachytený aj ako časovú spojku pri troch významových odtienkoch časového vymedzenia deja nadradenej vety dejom podradenej vety.

Doklady: *Usiluj sa hus dostať, dokúď wrabca strowíš* (291); *Milí brachu! dokúď sa tomu naučíš, ešťe pogeš mnoho slowenského hrachu* (229); *Dokúď žeľezo horí (ge žerawé), kug* (312); *Dotúď žbánek na wodu choďí, dokúď ho ňerozbigú* (312).

V tejto časti práce sú okrem dokladov na časové spojky *kdiž* a *keď* aj súvetia s časovými spojkami *až* a *ňež.* Por.: Kdiž *ďeďič plače, w srdci sa smeje* (288); *Keď spí, aňi chľeba ňepítá* (308); *Bohatí ňemá dosť, až (ňež) mnoho zežere* (286); *Blázen ňebíwá múdrí, ňež ho uperú* (285).

Viac informácií o časových spojkách, a tým aj podraďovacích časových súvetiach, poskytuje Bernolák v Slovári. Pri výraze *až* kvalifikovanom ako adverbium uvádza aj latinské ekvivalenty donec, dum, quousque a doklady *Tak dluho ma žádal a prosil, až wiprosil; Prw ňeprestáwá kričať, až wislišan buďe; Počkaj, až prídem; Ňechoďťe ňikam, až príďe* – teda časové podraďovacie súvetia s významom ,,hlavný dej, trvá, resp. sa neuskutočňuje do časovej hranice vymedzenej uskutočnením vedľajšieho deja". Výraz *až* s kvalifikátorom spojka vysvetľuje synonymami ažbi, jak, jakbi, jestľi, keď, z ktorých viacfunkčné spojky jak a keď majú časový aj podmienkový význam. Podradenú vetu v doklade Až buďem mať čas, učiňím to môžeme teda chápať ako časovú aj ako podmienkovú.

Prekvapením je, že spojke keď, ktorá sa aj v bernolákovskej slovenčine primárne používala ako základný syntaktický prostriedok pri vyjadrovaní všeobecného časového zaradenia hlavného deja predčasným alebo súčasným vedľajším dejom, priznáva v prvom bode podmienkový význam synonymom jestľi a ekvivelentmi si, wenn, v druhom bode ide tiež o podmienkový význam, ako ukazuje latinský ekvivalent nisi, v treťom bode iba odkazuje na 2. bod hesla kdiž, v ktorom túto spojku synonymom poňeváč označuje za príčinnú.

Za základnú spojku príslovkových viet určujúcich čas uskutočnenia hlavného deja jeho pomerom k súčasnému alebo predčasnému vedľajšiemu deju pokladá Bernolák spojku kdiž. Náznaky tohto názoru sú už v Gramatike. V Slovári okrem toho, že v rozsiahlej heslovej stati na prvom mieste poukazuje na jej časový význam, ju uvádza ako prvé synonymum časovej spojky jak. O spojke jak — v poradí druhým synonymom gak náhľe a dokladmi — vystihol, že sa používa nielen pri význame jednoduchého, všeobecného časového zaradenia deja nadradenej vety, ale aj v súvetiach a významom rýchleho nástupu hlavného deja po časovo zaraďujúcom vedľajšom deji (teda pri význame ‚len čo‘) a v súvetiach predstavujúcich hlavný dej na časovom pozadí prebiehajúceho vedľajšieho deja ako nečakaný alebo inak s ním kontrastujúci. Por.: Gak sem domow prišel, už tam ňikdo ňebol; Každí ťeba miluge, gak ťa widí; Gak to powedáme (Zatím, gak o tom mluwíme), prichádzajú Posľi. V rámci hesla gak s gramatickým kvalifikátorom spojka uvádza Bernolák doklady aj na súvzťažné dvojice jak — hňeď, jak — tak hňeď: Gak otworil Dvere, hňeď ten tam wskočil; Gak sa Weter uťišil, tak hňeď začalo trochu pršať. Synonymnú dvojslovnú spojku gak náhľe však spracúva v hesle gak s gramatickým kvalifikátorom adverbium; dokladom pri nej je iba podradená veta, nie kompletné súvetie (Gak náhľe príďem). V tomto hesle uvádza aj spojenie gak dlúho vo funkcii spojky časovej vety vyjadrujúcej dĺžku trvania deja nadradenej vety, ako to vyplýva zo synonyma dokaď a ilustračného dokladu podradenou vetou Gak dluho ščastľiwí budeš s latinským ekvivalentom Donec eris felix.

Z časových spojok vyjadrujúcich rýchly sled hlavného deja po deji, ktorým sa na časovej osi zaraďuje, zachytil Bernolák v Slovári — v hesle hňeď

— dvojslovnú spojku hňeď gak (ilustruje ju dokladom Hňeď, gak Hluk (Hrmot) Zbroge zazňí); v hesle ľen spojku ľen čo. Z poznámky uzus pred dokladom Ľen čo príďem, hňeď ťi to dám možno usudzovať, že v hovorovom prejave vzdelancov bola bežná. Za synonymum jej okrem spojky gak náhľe prisudzuje aj spojku čím náhľe. Časovú spojku čím, ktorá v bernolákovčine takisto vyjadrovala význam ‚len čo‘, ‚hneď ako‘, Bernolák v Slovári nezaznačil a z nej utvorenú dvojslovnú spojku čím náhľe neuvádza ani pri adverbiu náhľe. O tom, že ju hodnotí ako spisovnú, sa teda dozvedáme iba pri spojke ľen čo.

Pri hesle sotwa Bernolák príkladom Sotwa wen wišel, gak sem gá došel (prišiel) doložil osobitný sémantický typ časového súvetia, v ktorom sa syntakticky závislá veta nevčleňuje do syntaktickej stavby nadradenej vety ako jej príslovkové určenie času — vo významovej rovine sa jeden dej nezaraďuje na časovej osi v pomere k druhému deju, vyjadruje sa iba rýchle vystriedanie jedného deja druhým. Výraz sotwa, resp. variant sotwaže v platnosti podraďovacej spojky sa do Slovára nedostal.

Pri spojke než Bernolák osobitne upozorňuje aj na jej časový význam a ilustruje ho súvetím Než gedna Napuchľina (Modrina) zegde, druhá zas ge tu. Pri adverbiu prw uvádza aj geneticky staršiu konštrukciu prw — nežľi s evidentným prvotným porovnávacím významom.

Zo spracovania hesla kedikoľvek sa nedozvieme, že tento výraz fungoval v bernolákovčine aj ako časová spojka v súvetiach s opakovanými dejmi.

Výraz dokáď, kvalifikovaný ako adverbium a vyložený synonymami dokawáď, gak dlúho, dokladá len v jeho spájacej funkcii v časovom súvetí. Dokaď neňí bití, neposluchňe. Bez exemplifikácie — iba s latinským ekvivalentom — uvádza jeho slovotvorné varianty dokaďkoľwek, dokaďľen. Výrazy dokáľ a dokawáď (tento s označením spojka) iba odkazuje na heslo dokaď a tak uvádza aj slovo dokud, hodnotené ako bohemizmus. Pri hesle pokáď so synonymami dokáď, dokáľ, pokáľ však časové vety nedokladá. Výrazy zakaď, zakáľ, zakawáď Slovár ani ako odkazové heslá neobsahuje.

Takýto obraz o časovom podraďovacom súvetí nám poskytujú Bernolákove jazykovedné práce.

2. Obraz vyplývajúci z analýzy jazyka Fándlyho a Hollého ako vrcholných reprezentantov bernolákovskej slovenčiny je komplexnejší a pestrejší. Východiskom nám je celý text 1. zv. Pilného domajšieho a poľného hospodára a z 2. zv. text po s. 344, z diela J. Hollého celý text Svatopluka a Selaniek.

Keďže Bernolákova Gramatika tento syntaktický jav nespracovala a Slovár vyšiel viac o tri desaťročia po 1. a 2. zv. Hospodára, mohol sa Fándly pri výbere prostriedkov stvárnenia časového vzťahu dvoch dejov podraďovacím súvetím držať len svojho jazykového povedomia a úzu v kruhoch vzdelancov. Literárna povaha jeho diela – popularizačný výklad spestrovaný krátkymi poučnými príbehmi – samozrejme podmienila aj jeho jazyk, no ten na jednotlivé sémanticko-syntaktické typy časového podraďovacieho súvetia vonkoncom nie je chudobný. Fándly používa viaceré synonymné spájacie prostriedky či syntaktické konštrukcie. Pri jednoduchom časovom zaradení hlavného deja súčasným alebo predčasným vedľajším dejom dôsledne používa iba spojku *keď* (282 ráz) – spojka *kdiž* sa v skúmanom súbore textov nevyskytla ani raz. Pri zdôraznení časového vzťahu má v nadradenej vete odkazovacie časové výrazy *(w)tedi, potom*, časovú zhodu alebo nezhodu dejov zdôrazňuje časticou *až* pred spojkou alebo pred jej korelátom. Tak aj pri jednej časovej spojke použitím korelátov v nadradenej vete, pozíciou korelátu, používaním zdôrazňovacej častice, voľným vetosledom dosahuje značný počet synonymných súvetných konštrukcií.

Príklady: *Keď Zima popusťí, odekri wolakolko Okno* (2., 150); *Pretáčaj Wíno, keď je Mesíc na Schodu* (2., 150); *Najdlukší Deň w Roku ge wtedi, keď ge nagkratša Noc* (2., 13); *Potom ho seg, keď ge Slnko w Planeťe Wáha* (1., 83); *Sege sa aš potom... keď ňeňi Wetra* (1., 41)... *abi sme potom, keď buďeme Pluhom wládať, to Učeňí... preukázaľi.*

Význam ,hlavný dej sa uskutočňuje pri/po každom uskutočnení vedľajšieho deja', vyjadruje Fándly pomocou spájacieho výrazu *kedikoľwek* a pri dôraze súvzťažnou dvojicou *kedikoľwek – wždicki.*

Pri určení času realizácie hlavného deja jeho pomerom k následnému deju používa súvetnú konštrukciu s príslovkou *prw* v nadradenej vete a porovnávacou spojkou *než, lež* v postponovanej alebo interponovanej podradenej vete alebo súvetím s časovými spojkami *prw než, prw nežľi, prw lež* (tá je najfrekventovanejšia), *skóreg lež, lež.* Posledné tri spojky patria do slovnej zásoby trnavských nárečí. Bernolák ich do Slovára nepojal, výraz *lež* v ňom nie je ani v odporovacom význame.

Časové zaradenie bezprostredne predchádzajúcim dejom vyjadruje Fándly konštrukciu ,,spojka *keď* alebo *gak* v časovej vete – príslovka *hňeď* v nadradenej vete" alebo pomocou špecifických spojok *hňeď gak, gak náhľe, čím, čím náhľe*, ktoré tesný sled dejov signalizujú samy osebe, popri nich má príslovka *hňeď* v nadradenej vete iba intenzifikačnú funkciu a takisto

funguje aj častica *už* na čele záväzne postponovanej nadradenej vety (*...pri tem pozorug, abi si mu Peňi ustavičňe strhala, čím sa ono začňe peňiť*, 2., 347; *Čím náhľe swítá..., uš seďí Gazda... pri Ohňi*, 2., 177). Význam ,len čo' vyjadril Fándly aj spojením *keď ľen* (*Keď Krumple trochu prevrú, keď ľen zmaknú, zľeg s ňich tu Wodu* 1., 125); Spojka *ľen* čo ani výraz *sotwa* s touto funkciou sa v excerpovanom materiáli nevyskytli.

Význam, že sa hlavný dej na pozadí plynúceho vedľajšieho deja javí ako nečakaný, vyjadruje Fándly konštrukciu ,,anteponovaná podradená veta so spojkou *jak/jako* + nadradená veta bez explicitne vyjadreného významu nečakanosti alebo s príslovkou *zrázu"* (*Gak sa w tegto hríšnég Mišľenki bawila, w ňég schopiľi gu Bóľe* 2., 253; *Gako... zamisľení seďel, zrázu skočil* 2., 221).

Aj jednotlivé druhy časového vymedzenia jedného deja druhým dejom vyjadruje Fándly pomocou viacerých spájacích prostriedkov, resp. súvetných konštrukcií. Pri význame vyčlenenia začiatočnej hranice hlavného deja používa spojku *gak* alebo spojenie *od tég dobi gak.* Pri viazaní trvania hlavného deja na trvanie vedľajšieho deja (s ohľadom na jeho záverečnú fázu) máva v časovej vete vo funkcii spojky výrazy *dokáď, zakáď, pokáď.* Význam ukončenia trvania hlavného deja vyjadruje okrem podradenej vety so spojkou *dokáď, dokáľ* v kombinácii so záporným dokonavým prísudkovým slovesom aj vetou so spojkou *až* a kladným dokonavým slovesom, por.: *Doma gich* (t. j. klasy) *sušil..., až dobre zrno wischlo.* Pri popieraní platnosti hlavného deja do nástupu, resp. zavŕšenia vedľajšieho deja má okrem súvetí s takouto stavbou časovej vety a súvetia s konštrukciou ,,záporné sloveso v prísudku nadradenej vety, spájací výraz *až keď* + kladné dokonavé sloveso". Z ohľadu na celú súvetnú konštrukciu toto spojenie nehodnotíme ako kombináciu častice a spojky, ale ako zloženú spojku.

3. Ak sa už Fándlyho jazyk vyznačuje pomerne bohatým súborom prostriedkov vyjadrenia časového vzťahu podraďovacím súvetím, o to bohatší je tento súbor v mohutnom jazyku Hollého, ktorý si podľa presvedčenia, že ,,veršovňík, abi mohel víšej sa vinést nad obecnú reč, nové slová si stvoruje" (v liste J. Palkovičovi z 3. IV. 1833, Ambruš, 1967, s. 83), sám tvorí aj nové spájacie prostriedky. Vedú ho k tomu nielen jeho umelecké zámery a časomerný verš, ale aj úsilie priblížiť sa aj bohatstvom jazyka antickej poézie.

Tu poukážeme iba na niektoré sémantické typy časového podraďovacieho súvetia a jeho syntaktické konštrukcie. V súvislosti s významom všeobecného časového zaradenia predčasným dejom sa žiada poznamenať, že Hollý na rozdiel od Fándlyho využíva aj polovetnú konštrukciu s prechodníkom dokonavého slovesa (*Svatopluk zahnav Slavomíra káže tábor pripraviť* Sv, IX, úvod) a početnejšie sú uňho aj súvetné konštrukcie so všeobecnými časovými spojkami *keď* a *jak*. Spojku *kdiž* nemá ani on.

Mimoriadne bohatým súborom spájacích prostriedkov disponuje Hollý pri vyjadrovaní významov bezprostrednej predčasnosti časovo zaraďujúceho deja. Možno to vysvetliť predovšetkým jeho úsilím čo najplastickejšie a najfarbistejšie (aj v zvukovom pláne) predstaviť rýchle striedanie akcií alebo rýchle zmeny situácie. Tak okrem súvzťažných dvojíc *keď – hňeď, jak(o) – hňeď* (*Keď si na rozpačitém ze sebú tak srdci umíňil, // S posteľe hňeď stáva...* Sv, I, v. 248–249; *Jak sa ľetem dostal ke zlatéj už bráňe... // ...tá hňeď sama od seba najďál // Zrázu sa otvára...* Sv, I, v. 147 a n.) má aj konštrukciu *jako – na ríchľe* (*On jako bedľíce na seba všech usta obrátil, // Túto na ríchľe rečú ďivné popretrhňe mlčáňí* Sv, I, v. 336–337), *jak – na náhľe* (*...jak v hladkú uďerí meď, píka na náhľe // Zapraščí...* Sv, II, v. 134–135), *porád – jak* (*...bi sťe porád jak mój ďeďinú rozľehňe sa vízvuk... jich mohľi vivázať...* Se, XVIII, v. 35 a n.); má špecifickú spojku *hňeď jak* a jej obmenu *hňeďki jak* (*I hňeď jak sa milú zarďívala ďeňňica žárú // ...Rozkazi dá vojskám* Sv, IX, 332–334; *Rozhaľené vókol ňeho kvíťí, hňeďki jak umrel, // Kľeslo naráz...* Se, III, v. 16–17), špecifickú spojku *jak náhľe* aj konštrukciu *jak(o) náhľe – hňeď/hňeďki* (*Ke zhromažďeňím drží reč, abi ľud, jak náhľe na vojnu ho povolávaj očujú, vsťeklosťú naplňiľi* Sv, IV, úvod; *Jak náhľe povesť o vojňe sa rozňésla, hňeď sa krajna celá zbúrí* Sv, II, úvod; *Než toto mírnorukí pobadal jako náhľe Merislav, // Ríchloperí zatočí hňeď šíp...* Sv, VIII, v. 231–232; *Než jak náhľe povesť o krutéj čul vojňe a ihrách // Hňedki ňevestu ňechal...* Sv, II, v. 314–315); spojku *čím* bez korelátu (*Zajtra sa, čím začnú sa pukať zori, dáme na cestu* Sv, VII, v. 354); aj v korelácii s príslovkou *hňeď* v nadradenej vete (*Tam teda hňeď rúťá sa, daní čím dostaľi rozkaz* Sv, I, v. 264) a má aj spojku *hňeď čím* utvorenú tesnejším primknutím jej komponentov (*I hňeď čím na ňu sám pozrel, sama pozrela naňho* Se, XII, v. 32) aj spojka *čím náhľe* (*Čím sa to náhľe Veľes... // Bol dovedal, hňeď tam... // Bez baveňá povolal ho...* Se, I, v. 51 a n.). Význam 'len čo' vyjadruje aj spojeniami *čo ľen* (*Všetci sa hňeď blížej, čo ho ľen zahlédnuľi z veľkú // Náhľiľi chitrosťú...* Sv, VI, v. 610–611); *ňech ľen* (*všeckích, ňech ľen veku ráz vatšého dosáhňeš // Sám porazíš...* Se, XXI,

138 n.); *jak ľen* (*Tá jak ľen bola vistavená... // Vikračujú mláďenci tedáž...* Sv, II, v. 385 a n.); *jak prám* (*...vojsko dohaňá, // Jak prám v ustavené samo podochádzalo místa* Sv, VIII, v. 212–213), spájacími výrazmi *sotva, sotvaže, sotva ľen* bez časového korelátu v nadradenej vete (*I sotva // Ostatné prekročá otcovských končini medzí, // Dá sa pršať naporád...* Sv, VI, v. 225 a n.; *Sotvaže aj bistré na koňec zraki mohľi dosáhnuť, // Radňica na prostred kráľovských stála palácov* Sv, I, v. 262–263; *Sotva sa ľen zahrejú... // Predňejí tehdáž na koňec boru vodci sa zejdú* Sv, VIII, v. 47–49) aj korelovanými výrazmi *sotva(že) – hňeď, sotva – už, sotva – naporád, sotvaže ľen – hňeď, sotvaže ľen – už* (*Sotva do báborských vekročil sem končin, odevšáď // Hňeď ťemné z víheň do uší sa mi brinkoti ňésľi* Sv, V, v. 69–70; *Sotvaže reč dokoná, ...všetci // Hňeď volajú ...* Sv, V, v. 142–143; *Sotva si odpočinú ... // Už voďec obratní vipraviť sa na cestu ponúkal* Sv, VI, v. 441–442; *...sotvi sa míňalo pátím // Slnko behem, naporád zívať sa mu ustami začňe* Se, XII, v. 69–70; *Sotvaže ľen ho zočí, strnutá hňeď takto* virekňe Sv, XI, v. 221; *Sotvaže ľen ščedrí sa večer dobľížil... // Už bedľiví pastír do ďeďinki... // Zabral sa ...* Se, XX, v. 1–4). Rýchly sled dejov vyjadruje Hollý aj súvetnou konštrukciou *sotva(že) – keď, sotva – zrázu keď* (*Sotva treťé z morskej vistúpilo rovňini slnko, ... // Keď z opodál sa šeriť zahľédá vojsko...* Sv, VII, v. 204–206; *Sotvaže ten ...spev skoncuje Markvard, ... // Keď veľoúdatní ke Svatopluku začňe Karolman* Sv, VI, v. 67–69; *Sotva celú Javiboj skončí reč, zrázu keď odťaď // Štvormonohé cvalovích dupotáňí podkov usľichnú* Sv, XI, 515–516), v nej však výraz *sotva* nespĺňa funkciu spojky a formálne podradená veta so spojkou *keď* sa do syntaktickej štruktúry nadradenej vety nezaraďuje ako jej príslovkové určenie času, súvetím jednakej syntakticko-sémantickej štruktúry s konštrukciou *ešče ňe – keď naráz* vyjadruje význam predstihnutie prvého deja druhým (*Ešče milú sa na Zem višlé ňezačínalo slnko // Usmívať tvárú... // Keď chitrí sa naráz dovaľí od tábora Zvestoň* Sv, X, v. 8–10).

Komplexné predstavenie typov časového podraďovacieho súvetia v jazyku J. Hollého si vyžaduje väčší priestor. Poukazom na niektoré z nich sme tu chceli len povedať, že hoci Bernolák vo svojich prácach pravidlá o tomto syntaktickom jave nedal, jazyk, ktorý kodifikoval, dával dosť možností aj na hypotaktické vyjadrenie veľmi jemných významových odtienkov časového vzťahu dejov a jazykovo tvorivý génius J. Hollého tie možnosti využil vo vrcholnej miere.

Literatúra

AMBRUŠ, J.: Korešpondencia Jána Hollého. Martin, Matica slovenská 1967. 424 s. a 13 obr.

BERNOLÁK, A.: Slowár Slowenskí-Česko-Laťinsko-Ňemecko--Uherskí 1.—6. Budae, Typis et Sumtibus Typogr. Reg. Univers. Hungaricae 1825—1827.

Gramatické dielo Antona Bernoláka. Na vydanie pripravil a preložil Juraj Pavelek. Bratislava, Vydavateľstvo SAV 1964. 556 s.

HABOVŠTIAKOVÁ, K.: Bernolákovo jazykovedné dielo. Bratislava, Vydavateľstvo SAV 1968. 445 s.

179

Účasť bernolákovcov
v dobovom literárnom kontexte

CYRIL KRAUS

Na sklonku osemnásteho storočia slovenský literárny život sa rozvíjal v znamení osvietenských myšlienkových prúdov, ktoré prenikali do všetkých národných literatúr. Osvietenské ideály so zreteľným protifeudálnym zameraním si našli živnú pôdu, v ich mene sa vyslovovali požiadavky osvety a vzdelanosti, v ich mene prebiehal národnouvedomovací proces. Najmä u utláčaných národov, ktoré národnú a sociálnu neslobodu bytostne prežívali, osvietenské ideály zapustili hlboké korene, boli útočišťom, oporou i zbraňou.

V počiatočnom období národného obrodenia hlavným ukazovateľom národného života a národnej kultúry bolo jazykové povedomie. Na báze jazyka prebiehal národnouvedomovací proces, národný jazyk bol pevnosťou i záštitou, stmeľoval národný kolektív. Úsilím predstaviteľov národného života bolo dokázať, že národný jazyk je schopný absorbovať všetko, čo sa vytvorilo a vytvára vo vyspelých európskych kultúrach, že je schopný držať krok s dobou a na úrovni sprostredkovať a šíriť osvietenské ideály.

Predstavitelia národného života sa od samého začiatku zhodovali v názore, že súčasný jazyk je rozvinutý, rovnocenný iným európskym jazykom. V dobových úvahách otázka „vznešenosti" jazyka bola jednou z najfrekventovanejších, na pozadí nej sa uvažovalo o situácii a perspektívach národného života. Nešlo iba o jazyk, ten sa chápal aj ako „nástroj" národnej prezentácie a sebarealizácie, teda aj v polohách ideových. Nemožno však nevidieť, že autori úvah, presvedčení o „vznešenosti" jazyka, mali na zreteli zdarný rozvoj národnej kultúry a literatúry, ktorá má v rozvinutom jazyku optimálne predpoklady vytvárať hodnotné diela. Diela na úrovni súvekej literatúry. A okrem toho jazykové povedomie bolo aj

regulátorom v chápaní problémov súčasného života, tradícií a kontaktov s inonárodnými literatúrami.

O tom, že jazyk je „vznešený", krásny, bohatý a tvárny, že je v jeho silách vysloviť na úrovni vznešené ideály, zhodovali sa i vyznavači jednotného česko-slovenského kontextu i príslušníci bernolákovského hnutia napriek tomu, že sa v otázke spisovného jazyka diametrálne rozchádzali. Aj Ján Hrdlička v známej úvahe Vznešenost řeči české neb vůbec slovenské (1785), aj Anton Bernolák vo svojej Gramatike (Grammatica slovaca 1790) odvolávajú sa na Mateja Bela, ktorý v úvode k Doležalovej Gramatike (1746) napísal, že „naša reč" sa vyrovná v „ľahkosti" taliančine, v „ľúbozvučnosti" francúzštine, v „sile a prenikavosti" angličtine, vo „vážnosti a jadrnosti" španielčine, v „hojnosti" nemčine, v „prísnosti" maďarčine, ba v nejednom ohľade ich aj „prevyšuje". Z diel autorov predchádzajúcich období sa v národnom obrodení čerpalo, z nich sa aj neraz vychádzalo a na ne sa nadväzovalo. Dokonca Anton Bernolák sa pri kodifikovaní slovenského spisovného jazyka odvoláva aj na autorov českých gramatík (na Václava Rosu a Pavla Doležala) a z nich aj čerpal. Pritom, pravdaže, dáva najavo, že vychádzal z iných pozícií, že sa usiloval kráčať „novou cestou", ako tomu nasvedčuje už motto zo Senecu, ktoré použil v Dizertácii (1787): „Prečo teda nepôjdem v šľapajách predchodcov? Budem zaiste používať starú cestu, ale ak nájdem kratšiu a príjemnejšiu, túto vybudujem. Pravda je všetkým na dosah, ešte nie je vyčerpaná: mnoho z nej zostalo tiež pre budúcich." Bernolák išiel „novou cestou" pri kodifikovaní spisovného jazyka pre „panónskych Slovákov", ktorý bol motivovaný predovšetkým „praktickými potrebami". No nemožno však nevidieť, že sa počítalo aj s „rozmerom" literárneho jazyka, na čo Bernolák v úvode ku Gramatike upozornil. Na ilustráciu odcitujeme z neho slová: „Ale i keby sa sláva reči mala merať ináč než používaním, známosťou a rozšírenosťou, Slovania majú, čím by sa mohli chváliť, či už je to bohatosť, lahodnosť alebo vznešenosť reči. Veď má takú veľkú zásobu mien a slov, že nemusí ustúpiť žiadnej reči, dokonca ani gréckej nie; lahodnosťou výrazu však tak vyniká, že ozdobnosť všetkých európskych rečí nielenže môže dosiahnuť, ale dokonca i predčiť jedine slovenská."

Medzi vyznavačmi jednotného česko-slovenského kontextu a príslušníkmi bernolákovského hnutia sú v jazykových otázkach zreteľné diferencie. Nejde však len o otázky jazyka; odlišnosti sa prejavujú aj v ponímaní tradície, kontinuity, dôležitú úlohu zohrali i otázky religiózne a s nimi súvisiace otázky „ideové" a kultúrnohistorické. No napriek tomu existujú styčné plochy. Aj vyznávači jednotného česko-slovenského kontextu aj príslušníci bernolákovského hnutia sa v podstate zhodovali v názore, že národný život a národná kultúra majú sa uberať v znamení dobových osvietenských ideálov. Veľký dôraz kládli na povznesenie vzdelanostnej a kultúrnej úrovne ľudu. O to sa usilovali vo svojej činnosti, ako to vidieť zo známeho, často citovaného Fándlyho výroku v úvode k Pilnému domajšiemu a poľnému hospodárovi: „Bratrové!... včil nám svitli osvícené časi. Usilujme sa z rečú, s písmami a vidaníma kňihami náš národ, naše méno, naších potomkoch, keď ňe k zlatému, aspon ponajprv k stríbernému veku povíšiť." Podobne sa vyslovovali aj iní predstavitelia slovenského literárneho a kultúrneho života (napríklad) Ján Hrdlička ešte pred Fándlym v článku O časích osvícených, 1885).

O literárnych otázkach sa však tak vyznávači jednotného česko-slovenského kontextu, ako aj príslušníci bernolákovského hnutia vyslovovali len ojedinele. Nie žeby im boli ľahostajné – literatúru si vysoko vážili – ale v prvom rade usilovali sa vytvoriť „zázemie" pre vnímanie literatúry a pre literárnu tvorbu. Ako sme už upozornili, utužovali sa v názore, že jazyk „vznešený", bohatý, tvárny je schopný na úrovni „prisvojiť si" vrcholné diela klasickej literatúry. Klasickej literatúry, ktorá v dobovom ponímaní najoptimálnejšie spĺňala estetické kritériá a bola vzorom pre literárnu tvorbu. Na súčasnú literatúru sa teda kládli náročné kritériá – a iste aj v dôsledku toho sa sprvu pôvodná tvorba objavovala len zriedkavo. (Zdôrazňujeme „pôvodná tvorba", a nie konvenčné „veršovačky" bez akéhokoľvek poetického vzletu, ktoré si ani nekládli nijaké umelecké ciele, no ktoré silou zotrvačnosti sa písali a vydávali.) Okrem toho

podľa mienky predstaviteľov kultúrneho a literárneho života na Slovensku ešte ani nedozrel čas, aby sa vydávali pôvodné básne, ako sa o tom vyslovil recenzent (pravdepodobne Ladislav Bartholomaeides) Palkovičovej zbierky Muza ze slovenských hor (v časopise Annalen der Oesterreichischen Literatur 1802), keď napísal, že „básne pre Slovákov prichádzajú priskoro, že najprv treba vycibriť ich vkus a že k tomu treba teraz využiť predovšetkým ich sklon k vážnym veciam, najmä k histórii".

Pre predstaviteľov kultúrneho a literárneho života bola vzorom klasická literatúra, záväzný bol klasicistický estetický ideál, koexistencia krásy, pravdy a dobra. Dôležitú úlohu pripisovali „básnickej forme", určujúcim kritériom hodnôt bola „dokonalosť formy". Otázok „básnickej formy" sa už Anton Bernolák dotkol v Gramatike, kde prozódiu chápal „ako súčasť gramatiky, ktorá učí o dĺžke slabík a ich správnej výslovnosti". Naznačil isté zákonitosti, no pre „nedostatok času" ich nerozviedol (pre tých, ktorí sa chcú venovať poézii, odporúčal poeticky od „novších" i „starších" Čechov). Pozornosť upriamil na časomieru, ktorú považoval za dokonalý veršový systém, čo náležite dokumentoval v polemickom vystúpení proti Bajzovým Slovenským dvojnásobným epigramatom (1794). Bajzov sylabický verš si ani nevšímal (pokladal ho za menejhodnotný) – a pokiaľ ide o časomieru, vyslovil výhrady proti jazyku a prispôsobňovaniu kvantity, pripomenul, že jazyk má svoje pravidlá a systém – a nemožne s ním svojvoľne narábať. (K Bajzovým Epigramom zaujal Bernolák spolu s Fándlym kritický postoj aj v spise Ešče ňečo o Epigrammatéch, 1795, v ktorom sú výhrady najmä proti „myšlienkám" Bajzových epigramov.)

Kým príslušníkom bernolákovského hnutia bol záväzný veršový systém antickej poézie, vyznávači jednotného česko-slovenského kontextu k prozodickým otázkam pristupovali z iných pozícií. Stotožnili sa s Dobrovského poňatím prízvučnej prozódie, ktoré publikoval roku 1795 (v knihe Böhmische Prosodie). Zastávali názor, že prízvučná prozódia vyplýva z „organizmu" národného jazyka, z jeho zákonitostí a systému (rozhodujúci je v ňom prízvuk a nie kvantita) – a prízvučnú prozódiu považovali za plnohodnotný ekvivalent „vznešenej" časomiery. Mali aj voľnejšie pole pôsobnosti a bez väčších zábran mohli sa oddať vlastnej literárnej tvorbe; dodržiavanie pravidiel prízvučnej prozódie nekládlo na autorov väčšie nároky. A to aj básnici využili, dokladom čoho je najmä básnická tvorba Juraja Palkoviča a Bohuslava Tablica. Palkovič i Tablic si pritom uvedomovali, že v záujme rozvoja národnej literatúry nestačí iba preberať a prekladať do „vznešeného"a rozvinutého jazyka reprezentatívne diela svetovej literatúry, ale že aj slovenská literatúra je schopná držať krok s dobou, že je v jej silách vytvoriť pôvodné diela na úrovni súvekej literatúry. Vo svojich poetických vyznaniach „predkladali" svoj básnický program, záväzný je im klasicistický estetický ideál, básnici majú hľadať harmóniu ušľachtilého, povýšiť cnosť na najvyšší piedestál, sú vyznávačmi Múzy, ktorá im otvára dvere do posvätného chrámu poézie, a duchovne sú spriaznení s reprezentatívnymi osobnosťami svetovej literatúry, usilujú sa predstaviť „obraz pravdy svätý" a čerpajúc z národných tradícií zobraziť aj národný život. Bol to program „veľkolepý", náročný – ale aj nerealizovateľný. Nepridržal sa ho ani Palkovič, no najmä nie Tablic (ktorý vo svojom básnickom diele zužitkoval tie najrozličnejšie podnety, periférnu literatúru nevynímajúc).

Začiatkom devätnásteho storočia si aj príslušníci bernolákovského hnutia sformúvali svoj „básnický program". Svedčí o tom „literárna polemika" z roku 1805 medzi Jurajom Fándlym, Martinom Miškolcym a Jánom Hollým, ktorá bola až donedávna neznáma (po prvý raz vyšla tlačou v knihe Márie Vyvíjalovej Mladý Ján Hollý 1975). Bol to „program" uzemnenejší a konkrétnejší. Všetkým diskutujúcim bol záväzný model antického básnictva, išlo im o „kasickú dokonalosť" na princípe časomernej prozódie. Medzi sebou polemizovali, zhodovali sa však v názore, že národná poézia sa má tvoriť „na spôsob" antickej poézie a že má spĺňať náročné kritériá. Popri tom dotýkali sa aj otázok tradície a kontinuity básnických foriem v slovenskej poézii i otázok morálnych a spoločenských. Hoci o nich uvažovali zväčša v abstraktných polohách, per analogiam i a la these, nemožno nevidieť, že zo zorného poľa nespúšťali ani „rozmer" národnej identity. Spod zorného poľa antického ideálu hľadali aj sídlo slovenského Parnasu. Situovali ho do okolia Trnavy (kultúrneho centra bernolákovského hnutia) alebo do jej blízkeho či vzdialenejšieho okolia. Slovenský Parnas, o ktorom sa diskutujúci zmieňovali, bol potenciálnym pendantom antického Párnasu (i akýmsi regulátorom pre slovenskú literatúru). „Literárna polemika" napriek torzovitosti, napriek tomu, že sa uvažovalo hypoteticky a v abstraktných polohách, je dôležitým prameňom pre poznanie vývinových tendencií slovenskej literatúry, najmä pokiaľ ide o genézu a kontinuitu literatúry bernolákovcov a jej reprezentatívneho básnika Jána Hollého.

Vyznávači jednotného česko-slovenského kontextu sa začiatkom devätnásteho storočia sústavnejšie prezentovali na verejnosti svojou básnickou tvorbou. Básne písali v prízvučnej prozódii (podľa Dobrovského pravidiel), no pokiaľ išlo o témy, žánre a žánrové formy, čerpali z tých najrozličnejších žriedel (od poézie antickej až po poéziu ľudovú a „poloľudovú"). Nejdeme sa tu ňou bližšie zaoberať, chceme len upozorniť, že ich básnická tvorba vykazuje široký rozptyl, že tvorili básne „mnohé a rôzne", ako to možno vidieť na pozadí básní Juraja Palkoviča, Bohuslava Tablica, no i Pavla Jozefa Šafárika a Emanuela Viliama Šimku. Ich účasť vo formotvornom procese slovenskej literatúry je preukázateľná, aj keď veľa básní sa nevymyká z priemernosti. Pravda, koncom druhého decénia devätnásteho storočia dochádza v poézii vyznávačov jednotného česko-slovenského kontextu ku kríze, ktorá sa ešte výraznejšie prejavila v českej literatúre. Jedna z príčin sa pripisovala Dobrovského prozodickému systému, ktorý básnikom zväzoval ruky a viedol k „rytmickému stereotypu". Proti jeho pretrvávaniu sa ohradili Pavol Jozef Šafárik a František Palacký v známom spise Počátkové českého básnictví obzvláště prozodie (1818) a presadzovali časomieru, ktorá poskytuje väčšie možnosti pre básnickú tvorbu. Pri presadzovaní časomiery vychádzali zo stavu súvekej českej (i slovenskej) poézie a hľadali možnosti na jej regeneráciu – a to nielen pokiaľ išlo o otázky prozodické. Nešlo im o „oživovanie" a či „rehabilitáciu" antického básnictva, išlo im predovšetkým o povznesenie národnej literatúry na vyššiu úroveň vo viacerých ukazovateľoch. Ich úsilie o „zavedenie" časomiery síce minulo cieľ, no ich „podnety" našli uplatnenie v poézii, ktorá si kládla náročnejšie úlohy a ciele. Dokladom toho je básnické dielo Jána Kollára, ktoré je dôležitým medzníkom vo vývine slovenskej i českej poézie, ktoré pôsobilo i inšpirovalo.

Príslušníci bernolákovského hnutia v tom čase básne písali len sporadicky, a aj to nie vždy v časomiere. Ojedinelé časomerné básne majú skôr len dokumentárnu hodnotu; dokumentujú, že v slovenskej literatúre popri prízvučnej prozódii existovala aj časomiera. Autori básní dbali na „formálnu stránku", usilovali sa dodržiavať prozodické pravidlá, no tvorivejšie nezužitkovali klasické vzory. Obmedzili sa vlastne iba na príležitostné básne, ktoré sú však poplatné dobovým konvenciám. Zväčša ani neprenikli na verejnosť – a ak aj prenikli, nemali väčší dosah a výraznejšie ani nezasiahli do formotvorného procesu slovenskej literatúry. Platí to aj o najvýznamnejšom bernolákovskom básnikovi Vojtechovi Šimkovi, ktorý tlačou vydal niekoľko príležitostných básní.

Spomedzi bernolákovcov do slovenskej literatúry a do slovenského literárneho života najvýraznejšie zasiahol Ján Hollý, aj keď sa na verejnosti prezentoval až v dvadsiatych, no najmä v tridsiatych rokoch. Pravda, ako tomu nasvedčuje bernolákovská „literárna polemika", už roku 1805 sa literárne prejavoval a uvažoval o literárnej problematike. Koncepciu literatúry – určite aj v kontakte s antickou literatúrou, ktorú prekladal – si dotváral a cizeloval poetický prejav. Veľkú pozornosť venoval prozodickým otázkam, ustavične sa s nimi vyrovnával, o čom svedčí aj sprievodný list k ukážke prekladu z Vergíliovej Eneidy, ktorú uverejnil Juraj Palkovič v Týdenníku 1812 (napriek tomu, že sa o nich vyslovil len príliš všeobecne). Zreteľnejšie to dokumentuje skutočnosť, že na preklade Eneidy sústavne pracoval, kým vyšiel tlačou, pätnásťkrát ho prepracoval. No nielenže ho prozodické problémy zaujímali a s nimi sa vyrovnával, ale o nich aj koncepčne uvažoval, dokladom čoho je stať O prozódii, uverejnená v knihe Rozličné básne hrdinské, elegiacké a lyrické (1824). Stať O prozódii svedčí o tom, že Hollý bol v problematike zorientovaný, že mal „teoretickú výzbroj", pričom nemožno nevidieť, že vychádzal aj zo svojich literárnych skúseností i zo súčasnej literatúry. Na zreteli mal možnosti slovenčiny, nakoľko a pokiaľ je v jej silách absorbovať rôzne modifikácie časomiery. Lebo časomiera poskytuje široký priestor i veľké možnosti pre poéziu.

Hollému záležalo na tom, aby poézia mala svoje „pravidlá". Lenže dodržiavanie „pravidiel" považoval vlastne iba – takpovediac – za „technickú záležitosť"; aby básnik vytvoril umelecké dielo, nestačí, aby dodržiaval „pravidlá", ale aby „spíval". Aby v rámci „noriem" vytvoril plnohodnotné literárne dielo. A o to Hollému predovšetkým išlo. Na to, aby básnik vytvoril plnohodnotné literárne dielo, je potrebný cvik i čas, ako sa o tom vyslovoval vo svojich listoch. Napríklad v liste Jurajovi Palkovičovi (11. júna 1825) komentujúc knihy českých autorov napísal, že ich verše „ňeplinú tak, ako bi mali" – preto nie, lebo básnikom „schádzelo dlhotrvanlivé cvičeňí, ktoré ovšem v časomerních veršoch potrebné je. Nebo jako ňikdi neňí naráz dobrí muzikant, mósi mnoho fidlikat, prsti dobre obracat, až potom po časi mu to ide: tak aj veršovňík jakéhokolvek ducha vtip a mišlenki bi mal, necviči-li sa v remeselňovaňú veršov, čo téš potrebuje svoj čas, naráz dobre nebuďe moct spívať".

Hollý svoju stať O prozódii písal s ohľadom na literatúru bernolákovcov. Lenže príslušníci bernolákovského hnutia sa v dvadsiatych rokoch literárne len málo prejavovali; Hollý bol osamotený a vlastne sám sa riadil „právidlami", ktoré vo svojej stati sformuloval. Pridŕžal sa ich, vo svojich básňach využil rôzne

možnosti, ktoré poskytovala časomiera, išlo mu o dokonalosť „formy", vyslovenie „vznešených ideálov" vo „vznešenej forme". Pravda, išlo mu aj o čosi viac, o to, aby jeho básne boli aj „národné", aby boli „napojené" na národné tradície, vystihli národnú špecifickosť a národný kolorit. Klasická antická literatúra je mu „modelom", podľa ktorého zobrazuje národný život v historickej retrospektíve i vzhľadom na súčasnosť. Národný život zobrazuje z rozličných stránok a v rozličných polohách, čo sa zreteľne prejavuje aj v adaptácii žánrov a žánrových foriem klasickej literatúry (epos, selanka, elégia, óda).

V dobovom literárnom kontexte poézia Jána Hollého pôsobila, jej hodnoty sa uznávali, Hollý sa popri Kollárovi považoval za reprezentatívneho básnika (napriek tomu, že v dôsledku jazykových „zábran" neprenikol natoľko do širšieho povedomia a že v Čechách bol prijímaný s určitou rezervou). Kollár i Hollý svojou poéziou povzniesli slovenskú literatúru na vyššiu úroveň, vytvorili diela, ktoré spĺňali „parametre" umeleckej literatúry a pričinili sa o dôstojnú reprezentáciu slovenského národa. O prezentáciu a reprezentáciu slovenského národa išlo aj bernolákovcom aj vyznávačom jednotného česko-slovenského kontextu, a to nielen „na poli" literatúry, ale na širšom priestore. Dokladom toho je skutočnosť, že v dvadsiatych a tridsiatych rokoch sa medzi nimi nadviazali užšie spojivá. Nebol to len vzťah tolerancie, vzájomného rešpektovania, ale aj porozumenia a podpory, ba vznikli aj priateľské osobné kontakty. No nielen to, išlo aj o „zblíženie", hľadali sa formy spolupráce a uvažovalo sa i o spoločných akciách. Obidve strany kládli dôraz na to, čo ich spája, a nie na to, čo ich oddeľuje. O formách spolupráce sa uvažovalo už v dvadsiatych rokoch, no k jej realizácii došlo pričinením bernolákovcov až v tridsiatych rokoch založením Spolku milovníkov reči a literatúry slovenskej (1834), aj keď sa jeho pôvodný program len čiastočne uskutočnil.

Netreba azda osobitne pripomínať, že „iná" je poézia Jána Kollára a „iná" Jána Hollého a že vo vývine slovenskej literatúry majú kľúčove postavenie. Vyznávač jednotného česko-slovenského kontextu Ján Kollár a „bernolákovec" Ján Hollý výrazne zasiahli do formotvorného procesu slovenskej poézie, ich literárne dielo sa uznávalo, hodnotil sa jeho vklad a prínos, pôsobilo, inšpirovalo a vplývalo aj na formujúcu sa generáciu slovenských romantikov, ktorá pod jeho vplyvom i v jeho intenciách sa vydávala na literárnu púť. A teda zohralo svoju úlohu aj v procese formovania sa slovenského literárneho romantizmu.

Heslovite a v hrubých obrysoch pokúsili sme sa naznačiť účasť bernolákovcov v dobovom literárnom kontexte. No aj z tohto stručného, aj keď medzerovitého náčrtu vidieť, že bernolákovci svojím dielom zasiahli do formotvorného procesu slovenskej literatúry, aj keď nie v takej miere ako vyznávači jednotného česko-slovenského kontexu a aj keď ich literárne účinkovanie nemalo, najmä spočiatku, taký ohlas a dosah. Literárne účinkovanie bernolákovcov predstavuje vyhranenú tendenciu vo vývine slovenskej literatúry, odlišnú od tendencie, ktorú predstavuje literárne účinkovanie vyznávačov jednotného česko-slovenského kontextu. Pritom, pravdaže, blízke i spoločné črty sú preukázateľné, vyplývajú zo spoločného „základu" (z osvietenskej ideovej orientácie a z klasicistickej koncepcie literatúry). Obidve strany sa usilovali povzniesť vzdelanostnú úroveň, vytvoriť „literárne zázemie", zaväzný im bol klasicistický estetický ideál a usilovali sa aj povzniesť slovenskú literatúru na vyššiu úroveň. Kým literárne účinkovanie vyznávačov jednotného česko-slovenského kontextu je členitejšie a zaznamenáva širší rozptyl, literárne účinkovanie bernolákovcov je koncentrovanejšie, priamočiarejšie, jednoznačnejšie orientované na klasickú antickú literatúru. Bernolákovci sú, dalo by sa povedať, „ortodoxní klasicisti"; od samého začiatku, od prvých prejavov až po Hollého vrcholné diela, ktorými sa literatúra bernolákovcov najvýraznejšie prezentovala, prenikla a pôsobila. Literatúra bernolákovcov je ukazovateľom vnútornej diferenciácie slovenského literárneho klasicizmu, jeho integrujúcou súčasťou i spolutvorcom a spoluformovateľom.

Vzťah romantickej generácie
k bernolákovskej slovenčine

EVA FORDINÁLOVÁ

Té ujmy, která se řeči československé i Slovákům skrze Bernolákovců stala, vynahraditi se usilujeme.

M. M. Hodža, r. 1833.

Bernoláčtina je forma reči našej, ktorá nijako zavrhnutá a potupená byť nesmie.

A. Sládkovič, r. 1862.

Chybné kroky desavuje história, tento schválili dejiny i život.

J. Vlček, r. 1887.

Antonín Bernolák je dnes již jméno mrtvé.

J. Vlček, r. 1913.

Aký je vzťah k bernolákovskej slovenčine dnes? Dve storočia sú dostatočne dlhým časovým obdobím v dejinách národa, aby sme cez priestor tohto časového odstupu mohli objektívne posúdiť význam bernolákovčiny pri formovaní sa moderného slovenského národného spoločenstva a určiť jej miesto v našom kultúrnom vedomí. A hoci by sa dalo na prvý pohľad prenáhlene usúdiť, že v ňom zapadla takmer bez stopy, na základe výskumov literárnej histórie, jazykovedy a národnej filozofie musíme spravodlivo konštatovať, že jej kodifikácia bola vlastne zároveň kodifikáciou moderného slovenského národa, že jej prostredníctvom sa, parafrázujúc Marxa, stal „národ o sebe" „národom pre seba", budovalo sa národné kultúrne vedomie, bola pevným základom pre budúcu stavbu, na ktorej pracujeme aj v súčasnosti.

Pri hodnotení významu bernolákovskej slovenči-
ny treba pripomenúť, že jej prostredníctvom sa formovala cesta uvedomovania si slovenskej národnej osobitosti v slovanskom spoločenstve, že zachytila trend predchádzajúcich generácií slovenských vzdelancov, a hoci ešte nebola jazykovo „slovensky čistou", rozhodne „národne čistou" bola ideovo, aj keď iba živorila napriek obetavým mecenášom. Príčiny sú však všeobecne známe: ekonomicko-spoločenské.

Naším cieľom nie je zaoberať sa analýzou tohto druhu (vyžadovala by si samostatnú štúdiu) a základný problém, vtedajšie národnopolitické postavenie slovenskej society, pozná každý slovenský vzdelanec, chceme upozorniť na formovanie vedomia, získavania prívržencov a ideových zástancov v generácii, ktorá sa v podstate pričinila o jej negáciu – v generácii romantickej. Treba však okamžite upozorniť, že ide o negáciu negácie. Nová jazyková forma zachovala kontinuitu v základnom kóde – v ideovej genetike, iba rešpektovala meniace sa ekonomicko-spoločenské pomery pred buržoáznou revolúciou 1848/49.

Že z bernolákovskej slovenčiny „len jedno mohutné torzo – dielo Hollého – strmí nad vodami zabudnutia" – ako na začiatku 20. storočia poznamenal František Votruba,[1] je dôsledkom toho, že práve v ňom bernolákovčina našla svojho najreprezentatívnejšieho ideového tribúna, že jej jazykovými prostriedkami oživil národné filozofické koncepcie dozrievajúce od 17. storočia u slovenských katolíckych i evanjelických vzdelancov a v svojej epickej tvorbe dal nielen im, ale zároveň aj bernolákovčine nadkonfesionálny charakter. Ak zoberieme do úvahy fakt, že ide zároveň o obdobie rozkvetu kultu Veľkomoravskej ríše v národnoobrodenských intenciách (ktorý opäť našiel svoj najklasickejší výraz v Hollého diele), nezdá sa neopodstatnené upozornenie na skutočnosť, že bernolákovská slovenčina aj jazykovo túto tradíciu napĺňala, ako to postrehol aj Janko Kalinčiak v básni velebnému otcovi Slovákov Jánovi Hollému na deň jeho mena 24. júna 1843; akcentuje ľudovú slovesnosť ako udržiavateľku národnej kultúrnej kontinuity a historického vedomia z čias Veľkomoravskej ríše:

„Vietor zahučí, lístky sa striasajú,
A z nich povesti potichu volajú:
„Že z toho kraja kliatbu ten odvalí,
Ktorý takovú zaspieva pesničku,
Práve keď slnce zdvihne svú hlavičku,
Jakú *pred tisíc tam rokov spievali.*“
(Zdôr. E. F.)

Pripomína, že pred Hollým básnici touto rečou „odkliatia" neprehovorili:
„Jeden zavčasu zdvihol svojich hlasov,
Do rána zhynul, spevy sa stratili,
Tamten zas zaspal i ráno prepásou
A sny mu oči naveky prikryli,
Tamten zas spieval, ale jeho hlasy
nešumeli tak, ako v dávne časy.“

Bernolákovská slovenčina „zašumela" novými myšlienkami „starých časov" vo vedomí mladej romantickej generácie predovšetkým prostredníctvom Hollého eposu Svatopluk (1833) a Chválospevu na Antona Bernoláka publikovaného v prvom zväzku súborného vydania Básní Jána Hollého Spolkom milovníkov reči a literatúry slovenskej roku 1841. Bernolákovčina by s najväčšou pravdepodobnosťou bola v dnešných dňoch objektom záujmu zopár jazykovedných historikov ako jedna z kuriozít vo vývine slovenského jazyka, ak by sa ňou nevyslovili „pravé slová v pravý čas", ktoré sa zase nedali v svojom čase vysloviť nijakým iným spôsobom mimo nej. (A zostáva ešte otázka, ako by sa vôbec vývin slovenského spisovného jazyka uberal: ak by Hollého literárne dielo nebolo zapôsobilo ako jeden z najmocnejších katalyzátorov na mladú romantickú generáciu, takže k novej kodifikácii prišlo ešte pred revolúciou, vývin by sa v najlepšom prípade zdržal takmer o polstoročie.)

Rezonanciou myšlienok slovenských vzdelancov vyslovených po slovensky u mladej romantickej generácie a ich ďalším rozvinutím prostredníctvom jej literárnej produkcie sa bernolákovská slovenčina stala zásadnou etapou nášho národného života.

Ako je známe, pôvodný postoj romantickej generácie k bernolákovčine nebol kladný. Výstižne ho charakterizuje Hurbanova reakcia v Slovenských pohľadoch z roku 1846 na Šafárikovu kritiku v Hlasoch o potrebe jednoty spisovného jazyka pre Čechy, Moravany a Slovákov, kde okrem pripomenutia zásluh samého Šafárika, Kollára a iných priznáva, že „od nich sa ešte naučili aj Bernoláka s celou jeho gramatikou a myšlienkou potupovať, hoci aj nemôžu povedať, že sa z Bernolákovej gramatiky niečo naučili, ale musia vyznať, že sa Slovákov milovať priučili od nesmrteľného slovenského básnika z tejto školy vyšlého – Jána Hollého". A ešte skôr, v črte Prechádzka po považskom kraji[2] roku 1844 píše v podobných intenciách: „My sme lamentovali nad Bernolákom, že roztrhal Slovákov, a mali sme len nad sebou lamentovať, že sme potupili Slovákov."

Hollého dielo postavilo mladú generáciu pred nevyhnutnosť vyrovnať sa s dvoma protichodnými tendenciami v meniacich sa sociálnych a politických pomeroch: prvá bola prijať alebo neprijať Hollého, keďže do ich kultúrneho vedomia, pestovaného na českom jazykovom podklade, vstupuje „hornoslováckym nárečím",[3] vzbudzujúcim u českej vlasteneckej inteligencie vlnu nevôle,[4] z uznávaných autorít iba P. J. Šafárik v Dejinách slovenskej reči a literatúry vyzdvihol horlivosť bernolákovcov pri pestovaní vlastnej literatúry. (Neskôr však, v časoch jazykových sporov po kodifikovaní štúrovskej slovenčiny, už vyhlásil, že na Bernolákov Slovár bolo škoda papiera i tlače.) Ján Kollár však o „hornoslováckom nárečí" roku 1826 napísal: „I řeč Bernolákova nejen u Čechuv ale i samých Slovakuv ne všude přízeň nalezla, takže nás s ní ani, jináč ovšem, co do prosodie, prevýborné Hollýho básně (išlo ešte len o preklady z antickej poézie – pozn. E. F.) smířiti nikoli nemohú. Všude v nich prece jakási nízkost, a plebejnost, ba ano i tvrdost věje, obzvláště komu i jiná slovenská nářečí známa jsou."[5] A tento názor mal u formulujúcej sa romantickej generácie pomerne dlhú platnosť, aj zásluhou veľkej Kollárovej autority v slovanskom kultúrnom svete.

Druhou protikladnou tendenciou z názorového aspektu mladej generácie odchovanej na báze „československej" bola idea slovenskej svojbytnosti, tzv. centrálnotatranská teória o pôvode Slovanov, pripisujúca tým slovenskému národu prioritné postavenie v slovanskom svete – teória objavujúca sa v slovenskej ideológii hlboko pred vystúpením bernolákovcov,[6] ktorá našla v diele Hollého svoj sugestívny básnický obraz.

Hlavnou príčinou rozpakov bola predsa len

jazyková forma Hollého diela; nepriamym svedectvom je i obsah listu Frana Kurelaca A. B. Vrchovskému z 3. februára 1837: podľa jeho názoru „prešporskí šuhajíci", hoci v inom ohľade znamenití chlapíci, sú vzhľadom na slovenskú reč a pravopis priveľmi kocúrkovania a Hollý sa im nemôže páčiť, lebo vraj nemá ani jazyk, ani ortografiu.[7] No túto počiatočnú dezorientáciu priznáva i J. M. Hurban v eseji Slovensko a jeho život literárny: „Z prvého abstraktného pochopu poézie Kollárovej v Slovanstve formovalo sa v hlave básnikovej povedomie národné ako bratstvo Slovákov, Čechov, Moravanov. Tu povstal odrazu boj mládeže oproti škole Bernolákovej; nariekalo sa najmä nad odpadlíctvom Hollého od Čechov. Rečnenie toto bolo bez príkladu, zápal bez konca. Ochladil ho však prúd maďarizmu, hltajúci pomaly synov slovenských v zátoke svojej. Kritiky o panslavizme zatriasli spoločnosťou národa slovenského."[8]

Jazyková otázka sa pre „prešporských šuhajíkov" stáva v týchto rokoch skutočne veľmi pálčivou, ako to dokazuje aj list Ľudovíta Štúra Františkovi Palackému z 10. apríla 1836: „My jsme v pravém očistci, píšíce zajisté pouze česky, lidu našemu, zvláště katolickému z větší částky nepřístupnými se stáváme, vycházíme-li pak na divadlo v slovenském našem nářečí, od Čechů se odtrhujeme, na což přivoliti nemůžeme."[9] Vnútorné napätie v jazykovej a vôbec národnej otázke bolo v bratislavskom centre stále silnejšie, takže Štúrove slová o „prvém očistci" nemožno chápať ako hyperbolu. Michal M. Hodža v svojej Řeči pri príležitosti pervého zasednutí k Údům Společnosti deržanej dne 22-ho září 1833 polemizuje s myšlienkou: „...my nepíšeme v řeči Slovenské ale České a nejsme Čechové ale Slováci."[10]

Řeč k Údům Společnosti je apológiou reči „československej" (bibličtiny) a na adresu bernolákovcov sa v nej hovorí: „...a té ujmy, které se jí (roz. bibličtine) i Slovákům skrze Bernolákovcův stala, vynahraditi se usilujeme", avšak zároveň je aj svedectvom o prudkom vývine v dozrievaní myšlienky slovenskej národnej osobitosti v polovici tridsiatych rokov, a tým aj v prekonávaní religióznych bariér u mladej romantickej generácie. Keď totiž roku 1836 vychádza jej prvý almanach Plody, v úvodnom, „Krátkom přehledě udalostí literatury na oboru Slovenska" nachádzame nielen poďakovanie ako Kollárovi tak aj Hollému za prebudenie národného ducha, ale aj citáciu zo Šafárikových Dejín slovanskej reči a literatúry s kladným hodnotením bernolákovskej činnosti: „Od rozdvojení se Slovenska pracovali a pracují na osvětě národní jak Protestanští s Čechy

spojeni, tak i Katoličtí Slováci v nářečí slovenském rozličnou sice cestou, oba ovšem duchem tuze spojeni k tomu jistému cíli spěchají."[11]

Už pred vydaním Plodov sa dokonca uvažovalo o možnosti ich publikovania v slovenčine, nie však bernolákovskej. V akej jazykovej úprave mal asi byť almanach vydaný, možno si urobiť približnú predstavu na základe listu výboru Spolku učencov řeči československé – Ľudovíta Štúra, Ctiboha Zocha, Daniela Bórika a Daniela Krnúcha Jánovi Hollému z 3. októbra 1835 s prosbou o získavanie predplatiteľov pre pripravované Plody. V liste okrem iného vyslovujú želanie, „abi nám svetlo to, kerím nás Jejích velebnosť ako denica osvecuje, čím najdlkší svjetiť mohlo! Trikrát šťastní sme mi mladí Sini Sláví, že sme si Jejích velebnosť srdečne zamilovať a za hodnú príklad k nasledovaňú si vivoliť mohli".[12]

Almanach Plody však vyšiel ešte v češtine, hoci praktická aplikácia filozofickej kategórie vzťahu „celku" –Slovanstva a „časti" Slovenska – sa čoraz výraznejšie prejavuje v prospech časti, aj keď jazyková bariéra ešte stále odoláva. A. B. Vrchovský vytýčil už začiatkom školského roku 1834/1835 pre Spoločnosť úlohu študovať nielen jazyk, ale aj národ ako celok; jeho minulosť, zvyky, obyčaje, národný svojráz a popritom i jeho sociálne potreby a spoločenské položenie. A bez odozvy iste nezostali ani v ďalších rokoch listy Vrchovského „drahým bratřím v Slávii" z Pešti, kde nadviazal spoluprácu s členmi Spolku milovníkov reči a literatúry slovenskej, najmä s Martinom Hamuljakom, o ktorom v liste z 26. februára 1838 píše bratislavským študentom: „Hamulják, vydavateľ Zory, jest muž srdečný, zmužilý a horlivý Slovák, jen tvrdošijně Bernoláčtinu brání;" ale poznamenáva: „...na činnost Hamuljáka vždy se spolehnouti můžeme."[13]

Klasickým príkladom vzťahu „celku" a „časti" v týchto rokoch je aj denníkový záznam J. M. Hurbana z roku 1838: „...Někteří vlastenci čeští Hollého proto čísti nechtějí ani prý nemohou, že česky nepsal. Totě zatracená vzájemnost těch pánův. Německy čtou, třebas německá řeč nemá ani tolik podobnosti k české jako naše slovenská k anglické. Ba tedy není Hollý, slovensky píšící příčinou, že ho neznají mnozí Slované čeští a jiní, ale nevzájemnost a samolibost, že mnozí lidi jen sebe rádi obdivují. Však my sami bychom raději viděli Hollého v rouše československém; proto ale ctíme jeho přesvědčení. Kmenovou svobodu musíme sobě ušetřit. My sme Slováci, a jedině tím a hlavně tím jsem Slované. Kmen každý se ze sebe vyvinuje, a proto mužové, na čele jeho vyvinování stojící, zasluhují našeho uznání, byť jináče jak dalece ve způsobích a přesvědčení se od nás dělili."[14]

Uvedený citát je dokladom praktickej filozofie života, ktorej bol Hurban podobne ako Štúr dôsledným vyznavačom. Správne vycítil dialektickú rovnováhu medzi celkom a časťou (sme Slovania práve preto, že sme Slováci) i nebezpečenstvo jej narušenia. Zároveň si však uvedomuje, že jediná možnosť národnej záchrany je chrániť si svoju „časť". A preto vysúva do popredia osobnosť Jána Hollého, lebo má úctu k jeho národnému presvedčeniu, a zrejme nielen k nemu, keďže použil plurál „mužové, na čele jeho vyvinovaní stojící" – pravdepodobne mal na mysli taktiež Hamuljaka alebo Alexandra Vrchovského a ďalších národných pracovníkov z okruhu Spolku milovníkov reči a literatúry slovenskej.

Dôležitým prelomom bol začiatok štyridsiatych rokov. Okrem hysterickej vlny maďarizácie rozpútanej okolo levočského almanachu Jitřenka (1840) a aktivizujúceho sa meštianstva i drobného zemianstva, predovšetkým v Turci a v Liptove za národné požiadavky v záujme vytvorenia vnútorného trhu ideovo dôležitým bol aj prvý zväzok súborného diela Jána Hollého z roku 1841 s Chválospevom na Antoňa Bernoláka. Táto veľkolepá báseň zapôsobila mimoriadne silným dojmom na celú slovensky cítiacu inteligenciu. Je pochopiteľné, že nemohli zostať bez odozvy napr. tieto verše, v ktorých sa snúbi plastický prírodný obraz lyrickej tragédie s postavením slovenčiny pred Bernolákovým vystúpením:

„Jak trúchlí hrdľička milá, keď svého ňenajde
Samca, a včil v doľinách, včil zas po
    pahorkoch a hustích
Létá úbočinách, i hučících skalmi potóčkoch;
A všaďe naňho volá, všaďe naňho milostně
    hrkútá.
On však aňiž v doľinách, aňi v húšči pahorka
    a trávních
Úbočinách, aňi pri skalném sa ňeozve potóčku:
Neb lútí kosatími lapil ho pazúrami jastráb.
Než sama buď na bresťe, aneb na plánki suchá-
    roch
Nad ňím rozžeľená, ve chládku si premnoho
    stíská,
A trúchlími široké kormúťí kvílami háje,
Až zraki své od žálu a horkéj zavre bolesťi:
Tak neináč smutná zalkávala Matka Slovenka,
Premnoho léla slz, a ctné prsa ráňala dlaňma.
Už k Hronu, už s ponosem k ríchlému sa brávala
    Váhu,
Aj k ďeďinám aj k ohraďením pospíchala
    mestám;

A vlatních na pomoc prispeť vivolávala sinkov.
Ňikdo sa však ňenašel, čo bi bol chcel v bíďe
    ulahčiť;
Než každí sa raďej k mocňejšéj Češce prirážal."
Po predchádzajúcich osobných návštevách v Maduniciach[15] pri príležitosti Hollého menín v júni 1843 mu študenti bratislavského Ústavu reči a literatúry československej posielajú zdravicu s mottom z Chválospevu...:

Zbuď sinov odroďeních, abi ráz už opusťili Češku

A spolu zjednoťení ke svéj sa navráťili matce" a s mimoriadne závažným posolstvom potvrdzujúcim, ako chápali nový spisovný jazyk na základe stredoslovenského interdialektu vo vzťahu k bernolákovskej slovenčine: „Zložťe už aj Vi, prevelební Otče, to presvedčeňje o nás, že mi ešte ďalej našu drahú mater Slovenku chceme hrdúsiť... priviňte k sebe sinov, vi Otče Slovákov, k vám sa priznávame a *chceme na základe, čo ste Vi z verními Slováci rozložili, stavbu ďalej ťahať.*" (Zdôr. E. F.)[16] Návštevy J. M. Hurbana u Hollého na Dobrej Vode, osobitne pamätná návšteva Ľ. Štúra, J. M. Hurbana a M. M. Hodžu v čase rozhodnutia o kodifikácii novej jazykovej normy sú dostatočne známe.

V literatúrnej prílohe Slovenských národných novín Orol tatránsky, keď sa Štúr obracia na slovenskú kultúrnu verejnosť s Hlasom k rodákom, i v Nárečí slovenskom... sa taktiež zdôrazňujú zásluhy bernolákovcov o slovenčinu, o kontinuitu národného vývinu: „Povíšeňja nárečja nášho Slovenskjeho za reč spisovnú od Bernoláka a požehnaních jeho nástupcou vikonanuo ňevišlo zo sebavolnosti, ale pridŕžaňja sa domáceho a z toho poznaňja, že Slováci len v svojom nárečí vlastnom dačo vikonať muožu. Nárečja naše bolo tímto mužom podstava, na ktorú si zastali a k ludu svojmu opusťenjemu a zaňedbanjemu sa obráťili. Robili braťja naši katolícki to samuo čo aj mi robíme a robiť chceme, horeli za tím samím za čo aj mi horíme, na srdci nosili to samuo, čo aj mi na srdci nosíme! Žijeme tu spolu, bívame na zemi staroocotskej, sme si zo všetkích najbližší, ba tí samí, a jeden o druhom ňevjeme! Robíme to samuo a ruki si ňepodávame! Prečže s tím rozčesnuťím, preč s cudzotou medzi bratmi! Podávame Vám ruki, braťja naši, na spoločnú pre národ náš prácu, ňevihnutňe k Slovenčiňe pristúpiť musíme, ku ktorej ste Vi už dávno pristúpili."[17] Peter Dobroslav Kellner-Hostinský svoju báseň Ku slávnosti mena Janovi Hollému 24. júna (1843) napísal na jeho počesť v bernolákovskej slovenčine a Ľudovít Štúr v literárnej prílohe Orol tatránsky umožňoval publikovať práce mladých katolíckych adeptov poézie používajúcich naďalej bernolákovčinu, kým zásluhou nadkonfesionálneho kultúrneho spolku Tatrín nepríde k definitívnemu zjednoteniu slovenskej inteligencie v otázke spisovného jazyka (aj keď len dočasne, lebo jazyková norma zostane roztrieštená až do matičného obdobia).

Vo viacerých básnických artefaktoch mladej romantickej generácie je evidentné, že bernolákovskú slovenčinu zásluhou národnobuditeľského hlasu Jána Hollého (i Spolku milovníkov reči a literatúry slovenskej s almanachom Zora) považuje rovnako ako Štúr za dôležitú fázu národného „prebúdzania", na ktorú nadviazala fázou „prebudenia"; charakteristické sú najmä básne Janka Kalinčiaka Velebnému otcovi Slovákov Jánovi Hollému na deň jeho mena 24. júna 1843, ktorej sme už venovali pozornosť, a Daniela Maróthyho-Moškovského Slovenska vstaje. Kalinčiak o Hollého „speve odkliatia" hovorí:

„Noc ešte tmavá – pieseň pevca hučí,
Ale zakliaty kraj iba ticho mlčí. –
Strach poznať možno už v starcovom hlasu,[18]
lebo sa nazdá, že prišiel zavčasu. –
Čas ďalej beží – sila mu upadá –
A predsa spieva, až len pokiaľ vláda.
A vtom spoza hôr slnko sa vytiahlo.
Svým okom vážnym na spevca pohliadlo.

Spevec zatrúbil – slnce zablyšťalo,
Na krajne praskli okovy zakliatia,
všetko zas z hrobu k životu povstalo,
Objímajú sa dávno mŕtvi bratia.
Všetko sa hrnie k divnému spevcovi
Jak malé dietky k dobrému otcovi:

Vďaka ti, otče, žes' pieseň zaspieval
Jak víchor silnú, jako vetrík hravú,
Žes' nás v zakliatí svojou láskou zhrieval,
Žes' nám ukázal k žitiu cestu pravú."

Daniel Maróthy vybudoval svoju príležitostnú báseň na alegórii almanachu Zora s jej najvýznamnejším autorom Jánom Hollým a literárnej prílohy Orol tatránsky, do ktorej prispievali autori poväčšine z bratislavského centra romantikov. Na rozdiel od Kalinčiaka Hollý zažene noc a vyvolá „zoru", prebúdzanie, druhá fáza – prebudenie – bude súvisieť až s vystúpením romantickej generácie:

„Hynú nad Tatrou búrlivé mrákavy,
v bleskoch sa spevec slovenský objaví.
Stane na Kriváň a iskriacim okom

Hľadí po našom svete prešírokom.
Spevec zatrasie harfy strunou zlatou,
Zaspieva pieseň nadchnutosťou svatou.
Vietor s ňou všade Slovenskom koluje,
A s ňou života iskru rozduchuje.
Mizne noc temna i strašné mrákavy –
Ranná sa zora červená –
Nový pomaly život sa objaví –
V Tatrách sa rodí premena:
Ale len zora a zora a zora –
Slnce nechce vynsť von spoza obzora.

Povstáva Slovensko – už život začína,
Ta na Kriváň zraky nádejne napína,
Na najvyššom jeho vrchovci mihavý
Blesk a v blesku Orol Tatranský sa zjaví.
Hen spoza Kriváňa blesky sa rozliali,
V nich sa mladé orla kriela okúpali,
A on smelým letom do výšky sa dáva,
On svetu zvestuje Tatier zmrtvýchvstania!
Už nie len zora a zora a zora,
Slnce nám vyšlo už spoza obzora."

Hoci sa nová jazyková norma ukázala skutočne ako progresívnejšia, presnejšie zohľadňujúca ekonomicko-spoločenské pomery a podmienky slovenského národného života a vývinu, nemožno uprieť ani zásluhy jej predchodkyne, na ktorej demokratický trend myšlienkovo nadviazala, a preto môžme na bernolákovskú slovenčinu aplikovať konštatovanie S. H.-Vajanského vyslovené o diele jej najvýznamnejšieho literárneho reprezentanta Jána Hollého: „Spisy v bernolákovčine nečíta terajšie pokolenie, ale nevediac samo z nej žije, a nebyť jej, cele ináč by žilo duchovne."

Poznámky

[1] VOTRUBA, F.: Jonáš Záborský. In: Prúdy 1912, č. 8–10. Pozri aj František Votruba – Vybrané spisy I. – Editor I. Kusý. Bratislava 1954, s. 195.

[2] Nitra II., 1844, s. 237.

[3] Takto označil bernolákovskú slovenčinu F. L. Čelakovský vo Vyjimkoch zo Svatopluka (Česká včela III., č. 15, s. 103).

[4] V citovanom článku Čelakovský konštatuje, že skutoční vlastenci a milovníci slovanskej literatúry iba s nechuťou a bôľom pozerajú na náhlenie sa slovenského kmeňa do vlastnej záhuby, ľutujúc najmä Hollého, že vynakladá toľko práce na neúrodnú roľu a nadarmo sa usiluje osiať ju svojimi vzácnymi darmi. Podobnú mienku vyslovil aj veľký obdivovateľ Hollého a prekladateľ do češtiny K. A. Vinařický.

[5] Predhovor Řeč k domorodcům k prekladu kázní J. Tótha a Š. Hamuljaka z roku 1826.

[6] Pozri napr. TIBENSKÝ, J.: Ideológia feudálnej národnosti pred národným obrodením. In: Slováci a ich národný vývin. Bratislava 1969.

[7] AMBRUŠ, J.: Ján Hollý očami svojich súčasníkov. Bratislava 1964, s. 85

[8] Esej Slovensko a jeho život literárny vychádzala v Slovenských pohľadoch od roku 1846, novú reedíciu s poznámkami a štúdiou pripravil R. Chmel. Bratislava 1972.

[9] Listy Ľudovíta Štúra I. Editor J. Ambruš. Bratislava 1954, s. 59.

[10] Plody Zboru učencủ československé prešporského. V Prešporku 1836, s. 58−72.

[11] Tamtiež, s. IV.−V.

[12] Korešpondencia Jána Hollého. Editor J. Ambruš. Martin 1967, s. 107.

[13] Korešpondencia A. B. Vrchovského. LA MS M 113, A 11.

[14] Ide o záznam rozhovoru po návšteve J. Petroviča, blízkeho spolupracovníka J. Hollého, v Ujlaku. Sokol I. (1862).

[15] J. Hollý M. Hamuljakovi: „Učenci prešporskí luteranskí (Ján Gáber, Ján Francisci, Samuel Vozár) ešte v Madunicách mi prisľúbili, že už čisto slovenskí napozatím písavat budú." Korešpondencia Jána Hollého, s. 173.

[16] Korešpondencia Jána Hollého, s. 173.

[17] Nárečja slovenskuo alebo potreba písaňja v tomto nárečí.

V Prešporku 1846, s. 70−71. A Michal M. Hodža, ktorý sa ešte r. 1833 „usiloval Slovákom nahradiť ujmu, ktorá sa im stala zásluhou bernolákovcov", r. 1847 v diele Epigenes Slovenicum síce konštatuje, že „Slovania Uhorska… až do r. 1787 nepoužívali svoj vlastný jazyk, ale jazyk bohemistický čiže český", ale už s diametrálne rozdielnym postojom k bernolákovskej kodifikácii, pretože „v onom už vyššie uvedenom roku 1787 totiž Anton Bernolák, vznešený Uhor, Oravec, muž nad všetkých ostatných odaný svojmu národu, vydal, a to jednak z vlastného presvedčenia a jednak aj z podnetu iných, ktorí jeho zámery povzbudzovali, svoje jazykovedné dielo Dissertatio philologico critica de litteris Slavorum. Táto jeho práca bezpochyby dáva najavo znamenitý dôkaz o takej jeho vzdelanosti, akou sa v tom čase málokto mohol v Uhorsku honosiť. A navyše vyvoláva aj v nás pocit veľkej radosti nad tým, že pri onom smutnom nedostatku mužov nášmu národu oddaných práve ona zásluhou len niekoľkých tak krásne obhájila spravodlivú vec nášho národa. (Zdôr. E. F.) Rozžala totiž taký svätý oheň lásky k vlastnému národu, že nielen ona sama triumfovala, ale podnietila aj duše našich rodákov k pravému nadšeniu zaň".

[18] Narážka na Žalospevy.

Hollý a Bernolák — dvaja ľudia, jeden človek

VILIAM TURČÁNY

„HOLLÝ A BERNOLÁK BOLI DVAJA ĽUDIA A JEDEN ČLOVEK."
A. Sládkovič J. Viktorinovi v liste 5. 8. 1862.
„Naposľedi ale, až bi sem bol p. veľkomožného ňečím obrazil a mali bi naproťi mňe ňejakú kiselosť mrzeňí anebo hnev, prosím pre Boha a pre všeckích svatích, ňech ráčá odpusťiť človekovi od samého ňeščasťá prenasledovanému, takto rok jedna a prám dňes druhá kravička mi padla, ovečki téš pohinuli etc. nebo kebi p. velkomožní v ňenávisťi mňa mali, to bi mňa vác trápilo nežli všecka ostatna moja bída a núdza."
J. Hollý v liste J. Palkovičovi 3. 4. 1833.

Možno prvé motto, že Hollý a Bernolák je jeden človek, bol by vďačne podpísal aj — Hollý, ktorý zas mohol sládkovičovsky vidieť jedného človeka v Bernolákovi a Palkovičovi. Obidvaja akoby mu predstavovali nového Konštantína-Filozofa a nového Metoda. Ak títo boli zakladateľmi *staroslovienskeho* písomníctva, Bernolák a Palkovič založili zas písomníctvo, takpovediac, *„novoslovienske"*. Bernolák-Filozof či *filológ,* zostavil pravopis a gramatiku a Palkovič-Metod, alebo aspoň *metodik* bernolákovského hnutia, preložil do tejto reči Bibliu a priam bratsky vydal obrovský Bernolákov Slovár, celé slovné bohatstvo nového jazyka. I týmto činom Palkovič dopĺňal Bernoláka podobne, ako Metod zavŕšil dielo Konštantínovo. Že Hollý v Palkovičovi skutočne videl jedného z ďalších slovanských bratov, dotvrdzuje sám vo venovaní Cirillo-Metodiady tomuto svojmu mecénovi:

Ti spolu najvatšá dosaváď méj podporo Umki!

Aj včil hov, keď o dvoch ti nové zňím prospevi bratroch
Premnoho jím rovnému
(J. Hollý, DIELO II, Tatran 1985, s. 16. — Podč. V. T.)

Druhé motto, o tej „kiselosťi, mrzeňí a hneve", je však trochu iného druhu. A predsa súvislosť medzi nimi je hlbšia, než by sa na prvý pohľad mohlo zdať. Hollý v doterajšej literárnej histórii i vo vedomí kultúrnej pospolitosti vystupoval ako dôsledný realizátor Bernolákovho programu v poézii, ako jeho priamy, pravoverný pokračovateľ. Citovaný Hollého list tento názor do istej miery nahlodáva a jeho ďalšia korešpondencia s Palkovičom odhaľuje dosť značnú priepasť, i keď sa ona nedotýka samého Bernoláka, ale jeho dediča, editora celej slovnej zásoby národa zhromaždenej zakladateľom prvého spisovného jazyka Slovákov.

Áno, Palkovič, editor Slovára i prvých troch základných diel v tomto jazyku sa dostal do sporu s najväčším bernolákovským pevcom, ba s jedným z najväčších slovenských básnikov vôbec.

Kto bol však príčinou, lepšie povedané, čo bolo pravou príčinou tohto sporu? Hollý sa nám dlho zdal ako dokonalé stelesnenie pokojnosti a teoretickej nevýbojnosti. Pravda, Korešpondencia Jána Hollého, vydaná Jozefom Ambrušom v Matici slovenskej roku 1967, mohla z tohto obrazu veľa skorigovať a kniha Márie Vyvíjalovej (Mladý Ján Hollý, Tatran 1975) odhalila už v dvadsaťročnom študentovi odvážneho polemika, ktorý sa nebál postaviť proti Fándlymu ako veršovcovi, nedostatočne odovzdávajúcemu pravidlá časomerného veršovania pre tých, čo k nemu nabádal.

191

A v Hollého *Prozodii*, čiže v jazykovo i literárnoteoretickom úvode k jeho Rozličným básňam (Trnava 1824), ktorá sa mohla javiť jedným z jeho najpokojnejších literárnych prejavov určených pre čitateľov iba na správne pochopenie jeho vlastnej metriky, rytmiky a strofiky, nachádza naša štúdia „Prvá prozodická príručka v spisovnej slovenčine alebo Ján Hollý ako teoretik verša" (Romboid 1987, č. 7, s. 50—59) *jedno z najpolemickejších vystúpení v našich sporoch o veršové pravidlá vôbec.* Pravda, túto polemiku viedol Hollý spôsobom sebe vlastným, teda tak, že ju utajil na dobrých stošesťdesiat rokov pred literárnou verejnosťou.

V Hollého Prozodii sú okrem iného aj príklady na rytmicky chybné verše. Do mája minulého roku (1986) pokladal som ich aj ja za hexametre zámerne vymyslené autorom, ku ktorým sa Hollý takpovediac „prinútil", aby ukázal čitateľom, ako časomiera nemá vyzerať. V Prozodii prvá časť druhej kapitoly nazvanej *O veršoch* totiž neuvádza autorov ani kladných ani záporných príkladov na tie či oné vlastnosti verša (Romboid, 1987, č. 7, s. 52—53 a 56—58). Bola potrebná dôkladná analýza, ktorá napokon ukázala, že rytmicky chybné verše patria inému bernolákovskému básnikovi, *Vojtechovi Šimkovi,* o ktorom Hollý píše Palkovičovi, že vo svojom Umení veršovskom „prozodie sa pridrží Bajzovej, a tak teda zléj, ačkolvek vedel a čítal 'Nečo' atď, kde chibi téjto prozodie sa vijavujú, zavrhujú a ona svetlíma dúvodí prebádaná a zňivečená je" (Hollého list z 12. 7. 1823).

Hollý vo svojom teoretickom traktáte útočí — okrem Šimku — i proti Bajzovi, a to na viacerých miestach, pravda, opäť bez uvedenia adresáta. No útok vedie vždy v mene Bernoláka, presne, v zmysle jeho spisu *Nečo o epigrammatéch anebožto málorádkoch Jozefa Ignáca Bajzi (Žilina 1794).* Teda predsa by bol Hollý a Bernolák — jeden človek?

Na potvrdenie tejto predstavy by sme mohli z Prozodie uviesť miesto, ktoré mieri nielen proti týmto dvom slovenským básnikom, Šimkovi a Bajzovi, ale i proti Hollého najväčšiemu učiteľovi z antiky! Hollý ako „ňemilé" označuje i „slova jednakovichádzajíce a jednakozňejíce", iným slovom *rýmy!* Ako príklad na túto „ňemilotu" uvádza tri verše:

„Včil sa v najľepšém svátečném rúchu *ukážme,*
Včil smetanú, mlékem bozké oltáre *polejme,*
A k spaňilím korunám voňavé kvítečki *hledajme."*
(Rozličné básňe, Trnava 1824, s. XXXV. – Podč. V. T.)

S neskrývaným odporom ešte dodáva: „Tak tito tri verše jeden za druhím stojá" (tamže). Terčom jeho útoku sú „jednakozňejíce slova" na konci troch veršov, čiže „ukážme-poľejme-hledajme", ktoré Hollý vybral *zo Šimkovej básne Rozmlúváňí pastírov.* Hollý tu presne a prísne bernolákovsky odsudzuje verše „jednako-konco-hlasné", ako si Bajza nazýval rýmované epigramy, ktoré *Bernolák pokladal za anachronizmus aj — a najmä — pre rým.* Bernolák totiž v spise, ktorý spomínal Hollý v súvislosti so Šimkovým Umením veršovským, vyššie hodnotí Bajzove „zvuko-mírné" (čiže časomerné a teda nerýmované) verše než jeho verše sylabické spojené záväzne s rýmom. Charakterizuje ich ako „jednakí počet skládek neb slovek (čiže ,slabík' — V. T.) a dva a dva jednakí spad (čiže ,kadenciu', vyznačenú práve rýmom – V. T.) majíce" (citované z knihy Bernolákovské polemiky zostavenej I. Kotvanom a publikovanej Vyd. Slovenskej akadémie vied 1966, s. 318). Podľa „latinákov" nazýva tieto sylabické a rýmované verše „rhitmi" (tamže) a dodáva, že v *rhitmoch* pán Bajza hlavi lámať si nemal, poneváč žádná tak sprostá devka, žáden tak sprostí šuhaj, není, kterí bi v nich zložených pesniček mnoho a mnoho predniesť v stave nebol. Ano, uš pred pánom Bajzom takéto *sedlácke veršovníctvo* minulého roku jeden trnavskí krajčír, menovite Vurcinger Matúš, u pána Václava Jelinka vitlačiť dal" (tamže, s. 318.–Podč. A. B.).

Hollý však cez citované trojveršie zo Šimku, spojené rýmom (ukážme-poľejme-hledajme), *kritizuje* fakticky, a to v Bernolákovom mene *i samého Vergília,* ktorý má v slávnej štvrtej ekloge svojich Bukolík takisto tri verše — síce tiež časomerné ako Šimko — ale súčasne aj ako Šimko má ich „jednako-konco-hlasné", či presne Hollého slovníkom povedané zakončené slovami „jednakozňejícími", a to ešte plnšie, rýmovo dokonalejšie, ako to bolo u Šimku:

Cara deum suboles, magnum Iovis incrementum!

Aspice convexo nutantem pondere m*undum,*
Terrasque tractusque maris caelumque prof*undum.*

(Cit. z knihy P. Virgilio Marone, Le Bucoliche, Ed. Giuseppe Malipiero, Bologna 1958, s. 70.–Podč. V. T.)

Pravda, Hollý nekritizuje svojho učiteľa iba nepriamo — cez Šimku, ale i *priamo* svojou básnickou praxou, keď tieto verše *preloží nerýmovane:*

Vzácné díťa bohov, naroďenče Jupitera *veľkí!*
Pozri, jak okruhlú kľenutí svet kňíše sa *ťerchú,*
Jak zem i rozložení morské, jak i víška *ňebeská.*
(Rozličné básňe, Trnava 1824, s. 15. – Podč. V. T.)

192

V preklade po rýmoch ozaj niet ani len vidu a slychu! Dvojjedinosť Hollého a Bernoláka v otázkach časomiery dala by sa doložiť ešte ďalšími príkladmi z Hollého Prozodie a z Bernolákovho spisu Nečo. Na druhej strane je nám však jasné, že Hollého časomiera v roku 1824 musela už stáť oveľa vyššie než ukážky veršovania, ktoré predkladal Bernolák Bajzovi ako vzory. Hollý nemohol napríklad akceptovať hneď prvé dvojveršie uvedené ako jedno z mott k spisu „Nečo" na jeho samom začiatku, ktoré Bernolák okrem latinského originálu doložil i v básnickom preklade do bernolákovčiny! Pozrime sa na poslednú, na šiestu stopu v obidvoch hexametroch Bernolákovej translácie:

Čiň, čože prospeje, víš; čo nevíš, abi prospelo, nechaj,
Blúd na zdar sa robí, múdrí všade istoti *hle*dí.
(Cit. z knihy Bernolákovské polemiky, s. 312. – Podč. V. T.)

V ťažkej dobe šiestej stopy hexametra, kde má Hollý už v roku 1824 vždy bezpodmienečne požadovanú *dlhú* slabiku, Bernolák v obidvoch citovaných veršoch kladie do nej prirodzene i pozične *krátke* slabiky „ne" a „hle"! Takúto metrickú licenciu nenachádzame dokonca ani v Šimkovom Rozmlúváńí pastírov z roku 1820), z ktorého bral Hollý záporné príklady na *rytmicky* (nie však okrem jednej výnimky – na *metricky*) chybné hexametre! Voľky-nevoľky, musel teda Hollý nepriamo polemizovať i so samým Bernolákom. Porovnaniu Bernolákovej i Fándlyho prozódie s versifikáciou Jána Hollého chceme venovať osobitnú štúdiu. Tu nastoľujeme iba otázku, či bol Hollý s Bernolákom skutočne „jedným človekom" i v otázke samého jazyka.

V známej *polemike o slovník eposu Svatopluk,* ktorú zviedol jeho autor s vydavateľom Slovára a najpravdepodobnejšie i s jeho korektorom (zaznamenanej v liste Jána Hollého Jurovi Palkovičovi z 3. 4. 1833), dosiaľ sme videli v Hollom „iba" *básnika,* ktorý sa odvážil oponovať Palkovičovi, *jazykovedcovi.* Napokon sme právom videli veci „iba" takto napríklad v knihe Na krásnu zahradu Hollého Jána, Tatran 1972, s. 49; v štúdii O básnickom jazyku Jána Hollého publikovanej v Pamätnici Jána Hollého, MS 1985, s. 320 a i. Podobne nazerá na tento problém i Stanislav Šmatlák v štúdii Ján Hollý-klasik slovenskej poézie (Pamätnica J. H., s. 132–133). Sám Hollý hovorí, že mnohé Palkovičom vyčitované slová by v Svatoplukovi nestáli, keby to bola „prostomluva", čiže próza a nie básnická reč. Okrem Hollého už len Hviezdoslav viedol takú ostrú rozhraničovaciu čiaru medzi jazy-

kom poézie a prózy. Dnes však po odhalení polemického charakteru Hollého Prezodie sa nám veci vidia zložitejšie. V *Hollom* proti jazykovedcovi Palkovičovi stál nielen veľký básnik, ale i *veľký jazykovedec.* Nie náhodou niečo neskôr vyzve Hollého žiak Jozef Petrovič svojho učiteľa, aby napísal aj slovenskú gramatiku, ako o tom svedčí Hollého básnická odpoveď:

Jozef, ti žádáš dobromluvní ráz abich
Spósob a náľežité
Pravidla dal slovenčini.
(Ján Hollý, Dielo I, Tatran 1985, s. 274. – Podč. V. T.)

Tu by sme si dovolili malé extempore. Ešte donedávna som aspoň v duchu pripúšťal možnosť, že Palkovič Hollého Prozodiu ani nečítal. Dnes som presvedčený, že určite čítal aspoň jej časť „PRAVIDLA Z VISLOVEŇÁ", v ktorej pred vyjdením Bernolákovho Slovára *Hollý musel iba sám,* na základe vlastných pozorovaní a svojho jazykového cítenia, hoci zaiste i za pomoci predošlých Bernolákových prác a prác českých autorov, o ktorých sa opieral aj Bernolák (porovnaj napr. Korešpondenciu Jána Hollého, s. 32 a Bernolákovské polemiky, s. 319), *určiť pravidlá, podľa ktorých sa riadili prirodzené dĺžky* (čiže Hollého terminológiou „akcenty") *vo všetkých textoch Rozličných básní vydaných v roku 1824.* A práve táto časť Hollého Prozodie sa stala prvým kameňom úrazu medzi ním a Palkovičom. Práve v nej zbadal Palkovič rozdiely medzi Hollého jazykom a jazykom Bernolákovho – alebo, čo je pravdepodobnejšie, *Bernolákovho-Palkovičovho* Slovára! Teda rozdiely medzi Hollého „akcentovaním" slov a medzi vyznačovaním dĺžok, ktoré vniesol do Slovára asi on sám, Jur Palkovič. *Preto potom odkladal s vytlačením Hollého prekladu Eneidy až do času, kým nevyjde celý Slovár* (Korešpondencia Jána Hollého, s. 32), aby Hollý podľa neho opravil svoj preklad, čo básnik aj urobil! Aspoň to tvrdí, hovoriac, že sa ho ponapraviť „*usiloval*" (v liste z 23. 2. 1828, Korešpondencia Jána Hollého, s. 48). Môžeme však pochybovať, že by to úsilie bolo príliš veľké tam, kde by bol musel meniť svoje pôvodné akcenty, čiže prirodzené dĺžky slov, a podľa toho prestavovať celé verše. Že Hollý toto nebezpečenstvo šípil dávnejšie, vidieť už z jeho listu datovaného 15. 6. 1825, kde vyslovoval želanie, aby Slovár „bez chíb v akcentoch vidan bit mohel" (Korešpondencia Jána Hollého, s. 34). A vehementne sa bránil Palkovičovej požiadavke, aby sa jeho preklad Eneidy tlačil niekde inde (v Budíne alebo Ostrihome), mimo trnavskej Jelinkovej tlačiarne, pri ktorej mal možnosť osobného dozoru na korektúry.

Za uchovanie tejto možnosti, hoci vskutku neoplývajúci finančnými prostriedkami a úpenlivo prosiaci Palkoviča o zaplatenie celého nákladu na vydanie Eneidy, bol ochotný osobne i „jedních 17 zlatích vinaložiť na posla", ktorý by korektúry z tlačiarne prinášal, aj opravené späť ich nosil do Trnavy (Korešpondencie Jána Hollého, s. 52).

Ak prvá Hollého reakcia na kompletné vydanie Slovára, najpravdepodobnejšie „poopraveného" Palkovičom, svedčí o jeho značnom sebaovládaní, dokonca o „úsilí" korigovať podľa neho už pätnásty raz celé *„preloženie"* Eneidy (pozri citovaný list z 23. 2. 1828), v druhom liste si Hollý už neodpustil príkru poznámku, že „kdokoľvek Bernolákov Slovár corrigoval, mnoho, veľmi mnoho sa prehrešil, že tolké tlačitelské chibi ňeodstraňil; ňekteré zaiste slova tak spotvorené sú, že sa človek aňi ľen dovtípiť nemôže, jako bi jích mal čítať a rozumeť; tak pre samú correcturu ten oborskí, znameňití a dokonalí Slovár ňehodňe trpeť mosí" (list z 9. 4. 1828, Korešpondencia Jána Hollého, s. 52).

Toto bol druhý úrazový kameň medzi Hollým a Palkovičom. Tretím, ktorý položil básnik do protipalkovičovského praku, bola jeho básnická prax vo Svatoplukovi. A práve na túto, ako keby mu to všetko raz konečne zrátal, zaútočí ostro a chladno zas Palkovič. Hoci Hollý obhajoval predovšetkým *básnické právo* na novotvary či bohemizmy, niektoré iba zdanlivé (O básnickom jazyku Jána Hollého, Pamätnica J. H., s. 320—321), vystupoval v obrane svojho slovníka aj ako zdatný jazykovedec.

Slovenská jazykoveda i literárna veda môžu len ľutovať, že sa vtedajšia polemika nerozvinula plnšie. Vtedy však ľutoval iba Hollý, že veľkomožného pána „obrazil" a vyvolal v ňom „kiselosť, mrzeňí a hnev". Zbadal sa konečne, že jeho kritický prak i básnická prax zasiahli v korektorovi „oborského" Slovára — jeho obrovského dobrodincu. Pravda, Palkovič sa ukázal ako vskutku veľkorysý mecén a bol ochotný, ako svedčí citované Hollého venovanie v Cirillo-Metodiade, vydať mu aj tento epos, i keď k tomu už pre Palkovičovu smrť nedošlo.

Inak, aby sme nevideli tieto fakty až príliš pochmúrne, treba povedať, že všetky nevyhnutné diferencie medzi Hollým na jednej a Bernolákom i Palkovičom na druhej strane nie sú u Hollého ničím iným než *naplnením klasickej formuly klasicizmu,* ktorá spočíva jednak *v nasledovaní uctievaných vzorov,* jednak *v ich prekonávaní,* a to i v mene ich vlastného systému. Vidieť to i na detaili vo vzťahu Hollého k Vergíliovi, ktorý bol jeho najväčším učiteľom básnického umenia. Ak Vergílius v Bukolikách má *130* bukolských dieréz, ktoré majú zvlášť vyznačovať tento „selankový" básnický žáner, tak Hollý už v samom ich preklade zvyšuje—pri tom istom počte veršov v celej skladbe (830 veršov) — ich množstvo až na *169!* Ale k Hollého vzťahu voči Vergíliovi treba prikročiť v osobitnej štúdii.

Zistené napätia medzi Hollým a Palkovičom by nás mali viesť k presnému určeniu, nakoľko sa Hollý vo svojich „Pravidlách z vislovené", v prvej časti Prozodie, zhodoval a nakoľko odlišoval už od *„predslovárskeho"* Bernoláka, a aké sú rozdiely medzi slovníkom jeho básní a Slovárom v tej podobe, ako ho vydal Palkovič. To by mohlo vymedziť i Palkovičov prínos do tohto veľdiela, do Bernolákovho Slovára, „prínos", ako sme videli, hodnotený Hollým naskrze záporne.

Pri otvorení tejto konferencie nás právom vyzýval riaditeľ Jazykovedného ústavu Ľ. Štúra k interdisciplinárnemu skúmaniu javov súvisiacich s osobnosťou a dielom A. Bernoláka i jeho stúpencov. Vzťah najväčšieho bernolákovského básnika k zakladateľovi jazyka, v ktorom sú Hollého básne zložené, je ukážkovým príkladom, na ktorom sa dôrazne manifestuje potreba interdisciplinárneho výskumu, čiže užšej spolupráce medzi jazykovedou a literárnou vedou. Táto spolupráca by okrem iného mohla stanoviť, i napriek Sládkovičovej krásnej formulácii, že Hollý a Bernolák boli jedným človekom, či predsa len tí dvaja ľudia neboli až traja, teda: *Hollý, Bernolák a Palkovič.* Ak by sme v tomto trojuholníku presne určili, čo komu patrí, jasná diferenciácia by nám pomohla lepšie vidieť i to, v čom bola ich skutočná jednota.

Hollého obraznosť v kontexte bernolákovského klasicizmu

VALÉR MIKULA

„Bratrove! zmisľiťe si, že blatnatí vek, pošmúrné stoleto žiľi pred nami naší Slováci. Včil nám svitľi osvícené časi. Usilujme sa z rečú, s písmámi, z vidaníma kňihámi náš národ, naše méno, naších potomkoch, keď ňe k zlatému, aspon ponajprv k stríbernému veku povíšiť.“[1]

Uvedený citát z Fándlyho Pilného domajšieho a poľného hospodára je veľmi známy, zrejme preto, že dobre vystihuje pocit i situáciu našich bernolákovcov, ich retrospektívny pohľad i projekt do budúcnosti. Okrem tejto vecnej stránky si však našu pozornosť zaslúži i výrazová podoba úryvku, predovšetkým metafory „blatnatí vek, pošmúrné stoleto“, ale aj „osvícené časi“ (čo si dnes už takmer neuvedomujeme ako metaforu) a idea zlatého či „stríberného“ veku, čo je tiež obrazné vyjadrenie.

Pravda, témou našej úvahy nie je Fándly, ale básnik Ján Hollý. Pôjde nám však o to, pokúsiť sa nájsť zhody medzi obraznosťou Hollého a obrazným vyjadrovaním bernolákovcov, a teda na pláne básnického obrazu potvrdiť súvislosť J. Hollého s obdobím, ktoré S. Šmatlák nazval bernolákovským klasicizmom.[2]

Básnik Ján Hollý bol literárnou vedou typologicky zaradený už do takmer každej slohovej formácie, ktorá pripadá v danom období do úvahy – a nijaké z týchto zaradení nie je bez opodstatnenia. Nájdeme uňho napr. naozaj dostatok barokových tém i výrazné barokové podanie (spomeňme si len na šokujúci obraz synov párajúcich brucho vlastnej matke v óde Na Jozefa – drastickosť výjavu je iba nepatrne zoslabená uvedomením si, že tou matkou je rakúska ríša a synmi sú zrejme reformační povstalci), barokovo eschatologická je tiež óda Na hlavi; neambiciózna, mechanicky preberajúca ideu vanitas vanitatis je óda Na pomíňají-

cú sa krásu; J. Kołbuszewski hovorí o katalógovom manierizme v básni Na krásnú zahradu.[3] Pokiaľ ide o zasadenosť Hollého do klasicizmu, o tej nemôže byť pochýb – práve ako klasického a klasicistického básnika ho charakterizuje nateraz posledné slovo do tejto problematiky, slovo S. Šmatláka.[4] A napokon nájdeme u Hollého i dosť znakov preromantizmu, najvýraznejším je hádam v tomto smere jeho „kult domáckosti“ (Kołbuszewski, s. 42).

Nechcem znovu rozdiskutovávať otázky štýlového zaradenia poézie J. Hollého, treba jednoducho prijať to, k čomu literárna veda dospela: Hollý sa do značnej miery javí ako zjednocovateľ často rôznorodých tradícií. V tejto jeho črte sa zároveň prejavuje špecifickosť malých literatúr, kde nič nenájdeme v tzv. čistej štýlovej podobe – v dôsledku iného vývinového rytmu (alebo ak chceme, zaostávania) sa v týchto literatúrach simultanizujú a krížia prvky často značne rôznorodé. Okrem tzv. štýlovo čistého vývinu, predstavy abstrahovanej z dominujúcich literatúr, sa zrejme vývin odohráva i takýmto promiskuitným spôsobom – a tento spôsob je rovnako legitímny ako predchádzajúci. Ba ak budeme pokladať vývin literatúry za jav systémovej povahy, potom interakcia centier a periférii patrí medzi základné charaktristiky systémového fungovania.

Vráťme sa však k bernolákovcom a k Hollému. Z rôznych vrstiev štruktúry Hollého poézie sa chceme zamerať na tie, ktoré ho identifikujú ako predstaviteľa druhej bernolákovskej vlny. Ide napokon o *dominantnú* vrstvu jeho diela. Pokúsime sa teda v krátkosti nahliadnuť, ako sa v jeho básnickom výraze prejavuje jeho príslušnosť k osvietensko-bernolákovským koncepciám a postojom.

Tejto malej sonde chceme ešte predložiť v literárnej vede dnes už bežne prijímanú skutočnosť, že tak ako má každá doba, obdobie či hnutie svoj *názorový* diapazón, repertoár tém, ideových postojov, riešení atď., rovnako má i svoj *výrazový* repertoár: obrazy, metafory, prirovnania, ktoré sa používajú na vyjadrenie koncepcií, nie sú nezáväzné, arbitrérne, lež tvoria vnútorne spätý systém, dalo by sa povedať jazyk doby. To, pravdaže, neznamená, že by napr. básnický obraz nemohol niesť pečať autorovej individuality či životnej konkrétnosti, v ktorej autor žije, no popritom alebo spolu s tým v sebe nesie i isté ideové koncepty, implikované názorové postoje, ktoré daný obraz zaraďuje do identifikovateľných vývinových línií, tradícií, prúdov — usystematizúvajú ho (tu nezáleží na tom, či sa takéto zaraďovanie deje už „vopred", t. j. s autorským vedomím a zámerom, alebo až ex post). Obraznosť nie je nezáväzným a od ničoho nezávisiacim vynáraním sa necentralizovaných predstáv. Ak už nič iné, tak ich integrátorom je choré vedomie subjektu. Takúto krajnú predstavu obraznosti však môžeme (a často musíme) tolerovať dnes ako čitatelia modernej poézie, bola by však nepredstaviteľná v racionálnom klasicizme. Práve klasicizmus so svojou ideou poriadku sa pokúšal vniesť „poriadok" aj do obraznosti. Dielo J. Hollého svedčí práve o takomto usporadúvaní, niekde dokonanom a dokonalom, inde sotva načatom.

Teraz si už teda môžeme položiť otázku, aké osvietenské ideové koncepty prenikajú do obraznosti J. Hollého, do jej systematiky. V Podzbúdzaní Ňemňislava Hollý pri charakterizovaní Ňemňislavovej (t. j. svojej) básnickej tvorby hovorí, že jej „ňechibí aňi vtip, ňechibí aňi bistrota prúdu".[5] Bystrosť prúdu je pozitívna charakteristika, no okrem toho je to charakteristika obrazná. Aké významy obsahuje tento obraz, čo konotuje? Bez obáv z triviálnosti jednoducho povedzme, že bystrina je voda čistá, nestojatá, čiže nezahnívajúca, svieža a je blízko k prameňu. Oproti bystrine tu stojí implikovaná predstava veľkej rieky, ktorá je mútna a vzdialená od svojho prameňa. Práve túto opozíciu básnik explicitne formuluje v óde Hlas Tatri — „Tatra" sa takto prihovára Váhu:

Čo tehdi tak do ňízkích
Valíš sa prudko rovňin?
Tu sám ti jak sklo čistí
Čisté bereš potóčki;
Tam od zamúťeních sa
Struh často sám zamúťíš.

Je to známa alegorická báseň, jej zmysel — boj proti odrodilstvu — netreba znovu dokazovať. Chceme len upozorniť na to, že aj jej obraznosť je hierarchizovaná a že v rámci tejto hierarchizácie sa geografické reálie začínajú ideologizovať. Tatry sú tu „vysoké" a roviny „nízke" nielen fyzikálne, ale aj eticky! Starý, prinajmenej od humanizmu tradovaný obraz matky a odrodilého syna tu zároveň nadobúda väčšiu kontúrovosť, zoslabuje sa zložka alegorickej abstraktnosti a posilňuje sa zážitkový, antropomorfný aspekt celého obrazu. Životný kontext, na ktorý sa báseň vo svojej zážitkovo-persuazívnej zložke odvoláva, už nie je barokovo drastický, skôr preromanticko sentimentalizujúci. Nejde tu už o rétoricky expresívny obraz syna, ktorý vlastnej matke pára brucho, máme tu skôr do činenia s márnotratným synom, ktorý sa ešte môže vrátiť domov. Kdesi v pozadí obraznosti tejto básne je síce archetypový, no životne pravdepodobný obraz rodiny, i keď nie celkom harmonickej. Odhliadnúc od tejto možnosti návratu i skrytej perspektívy zmieru na báze citu treba konštatovať, že v básni smer zhora dolu je smerom úpadku — s Váhom to naozaj ide „dolu vodou". Podobne ako s Labe v básni Na Slovenskí národ — tá sa zas správa ako márnotratná dcéra: je „spechavá k vrahom".

Vráťme sa však k identifikovanej opozícii čisté — mútne. Klasicistický ideál čistoty, nezmiešavania vecí heterogénnych, a poňatie „mútnosti", nejasnosti ako nežiaduceho javu zrejme diktoval Hollému aj metaforu, ktorou pomenúva opilosť. V selanke Vodní muž hovorí o pltníkoch na Váhu, ktorí „své podbahňili mozgi" a utopili sa — rovnako ako Váh sa „celý stratí vo víroch", keď sa bol „zamútil". V týchto obrazoch sú antropologické, národné i konkrétne miestopisné prvky integrované do služieb jedného významu, jednej idey.

V podobnom zmysle sa už v spomínanej óde Na Jozefa, ktorá je vlastne oslavnou reminiscenciou na Jozefa Druhého, medzi zásluhami tohto osvietenského panovníka spomína fakt, že tam, „kďe pred tím rozkaľené kisli Bahňišča, trsťinú a hnusním Zavľečené prepadľiska múľem Sa trásli, včil tam rozdrobené pluhom Zlatí ňesú klas brázdi" — z bahnísk a múľov sa stáva úrodné pole. Ten istý roľnícky kód používa Hollý aj na oblasť duchovnú: Ňemňislava „podzbúdza", aby svoju činnosť orientoval „tu raďej, pustích kďe Slovákov ňemnoho zrában, A všeľikím čmáňím pozarostlí ešče je úhor". Toto „protiúhorské" ťaženie je dobre známe i z „vecnej" literatúry Fándlyho (dostalo sa i do nadpisu: O úhoroch aj včelách). Hollého obraznosť je v tomto úplne súladná s vecnosťou osvietencov. A ešte jeden takpovediac systémový jav badáme v Podzbúdzaní. Ňemňislav je tu odrádzaný od toho, aby nosil vodu do Tiberu – do implicitnej opozície je tu postavená veľká rieka oproti malej, oproti „potóčkom chitrím", ako sa hovorí v tej istej básni.

Ak sme spomenuli doslovné fándlyovské úhory a obrazné úhory Hollého, spomeňme aj včely. V básni Pohľad na Slovákov sa básnik na „nosákovi" vznesie nad oblaky a odtiaľ vidí podtatranský ľud, ktorý „jak pilné včeli híbe sa prácach". Nie je to dnes pre nás obraz originálny, možno nebol ani v časoch Hollého, no určite bol ideovo veľmi pregnantný. Zviditeľňujú sa tu osvietenské idey zveľaďovania, kultivácie a pracovitosti, ktorá vo výsledku speje ku klasicistickým estetickým ideálom usporiadanosti, organizovanej mnohotvárnosti, riadeného bohatstva foriem – takého, aké je v Hollého „krásnej záhrade", kde „na mnoho též drobních tam všecko porádňe je hrádek rozďeľené". V tejto súvislosti uveďme, že u Hollého obraz mieru je obrazom práce a obrazom rastu priam prírodného, kým – a to nás špeciálne zaujíma – vojna je zobrazovaná ako povodeň. A to aj vtedy, keď ide o spravodlivú vojnu! V epose Svatopluk autor rozvinuto prirovnáva boj Svatopluka s Bavormi, jeho rútenie sa na nich k rozvodnenému Váhu. Aj keď teda ide z hľadiska „národných záujmov" o pozitívnu činnosť, jej obrazné vyjadrenie navodzuje i negatívne konotácie. Je to nutné zlo, keďže Svatopluk „zrobenú všaďe zem, do samej až mrtvini zvléklú, Rozbroďení všaďe múl, a ohromnú spustu ňecháva". Ako výstraha sa nám tu objavuje nebezpečenstvo fándlyovského „blatnatého veku".

S povodňou metonymicky, príčinne súvisí búrka. V básňach, v ktorých v oblasti filozoficko-mravnej Hollý presadzuje novoklasické ideály stoicizmu, objavíme verše, v ktorých sa „zlé svedomí ňešľechetného" muža prirovnáva k búrke, čo „bez všej Míri a odtuchi strelmi tríská" (Na Adalberta Bartakoviča). Osvietenský ideál spoločenskej prosperity sa tu spája so skutočne klasicistickým (t. j. na klasiku odkazujúcim) ideálom vnútornej vyrovnanosti človeka. Osvietenská činorodosť, zameraná navonok, nejde celkom dokopy so starosťou o osud vlastnej duše, no tieto disociované oblasti Hollý spája metaforikou: tak ako je vnútorná búrka neprospešná duši, tak vonkajšie búrky (vojny) sú neprospešné spoločnosti.

A nakoniec ešte upozorníme na jeden „vodospytný" moment u Hollého. V básni Na Jozefa Feketího, latinského básňika, nájdeme obraz Dunaja, ktorý „ňikdá dosť sitím Loká hrtánem vodstvo rék" (Dunaj tu plní „funkciu" Tiberu z Podzbúdzáňí Ňemňislava). Chamtivosť, žravosť Dunaja je alegorickým zobrazením vzťahu latinského veršovania k slovenskému. Tento moment, pravda, ideovo ešte neexplikovaný, sa objavuje už v Svatoplukovi, kde sa vraví, že „Dunaj bere Váh a krutími do nútra ustmi loká". Kým v Svatoplukovi ostáva obraz krutosti ešte významovo nezúžitkovaný, je takpovediac na animálnej úrovni, v básni Na Jozefa Feketího sa už stáva súčasťou radu argumentov proti latinskému, čiže neslovenskému písaniu – je teda ideologizovaný.

Naznačili sme už, že v Hollého tvorbe, najmä v Pesňach, sa stretneme aj s nestráveným literárnym (predovšetkým barokovým) dedičstvom. Také sú básne na tému memento mori (Na hlavi, Na pomíňajícú sa krásu). Druhou ideou tradovanou už od stredoveku je idea cave avaritiam – chráň sa lakomstva. Aj na túto tému nájdeme v Pesňach báseň (Na lakomca), rovnako iba mechanicky preberajúcu tradované. No predsa len tento druhý motív nie je u Hollého až taký neorganický. Vnucujúcu sa silu tradovanej interpretácie básnik zvládol pomocou systémových súvislostí svojej obraznosti. Spomeňme si na obraz Dunaja, ktorý „ňikdá dosť sitím loká hrtánem vodstva rék". Nenásytnosť, lakomstvo sa tu prisudzujú rieke, Dunaju – a vieme už, aké ideové konotácie súvisia u Hollého s obrazom veľkej, mútnej rieky a Dunaja zvlášť. Prostým básnickým prirovnaním sa takto preklenuje epochálny rozdiel medzi barokovou mravoučnou didaxiou a národnoobrodeneckou agitáciou.

Osvietenské „antiblatnaté" ťaženie tak vďaka Hollého básnickej (obrazotvornej) realizácii dokázalo absorbovať a zjednotiť koncepcie, ktoré by inak ostali v heterogénnom stave. Počiatočnú Fándlyho metaforu „blatnatého veku" Hollý rozvinul do celého obrazového systému. Podarilo sa mu ukázať, že zablatená je nielen slovenská dedina (čo je asi zdroj Fándlyho obrazu), ale že podobné „blato", „bahno", „múľ" predstavujú aj tie ideové, národnostné či etické koncepty, ktoré protirečia osvietenskému a národnoobrodeneckému programu.

Poznámky

[1] Citujeme podľa vydania Juraj Fándly: Výber z diela. Red. J. Tibenský. Bratislava, VSAV 1954, s. 252.

[2] ŠMATLÁK, S.: Ján Hollý – skutočný klasik slovenskej poézie. In: Ján Hollý: Dielo I. Bratislava, Tatran 1985, s. 31.

[3] KOŁBUSZEWSKI, J.: Poézia pravdy a pravda poézie. Bratislava, Tatran 1978, s. 36.

[4] ŠMATLÁK, S.: C. d.

[5] Citujeme podľa vydania Dielo Jána Hollého. Red. J. Ambruš. Trnava, Spolok sv. Vojtecha 1950.

Frazémy v Hollého preklade Vergíliovej Eneidy

JANA SKLADANÁ

Pri príležitosti 200. výročia narodenia Jána Hollého sa celé jeho dielo zhodnotilo na viacerých konferenciách, sympóziách, slávnostných zasadnutiach i na stránkach príležitostných zborníkov, odborných časopisov a v dennej tlači. Analýze jeho diela sa venovali literárni vedci, jazykovedci i historici. Výročie Jána Hollého bolo vysoko ocenené aj z medzinárodného hľadiska. Svetová kultúrna organizácia UNESCO zaradila Jána Hollého do svojho programu kultúrnych výročí na r. 1985.

Napriek tomu, že sa dielu Jána Hollého venovala mimoriadna pozornosť, treba konštatovať, že zo strany jazykovedcov analýza Hollého diel nie je ešte vyčerpávajúco a dostatočne vypracovaná, najmä pokiaľ ide o výskum jeho slovnej zásoby, ktorá je neobyčajne bohatá a rozsiahla. Treba privítať návrh J. Horeckého na spracovanie úplného Hollého slovníka, ktorý by zachytil kompletný opis slovnej zásoby z jeho diela (Horecký, 1985, s. 369).

Náš príspevok chce doplniť práce, ktoré sa zaoberajú výskumom slovnej zásoby Jána Hollého, o analýzu frazém v jeho preklade Vergíliovej Eneidy. Otázkou frazeológie v Hollého diele sa doteraz zaoberala E. Krošláková (1985), ktorá z tohto hľadiska podrobila rozboru Hollého epos Svätopluk.

Preklad Vergíliovej Eneidy sme nevybrali náhodne. Preložiť do slovenčiny také dokonalé básnické dielo, ktoré sa pokladá za jedno z najkrajších diel rímskej literatúry, je úloha mimoriadne ťažká a zodpovedná tým viac, že hexameter je slovenskej poézii cudzí. Ako konštatuje J. Horecký, „práve tento preklad má dôležité postavenie v Hollého tvorbe, a to nielen preto, že je to vydarený, do veľkej miery samostatný pokus o pretlmočenie i jazykovo vyspelého latinského diela do menej vyspelej slovenčiny

vtedajšieho obdobia. Hollý sa musel pri tomto preklade vyrovnávať aj s prozodickými vlastnosťami, ktoré aj napriek špecifickým kvantitatívnym vlastnostiam západnej slovenčiny (pomerne dosť dĺžok) neboli vždy jednoduché na riešenie". (Horecký, 1985, 369.) Hollého básnická tvorba sa vlastne začala prekladmi gréckych a rímskych básnikov, ktoré boli akoby skúšobným kameňom pre jeho vlastné dielo. Je známe, že Hollého preklady antických autorov ovplyvnili aj jeho neskoršiu tvorbu, najmä pokiaľ ide o dokonalé napodobenie antického slohu a verša, pričom nešlo, samozrejme, o úplne mechanické napodobňovanie, ale o snahu vyrovnať sa s originálom a tvorivo ho pretransponovať do ešte mladej rozvíjajúcej sa slovenčiny a dať im aj z obsahovej stránky slovanskú i slovenskú ideovú náplň.

To, čo konštatuje J. Horecký o výbere slov v Hollého preklade Vergíliovej Eneidy, totiž že treba brať do úvahy aj ich metrickú, prozodickú charakteristiku, platí v plnej miere aj o frazémach, ktoré takisto musel Hollý podriadiť epickému hexametru, ba niekedy to bolo ešte zložitejšie, pretože nešlo o jednu lexému, ale najmenej o dve, často i o viac. Tým náročnejší bol teda preklad, pretože počet slov zodpovedajúcich jednej frazéme v origináli nemusel vždy zodpovedať príslušnému ekvivalentnému spojeniu v slovenčine.

Z Hollého prekladu Vergíliovej Eneidy sme vyexcerpovali cca 280 frazém. Po všeobecnom rozbore jednotlivých typov a jednotlivých vecných okruhov sa pokúsime porovnať Hollého preklad jednotlivých frazém s Vergíliovým originálom (Virgilius, 1837, 1839) a súčasným slovenským prekladom V. Bunčákovej a P. Bunčáka (Vergilius, 1969). Zameriame sa na to, ako vhodne či menej vhodne vyberal Hollý slovenské ekvivalenty k jednotlivým latinským frazémam alebo spojeniam, v čom sa odlišoval, v čom sa zhodoval, ako sa uplatňovala jeho znalosť latinského jazyka a jeho prekladateľská tvorivosť, v čom bol závislý od latinského originálu na úkor zrozumiteľnosti a umeleckej hodnoty textu. Samozrejme, všetky príklady budeme porovnávať s mimoriadne kultivovaným prekladom V. Bunčákovej a P. Bunčáka. So zreteľom na tento preklad i na celkový stav v súčasnej slovenčine budeme sledovať dynamický vývin jednotlivých frazém od Hollého obdobia až po súčasnosť.

V Hollého preklade sú zastúpené takmer všetky typy frazém. Ide o príslovkové frazémy, napr.: sem i tam, nad mieru, prez deň i prez noc, na mále, až do smrti; slovesné frazémy, napr.: priasť poslednú nitku, obrátiť päty, stoly od hladu hrýzť, lámať mozgy; frazémy so stavbou vety, napr.: smrť bola na dverách, zima lámala kosti, berte sa po svojich; i prirovnania, napr.: pracovať ako včely, chytrejší od vetra, krehký ako ľad. Okrem týchto ustálených prirovnaní sa v preklade vyskytuje veľké množstvo rozvitých prirovnaní, ktoré sú typické pre básnický umelecký prejav a ktoré nemožno pre ich jedinečnosť a rozsiahlosť pokladať za ustálené. Napr./ Neb sama ozdobné vlasi, švárnej lesku mladosti /A skvúcéj peknosti očám dala sinkovi matka./ Tak jako keď slonovím kosťám ruku ozdobu dáva,/Neb keď sa zlatem obrúbí mramor anebo stríbro I, verš (ďalej v.) 588—591; Spádá Eurialus mrúcí, a pres údi milostné / Krv teče, i kľeslá na své šija ramena ľehá / Jak keď červenaví, preťatí od radľice, kvítek / Vadnúc omdlíva, neb jak makovička oslablím / Nahně krkem hlavu, keď zmoklá od déžďa oťažne. IX, v. 431—435.

Charakter vecných okruhov jednotlivých frazém je v súlade s tematikou diela, ktoré je síce epickým dielom s hlbokým zmyslom pre dramatizáciu, ale obsahuje aj množstvo lyrických vsuviek (Vergilius, 1969, s. 326, doslov V. Bunčákovej). Celý epos je nabitý napätím, či už dejovým alebo psychickým. Zákonite a plynule sa tu striedajú životné situácie vyjadrujúce tvrdý, neľútostný boj na život a na smrť, vraždenie, zabíjanie, strach, hrôzu, utrpenie, žiaľ, zármutok, zúfalstvo, zradu, nenávisť, zlobu, bezcitnosť, ukrutnosť, duševnú bolesť, rozorvanosť a pod. so životnými situáciami vyjadrujúcimi túžbu po živote, po mieri, slávu a veľkosť národa a ríše, obetavosť, hrdinstvo, pokoj, lásku, nádej, ľudské šťastie, ľúbostný vzťah, priateľstvo, vernosť. Popri týchto záporných i kladných momentoch v ľudskom živote sú metaforicky v epose opísané aj úkazy a krásy prírody, zvláštnosti krajiny, úsmevné hry popri besniacich a zúriacich prírodných živloch. Okrem týchto vyhranených proti-

pólových životných situácií sú tu zachytené aj bežné, všedné javy a činnosti z každodenného života. Do opisu týchto pestrých, rozmanitých i bežných situácií je harmonicky začlenená celá škála ustálených spojení, ktoré jednotlivé básnické obrazy podfarbujú, zvýrazňujú a tvoria vhodný a účinný prostriedok na básnické vyjadrenie deja. Z tohto hľadiska sme začlenili jednotlivé frazémy do niekoľkých vecných okruhov.

I. Verba dicendi. V tejto skupine ide o frazeologické vyjadrenie slovies s významom povedať, hovoriť, prehovoriť, napr. pustiť slová ústami, hlas ústami padne. Pri niektorých frazémach je vyjadrené aj okolnostné určenie pomocou výrazov pochybný, sipiaci: triasť pochybné reči medzi niekoho, púšťať sipiaci hlas. Viaceré frazémy vyjadrujú negáciu procesu hovorenia vo významoch prestať hovoriť, nemôcť hovoriť, mlčať, napr. preťať reč, slová nejdú ústami, reč ustane v hrdle, držať ústa. Do prvej skupiny možno zaradiť aj neosobné spojenia roznáša sa povesť, ako je povesť, povesti sa rozídu s významom hovorí sa, vraj, roznesie sa. Osobitným prípadom je frazéma brúsiť niekoho rečou vo význame dráždiť, provokovať niekoho slovami.

II. Verba sentiendi. Túto skupinu reprezentujú frazémy vyjadrujúce slovesá vidieť a počuť. Najčastejšie sú frazémy k slovesu vidieť. Ide predovšetkým o základný význam „zmyslového vnímania zrakom" pozerať sa, dívať sa na niekoho, niečo, napr. opierať, oprieť sa, (za)niesť sa okom, očami, zrakom, zrakmi na/v niekoho, niečo, vnášať oči na niekoho. V niektorých frazémach je vyjadrené adjektívami aj okolnostné príslovkové určenie, napr. nepekne, priamo, bystro: patriť škaredými očami na niečo, zanášať chytrými očami na niečo, patriť rovnými očami na niečo. Vo frazéme točiť očami, zrakmi je vyjadrený význam pozerať sa prekvapene alebo napäto. Ďalšia frazéma utiahnuť sa z očí má negatívny význam vzdialiť sa, stratiť sa z pohľadu niekoho.

Druhým slovesom v tejto skupine je sloveso počuť, vypočuť, počúvať so základným významom „vnímať niečo sluchom", napr. dostať sa do uší, k ušiam niekoho, prísť do uší, dopustiť do uší. Niektoré frazémy obsahujú aj okolnostné príslovkové určenie s významom pozorne, napr. popristať (bedlivými) ušami, držať (pozorné) uši na niekoho.

III. Postojové slovesá. Do tejto skupiny sme zaradili viaceré sémantické typy slovies, no pre všetky je charakteristický základný spoločný sémantický príznak zaujatia postoja, reagovania agensa voči pacientovi. Zahrnuli sme sem frazémy vyjadrujúce významy vážiť, ctiť si, chváliť, obdivovať, zbožňovať niekoho (aj ich negatívne podoby), napr. podvíhať niekoho k (hviezdnym) nebesám, povýšiť meno niekoho až k hviezdam, vychvaľovať niekoho až do neba, utiekať sa k niekomu, zohyzdiť meno niekoho niečím, nemôcť vysloviť meno niekoho, nezniesť v ušiach meno niekoho, padnúť v nemilosť u niekoho, ďalej významy spomenúť si na niekoho, zabudnúť na niekoho, dbať o niečo, napr. vpadnúť do mysle, sňať z mysle, vypustiť z mysle niečo, vyhnať, vypustiť zo srdca niekoho, niečo, vyrážať z hlavy (ľahko) niekoho, vyjsť z mysle, lámať mozgy.

IV. Slovesá vyjadrujúce fyzické pocity, napr. hlad, zimu, napr. stoly od hladu hrýzť, čakať niekoho s vyschlým hrdlom, zima lámala kosti.

V. Slovesá vyjadrujúce duševné pocity, napr. hnevu, strachu, hanby a pod. Ide napr. o frazémy zapáliť sa (prudkým) hnevom, prsia rozdúva vztek, horieť srditosťami, strach prechádzal kosti, prez (mocné) kosti (ľadový) strach sa rozchádzal.

VI. Prechodný typ k predchádzajúcej skupine predstavujú slovesá vyjadrujúce psychofyziologické prejavy, napr. triasť sa od strachu, vlasy sa najeŽia strachom, zraky stuhnú niekomu. Najfrekventovanejšie je sloveso plakať, ktoré je vyjadrené frazémami liať, lievať, vylievať, cediť slzy, slzy zalejú tvár, obliať slzami niečo, líca moknú. Niektoré frazémy obsahujú aj okolnostné špecifikačné príznaky ticho a veľa, napr. vylievať tiché rieky sĺz, vylievať hojne slzy.

VII. Slovesá so sémantickým príznakom „zrod, porodenie, vznik nového života". Vyjadrujú ich frazémy vyniesť na svet, svetlo niekoho, dať na svet, svetlo niekoho.

VIII. Najfrekventovanejšie sú frazémy obsahujúce základný sémantický príznak „smrť". Najčastejšie vyjadrujú význam zomrieť, obyč. v boji (aj dobrovoľne), napr. opustiť, poskladať, odovzdať život, odovzdať sa svojím životom na vetry, život rozfúknuť do vetrov, život zmizne do vetrov, smrť padla na niekoho, ísť zo sveta, opustiť svet, svetlo, svetlá sa zavrú, zastane zrak niekomu, vypustiť ducha, (za)platiť (svojou) krvou niečo, hryznúť zem ústami. Niektoré frazémy vyjadrujú príznak „dobrovoľnej smrti", napr. odňať si život (niečím), nájsť smrť sám sebe, urobiť si smrť, odejmúť si bolesti mečom. Ďalšie frazémy vyjadrujú proces zomierania, stav pred smrťou, napr. púšťať ducha, smrť bola na dverách, môj stín sa pod zem uberá, priasť poslednú nitku. Pre ďalšie frazémy je charakteristický význam zabiť, zabíjať niekoho, obyč. v boji, napr. priviesť niekoho o život, oblúpiť niekoho zo života niečím, dať niekoho smrti, zniesť niekoho zo sveta, brať niekoho zo sveta mordom, vyhubiť niekoho železom a ohňom, odoslať

niekoho do (slepého) pekla. Zriedkavejšie sa vyskytujú frazémy s významom zachrániť seba alebo niekoho iného pred smrťou, napr. ujsť od smrti, vytrhnúť niekoho zo smrti.

IX. Slovesá pohybu so sémantickým príznakom „útek", napr. obrátiť chrbát niekomu, zavrátiť, vydávať chrbty, obrátiť päty, zadky.

X. Frazémy vyjadrujúce (z)ničenie, (s)pustošenie, napr. niesť, zoslať, spustiť, povypúšťať (hroznú) skazu (na niekoho, niečo), zanechať niečo v nič.

XI. Do poslednej skupiny sme zaradili ostatné frazémy z najrozmanitejších oblastí, napr. postúpiť berlu niekomu, dosiahnuť berlu, pojať moc a sekeru, byť v niečích rukách, podať ruku (s) hostinstvom, potkať sa (so) železom, zľahnúť manželskou fakľou, strhnúť vienky z hláv a pod.

Porovnať frazémy v Hollého preklade Vergíliovej Eneidy s originálom i so súčasným slovenským prekladom V. Bunčákovej a P. Bunčáka z r. 1969 je úloha pomerne náročná. Jednak ide o posúdenie, či boli zvolené primerané a vhodné slovenské ekvivalenty voči latinskému originálu pri dôslednom zachovaní epického hexametra, jednak treba prekonať jazykovú bariéru vyplývajúcu nielen z vyše storočného časového odstupu, ale aj z faktu, že Hollého jazyk reprezentujúci Bernolákovu západnú slovenčinu predstavuje do istej miery odlišný jazykový systém oproti súčasnej spisovnej slovenčine utvorenej na základe Štúrovej strednej slovenčiny. Ide teda o viaceré otázky nerovnakého charakteru. Pri porovnávaní sme si zvolili za východiskový materiál Hollého preklad. Frazémy v jeho preklade sme rozčlenili na tri základné skupiny, a to: 1. Frazémy zhodné s originálom (ďalej V) aj s prekladom V. Bunčákovej a P. Bunčáka (ďalej B); 2. Frazémy celkom alebo čiastočne odlišné od originálu aj od súčasného slovenského prekladu; 3. Frazémy zhodné s originálom a odlišné od slovenského prekladu. Uvedomujeme si, že celkom presné hranice medzi týmito skupinami nemožno vždy určiť, pretože pri porovnávaní dvoch slovenských prekladov nejde len o lexikálnu zhodu, resp. odlišnosti, ale aj o zvláštnosti a špecifiká v oblasti hláskoslovia, morfológie, slovotvorby, syntaxe a štýlového rozvrstvenia vyplývajúce z odlišností dvoch podôb slovenského jazyka. Osobitné problémy vznikajú pri porovnávaní Hollého prekladu s originálom, pretože tu ide o dva celkom rozdielne jazykové systémy.

1. Prvá skupina frazém je najpočetnejšia. Svedčí to výrazne v prospech Hollého prekladu, pretože sa jednak vyrovnal s latinským originálom, jednak sa značne priblížil k súčasnej slovenčine, čo dokazuje, že už prvá podoba spisovnej slovenčiny, kodifikovaná A.

Bernolákom, bola predovšetkým v oblasti slovnej zásoby základom a prameňom dnešnej slovenčiny, i keď z hľadiska jej historického, kontinuitného vývinu. Uvedieme niektoré príklady. H: (dcéra priamska) / Víťaza pána aňiž v otroctve sa posťele ňetkla!; B: / V zajatí sa nedotkla postele víťaza pána!; V: / Nec victoris heri tetigit captiva cubile! III, v. 323; H: / Sám sebe smrť najďem; B: / Sám si nájdem smrť; V: /Ipse manu mortem inveniam II, v. 641; H: i vsťeklé Párki posľednú / Lauzovi ňitku pradú; B: Pre Lausa Parky už pradú / posľednú niť; V: extremaque Lauso / Parcae fila legunt X, v. 814−815; H: / Ňišt sa ňemáš aňi báť, že mosíš stoľi od hladu hriznúť; B: / Neboj sa, že raz budeš musieť hrýzť od hladu stoly/; V: / Nec tu mensarum morsus horresce futuros III, v. 392; H: i ščence oďešlé / Vischlím jich čekajú hrdlem; B: doma ich so suchým hrdlom / čakajú štence; V: catulique relicti / Faucibus exspectant siccis II, v. 356; H: / Uzdu prijať krem chcú i premohlí víťazu slúžiť/; B: pravda, ak neprijmú uzdy a odmietnu slúžiť / po páde víťazom; V: Ni frenum accipere et victi parere fatentus, / Ernam, et aequa sola fumantia a culmina pona XII, v. 567−568; H: / Uťeká od vetra chitrejší/; B: Utekal rýchlejšie ako / víchor; V: Fugit ilicet ocior Euro / VIII, v. 223; H: / Smrtní meč, krehkí jako lad, zňenadála sa vrhmi / rozlámal; B: / smrteľný meč sa krehko sťa z ľadu rozletel pod tým / úderom; V: / Mortalis mucro, glacies futilis, ictu / Dissiluit XII, v. 740−741.

2. V druhej skupine je veľké množstvo takých frazém, ktoré by vlastne mohli patriť do prvej skupiny, pretože odlišnosti Hollého prekladu od originálu i od súčasného slovenského prekladu nie sú až také výrazné. No keďže sme si zvolili prísnejšie kritériá vzhľadom na vhodnosť, výstižnosť a presnosť slovenských ekvivalentov, no zároveň aj na umelecké, básnické vyjadrenie voči latinskému originálu, aj táto skupina je pomerne početná. Nepredstavuje veľký odklon od porovnávaných diel, no predsa len obsahuje frazémy s výraznejšími rozdielmi. V mnohých prípadoch ide o synonymá. Napr. H: / Roznáša sa povesť; B: / Letí povesť; V: / Fama volat III, v. 121; H: (matka) / Zastala, a krásními také slova pusťila ustmi/; B: ružové ústa pridajú slová / ; V: / Continuit, roseoque haec insuper addidit ore / II, v. 591; H: V tom brala skázu ľeťícá (podlaha) / S praskotem; B: Veža sa rozsýpa, rýchlo sa rúti, / rachotí; V: / Iuncturas tabulata dabant, / convellimus altis II, v. 463−464; H: / A včil dobre sa maj; B: / Teraz však zbohom; V: / Imaque vale V, v. 735.

3. V tretej skupine frazém sa najvýraznejšie prejavuje Hollého závislosť od latinského originálu,

i keď, samozrejme, vo väčšine prípadov nie v negatívnom zmysle. Možno niektoré preklady nie sú vždy najvhodnejšie a najprimeranejšie, vyznievajú miestami trochu ťažkopádne a meravo, no fakt, že sa Hollý v týchto prípadoch pridržiaval originálu a nehľadal inú cestu prekladu, neuberá na hodnote jeho diela. To, že viaceré frazémy zostali charakteristické len pre tento preklad a nezachovali sa až do súčasnosti, ešte neznamená, že v Hollého období boli celkom neznáme. Niektoré z nich obsahuje aj Bernolákov Slovár. Uvedieme niekoľko príkladov, kde sa zhoduje Hollého preklad s latinským originálom a odlišuje sa od Bunčákovej prekladu. H: / Svú abi skór vikonať mohla raddu, a svetlo opusťiť; B: / Aby sa rozhodla čím skór to spraviť a zriekla sa žitia/; V: / Quo magis inceptum peragat lucemque relinquat IV, v. 451; H: Ba práve bi všecko / Svím boľi prešľi okom; B: Práve by boli / prezreli všetko; V: Quin protenus omnia / Perlegerent oculis VI, v. 33−34; H: / Buď zahnatí všeckému chrbát obráťiľi vojsku/; B: / vedno s celými šíkmi alebo na útek (sa) dali/; V: / Agminibus totis aut versi terga dedere / IX, v. 682.

Už na začiatku sme uviedli, že zaradenie Hollého frazém v porovnaní s latinským originálom a so súčasným slovenským prekladom do troch uvedených skupín nemôže byť celkom presné, no pokúsili sme sa o to kvôli tomu, aby sme ukázali kvalitu jeho prekladu. Urobili sme aj percentuálny výpočet. Z celkového počtu frazém 276 predstavuje prvá skupina 50 % (140 frazém), druhá 30 % (80 frazém) a tretia 20 % (56 frazém).

Samozrejme, v Hollého preklade sa vyskytujú aj nevhodné a neprimerané slovenské ekvivalenty. No vzhľadom na celkovú dobrú úroveň prekladu je takýchto prípadov veľmi málo. Väčšinou ide o prílišnú závislosť od latinského originálu, teda kalkovanie latinských spojení, ktoré v slovenčine neboli bežné a používané. Tu však treba brať do úvahy aj snahu najviac sa priblížiť latinskému originálu a pretlmočiť ho pre slovenčinu nezvyčajným, novým spôsobom, aj keď závislosť od latinčiny nie je pre Hollého typická (Hendrich, 1922, s. 334). Trochu neobratne, nepriezračne a nezvyčajne pôsobia u Hollého niektoré slovenské ekvivalenty, napr. vyniesť nohu, vydávať chrbty, nosievať cez ústa, zanášať sa očami na niečo, popristať ušami podľa latinských spojení effere pedem, dare terga, per ora ferre, oculos ferre, auribus adstare. V súčasnom slovenskom preklade sú k týmto spojeniam ekvivalenty odísť, utekať, byť živý v ústach niekoho, očami hľadieť na niečo, natŕčať uši.

S prílišným viazaním sa na latinský originál súvisí u Hollého predovšetkým zachovávanie latinského slovosledu, čo robil kvôli dodržaniu časomiery. V slovenčine však takýto slovosled pôsobí štylisticky neobratne a ťažkopádne. Napr. /Zrázu na tú prudkím sa hňevem reč Alekto zapáľí/ VII, v. 444; Pohnutú slzi ľévali mislú /Dardánskí IX, v. 291—292. Príkladov na takýto slovosled, cudzí slovenčine, je dosť veľa.

Veľkým prínosom Hollého prekladu je snaha o priblíženie sa k živej, používanej reči. V Eneide je pomerne triezvy jazyk, málo variantnosti a ešte menej pohrávania sa so slovami (Horecký, 1985, s. 372). Na základe našej analýzy možno konštatovať v súlade s Horeckým v oblasti výberu slov aj v oblasti výberu frazém, že Hollý využil bohaté, rozmanité a často nedocenené možnosti slovenského jazyka. Svedčia o tom práve tie prípady, kde oproti pomerne triezvemu jazyku v origináli použil expresívnejšie výrazy a spojenia, často frazémy oproti lexémam alebo voľným slovným spojeniam. Pozoruhodná a bohatá je aj jeho variabilnosť v používaní frazém. V súvislosti s porovnaním Hollého prekladu so súčasným slovenským prekladom Hollý, pochopiteľne, využíva viac archaizmy, nárečové výrazy a spojenia. Zároveň však jeho preklad obsahuje veľké množstvo spojení, ktoré prešli do dnešnej spisovnej slovenčiny, napr. pracovať ako včela, rýchlejší ako vietor, ľahký ako dym, belší ako sneh, sem i tam, nad mieru, až do smrti, držať ústa, dostať sa do uší, vychvaľovať niekoho až do neba, triasť sa od strachu, zniesť niekoho zo sveta, zmýliť si chodník, dobre sa maj a mnohé iné. Uvedieme niekoľko príkladov na expresívnejšie frazémy oproti neutrálnym výrazom v origináli a v súčasnom slovenskom preklade. Napr. lievať slzy oproti plakať a dedere lacrimas, brať niekoho zo sveta oproti zabiť a necare, vyniesť niekoho na svetlo oproti zrodiť a tollere, padnúť v nemilosť u niekoho oproti zlostiť sa a odi, vyrážať z hlavy niečo niekomu oproti zbaviť niekoho niečoho a demere, lámať mozgy oproti dbať o niečo a labor est, berte sa po svojich oproti bežať a ľugere, od snehu belší oproti biely a albus. V niektorých prípadoch používa Hollý expresívnejšie frazémy alebo originálnejšie vyjadrenie, napr. vylievať rieky sĺz oproti prelievať slzy a effundere fletus, alebo líca moknú oproti slzy sa lejú a lacrimae volvuntur. Expresívnejšie vyjadrenie Hollý dosahuje napr. spojením do hlavy vo verši „bezbožní zeľezom sťať do hlavi národ", kým v origináli a v Bunčákovej preklade toto zdôraznenie nie je. B: zločinný národ smiem vykántriť mečom; V: ferro sceleratum excindere gentem IX, v. 137.

Výraznou črtou v Hollého preklade je veľká variabilnosť frazém, čo vzhľadom na charakter diela pôsobí osviežujúco a pôsobivo. Tento jav je typický pre celé obdobie vývinu slovenského jazyka, pretože jednak išlo o proces postupného ustaľovania jednotlivých frazém, jednak norma jazyka nebola ešte taká pevná. Ináč aj v súčasnej slovenčine prebieha proces frazeologizácie voľných spojení, i keď v menšej miere. Z viacerých starších variantov jednotlivých frazém sa v súčasnej slovenčine zachoval jeden, dva, zriedkavejšie tri varianty. Napr. z celého radu frazém s významom plakať /liať, (vy)lievať slzy, obliať slzami niečo, slzy zalejú tvár, cediť slzy, stúpiť k slzám, líca moknú/ sa v súčasnej spisovnej slovenčine používajú spojenia prelievať slzy, zaliali ho slzy. Z frazém vyjadrujúcich význam (z)ničiť, (s)pustošiť, napr. vyjsť ku skaze, brať skazu, niesť skazu, spustiť, povypúšťať skazu, zoslať skazu, vziať skazu, vyjsť na skazu, sú dnes známe spojenia brať, vziať skazu, vyjsť na skazu. Frazémy zavrátiť, obrátiť, vydávať chrbty, obrátiť sa chrbtom k niekomu, obrátiť zadky, päty s významom utiecť, utekať súčasná slovenčina takisto nepozná všetky. Známe sú frazémy obrátiť chrbát niekomu, obrátiť sa chrbtom k niekomu, ale vo význame odvrátiť sa od niekoho, prestať si ho všímať. Vo význame utiecť, utekať je najčastejšia frazéma brať, vziať nohy na plecia. Niektoré frazémy vyskytujúce sa v Hollého preklade sa vôbec v súčasnej spisovnej slovenčine nezachovali, ani ich varianty, napr. hryznúť zem ústami (zomrieť), priasť poslednú nitku (zomierať), stoly od hladu hrýzť (byť veľmi hladný). Takýchto frazém je však pomerne málo a vo väčšine prípadov ide o kalky z latinčiny. Použité sú však aj v súčasnom slovenskom preklade, pretože ide o významovo pomerne priezračné, pôsobivé a básnicky účinné spojenia, aj keď sa v súčasnej slovenčine ako bežné frazémy nepoužívajú.

V príspevku sme sa pokúsili podať podrobnejšiu analýzu frazém v Hollého preklade Vergíliovej Eneidy. Na základe tejto analýzy možno konštatovať, že Ján Hollý zvládol preklad na dobrej úrovni, čím dokázal, že prvý spisovný jazyk, ktorého zakladateľom a kodifikátorom bol A. Bernolák, je schopný vyrovnať sa aj s takým vyspelým jazykom, akým bola latinčina. Dokázal to nielen prekladom Eneidy, ale aj inými prekladmi rímskych a gréckych básnikov. Vo svojej ďalšej tvorbe využil všetky veršové metrické postupy antickej poézie. Viaceré frazémy zo svojich prekladov použil Ján Hollý aj vo svojich neskorších pôvodných dielach. Mnohé frazémy z jeho eposu Svätopluk, ktoré uvádza vo svojom príspevku E. Krošláková, nachádzame už v preklade Eneidy. Svedčí to o tom, že J. Hollý tvorivo využil skúsenosti z prekladov aj vo vlastnej tvorbe, pričom nešlo vždy o doslovné pretlmočenie latinského originálu, ale aj o zachytenie súdobého stavu v slovenčine. Presviedča nás o tom množstvo tých frazém, ktoré sa z viacerých variantov zachovali až do súčasnosti. Ak si J. Hollý bral vzor z latinčiny, nemusí to vždy svedčiť o jeho mechanickej závislosti od latinčiny. Veď predsa z latinčiny sa prevzalo množstvo ustálených spojení nielen do slovenčiny, ale aj do iných jazykov. Ide o tzv. celoeurópsky kultúrny fond (biblia, antická literatúra, mytológia, história), ktorý je spoločným dedičstvom celej európskej kultúry. V tejto súvislosti chceme poukázať na stručné hodnotenie Hollého Eneidy, ktoré urobil J. Hendrich v r. 1922 – upozornila naň aj V. Budovičová (1985). J. Hendrich uvádza, že Hollého verše sú jedny z našich najpresnejších časomerných veršov, pričom vo svojom príspevku hodnotí iba české preklady Eneidy, no Hollého preklad uvádza ako chronologicky prvý preklad ešte pred českými prekladmi. Podľa neho sa však Hollý primyká k latinskému vzoru veľmi úzko. Táto závislosť sa prejavuje nielen v slovoslede, ale aj v napodobňovaní latinských väzieb a fráz. J. Hendrich podotýka, že Hollý tieto latinizmy nepokladal za chybné; usiloval sa používať ich nie kvôli doslovnému prekladu, pretože na iných miestach prekladal dosť voľne. No práve pre túto závislosť pokladá J. Hendrich Hollého preklad za dosť nezrozumiteľný. Konštatuje, že u Hollého sa vyskytuje mnoho novoutvorených alebo málo používaných slov (nie sú v Bernolákovom Slovári). Hodnotenie J. Hendricha je teda pozitívne, pokiaľ ide o presnosť veršov, no pokiaľ ide o lexiku, slovosled, väzby a frázy, nie je Hollého preklad celkom nenútený a prirodzený.

Otázka nezrozumiteľnosti Hollého prekladu však nesúvisí iba so závislosťou od latinského originálu. Je pozoruhodné, že názory v istom zmysle podobné záverom J. Hendricha týkajúcich sa nezrozumiteľnosti Hollého prekladu sa objavujú aj v našej slovenskej odbornej literatúre od minulého storočia až po súčasnosť (Hollý, 1985, s. 9–33; úvod S. Šmatláka Ján Hollý – skutočný klasik slovenskej poézie). Podľa týchto názorov sa na Hollého dielo vzťahujú dve výčitky: 1. Hollý používa reč, ktorá síce zostala významnou, ale predsa len dočasnou epizódou v dejinách spisovnej slovenčiny; 2. Hollý svoje básnické predstavy dôsledne vtelil do foriem antického grécko--rímskeho pôvodu. V 20. storočí sa podľa S. Šmatláka toto dielo vzďaľovalo z čitateľského obzoru ešte viac. Práve preto víta a oceňuje „preklady" Hollého diel (Kostra, Turčány, Feldek) do súčasnej slovenčiny. K tomuto by sme si dovolili poznámku. Nazdávame sa, že Hollý je zrozumiteľný aj súčasnému čitateľovi, pravda, pri rešpektovaní časového odstupu,

kontinuitného vývinu slovenčiny od jej bernolákovskej podoby cez štúrovskú až po súčasnú podobu. Hollý využil vo svojej prekladateľskej i pôvodnej tvorbe Bernolákovu slovenčinu (čo mu uľahčilo vyrovnať sa lepšie s časomierou). Práve preto nemožno hodnotiť Hollého dielo na základe súčasnej jazykovej situácie, ale treba k nemu pristupovať z historického hľadiska. Pre jazyk J. Hollého sú charakteristické výrazné západoslovenské nárečové prvky, takže najlepšie by ho porozumeli príslušníci západoslovenských nárečí, pretože mnohé slová a spojenia zo svojho vlastného nárečia by našli v diele starom vyše sto rokov a vydanom dnes. Otázka pochopenia a porozumenia Hollého diela je trochu širšia a zložitejšia, pretože súvisí aj s otázkou kultúrnosti a národného povedomia dnešného čitateľa. V nijakom prípade nechceme spochybňovať prebásnenia Hollého diela do súčasnej spisovnej slovenčiny, ktoré majú určite svoje opodstatnenie a významné poslanie. Pokladáme za správne najmä to, že sa predkladajú čitateľskej verejnosti paralelne aj s originálom. Nemôžeme však celkom súhlasiť s argumentáciou, že ide o „svojho druhu moderné, čitateľské sprístupnenie básnika ‚zakliateho' v časomiere", ktorý sa týmto „vracia životu i národu" (Pišút, 1984, s. 683). Hollý je podľa nášho názoru čitateľný a zrozumiteľný aj dnes, len treba brať do úvahy všetky okolnosti jazykové, spoločenské, politické, kultúrne i sociálne v Hollého období a dnes. Nie je to náročné ani pre širšiu čitateľskú verejnosť. Rozdiely medzi tromi hlavnými skupinami slovenských nárečí nie sú až také výrazné, aby sa navzájom ich príslušníci neporozumeli. A pokiaľ ide o epický hexameter alebo iné časomiery, ktoré Hollý vo svojich dielach použil, dnes sa takto prekladajú do súčasnej spisovnej slovenčiny v podstate všetky antické básnické diela.

Možno táto úvaha nepatrí celkom do našej témy. ale po bližšom a hlbšom zoznámení sa s jedným z významných Hollého diel cez jeho frazeológiu sme pokladali za potrebné vyjadriť sa aj k tejto otázke. Napriek tomu, že mnohé frazémy dnes už zanikli. alebo sa používajú menej, majú stále čo povedať aj súčasnému čitateľovi, aj keď, samozrejme, ich nemožno vnucovať. No viaceré z nich svojou živosťou, obraznosťou, originálnosťou sú také pozoruhodné a svieže, že stoja za povšimnutie a môžu byť vzorom našim spisovateľom, básnikom, novinárom i ostatným používateľom jazyka.

Celkom na záver citujeme slová V. Bunčákovej z doslovu k prekladu Vergíliovej Eneidy: „Pri prekladaní mi veľmi pomohol aj viac ako storočný preklad Jána Hollého, najmä preto, lebo ma upozorňoval na tie pekné a vhodné slová nášho materinského jazyka, ktoré už pomaly z nášho povedomia miznú a u Vergília sa môžu naplno zaskvieť v novom svetle. Za to som Hollého prekladu veľmi vďačná." (Vergilius, 1969, s. 332).

Literatúra a pramene

BUDOVIČOVÁ, V.: Ohlas diela Jána Hollého v Čechách. Studia Academica Slovaca 15. Bratislava, Alfa 1986, s. 45–69.

HENDRICH, J.: Vergilius v českých překladech. Sborník filologický VII. Praha, Česká akademie věd a umění 1922, s. 327–353.

HOLLÝ, J.: Virgiliova Eneida. Dielo Jána Hollého II. Trnava, Spolok sv. Vojtecha 1950. 338 s.

HOLLÝ, J.: Dielo I. Tatran 1985. Úvod S. Šmatlák: Ján Hollý – skutočný klasik slovenskej poézie, s. 9–33.

HORECKÝ, J.: Charakteristika slovnej zásoby v Hollého preklade Vergíliovej Aeneidy. In: Pamätnica z osláv dvojstého výročia narodenia Jána Hollého. Martin, Matica slovenská 1985, s. 369–374.

KROŠLÁKOVÁ, E.: Frazeológia v Hollého Svatoplukovi. In: Pamätnica..., s. 350–355.

PIŠÚT, M. a kol.: Dejiny slovenskej literatúry. Bratislava, Obzor 1984. 904 s.

VERGILIUS, P. M.: Eneida. Tatran 1969. Preklad V. Bunčákovej a P. Bunčáka. 356 s.

P. VIRGILII Maronis Opera. Adiecit Albertus Forbiger. Pars II., III., Aeneidos L. I.–IV; L. V–XII. Lipsiae 1837; 1839. Sumptum fecit et venumdat I. C. Hinrichs.

Hollého jazyk a záhorské nárečia

KONŠTANTÍN PALKOVIČ

Keď sa začítame do Hollého poézie, zaujme nás bohatý básnický jazyk, mimoriadne rozvinutá a diferencovaná slovná zásoba. Zaujme nás a vzbudí obdiv, keď si uvedomíme, že J. Hollý nemal predchodcov, nemohol vychádzať z domácej tradície, a sám bol tvorcom vyspelého básnického jazyka, ktorý sa vyrovná spisovným jazykom kultivovaných dlhou tradíciou. Je namieste otázka, aké sú zdroje Hollého jazyka.

Pri posudzovaní jazyka J. Hollého si treba uvedomiť, že básnik viazaný zákonitosťami časomerného verša a v úsilí získať prirodzene alebo pozične dlhé slabiky musel meniť kvantitu slov (predlžoval slabiky), pričom mal oporu v rodnom nárečí (čín),[1] slová skracoval (šček, bava), alebo predlžoval (zdvojením spoluhlásky, pridaním hlásky, predpony alebo prípony: radda, odsud ,,osud", premúdrí, vnuctvo) a inak slová deformoval (pstrá ,,pestrá"). Bližšie o tom písal J. Horecký (1985a; pozri aj Palkovič, 1987/88, s. 122).

Hollý dobre poznal a náležite využil predovšetkým celoslovenskú slovnú zásobu. Obohatil ju slovami a spojeniami zo svojho rodného záhorského dialektu, ale aj z iných slovenských nárečí, prevzal niektoré prvky z češtiny a ďalších slovanských jazykov a svoje básnické výrazové prostriedky rozšíril vlastnou jazykovou tvorbou podľa domácich aj antických sémantických a slovotvorných postupov.

Záhorské nárečia, v oblasti ktorých sa narodil a študoval, poskytli Hollému možnosť čerpať z ich bohato diferencovanej lexiky, ale využiť aj niektoré typické morfologické javy.

Zo záhorských nárečových prostriedkov J. Hollý použil[2] napr. slová cepíc (časť cepov), čúvať, darunk (dar), dojímať si (ťažkať si), dovésť (dokázať), gňábiť (tlačiť), heluška (hra), láť (nadávať), laziť (škriabať sa), naplákať (poplakávať), nešpidrní (špinaví), preledvi (sotva), premítať (rozmýšľať), ražní (ťažký), silňica, smeknúť (rýchlo skočiť), spojčiť sa (spojiť sa), stín, vraní (bujný, sýtozelený – o obilí), zaslechnúť (počuť), zodmikať (poodmykať), žíjať (žiť):

mláťa a cepícami na snop zhusta bijú (5, 71); rekňem to, čo sem čúval od inších (3, 88); nad iné toto bi mňa tešívalo všecki darunki (6, 31); Tak si Horislav dojímal (6, 61); Žáden to dovésť a polámať zvazki ňevládal (7, 27); kršák... popadlích drápami gňábí (5, 79); sa na ďonďu, helušku a kozku... ihrávať (6, 66); V ňešpidrních smilstvách a haňebních válali bahnách (4, 36); hrešiť, kterí do sta bohov lajú (4, 129); Bár aj po skalních štvormonohí lazí Harmanca stráňach (8, 38); Premnoho napláka; a na svém hambalku seďíci náramní veďe kvíl (3, 31); ňevládní... preledvi sa ťáhňem (1, 65); na svém toto tak duchu a svéj misľi premítal (1, 109); Včil ražnú kopiú... pozráža (5, 68); v tom hňeď zachopí sa a smekňe do Váhu (6, 26); Z váľečními raďej dobrovoľňe sa Uhrami spojčá (7, 32); Zasľechla ho matka veľebná (1, 114); Silňice a schválené úžlabi rozmnožoval (7, 86); Mračna pľinú, a stín černí... metajú (3, 25); Tamto vrané kívá a do svéj žeňe dúčeľe sáti (6, 13); Zodmikajú sa bráni (2, 33); Radšej vždicki pokoj milujíci žíjaľi všecci (3, 103).

Aj v korešpondencii (Ambruš, 1967) Hollý používal slová zo svojho rodného dialektu. Napr. ale (asi), budár (záchod), praj (vraj), turecké žito (kukurica), K, 391 – 92, (slovník), žito (pšenica, K, 20).

Niektoré slová a spojenia, známe aj v iných zsl. nárečiach,[3] resp. na celom slovenskom jazykovom území, Hollý prevzal v záhorskej podobe. Napr.

aňďel, bratri, brňať (a iné slovesá na -ať, ako čerňať ap.), brez (bez), čučí, drážiť (dráždiť), jaro, kapka, (kvapka), kaštan (aj u Bernoláka), krem, kameňki (a iné slová s „ň", typické pre Hollého rodisko, ako koreňki, u prameňka), mozgi, najblíž (a iné krátke formy), nazdori, léhá, ožralci, pomstva, poráď, po svích: ber sa raďej po svích (4, 62); prevňuk, podlejší (podradnejší), pres (cez), remesňík, stareček, ščegliť (aj v Slovári), šerajú sa, u (pri), uhlé (v Slovári uhlí), včil, viptává sa, vríťeňica, zmizňe sa, zavírať, zvírence, zvíška, žížeň, príslovkové zámená na -áď: odkáď, zakáď, dosaváď (Bernolák, s. 295, má až štyri formy: odtúď, odtáď, odtál, odtel).

Hollého slovná zásoba reprezentuje lexiku spred 150 rokov. Odvtedy isté slová zanikli, iné v niektorých nárečiach ostali, v iných sa nahradili novšími, ďalšie rozšírili alebo zúžili svoj geografický rádius. Nárečovú príslušnosť niektorých slov môžeme preto určiť iba približne. Medzi zaniknutými slovami môžeme uviesť čerňidlo (atrament, K, 123), črevica (dĺžková miera, 4, 157), druhoťini (8, 93) chvisťodáva (cholera, K, 76), kocprd (dýka K, 76), kuchta (kuchár), počti (účty), smetlisko (porov. aj Habovštiaková, 1968, 89), straňiva (predl., vo veci, K, 26), ťeplice (kúpele, K, 115), žajdlík (nádoba, dutá miera).

Mnohé Hollého výrazové prostriedky, ktoré sa dnes hodnotia ako nárečové, sa vyskytujú nielen na Záhorí, ale aj v oblasti Trnavy, Trenčína, niektoré aj v nitrianskych a tekovských nárečiach.

Zo svojho rodného dialektu mal Hollý možnosť poznať slová, ktoré sú známe aj za Malými Karpatmi, v trnavských, považských, prípadne aj trenčianskych nárečiach. Napr. blavkať (štekať, 1, 94), bríľať (túlať sa, 5, 11), čuť (6, 19, počuť), draha (stopa, 8, 38), hinčovať sa (hojdať sa, 5, 13), kropáček (prvosienka, 6, 17), píliť (náhliť, 4, 14), šmeknúť sa (pošmyknúť sa, 5, 83), špalek (klát, 3, 44), tilec (obuch na sekere, 3, 208), zrost (rast, 8, 115), zaklnúť (zakliať, 3, 64).

Hranice záhorských nárečí presahujú, ale u Bernoláka sa nenachádzajú Hollého slová bikovať (potácať sa, 6, 42), dotržní (pracovitý, šetrný, 3, 19), grňa (rúčka na nožíku, 3, 208), chovánek (kurín, 8, 121), maňina (neschodné miesto: A z lútéj maňinú jak strela bitki ľeťím, 7, 57), ohaňka (konárik, 2, 111), ošváriť (očistiť, 8, 167), hňilačiť (hlivieť: Sám v makkém hňilačíš lehňe, 8, 99), pláchi (horiace kusy slamy: na černé radmi sa pláchi obracajú sáťá, 5, 82), pohunek (mladý chlapec, 6, 9, u Bernoláka ako čes.), prček (žubrienka, 6, 44), prismeknúť (priskočiť, 2, 255), ruda (choroba rastlín, 6, 9), záhruška (záružlie, 6, 44), zaňešváriť (znečistiť, 2, 66), zňátriť (zbadať, 3, 137), osmahlí (počerný, 3, 172), sprajní (žičlivý, 2,

13), vláší (konské vlásie, u Hollého prenes. chvost, 5, 84), zdejší (tunajší, 7, 24), žúriť (nadávať, hádať sa, 3, 160).

Iné slová z Hollého poézie, ktoré presahujú územie Záhoria, zaregistroval aj Bernolákov Slovár. Napr. báľe (vnútornosti, 2, 76), chlopec (pasca, 8, 38), jestľi (ak, 3, 52), kocar (bič, 2, 177), -li (ak, 4, 79), liščať sa (blyšťať sa, 1, 109), lúč (borovicová trieska, 3, 160), ludskí (cudzí, 5, 84), lúchať (expr. piť, 6, 42), lútať (žialiť, 2, 8), méň (menej, 3, 49), mitúchať (pliesť, mýliť, 2, 95), možní (zámožný, 1, 145), panoha (konár, 3, 121), podzim (jeseň, 6, 40), postláňí (katafalk, 2, 64), prespolní (cudzí, 8, 153), rizí (červenkastý, 1, 76), sadoví (šľachtený, 8, 67), síň (vstupná miestnosť, 3, 16), sňet (konárik, 6, 40), víminka (podmienka, 3, 24).

Z iných slovenských nárečí sme u Hollého našli slová bahra (drevený obvod kolesa), belasí (modrý), čmáňí (burina), črésla (časť tela), čučorítka, gbal, gedra (výmoľ), ikavec (druh pinky), jabrátka (bahniatka), jalša (záh. olša, Slovár: jelša), kňahňa, konár, koribaňa (nádoba vydlabaná z vŕbového pňa, z oblasti Nového Mesta nad Váhom), krčma (záh. šenk), ladňík (záh. vika), lupavki (Slovár: lupávka „viečko"), odronek (krajný polriadok vo vinici, porov. Nižnanský 1987), páčiť sa, pľevačka (vinohradnícka práca), požičať (záh. poščat), slovenec (vlčí bôb), šoldrovina (šunka), škurák (ovčie vemeno), štverňe (konský postroj), uzg (hrča v dreve), vrkoč, žrebec a i. Stredoslovenskú podobu, napr. slová hrdza (Slovár: zrdz), chrbát (Slovár: chrbet), jastriť („ostro, daľeko hľedeť", Hollého vysvetlivka, 3, 217), napospol (Slovár nemá), popol (Slovár: popel), pražma (opálené zrno), predvečerom (Slovár: predvečerem), rázvora.

Niektoré menej známe nárečové i „kultúrne" slová Hollý na konci svojich eposov vysvetľuje. Napr. behúl, čmáňí, gedra („vímol", 3, 215; „Gedra znamená vímol; tak tuto a okolo hovorá", K, 87), hrobla, húlava, klúčeňica, kučma, kuša, paruť, zmeraveť (v Slovári nie je) a iné. Neznámejšiu lexiku vysvetľuje a obraňuje aj v liste J. Palkovičovi (K, 86—87).

Hollý však nevysvetľuje mnoho iných slov, ktoré sú dnes neznáme, ako pačinák (7, 29), paľečnica (druh píšťaly, 6, 82), koránka (6, 59), motoľečňík (6, 49), posvatňica (2, 174, Slovár: posvátňica sanctuarium), tuňa (8, 116), zlatolík (6, 35), zborňica (7, 21), zvíradňica (6, 74).

O českých slovách, ktoré mu J. Palkovič vyčítal, píše: „Čo sa tíka českích ňekterích slov, kterích však velmi málo je, tím sem sa já všemožňe vihíbal... kterí čítá inoslovenské kňihi, obzvlášť české, aj proťi jeho

206

vóľi jedno nebo druhé slovo sa mu do písma vkradňe… (83). Z českých prvkov, ktoré nie sú zhodné so záhorskými, môžeme uviesť napr. slová aneb (3, 9), bidlící (4, 11), lkání (2, 104), naleznúť (3, 10), nemluvňa (9, 29), neb (4, 20), ostríhať (chrániť, 4, 19), pečovať (4, 12), poňeváč (3, 7), pospíchať (3, 33), rozlobení (3, 21), slišnosť (8, 66), slišať (4, 13), stískať si (ponosovať sa, 3, 8), tehdáž (4, 20), válka (8, 10), válčiť (5, 72), zarďívať sa (6, 12), zdáľi (4, 15), názvy mesiacov a i. České slová si čiastočne upravoval, napr. pótka (půtka, 7, 57), srpeň (9, 211), žári (8, 22), hajno (3, 161), ďéki (3, 173), stajní (8, 152). Niekde ťažko určiť, čo je bohemizmus (Turčány, 1985, s. 321; p. aj Habovštiaková, 1969, s. 257 a n.).

Hollý sa zaujímal o vtedajšiu slavistickú literatúru, sledoval ju a vypožičiaval si od svojich priateľov nielen české, ale aj iné slovanské práce z odboru histórie, literatúry, jazykovedy. Z jeho korešpondencie sa dozvedáme, že J. Palkoviča prosil, aby mu požičal gramatiku J. Nejedlého (K, 20), Lindeho poľský slovník (K, 22), že poznal starosloviensku gramatiku J. Dobrovodského (K, 21), Elenchus Š. Lešku (K, 35), že mal rozličné slovníky (Ambruš, 1967, s. 32; Vyvíjalová, 1975, s. 101), študoval Bernolákov Slovár (Palkovič, 1987), že sledoval slovakizačné pokusy J. Kollára (K, 35) a využíval poznatky o sanskrite na porovnávanie so slovančinou (3, 313, 3, 216, K, 53). Študoval literatúru o všetkých Slovanoch a poznal takmer všetky slovanské jazyky (Vyvíjalová, 1975, s. 95). V epose Cirillo-Metodiada uverejnil cyrilské písmo a ukážky staroslovienskeho prekladu biblie (4, s. 121–123). Môžeme uňho nájsť prvky rozličných slovanských jazykov. Z ruštiny prevzal a často používal slovo prestol (trón, 7, 71) a toľko (iba, 7, 71), v Cirillo-Metodiade použil slová bojár (4, 81), posadník (mešťanosta, 4, 113), cár (4, 13), v Žalospevoch slovo duchovník (kňaz, 7, 45), v epose Sláv je slavizmus žertva (5, 10), božňica (chrám, 5, 120), vo výkladovom texte vo Svatoplukovi slovo pojeďinok (súboj, 3, 223), v korešpondencii výraz červonec (peniaz, K, 391). Na poľský pôvod upomínajú slová častovať (hostiť, 3, 92), kochať sa (ľúbiť sa: a z báborskú sa mohel kochať ešče ňevestú, 3, 71). Zo srbochorvátčiny je slovo úskok (zbeh: nosťe ľudom na znak preohavné úskoka méno, 7, 38). Niektoré z týchto slov sa nachádzajú aj v Bernolákovom Slovári, napr. duchovník (kňaz), častovať („propinare"), úskok („desertor").

M. Laciok (1979) uvádza ešte ďalšie Hollého slavizmy: rusizmy žiteľ, chramina, chraminka (tabernaculum), vrah (nepriateľ, porov. 3, 228), z polonizmov vozca (arctophylax) a kadlub (vo význame časť

tela), z južných slovanských jazykov slová devojka a vojník. V. Turčány (1985, s. 321) upozornil na rusizmus koník (jazdec). Hollého slavizmy by si zaslúžili osobitnú pozornosť.

Zemepisnými názvami označujúcimi slovanské krajiny, mestá, rieky, vrchy Hollý obsiahol celý slovanský svet. So slovanskými menami osôb mal väčšie starosti. J. Palkovičovi v liste zo 14. 7. 1829 píše: „Slovenských vlastních mén s částki sem nazbíral, s částki sám nakoval, zakád nevišel Menoslov od Pašica a Kollára, kde jich je nazbit." (K, 65, porov. aj Palkovič, 1970). V Bájosloví (5, 109–126) Hollý vysvetľuje názvy mytologických postáv, niekde sa pokúša aj o etymológiu a pri hesle Živa spomína umelý pôvod niektorých názvov, v tom aj názvu Umka (5, 123). Pôvod Hollého slovanských názvov bohov osvetlila M. Vyvíjalová (1975, s. 99–125).

V Hollého poézii a korešpondencii sa vyskytujú aj novotvary. Sám sa k nim priznáva, keď J. Palkovičovi r. 1833 píše: „Veršovník, abi mohel víšej sa vinést nad obecnú reč, nové slova si stvoruje,… kde pre ňekterú vec v obecnej reči ešče žádného slova ňemá, je prinútení nové si ukovat." (K, 83). Medzi takéto slová patria výrazy z oblasti kultúrneho a spoločenského života. Niektoré novotvary prevzal z domácej literatúry, napr. dobropísemnosť (pravopis, K, 48): chválospev, mluvnica (8, 65), slovár (K, 19), žalospev, iné mu poskytla čeština: selanka (Vyvíjalová, 1975), s. 90–91, pripúšťa však ako prameň aj Lindeho slovník), umnica (logika, K, 21), Umka (Musa, Vyvíjalová, 1975, s. 93–94), poetické novotvary si vytvoril sám: honosislav (8, 90), hosťislávek (8, 100), Ňemňislav (8, 145), ňeslav (8, 92), žádoslávek (8, 61). Medzi básnické novotvary patria aj Hollého slovesné poetizmy déžďívať, vipoľedniť sa:

Stáře déžďíval rosú (8, 56); Jak mi tu sladko potom, keď ráz vipoľedňilo slnko (7, 64).

Hollý využíval novotvary z dôvodov metrických i štylistických (Turčány, 1985, s. 322; Horecký, 1985b, s. 372).

Hollého tvorivá vynachádzavosť sa uplatnila pri zložených adjektívach a iných kompozitách (Horecký, 1979, s. 290; 1985b, s. 372). Básnik tu nadväzoval síce na domácu tradíciu ovplyvnenú antickými vzormi, v nárečiach však mal minimálnu oporu. Najviac sa tu prejavila Hollého neprekonateľná básnická invencia. Hollého kompozitá, ale aj jeho frazeológia v porovnaní s nárečiami by si zaslúžili osobitné štúdie.

Treba si všimnúť také slová ako čredník (vikár, 8, 37), kňihtlačar (8, 108), kňihtlačiteľ (K, 33), náľezňík (8, 108) i vináľezňík (vynálezca, 4, 112), položenka (pozícia, K, 299), prezírač (cenzor, 8, 179), prvoznačňík (8, 93), slovka (slabika, K, 15), tlačárňa („tlačárňa lepšej buďe po slovenski než ťiskárňa", K, 101), aby sme mohli zistiť, čo Hollý prevzal, čo sám utvoril a čím prispel k obohateniu slovnej zásoby slovenčiny v oblasti nových slov.

Bohatá na novotvary je najmä Hollého terminológia z oblasti prozódie a gramatiky (1, 9—59).

Niektoré „neľudové" slová Hollý v poznámkach k svojim básňam vysvetľuje. Zrejme boli málo známe, resp. neznáme. Napr. dóstojnosť (4, 131), nauka (7, 41), obrad (3, 219), otčina (vlasť, 3, 220; v Slovári je otčizna vo význame „po otcovi pozostalí statek"), odvaha (3, 220), ohlas (echo, 5, 114, aj v Slovári), súboj (3, 223, v Slovári nie je). V Slovári nie sú ani slová ústav (8, 13), veda (4, 157), zámer (3, 228). Až po výskume slov z nadstavbovej oblasti môžeme dostatočne zhodnotiť Hollého tvorivosť a originalitu jeho lexiky.

Vplyv záhorských nárečí sa prejavil aj v oblasti morfológie a fonetiky. V lok. sing. sú u Hollého napr. tvary na -i namiesto -e: po dlhém časi (1, 66), po temto lesi (2, 79), v každém kri (6, 12), na zlatem vozi (5, 112). Podobný vplyv sa uplatnil aj v plur.: kláštere staváš (10, 226) (p. aj Bernolák, s. 173).

Isté morfologické javy (dvojtvary) nemajú oporu v nárečí. Využívajú sa však účelne, nie náhodne. Hollého dvojtvarmi sa zaoberala K. Habovštiaková (1970, s. 56; 1985, s. 361—62).

Hollý rozlišuje pri substantívach tvar inštr. sing. na -om (používa ho pri slovách zakončených na -o, najmä neutrách) a tvar s príponou -em, ktorým dôsledne označuje maskulína a neutrá na -e: vihrozoval sa slovom, ale dímala ohňem; poľem kráčá. V jeho rodisku je iba prípona -em: stromem, plecem. U Bernoláka (s. 157, 171) je dubom, srdcom.

Osobitnými príponami rozlišuje plurál a duál. V pluráli pravidelne používa tvary s príponou -mi (-ami a i.), v duáli tvary s príponou -ma (-ama a i.): prázdními úhormi, ale dvoma žrebcama. Takýmto rozlišovaním Hollého jazyk získal na pestrosti a názornosti (Palkovič, 1970b). V záhorských nárečiach je jednotná prípona -ma, -ama: lesma, ženama. Bernolák (s. 175) pripomína, že zakončenie -ma, ap. je skôr v duáli.

Hollý uprednostňuje tvary lok. sing. adjektív s príponou -ém: v královském paláci, v luku obstarném, ako sa používajú na juhozápadnom Slovensku, napriek tomu, že Bernolák (1964, s. 181) takéto tvary pokladá za české, no v paradigme ich v zátvorkách uvádza (Bernolák, s. 177).

Aj v používaní stiahnutých a skrátených tvarov typu tvá, svého, svím, tis, kerís mal Hollý oporu vo svojom nárečí. Stiahnuté tvary uvádza aj Bernolák (s. 195).

V záhorskom nárečí Hollý našiel vzor v prechodníkovej forme na -a, dodnes živej, ktorá nie je u Bernoláka. Túto formu bohato využil. Napr. Bral pútňík a na pospíchaja cesťe (3, 54); Než pozatím do samích záhubné púščaja šípi strílal (1, 104).

Používanie dvojtvarov na -ol/-el v základ. tvare min. času nie je ničím motivované. Vysvetľujeme to vplyvom dvoch nárečových systémov, záhorského a považského, resp. kodifikovaného u Bernoláka (s. 227): ňemohol, véďel, stríhel, ňebol, védol, ňezňésol. Tieto tvary sa striedajú aj v jeho rukopisoch.

Bernolák (1964, s. 177) zaviedol do svojej kodifikácie umelé tvary akuz. sing. žen. rodu adjektíva s krátkym -u: peknu (ženu) ako opozíciu k formám inštr. sing. s dlhým -ú: peknú (ženu). Hollý používa aj dnes v nárečiach živý tvar s dlhým -ú: milú dušu, peknú prácu, ktorý je bežný nielen v západoslovenských, ale aj v stredoslovenských dialektoch. Hollý obhajuje tento tvar aj vo svojej korešpondencii (K, 97).

V oblasti slovotvorby uvedieme aspoň tri typy, ktoré majú oporu v záhorských nárečiach.

Sú to slovesné adjektíva s príponou -lí: zachríplí, osláblí, vibehlí, oprsklí; substantíva s príponou -ec namiesto dnes bežného -ca (podľa záhor. správec): voďec, zástupec, strážec, ochraňec, suďec (aj u Bernoláka, s. 461); dejové substantíva utvorené bez prípony (podľa chod): blavk, zrost, šček, vrzg, prsk.

Z hláskoslovných javov mohol Hollý dobre využívať kvantitu svojho rodného nárečia, pri zdvojených spoluhláskach mal zasa oporu v považských dialektoch (masso). Vplyv považských nárečí sa mohol uplatniť v slovách a tvaroch, ako mosaď, uváďaní, rozploďujú, okáďať, vicíďať, potvrďovať, v ktorých je namiesto náležitého (neasibilovaného) dz mäkké ď. Taký stav je na Považí v oblasti, kde sa končí nárečie s asibiláciou a začína sa nárečie bez asibilácie (Krajčovič, 1957, s. 132—133; 1964, s. 86—87). Môže tu však ísť aj o dobový úzus vzdelancov z trnavského prostredia, kde bola a je asibilácia ako sociálny jazykový prostriedok na odlíšenie od reči prostých ľudí.

Hollý svojou poéziou obsiahol nielen celé Slovensko, ale aj všetko Slóvanstvo. Svedčí o tom aj jeho jazyk. V jeho tvorbe môžeme nájsť (keď berieme do úvahy aj vlastné mená) prvky všetkých slovanských jazykov. K obohateniu básnického jazyka prispel aj Hollého rodný dialekt, a to lexikou z dedinského prostredia, ale aj zo spoločenskej a kultúrnej oblasti. Hollého príspevok do pokladnice celonárodného jazyka sa doteraz nemohol dostatočne využiť. Bránila tomu nielen podoba slov, ale najmä to, že Hollého básnické dielo sa v plnej miere nestalo živou súčasťou slovenskej národnej kultúry. Keď raz budeme mať slovník Jána Hollého – a náš popredný básnik by si to zaslúžil, až potom v plnom rozsahu vynikne príspevok nášho najväčšieho bernolákovca k obohateniu slovenského slovníka a v tom aj podiel záhorských nárečí.

Poznámky

[1] Citujeme zo súborného vydania Hollého diela (Ambruš, 1950). Prvé číslo označuje zväzok, druhé stranu. Údaje z Hollého korešpondencie (Ambruš, 1967) označujeme skratkou K a číslom príslušnej strany.
[2] Mäkkosť spoluhlások Hollý upravoval podľa Bernolákovej kodifikácie. Údaje o výskyte jednotlivých slov v záhorských nárečiach sme zisťovali vo vlastnej kartotéke Záhorského nárečového slovníka.
[3] Rozšírenie slov v jednotlivých nárečiach sme si overovali v kartotéke Slovníka slovenských nárečí v Jazykovednom ústave Ľ. Štúra v Bratislave, pri zisťovaní výskytu jednotlivých výrazov v trnavských nárečiach nám ochotne pomáhali Jozef Nižnanský, vedecký pracovník JÚĽŠ SAV, dr. Ján Štibraný, CSc., odborný asistent Katedry slovenského jazyka FF UK, a dr. Viliam Turčány, CSc., vedecký pracovník Literárnovedného ústavu SAV; o rozšírení slov v tekovských nárečiach nás informoval dr. Ján Debnár, t. č. učiteľ v Senci. Všetkým za spoluprácu a pomoc ďakujem.

Literatúra

AMBRUŠ, J.: Dielo Jána Hollého I.–X. Upravil J. Ambruš. Trnava, Spolok sv. Vojtecha 1950.
AMBRUŠ, J.: Korešpondencia Jána Hollého. Pripravil J. Ambruš. Martin, Matica slovenská 1967.
BERNOLÁK, A.: Gramatické dielo Antona Bernoláka. Na vydanie pripravil a preložil J. Pavelek. Bratislava, Vydavateľstvo Slovenskej akadémie vied 1964.
HORECKÝ, J.: Charakteristika slovnej zásoby Jána Hollého. Slovenská reč, 50, 1985a, s. 84–92.
HABOVŠTIAKOVÁ, K. Ján Hollý a Bernolákova kodifikácia spisovnej slovenčiny. In: Letopis Pamätníka slovenskej literatúry 1970. Red. J. Chovan. Martin, Matica slovenská 1970, s. 53–59.
HABOVŠTIAKOVÁ, K.: O zaniknutých slovách v slovenčine. Slovenská reč, 33, 1968, s. 88–96.
KRAJČOVIČ, R.: Východná hranica západoslovenskej asibilácie – južná oblasť (s 3 mapami). In: Jazykovedné štúdie 2. – Dialektológia. Red. J. Štolc. Bratislava, Vydavateľstvo Slovenskej akadémie vied 1957, s. 127–138.
KRAJČOVIČ, R.: Pôvod juhozápadných nárečí a ich fonologický vývin. Bratislava, Slovenské pedagogické nakladateľstvo 1964.
LACIOK, M.: Lexikálne slavizmy v diele J. Hollého. Slavica Slovaca, 14, 1979, s. 305–308.
NIŽNANSKÝ, J. R.: Vinohradnícka terminológia v diele Jána Hollého. Slovenská reč, 52, 1987, s. 276–288.
PALKOVIČ, K.: Slovenské mená osôb u Jána Hollého. Kultúra slova, 4, 1970a, s. 108–111.
PALKOVIČ, K.: Duálové formy v spisovnej slovenčine, najmä u J. Hollého a M. Kukučína. Slovenská reč, 35, 1970b, s. 265–271.
HORECKÝ, J.: Ján Hollý – básnik a zakladateľ. Kultúra slova, 13, 1979, s. 289–293.
HORECKÝ, J.: Charakteristika slovnej zásoby v preklade Vergíliovej Eneidy. In: Pamätnica z osláv dvojstého výročia narodenia Jána Hollého. Zostavil J. Chovan. Martin, Matica slovenská 1985b, s. 365–374.
HABOVŠTIAKOVÁ, K.: Ján Hollý a jazyková kultúra. Kultúra slova, 3, 1969, s. 257–260.
HABOVŠTIAKOVÁ, K.: Ján Hollý a bernolákovčina. In: Pamätnica z osláv dvojstého výročia narodenia Jána Hollého. Zostavil J. Chovan. Martin, Matica slovenská 1985, s. 356–368.
TURČÁNY, V.: O básnickom jazyku Jána Hollého. In: Pamätnica z osláv dvojstého výročia narodenia Jána Hollého. Zostavil J. Chovan. Martin, Matica slovenská 1985, s. 319–333.
PALKOVIČ, K.: Básnický jazyk Jána Hollého. Slovenský jazyk a literatúra v škole, 34, 1987/88, s. 122–123.
PALKOVIČ, K.: Ján Hollý o slovenčine. Práca, 42, č. 112, 16. 5. 1987, s. 7.
VYVÍJALOVÁ, M.: Mladý Ján Hollý. Bratislava, Tatran 1975.

Jozef Ignác Bajza a bernolákovci

ELENA KRASNOVSKÁ

Snahy zaviesť slovenčinu ako spisovný jazyk neboli v 18. stor. osihoteným javom. V prvej polovici 18. stor. sa pokúsili o kodifikáciu slovenčiny západoslovenského typu kamaldulskí mnísi (tzv. Kamaldulský slovník z r. 1763, preklad biblie z r. 1756). Trnava ako centrum kultúrneho života Slovákov sa stala dejiskom rozvíjania kultúrnej západoslovenčiny (v trnavskej tlačiarni vychádzali v tomto jazyku vytlačené šlabikáre, kázne, kalendáre, odborná literatúra a pod.). V polovici 18. stor. vznikol pokus o kodifikovaný jazyk u východoslovenských kalvínov, v oblasti strednej slovenčiny sú doložené aj v administratívno-právnych písomnostiach nadnárečové tendencie. Na druhej strane sa práve v jazyku administratívno-právnych písomností objavuje tendencia „prekladať" z centrálnych úradov vydávané predpisy a nariadenia do územných variantov slovenčiny – do nárečí (Krasnovská, 1983, s. 39–59). Existencia týchto nárečových variantov dokazuje, že vplyv češtiny na jazyk slovenských písomností najmä v 18. stor. už nebol taký intenzívny.

V druhej polovici 18. stor. sa začína výrazný národnouvedomovací proces podporovaný osvietenskou orientáciou panovníkov Márie Terézie a Jozefa II. K tomuto hnutiu organicky patrí aj úsilie slovenských vzdelaneckých vrstiev o nastolenie jednotného spisovného jazyka, ktorý by stál nad nárečiami. Panovník priamo vyzval slovenských vzdelancov, aby vypracovali kodifikovaný jednotný jazyk takého typu, ktorý by sa dal využívať na administratívno-politické účely na celom území Slovenska. Na čele týchto vzdelancov stál A. Bernolák (Tibenský, 1973, s. 214). Vystúpenie A. Bernoláka a jeho skupiny je vlastne spojené so slovenským národným obrodením v osemdesiatych rokoch 18. stor., keď sa slovenská feudálna národnosť začala pretvárať na národ. Podmienky (aj

ekonomické) pre úspešný rozvoj a konkretizovanie plánov bernolákovcov vytvorilo už spomenuté nariadenie panovníka (v r. 1786) o pestovaní národných jazykov. J. I. Bajza a A. Bernolák sa stavali za kultivovanie slovenčiny používanej v oblasti trnavského centra, pravda, každý iným spôsobom.

Treba podrobnejšie osvetliť, akých zásad sa pri kodifikačnej práci bernolákovci pridŕžali, čo chceli urobiť a čo urobili pre slovenčinu a aké bolo ich programové vyhlásenie.

1. Bernolákovci mali jasný program dôsledne kodifikovať spisovnú slovenčinu v celej šírke[1], teda grafiku, hláskoslovie, gramatiku, lexiku.

2. Za základ si vybrali úzus vzdelancov, ale prihliadali pritom aj na reč ľudu, na nárečia.

3. K češtine ako k prameňu obohacovania slovnej zásoby sa stavali tak ako k ostatným slovám cudzieho pôvodu (k tomu porov. Habovštiaková, 1968).

Postup J. I. Bajzu v jeho úsilí o normovanie slovenského jazyka je komplikovanejší a nie taký dôsledný ako u bernolákovcov. K záujmu o jazyk ho podnietila znalosť jazykovej situácie i pochopenie myšlienkových prúdov doby a vcítenie sa do politickej situácie obrodenského obdobia. O svojich zásadách sa sám zmieňuje v predhovore k románu René mláďenca príhodi a skusenosťi: *Usilowal gsem sa nisstmeňég, kolik možnosť bila wse to, čo naglepssé gest wibíraři: ten totižto chodnik w zrozeneǵ Slowákuw reči držíc, který rozumu a obecním aspon základum nagblížnegssý gest: a odtúď wsseci wsaďe ňepotrebnosťi a daremnosťi gak w gmenách, a slowách, tak ay w slowíčkách (:w litterách:) gsem odrezáwal a odwracal. Po druhé: k lechčegssemu a od morawsko-českého rozdílnemu čítaňý pokládal gsem dwognásobné znameňý, gedno nad litterámi, které sami w sebe zňegú…* (Bajza,

1785, s. 7—8). Druhú zásadu, ktorej sa pridŕžal, nachádzame tiež v predhovore tohto románu: *Čo sa slovenského gazika, nímž píssem dotiče, uznám: že sa mi chibi ňegaké nadhoďiť mûžu; ale spolu dufám a smele gistý gsem: že mi geden každý múdrý odpustí. A čob wteďi bilo, kdi bi sa se mnú chcel dohadowať? Z kterich kňíh bi mi ukázal, ňepowídám čistotu a slíčnosť, ale gen v obecné slowenčini wíslowý? Gak bi zwítazil nadmnú? Krem gak bi mi ňekolik (:ačkoliw ay tích ňé welké kopi gsú:) česko-morawskích písém ťisnúl, a z tími ma chcel poňížiť...* (Bajza, 1785, s. 5—6). Bajza videl, že slovenčina nie je jednotná: *Kolik osád, tolik rozdílnég nacházáss wímluwi, tolik gestli ňé slów a gmén; gmén zagisťe a slów ňeznássagiciho sa končeňí* (Bajza, 1785, s. 7). V jednom zo svojich epigramov Bajza sebavedome vyhlasuje: *Milé Towarisstwj!, wíss tú čest sem gá mál, bich prwný ke knihám slowáckím led lámal* (Bajza, 1794, s. 48). I keď treba povedať, že Bajzov kodifikačný čin nebol úspešný preto, že nemal jednotný systém, nerozpracoval všetky plány jazyka (Pauliny, 1983, s. 161), predsa musíme zdôrazniť, že vychádzal z podobných zásad ako bernolákovci.

1. Chcel kodifikovať čo najrozšírenejšie formy jazyka.[2]

2. Programovo využil svoj jazyk v literárnom diele (nepodal však jeho systematický opis).

3. Za základ jazyka si vybral úzus západoslovenských vzdelancov s prihliadaním na češtinu ako na vyspelý kultúrny jazyk a vyhlasoval (ale tejto zásady, ako to ďalej ukážeme, sa dôsledne nepridŕžal), že sa chce vyhýbať ľudovému jazyku.[3]

Na otázky, prečo vzniklo medzi Bajzom a bernolákovcami také napätie, ktoré vyústilo do ostrej polemiky, a prečo Bajza neuznal vystúpenie A. Bernoláka za epochálny čin, odpovedali už viacerí slovenskí jazykovedci a historici (napr. Miškovič, 1931; Vlček, 1897). Nachádzali príčiny viac v osobných vlastnostiach J. I. Bajzu ako v jeho pomýlenom postoji k jazyku. Polemiky bernolákovcov a J. I. Bajzu sú obojstranne plné osobných invektív, ktorým dal počiatok J. I. Bajza, keď neprijal Fándlyho dielo Dúverná zmlúva, ktoré bolo reprezentatnom bernolákovskej slovenčiny, hoci myšlienkovo má toto dielo podobnú bázu ako 2. zväzok románu René mládenca. Obidve diela vyrastajú z tých istých ideových a spoločenských podnetov (Tibenský, 1966, s. 23). Po útokoch J. I. Bajzu na J. Fándlyho aj pre „vulgárnosť a kuchynskosť" jeho jazyka (Tibenský, 1966, s. 27) prišla zákonite bernolákovská odveta, v ktorej sa tiež nešetrilo urážkami. Tak je to aj v bernolákovskom polemickom diele Toto maličké písmo má sa pánovi

Anti-Fándlymu do jeho vlastních ruk odevzdat (Kotvan, 1966, s. 139—166). Tu sa konkrétne hovorí: *„A potom, čo je to za jeden ten Theodolus aneb Anti-Fándly? Čech-li? Či Moravec aneb Hanák? Rusňák-li? Či Polák?... Lamind: Veru já jim, jejich milost, doista povedeť nemóžem, ale nakolko človeka z reči poznávám, tam mislím, že ani Čech, ani Moravec, ani Hanák, ani Rusňák, ani Slovák není, ale len takí volajakí hurdiburdi, nebo nekteré slova má ze slovenskej reči, nekteré z rusňackej a nektere z českej, moravskej a hanackej reči a ani v jednej, ani druhej čistotne nehovorí."* (Kotvan, 1966, s. 159.)

Dielu J. I. Bajzu sa venovali viacerí bádatelia (porov. napr. Vlček, 1897; Miškovič, 1931; Tibenský, 1955; Kotvan, 1959, 1966, 1975; Habovštiaková, 1968; Marsinová, 1955; Oravec, 1955; Minárik, 1978 a i.). Bajza bol skutočne predchodcom bernolákovcov, uvažoval o ortografii slovenčiny, o jej schopnostiach prozodických i o otázkach tvaroslovia. Hoci nebol pri úprave všetkých plánov jazyka taký dôsledný ako bernolákovci, predsa treba vyzdvihnúť mnohé z jeho správnych kodifikačných činov v oblasti hláskoslovia, napr. pravidelné označovanie mäkkosti spoluhlások ď, ť. ň, ľ (Habovštiaková, 1968, s. 298—302). Otázke tvaroslovia u J. I. Bajzu sa podrobnejšie venoval J. Oravec (1955, s. 129—131), ktorý ukázal síce, že Bajza preberá pomocné slovné druhy z češtiny, no upozornil na Bajzove tvaroslovné, hláskoslovné a aj niektoré lexikálne dialektizmy z trnavského nárečia (*nikeho, čírne vrecko, osskvrlí* atď.), z trenčianskeho (*hrube = veľmi, pregssel, daremnosti, prám* atď.) (Oravec, 1955, s. 132). V krátkej kapitole venovanej slovnej zásobe J. I. Bajzu poukázala K. Habovštiaková (1968, s. 309) na lexikalizmy, ktoré prevzal ako celky z češtiny. Podrobnejšie sa však lexikálnej stránke Bajzovho diela jazykovedci nevenovali.

Na rozbor lexikálnych javov u J. I. Bajzu sme vybrali dve jeho diela. Druhý zväzok románu René mláďenca príhodi a skusenosti a zbierku anekdôt Veselé príbehy a výroky.[4] K hodnoteniu lexikálnych javov pristupujeme z troch hľadísk: 1. posudzujeme ich porovnaním s vtedajšou slovnou zásobou; 2. porovnávame ich so slovnou zásobou, ktorú v Slovári[5] kodifikoval A. Bernolák; 3. sledujeme vývin lexiky až do dnešných čias (jazykový materiál historickej slovenčiny čerpáme z kartotéky k Historickému slovníku slovenského jazyka v Jazykovednom ústave Ľ. Štúra SAV). Okrem toho sa na lexiku J. I. Bajzu pozeráme cez prizmu výčitiek, ktoré sa na adresu jeho jazyka nachádzajú v polemických spisoch bernolákovcov.

Jednou z vážnych chýb, ktorej sa podľa bernolákovcov J. I. Bajza dopúšťal, bolo, že v jeho jazyku je množstvo českých, moravských, hanáckych, rusnáckych a poľských slov.[6] Vo vyexcerpovanom materiáli zo spomínaných diel sa nenachádzajú „poľské a rusnácke" lexikalizmy. Za hanácke by sa azda dali pokladať slová s protetickou hláskou h-: *hagnúštek* (BR[7], 302) = *agnuštek; halmužnu* (BR, 303).

Porovnaním so stavom v Slovári A. Bernoláka možno ukázať postoj J. I. Bajzu k českým lexikalizmom,[8] ktorý mu vyčitovali bernolákovci. Mnohé z českých lexikalizmov nachádzame aj v Bernolákovom slovníku bez označenia „boh.", z čoho možno usúdiť, že ich Bernolák pokladá za súčasť slovnej zásoby. Na ilustráciu tohto javu sme vybrali niekoľko typických príkladov z diel J. I. Bajzu a A. Bernoláka. V BV, s. 204 nachádzame dvojicu lexém *zaucho* (*:políček:*). V Slovári je uvedené heslo *zaussek* v. *políček* (s. 4230), pri slove *políček* sa u A. Bernoláka nenachádza nijaký kvalifikátor, slovo sa pokladá za organickú súčasť slovenčiny. Vo výkladovej časti hesla *políček* nachádzame u A. Bernoláka hniezdované deverbatíva *poličkowáňí v. pohlawkowání.* Sloveso *poličkowať* (s. 2275) je u A. Bernoláka rovnako heslom bez kvalifikátorov. V Slovári sa však nenachádza samostatné heslo zaucho. Sú tu synonymné heslá *zaussek* (s. 4230), *pohlawek* (s. 2237). Vo výkladovej časti hesla pohlawek uvádza A. Bernolák synonymá *oflinek, políček.* O slove zaucho A. Bernolák vedel, uvádza ho ako ďalšie synonymum pri slove pohlawek (s. 2237): *zaucho, zaussek.* Ako úzus však uvádza A. Bernolák: *pohlawek ňekomu dať, geho poličkowať, pohlawkowať* (s. 2237). Nemožno dnes vedieť, či to bola u Bernoláka len drobná nedôslednosť, že slovo zaucho neuviedol ako samostatné heslo, ale podľa jeho odporúčaného úzu (s. 2237) možno uvažovať, že ho pokladal za okrajové. V kartotéke HSSJ sa nachádzajú obidve heslá, slová políček i zaucho teda v slovnej zásobe predbernolákovskej fungovali. Uvedením celého radu západoslovenských synonym pohlawek, oflinek, zaussek A. Bernolák ukázal, že dobre poznal slovnú zásobu západoslovenských nárečí. J. I. Bajza však z hľadiska ďalšieho vývinu slovenčiny postupoval správnejšie. Zátvorkami ohraničené slovo políček vysunul na okraj slovnej zásoby a ponúkol zaň slovo zaucho, pričom si bol vedomý, že slovo políček bolo súčasťou slovnej zásoby predspisovnej slovenčiny.

Rovnaký postoj mal Bernolák a Bajza z hľadiska ďalšieho vývinu slovenčiny k lexéme *snídaňe.* Ani jeden nepoužíva pre význam „raňajky" výraz snídaňe. A. Bernolák neuvádza heslo raňajky, má len heslo *frisstuk* (s. 578) a slovo *snídaňe* pokladá za bohemizmus. J. I. Bajza ide ďalej a usiluje sa nahradiť nemecké slovo *Frühstück* (fruhštik) novotvarom *ranné: o fruhštikoch anebrž ranních* (BR, s. 338).

Dobré jazykové povedomie dokázal J. I. Bajza aj pri hodnotení slov *kováč, kovár,* keď uprednostňuje podobu *kováč: kowáča* (*:kowára:*) (BR, s. 125). A. Bernolák postupuje rovnako, označujúc slovo *kovár* za bohemizmus (s. 1053).

Súhlasne hodnotili Bernolák a Bajza aj slovo nemluvňátko. Za bohemizmus pokladá A. Bernolák len slovo *ňemluvňe* (s. 1685), slová *ňemluvňátko, ňemluvňa* spracúva v heslovej časti slovníka bez kvalifikátorov. J. I. Bajza uvádza dvojicu *ňemluwňátek* a *mlzňátek* (BR, s. 255—256). Obaja teda majú určité pochybnosti o zaradení slova do slovnej zásoby.

Mnohé z výčitiek bernolákovcov na adresu postoja J. I. Bajzu k českej slovnej zásobe boli oprávnené. Možno uviesť viac príkladov, ktoré dokazujú tento fakt (J. I. Bajza používa bohemizmy *zeď, wisličnená, sličnosť, slúř, ďelník, spoluďelník,* na ktoré vo svojom slovníku upozorňuje A. Bernolák). Aj A. Bernolák má vo svojom Slovári viaceré slová českého pôvodu, lebo aj on pokladal češtinu za vyspelý jazyk, ale nepreberal z nej slová nekriticky (Habovštiaková, 1968, s. 241—243). Jeho kodifikátorský čin smeroval k jasnému vymedzeniu hraníc slovenskej slovnej zásoby.

Ak by sme posudzovali slovnú zásobu J. I. Bajzu z hľadiska programovo vyhlásených zásad v polemikách medzi ním a bernolákovcami, očakávali by sme, že v lexike J. I. Bajzu nenájdeme „kuchynských, ľudových, expresívnych" slov, ktorým sa vysmieval vo Fándlyho diele.

J. I. Bajza dôsledne uprednostňoval hláskoslovnú skupinu *šť* namiesto *šč* a *č.* A. Bernolák sa zase systémovo pridŕžal skupiny *šč* (Habovštiaková, 1968, s. 126—127). (Výskyt *šť* oproti *šč* je podľa V. Vážného jedným z hláskoslovných prvkov, ktoré charakterizujú stredoslovenské nárečia oproti západným a východným. Porov. Pauliny, 1963, s. 43—44.) A tak teda u Bajzu nachádzame slová *veštica, štekať,* atď., skupinu *šť* za *č* zasa v slovách *ništ, ništmenej* a prekvapujúco aj v neočakávaných polohách: *jestli ňekdi ňedošťahuje, abi došťáhla, stolec si podkladá* (BR, s. 343); *kdo sa mnoho okolo šťelustí krútí, ten často bíva začírňen* (BR, s. 297). U A. Bernoláka sa systémovo používa skupina *šč* namiesto *šť.* Tak je to aj v Slovári, napr. pri hesle *wesstec* (s. 3617). Podoba so *šť* sa pokladá za vulgárnu (= ľudovú) s odkazom na korektnú podobu *wesščec* a prechýlenú podobu *wesščica* so synonymom *bosorka* (s. 3610).

212

Z nárečových slov treba u J. I. Bajzu spomenúť slovo *patriť* „pozerať“: na vše bedlive patril jsem (BR, s. 252). Myjavské a moravskoslovenské (Kálal, 1921, s. 291) slovo *kymlavý* (BR, s. 252) má aj A. Bernolák (s. 929) bez kvalifikátora s významom okýptený. Slovo *kymel* uvádza aj SSJ (s. 807) vo význame kýpeť.

Viaceré dialektizmy ako názvy reálií zo života ľudu, vyskytujúce sa v Bajzovom románe, nasvedčujú, že dobre poznal ľudový jazyk. Také sú napr. *otka* (s. 309), *odebérač, starý svat* (s. 309), *veselé* (= svadba, s. 231), *široká* (= starosvatka pri svadbe, s. 228), *kačena, slépka* (s. 302), *kastról* (s. 328), *čingír* (s. 281), *zápona* (= zástera, s. 301). Z ďalších nárečových slov je zaujímavá stredoslovenská príslovka ta vo význame tam (o smere s. 264), ktorú u A. Bernoláka nenachádzame, sloveso *ostarať sa* = zostarieť (s. 281). západoslovenské *sl* stredoslovenské slabičné *l* zachované v adjektíve *dlkší* (v západoslovenských nárečiach z okolia Trnavy a na Záhorí je − *lu- u-*, Pauliny, 1963, s. 159). V zachovávaní slabičného *l* však u Bajzu nie je jednotnosť, lebo z jeho diela máme doklady, ktoré dokazujú, že presadzuje zo svojho povedomia skôr podoby s neslabičným *l: farár sa ze svetnice vikliznúl* (BR, s. 370); *zdališ ja vám dobre biblie ňetlumačím* (BR, s. 353).

Bajzove diela oplývajú množstvom expresívnych slov. Ich výber súvisí so žánrom, v ktorom sú napísané obidve diela, ale aj s temperamentom autora. Expresivita je jav frekventovanejší v hovorovom jazyku, ktorý tak ostro kritizoval J. I. Bajza u J. Fándlyho. O majstrovstve používania expresívnych slov v diele J. I. Bajzu svedčia doklady: *a na všem tem* (na hudobných nástrojoch) *bilo vihuduvano, vipiskuvano, vicinguvano, vihukuvano, vivrnčavano, vitrubuvano, vitreskuvano, vidrnkavano* (BR, s. 232); (mešec s peniazmi) *nalézel chudóbček* (BV, s. 257); *po swém sebe widrichmaňu staňe* (BV, s. 22); *mníšky z breviára dudúkajú* (BR, s. 256); *vím dobre, čo plním chriplavím hrdlem rihaťe, čo ňevimitú papulu vracáťe* (BR, s. 254); (na smrť odsúdený) *sebe na plnú pipku pukal* (= pofajčieval, fajčil, BV, s. 277); *čloweka zahlomažditi* (BV, s. 203); *ňečo lepššého schlupnuťi* (= zjesť, BV, s. 234); *kdo tebe uwerí, čo papuluges?* (BV, s. 224); *hrdlorozdrapuwač* (BV, s. 251); *to bi mi zas s kotrbi még wiwálo* (BV, s. 287). Medzi expresívne slová u J. I. Bajzu možno zaradiť slová s expresívnymi formantmi (augmentatíva, deminutíva), napr.: *eg, čertowe korhelisko* (BV, s. 287); *zrutné nosisko* (BV, s. 106); *klobaštičku* (BR, s. 302).

Aký mal J. I. Bajza postoj k slovnej zásobe slovenčiny, možno ukázať na niekoľkých príkladoch z diela Veselé účinky. Príklady názorne ukazujú, že premýšľal o výbere slov a priamo v kontexte diela ponúkal z jeho hľadiska správnejšie výrazy tak, že tie, ktoré vysúval na okraj slovnej zásoby, kládol do zátvorky. Doklady: *očné sklá*: (:*okuliry*:), s. 195; *wipoweď* (:*sentenciu*:), s. 154; *žihlawowi* (:*hunsslagerowi*), s. 275; *tabačnica* (:*piksľa*:), s. 139, *zaucho* (:*políček*:), s. 204, zimnica (:*hodomka*:), s. 136; *zráta* (:*sčítá*:), s. 156; *truhelku* (:*sskátulu*:), s. 173; *kowáča* (:*kowára*:), s. 125; *wesstice* (:*bosorki*:), s. 146. Výnimočný je príklad *komédii* (:*weselohre*:), s. 236, v ktorom Bajza uprednostňuje cudzie slovo pred domácim. Všetky uvedené slová sa nachádzajú v slovnej zásobe predspisovnej slovenčiny (p. kartotéka HSSJ) a okrem slov *žihľava, veselohra* aj v Slovári A. Bernoláka s podobným hodnotením (vynímajúc dvojicu *veštica − bosorka*, pri ktorej má Bernolák opačný postoj).

Ako z uvedených príkladov vidieť, J. I. Bajza takmer dôsledne nahrádzal cudzie slová domácimi. Na konci 18. stor. bola táto tendencia v slovenčine známa (Krasnovská, 1985, s. 340), uplatňovali ju aj bernolákovci (Považan, 1958, s. 122; Habovštiaková, 1968, s. 245). J. I. Bajza postupoval pritom dvoma spôsobmi: 1. cudzie slová alebo kalkoval: *concubinát anebž spoluleh* (BR, s. 357); *graduatný* (:*poveďme schodný anebo krokový*:) *doktor* (BR, s. 324). Išlo tu o graduovaného, vysokoškolsky vzdelaného lekára. Bajza sa v tomto prípade veľmi pevne pridŕžal latinskej motivácie slova. *Klashausi anebž sklenné domi* (BR, s. 340); *káwowí dom* (z nem. Kafehaus, BV, s. 98) alebo 2. nahrádzal ich svojimi novotvarmi: *Feuerwerk anebž ohňový diwák* (BV, s. 259); *o frühštikoch anebž ranních* (BR, s. 338). Slová *ohňový divák, ranné* sa nenachádzajú ani v kartotéke HSSJ ani v Bernolákovom Slovári.

Produkcia novotvarov bola u J. I. Bajzu bohatá. Takýto prístup k jazyku bol v obrodenskom období bežný nielen na Slovensku, lež aj v Čechách. Obrodenské „novotárenie“ nie je pre jazyk často užitočné, pretože tu ide väčšinou o slová, ktoré sú tvorené necitlivo k slovotvorným zákonitostiam jazyka (porov. Bělič, 1955, s. 24). Aj keď A. Bernolák vytvoril celý rad nových slov, ktoré dožili do dnešných čias, predsa nemal k novotáreniu taký kritický pomer, ako ho mal v tom čase J. Dobrovský (Habovštiaková, 1968, s. 248). J. I. Bajza bol v tomto smere ešte odvážnejší ako A. Bernolák, a tak aj v Historickom slovníku slovenského jazyka je produkcia Bajzových novotvarov bohato zastúpená, napríklad: *dluhomislnosť* (= zhovievavosť): *capoocasný* (o diablovi, majúci chvost ako cap); *cirkvomestský, dlhokoruký, dolubý-*

vanie, dolulíhať (= ukladať sa na spánok), dopomožitedlný (= dosiahnuteľný), dostanitedlny (= dostihnuteľný) ap. O fantázii autora novotvarov svedčia príklady: *tigrohlavý, medveďopazúrový, koňonohatý čert* (BR, s. 236); *husto-rídka, krvavo-vodnatá, ťenkomasitá, vržlivo-hnilá, kisnúco-hnojová matéria peccans* (BR, s. 321).

Napriek tomu, že sa v štúdii porovnávala práca J. I. Bajzu s prácou bernolákovcov, nechceli sme tým dokázať, že by Bajza mohol konkurovať bernolákovcom, ich veľkému a epochálnemu činu. Išlo len o to, aby sa ukázalo, že J. I. Bajza možno ani nie tak svojimi konkrétnymi jazykovými činmi, ale skôr svojimi vyhláseniami, svojou slovnou opozíciou podnietil bernolákovcov upevniť svoje stanovisko k ľudovému jazyku a k češtine. Napriek tomu, že jazyk J. I. Bajzu je z hľadiska normy rozkolísanejší ako jazyk bernolákovcov, predsa uplatňoval v ňom (aj pri jeho nedôslednom normovaní) podobné zásady ako bernolákovci. Ukázalo sa to pri pohľade na Bajzov lexikálny systém. V gramatickom systéme sa Bajza dopustil viacerých omylov (napr. aj jeho syntax je obrodensky vznešená, neľudová, ťažká). Nemožno mu však neuznať, že bol skutočne jedným z prvých, ktorý k spisovnej slovenčine „ľady lámal". Aj keď chcel programovo slovenčinu dvíhať podľa neho na úroveň vyspelej češtiny (preto sa dopustil z dnešného hľadiska viacerých omylov vo výbere slov), predsa sa prieskumom jeho lexiky zistilo, že vychádzal aj on z nárečí a mal dobré znalosti o vtedajšej slovnej zásobe. Nič z polemík medzi bernolákovcami a J. I. Bajzom nemôže ovplyvniť skutočnosť, že dielo J. I. Bajzu má na príslušné obdobie vysokú literárnu hodnotu. Jazyková práca J. I. Bajzu nemôže však súťažiť s vyspelým a systematicky spracovaným opisom jazyka v diele A. Bernoláka, ktoré má na svoje obdobie vysokú vedeckú úroveň. Aj z hľadiska vývinu slovenského jazyka treba vidieť tieto dve postavy našej histórie v dialektickej spätosti.

Poznámky

1 A. Bernolák odôvodnil svoju normu v piatich jazykovedných spisoch: Dissertatio philologico-critica de litteris Slavorum, Posonii 1787; Linguae slavonicae orthographia, Posonii 1787; Grammatica slavica, Posonii 1790; Etymologia vocum slavicarum, Tyrnavie 1791; Slowár slowenskí, česko-laťinsko-nemecko-uherskí. Budae 1825–1827.

2 Svoje návrhy na úpravu pravopisného systému slovenčiny a úvahy o norme slovenčiny J. I. Bajza načrtol v dielach: Slowenské dwognásobné epigrammata gednako-konco-hlasné a zwukomírne. Trnava, W. Gelinek 1794. Tu rozoberá aj prozodický

systém slovenčiny; René mláďenca príhodi a skúsenosťi. Bratislava. J. M. Landerer 1785; Kresťansko katolickeho náboženstwá, které lidu swému wikládal a pre wsseobecný prospech widal Joseph Ignat. Bajza, farár Dolno-Dubovský. Trnava, Gelinek 1789–1796.

3 Prvé dielo napísané v bernolákovčine urazený J. I. Bajza odsúdil. Išlo o dvojzväzkový spis J. Fándlyho: Dúverná zmlúva mezi mníchem a diablom… Bratislava 1789. Vo svojom polemickom spise Anti-Fándly anebo dúwerné zlúwánj mezi Theodolusem… a Gurem Fándly… Halle (= Trnava) 1789 sa J. I. Bajzovi, posudzovateľovi Fándlyho diela, zdal jeho jazyk bohato ovplyvnený nárečovými prvkami kuchynský a vulgárny (porov. Tibenský, 1966, s. 27, v úvode k dielu Bernolákovské polemiky, ktoré edične pripravil I. Kotvan).

4 Úplné názvy diel v origináli: Weselé učinki a Rečeňj, které k stráweňu trúchliwích hoďín zebral a widál Jos. Ign. Baiza, Farár Dolno-Dubowský. Trnava. Gelinek 1795; René mláďenca príhodi a skúsenosťi. Bratislava, J. M. Landerer 1785.

5 Bernolák, A.: Slowár slowenskí, česko-laťinsko-ňemecko-uherskí. Budae 1825–1827.

6 Ide tu o spis Toto maličné písmo má sa pánovi Anti-Fándlymu do jeho vlastních rúk odevzdať. Halle (= Trnava) 1790. Dielo podľa editora Bernolákovských polemík (1966) I. Kotvana napísal A. Bernolák.

7 Pri citovaní excerpovaných diel sa používajú v štúdii skratky BR = Bajza, René… BV = Bajza, Veselé účinki…

8 Okrem pomocných slov, ktoré Bajza uvedomene preberá ako celky z češtiny (k tomu pozri napr. Oravec, 1955, s. 132). Ide o výrazy kterák, arci, pak, nežli, ačkoliv, dejžto = hoci, čokoliw ap. Treba však povedať, že tieto synsémantické slová boli aj v predbernolákovskej slovenčine frekventované, ako to dokazuje jazykový materiál z kartotéky Historického slovníka slovenského jazyka.

Literatúra

BAJZA, J. I.: René mláďenca príhodi a skúsenosti, ktere widal Jos. Ign. Bajza. W Presspurku, J. M. Landerer 1785. 288 s. Fotokópie zv. 0,24 uložené vo fotoarchíve JÚĽŠ SAV.

BAJZA, J. I.: Slowenské dwognásobné epigrammata gednakokonco-hlasné a zwuko-mírné. W Trnawe, W. Gelinek 1794. 157 s. Fotokópie zv. 0,22 uložené vo fotoarchíve JÚĽŠ SAV.

BĚLIČ, J.: Sedm kapitol o češtině. Praha, Státní pedagogické nakladatelství 1955. 147 s.

HABOVŠTIAKOVÁ, K.: Bernolákovo jazykovedné dielo. Bratislava, Vydavateľstvo SAV 1968. 443 s.

KOTVAN, I.: Epigramy Jozefa Ignáca Bajzu. In: Zborník Záhorského múzea v Skalici IV. Skalica, 1973, s. 79–116.

KOTVAN, I.: Literárne dielo Jozefa Ignáca Bajzu. Bratislava, Slovenské pedagogické nakladateľstvo 1975. 198 s.

KOTVAN, I.: Bernolákovské polemiky. Bratislava, Vydavateľstvo SAV 1966. 391 s.

KRASNOVSKÁ, E.: O jazyku tzv. kurensov z rokov 1784–1790. In: Jazykovedné štúdie 17. Red. Š. Peciar, s. 39–59.

KRASNOVSKÁ, E.: Administratívno-právna terminológia v predbernolákovskej slovenčine na konci 18. stor. Slovenská reč, 50, 1985, s. 6, s. 338–350.

MARSINOVÁ, M.: Jozef Ignác Bajza, René mláďenca príhodi a skusenosťi. Slovenská reč, 20, 1955, č. 3, s. 175–180.

MIŠKOVIČ, A.: Bajza proti Bernolákovi. Slovenské pohľady, 47, 1931. Red. Š. Krčméry, s. 624–640.

ORAVEC, J.: Jozef Ignác Bajza. Priekopník spisovnej slovenčiny. Slovenská reč, 20, 3, 1955, s. 129–133.

PAULINY, E.: Dejiny spisovnej slovenčiny. 1. vyd. Bratislava, Slovenské pedagogické nakladateľstvo 1983. 248 s.

PAULINY, E.: Fonologický vývin slovenčiny. Bratislava, Vydavateľstvo SAV 1963. 358 s.

POVAŽAN, J.: Slowár Antona Bernoláka. In: Sborník Filozofickej fakulty UK. Philologica. Bratislava, Slovenské pedagogické nakladateľstvo 1958, s. 120–133.

Slovník slovenského jazyka. 6 zv. Red. Š. Peciar. Bratislava, Vydavateľstvo SAV 1959–1968.

TIBENSKÝ, J.: René mláďenca príhodi a skúsenosti. I. Bratislava, Vydavateľstvo SAV 1955. 408 s.

TIBENSKÝ, J.: Predhovor k dielu I. Kotvana Bernolákovské polemiky. I. vyd. Bratislava, Vydavateľstvo SAV 1966, s. 7–30.

VLČEK, J.: Bernolák proti Bajzovi. Slovenské pohľady, 17, 10, č. 1, 1897, s. 561–568.

Nova Bibliotheca Theologica Selecta
Antona Bernoláka v Matici slovenskej

IMRICH SEDLÁK

Počas vedeckej konferencie Zahraniční Slováci a materinský jazyk, ktorá sa uskutočnila 4.–6. júla 1988 v Bratislave pri príležitosti 125. výročia založenia Matice slovenskej, odovzdal prof. PhDr. Milan Ďurica z padovskej univerzity zástupcom Matice slovenskej (doc. PhDr. Imrichovi Sedlákovi, CSc. a PhDr. Františkovi Bielikovi, CSc.) vzácne rukopisné bibliografické dielo Antona Bernoláka: Nova Bibliotheca Theologica Selecta, Literariis et Critis adnotationibus instructa... (Nová výberová teologická knižnica, opatrená literárnymi a kritickými poznámkami...). V súčasnosti je uložené ako pozoruhodná pamiatka vo fonde Archívu literatúry a umenia Matice slovenskej v Martine.

Táto Bernolákova bibliografická práca nebola známa od čias svojho vzniku (1785) a neboli známe o nej ani nijaké súdobé údaje alebo zmienky. Bernolák ju nespomína ani v súpise svojich prác v rukopisnom predhovore k Slováru z roku 1796. Až keď sa na jar roku 1961 našla na povale farského kostola v Nových Zámkoch Bernolákova archiválna a knižná pozostalosť, zistili sa viaceré skutočnosti, ktoré zaujali bernolákovských bádateľov. Podľa inventára farskej knižnice z roku 1813 Bernolákova knižnica mala vtedy okolo 400 zväzkov a 6 rukopisov (siedmy rukopis sa v súčasnej literatúre uvádza len na základe zmienky v Literárnych listoch III, 1893, č. 5, s. 75–76). Po objavení pozostalosti roku 1961 sa podarilo nájsť a identifikovať už len 174 kníh a 2 rukopisy: Perceptiones de ogrorum cultu (Náuka o poľnohospodárstve) a spomínaná Nova Bibliotheca Theologica Selecta...

Najväčšia pozornosť sa sústredila na bibliografiu teologickej knižnice A. Bernoláka, najmä zo strany dvoch bádateľov: objaviteľa pozostalosti ThDr. Karola Markoviča a ThDr. Vševlada J. Gajdoša. Potom

rukopis tejto pozoruhodnej kultúrnohistorickej pamiatky bol vyše dvadsať rokov nezvestný. Dozvedel som sa o ňom až v Padove počas mojej cesty do Talianska roku 1983. Ďalšie osobné i písomné kontakty doviedli potom celú záležitosť do úspešného konca: rukopis sa dostal porozumením prof. dr. M. Ďuricu tam, kam patrí – do fondov Matice slovenskej. Pri tejto príležitosti stručne sa zmienim o autorovi, bibliografii a jej význame.

Všeobecne sa usudzuje, že Anton Bernolák zostavoval a písal túto prácu ako dvadsaťdva až dvadsaťtriročný poslucháč teológie na univerzite vo Viedni v rokoch 1782–1784 a dokončil ju počas prázdnin roku 1784 a ako poslucháč 4. ročníka bratislavského generálneho seminára v školskom roku 1784/85 u svojho priaznivca, devínskeho farára Michala Szalakyho (tu najpravdepodobnejšie napísal desaťstránkový predhovor k 270-stránkovej bibliografii), ktorý mu zaiste v niečom aj poradil a pomáhal, hoci vieme, že práve tento jeho priateľ bol odporcom súdobého jansenistického hnutia. V tejto súvislosti možno ešte uviesť, že z viedenských vysokoškolských čias pochádza aj Bernolákov rukopis prepracovaných či upravených prednášok profesora Matúša Pankla Perceptiones de grorum cultu. Už pri úpravách týchto prednášok sa Bernolák ukázal ako prívrženec nového osvietenského myslenia s výraznou orientáciou za praktické novoty a poučenia pre progresívne spôsoby využitia pôdy v poľnohospodárstve, vinohradníctve, lesníctve, sadovníctve, záhradníctve, ako aj pre výnosnejší chov domáceho zvieratstva, oviec, včiel, rýb, hodvábnikov a pod.

Novú knižnicu Bernolák chystal na vydanie, čo naznačuje aj v titule diela. Tlačou však nikdy nevyšla, ale autor žil s ňou, dopĺňal ju novými údajmi a upravoval aj na svojom poslednom pôsobisku v Nových Zámkoch. Je napísaná veľmi úhľadne, takmer krasopisne. Základnou rečou celého rukopisu je latinčina, avšak v textovej časti uvádza diela tou rečou, v akej vyšli: po latinsky, francúzsky, nemecky, slovensky, česky a po maďarsky. Aj poznámky a vysvetlivky k jednotlivým dielam písal zväčša po latinsky, ale niekoľko anotácií je písaných aj po francúzsky.

Podnet k zostaveniu, zameraniu, koncepcii a obsahu tejto bibliografie dostal Bernolák vo viedenskom prostredí, poznačenom okrem iného aj jansenizmom. Tu sa stretali rozličné európske filozofické prúdy, ktoré sa odrážali aj v jozefínskom hnutí, čo nadchlo aj bohoslovcov viedenskej univerzity, kde Bernolák dva roky študoval. Bernolák sa už v tomto období ukázal ako osobnosť s veľkými vedeckými ambíciami a rozhľadom v súdobých myšlienkových prúdoch a o viacerých oblastiach staršej i novšej literatúry. Prejavil bystré postrehy nielen v otázkach teoretických, ale i praktických. Ukázal sa ako človek nadovšetko tolerantný k iným názorom a tendenciám.

Bernolákov výber praktickej teologickej literatúry vychádza z ideových zámerov Jozefa II. pri výchove kňazského dorastu, ktorých pôvodcom bol známy teológ Rautenstrauch. Na titulnom liste diela píše, že jeho bibliografia je predpísaná pre knižnicu „chovancov generálneho seminára v Bratislave z láskavého príkazu kráľa". Svoj zámer vyjadril v obsiahlom a zaujímavom predhovore k bibliografii, v ktorom píše: „Čítanie kníh je nevyhnutným prostriedkom, ako sa dostať k pravej múdrosti; avšak nie všetci sa zhodujú v tom, ktorých autorov treba uprednostniť pri čítaní, ak niekto sa chce stať dobrým teológom … Kým jedni odporúčajú niektorých autorov ako učených, vynikajúcich, nábožných…, druhí ich odsudzujú ako neučených, nejasných, bezbožných, a to alebo ako povoľných, alebo ako prísnych či jansenistov, novátorských quesnelistov… dokonca ako bludárov."

Vlastný prístup k spracovaniu bibliografie vysvetľuje takto: „Zostavujem novú, výberovú, kritickými a literárnymi poznámkami vystrojenú knižnicu najvynikajúcejších spisovateľov vo všetkých oblastiach teologických náuk a zároveň osobitne vyznačujem, aké knihy v ktorejkoľvek bohoslovnej disciplíne podľa mienky všetkých najslávnejších univerzít a veľmi nábožných i veľmi učených mužov a kritikov predovšetkým treba čítať a pred ktorými utekať. Nech si každý zváži svoje nadanie, svoju schopnosť, povolanie, voľný čas a iné okolnosti, v ktorých je postavený, a podľa nich si vezme na čítanie tie, ktoré najskôr vedú k láske k Bohu a k vzdelaniu blížneho, a hlavne pre vlastné spasenie."

Nova Bibliotheca je zaujímavou a odvážnou prácou vo vtedajších slovenských pomeroch, ba aj v širších reláciách. Rozsiahlosť bibliografických záznamov a obsažnosť i charakter poznámok k zaradeným spisom odrážajú viedenské myšlienkové prostredie. Dá sa z nich presne sledovať, aké teologické a filozofické smery a novoty sa vtedy propagovali, prípadne zavrhovali. Bernolákove poznámky k dielam jeho bibliografie sú v celom rukopise najhodnotnejšie, lebo práve v nich sa javí jeho osobnostný profil a ideál jozefínskeho osvietenstva, ktorý ovládal väčšinu vtedajších bohoslovcov. Súčasne ukazujú nevšedné literárne vedomosti a značný praktický zmysel mladého Bernoláka, ktorý sa zračí tak vo výbere diel, ako aj v anotáciách, radách a odporúčaniach. Potvrdzuje to aj skutočnosť, že okrem hlavných teologických disciplín uviedol aj spisy pomocných teologických vied a inú literatúru z rôznych vedných a umeleckých odborov, odporúčaných mladým bohoslovcom, ako boli: medicína, filozofia, filológia, estetika, hudba, prírodné vedy a politika. Na koniec spisu pripojil ešte súpis predpísaných učebníc pre päť ročníkov teologického štúdia v bratislavskom generálnom seminári.

Nova Bibliotheca je nielen významnou kultúrnohistorickou pamiatkou, ale aj dokumentom a svedectvom o formovaní ľudského, vedeckého a kňazského profilu jednej z vedúcich osobností nášho národného obrodenia — Antona Bernoláka; o jeho myslení, intelektuálnej úrovni, názoroch a snahách. Ako prívrženec progresívneho myslenia sa už vtedy ukázal veľmi liberálnym a tolerantným k iným názorom a tendenciám, čo sa v bibliografii výrazne prejavilo v tvorivom prístupe k výberu diel a v jeho poznámkach a anotáciách. Vo väčšej miere uvádza totiž aj diela protestantských autorov (ako to požadoval aj opäť Rauteustrauch) a z katolíckej strany aj diela tzv. zakázaných autorov. Svoj postup odôvodňuje takto: „Hoci sú iných mienok, ich diela sú vynikajúce vzory rečníctva; veď ináč by z radov rečníkov bolo potom treba vylúčiť aj Cicleróna a Demostena. Hoci sa usilujú presvedčiť rozum, no vôľu premôcť nemusia; jednako treba ich čítať so zrelým úsudkom."

Bernolákova bibliografia ukazuje súčasne rozklad tradičného dogmatizmu vo výchove mladej bohosloveckej inteligencie a novú orientáciu v bratislavskom generálnom seminári. Zrejme aj ona prispela k vytvoreniu takého ovzdušia v seminári, ktoré tu umožnilo zriadiť Spolok milovníkov reči slovenskej a aktivizovať sa v duchu národnom, kultúrnom, jazykovednom a literárnom. A Anton Bernolák bol na čele tohto úsilia.

Bernolákovské oslavy v Trnave roku 1937

JOZEF ŠIMONČIČ

„Slovenský národ dlho nestaval svojím synom pomníky" – bolo mottom slávnostného rečníka pri odhalení pomníka Antona Bernoláka v Trnave roku 1937. V komplikovaných pomeroch a posledných mesiacoch prvej Československej republiky sa stalo postavenie Bernolákovho pomníka v Trnave celonárodnou akciou, ktorej priebeh i finále vyznelo v pozitívne priznanie jednoty republiky. Politický význam a podtext dala tejto slávnosti prítomnosť predsedu vlády a jeho prejav.

Keď starosta mesta Trnavy oznámil 9. decembra 1936 mestskej rade, že Národohospodárska župa západoslovenská zvolala 12. decembra v Trnave poradu o bernolákovských oslavách, rada ho poverila, aby sa tejto porady zúčastnil.

Trnavský týždenník NOVÉ SLOVENSKO[1] č. 4 z 23. januára 1937 priniesol rozsiahly článok „Vstupujeme do slávneho roku Bernolákovho – Bernolákov jubilárny výbor ustanovený"[2]. Autor článku Dr. H. (dr. Henrich Bartek) informoval verejnosť, že Národohospodárska župa západoslovenská pri príslušných poradách ako iniciátorka jubilejných osláv Antona Bernoláka zvolala na 15. januára 1937 prvú schôdzu Jubilárneho výboru Bernolákových osláv. Všetky významné kultúrne, národné korporácie a spolky poslali na ňu svojich delegátov: Univerzita Komenského a Učená spoločnosť Šafárikova (prof. dr. Ján Vilikovský), Evanjelická bohoslovecká fakulta (dr. J. Bakoš), Osvetový zväz pre Slovensko (min. radca Jelinek), Matica slovenská (dr. H. Bartek), Spolok sv. Vojtecha (msgr. Ján Pöstényi), Národná rada československá (spisovateľ Augustín Način), Spolok profesorov Slovákov (prof. I. Kotvan), Slovenská liga (dr. Vojtech Brestenský), Ústredie slovenského katolíckeho študentstva (Laco Kiss), Zväz

slovenského učiteľstva (A. Bébar), Krajinský učiteľský spolok (Michal Kopčan), Živena (Emília Paulovičová), mesto Bratislava (dr. Ovidius Faust), Okresný osvetový zbor (Arpád Plechlo), Miestny osvetový zbor, Sokol Župa Masarykova (Václav Pilous), okres Trnava (okresný náčelník Ján Beňovský), Gymnázium v Trnave (prof. J. Kmeť), mesto Trnava (starosta Juraj Vyskočil), Akademický slovenský spolok TATRAN v Brne (Július Predáč). Všetky tieto organizácie prejavili spontánnu a nevšednú ochotu ku spolupráci na oslavách.

Za predsedu Jubilárneho výboru Bernolákových osláv zvolili Pavla Teplanského, poslanca Národného zhromaždenia, za podpredsedov prof. dr. J. Vilikovského, dr. H. Barteka, dr. M. Bellu a za úradujúceho podpredsedu msgr. J. Pőstényiho. Predsedom finančnej komisie sa stal Juraj Vyskočil, komisie pre postavenie pomníka Ján Beňovský, propagačnej dr. O. Faust, literárnovednej dr. H. Bartek. Za jednateľov zvolili M. K. Smolka, V. Vnuka, prof. Kmeťa a prof. Kotvana a za tajomníka dr. Jozefa Horvátha.

Rozpočet na postavenie pomníka bol 160 000 Kčs. Celkový rozpočet osláv 200 000 – 250 000, z čoho sa 10 000 navrhovalo uvoľniť na opravu hrobky a postavenie náhrobného pomníka A. Bernoláka v Nových Zámkoch a 40 000 na literárnovedné publikácie. Jubilárny výbor požiadal Slovenskú krajinu, okresy, mestá a obce Slovenska o podporu. Okresný náčelník a starosta mesta Trnavy prisľúbili po 50 000 Kčs; verejnou zbierkou fár, škôl a spolkov Slovenska mali sa získať financie na nekryté výdavky. Termín osláv sa určil na polovicu októbra 1937.

Mestská rada v Trnave uznesením č. 315 zo dňa 16. februára 1937 venovala na Bernolákov pomník 50 000 Kčs a 12. mája 1937 vyplatila polovicu ako zálohu. 20. februára 1937 súhlasil s týmto rozhodnutím aj zastupiteľský zbor mesta Trnavy.

V prvých marcových dňoch navštívila delegácia Jubilárneho výboru Bernolákových osláv (P. Teplanský, poslanec NZ, J. Pőstényi, úradujúci podpredseda, J. Vyskočil, starosta mesta) predsedu vlády dr. Milana Hodžu a informovala ho o pripravovaných oslavách. Predseda vlády prijal nad oslavami protektorát a prisľúbil, že sa ich osobne zúčastní. Okrem pomníka v Trnave, ktorý mal podľa pôvodného zámeru stáť na Univerzitnom námestí, mali sa odhaliť aj pamätníky v Námestove a v Nových Zámkoch. „Okolnosť táto je príkazom, aby sa pri týchto oslavách zišiel jednotne celý národ a celé Slovensko." (Nové Slovensko, 14, 1937, č. 10, s. 5).

Predseda Jubilárneho výboru informoval verejnosť v týždenníku Nové Slovensko (č. 13 z 27. marca 1937) v článku „Pripravujeme Bernolákove oslavy" o nadšení organizácií na Slovensku, o činnosti a plánoch Jubilárneho výboru o stavbe pomníka A. Bernoláka v Trnave, o štedrých daroch na oslavy z celého Slovenska, o potrebe jednoty národa pri takýchto oslavách s odôvodnením, že niekdajší utláčatelia striehnu ako zničiť dielo našich slávnych predkov.

Dňa 2. apríla zasadala 11-členná komisia (M. Motoška, J. Rigele, D. Jurkovič, F. Florians, Š. Polkoráb, J. Pacák, G. Malý, J. Alexy, S. Havrlík; nedostavili sa J. Hanula, dr. V. Wagner) v miestnostiach Matice slovenskej v Trnave a posúdila návrhy na pomník Antona Bernoláka, predložené v anonymnej súťaži. Prvú cenu získal návrh „206" – autorom bol akad. sochár Ján Koniarek, II. cenu návrh akad. sochára A. Víteka z Prahy a III. cenu návrh akad. sochára L. Majerského z Bratislavy.

Dňa 3. apríla 1937 sa konala schôdza Jubilárneho výboru Bernolákových osláv za účasti 24 delegátov. Predseda podal správu o pochopení akcie v celom národe a o návšteve u predsedu vlády. O činnosti komisií informovali jednotliví predsedovia: J. Beňovský o výsledkoch súťaže na pomník, dr. Faust o súťaži na plagát, nálepky, známky, K. Smolek o priaznivej finančnej situácii, dr. Bartek o príprave zborníka. Predsedníctvo menovalo poriadateľský zbor, ktorý mal na starosti priebeh osláv. Týždenník Nové Slovensko začal publikovať výsledky zbierky na pomník A. Bernoláka a za národnú horlivosť vyslovil prvé poďakovanie správcovi školy v Poproči, ktorý po 50 halierov nazbieral 167 Kčs; potom sa výsledky zbierky publikovali častejšie.

Do 5 400 obcí Slovenska sa poslala výzva, aby zvečnili pamiatku Bernoláka premenovaním školy, námestia, ulice, sadu, kultúrneho spolku, a tak sa

zapísali do zlatej knihy, ktorá sa vloží do základov Bernolákovho pomníka v Trnave. (Nové Slovensko, č. 18 z 1. mája 1937, s. 2.)

Dňa 24. apríla 1937 zasadala po druhý raz komisia Jubilárneho výboru pre výstavbu pomníka v zložení: M. Motoška, A. Rigele, F. Florians, Š. Polkoráb, G. Malý, J. Hanula, S. Havrlík, J. Pacák, dr. V. Wagner, J. Beňovský, prof. dr. Š. Zlatoš, A. Način, dr. V. Brestenský, dr. O. Faust, K. Jelinek, P. Teplanský, msgr. J. Pőstényi, prof. dr. J. Vilikovský, K. Smolek, Jednohlasne uznala Koniarkov návrh za ideovo a umelecky vyhovujúci a rozhodla poveriť akad. sochára Jána Koniarka vyhotovením pomníka a jeho odhalenie určila na 10. októbra 1937. (Nové Slovensko, 14, 1937, č. 19, s. 2.) Súčasne sa do celého Slovenska expedovali plagáty ku 150. výročiu vzniku spisovnej slovenčiny. Týždenník Nové Slovensko publikoval v č. 23 z 5. júla 1937 plagát pozývajúci do Trnavy na 10. októbra 1937 na celonárodné jubilejné bernolákovské oslavy. V polovici júla 1937 navštívila porota pre výstavbu pomníka ateliér akad. sochára J. Koniarka, kde majster dokončieval hlinený model. Komisia bola nadšená monumentalitou diela i jeho stvárnením.

Koncom júna 1937 sa vytvoril v rámci Jubilárneho výboru podvýbor pre usporiadanie Bernolákových osláv, ktorý sa mal postarať aj o to, aby Trnava bola pripravená prijať hostí z celého Slovenska. Tento podvýbor formuloval veľmi ostro požiadavky na mesto, čo do čistoty, výzdoby, firemných nápisov, verejných záchodov atď.

Pri príležitosti bernolákovských osláv v Trnave pripravovali sa už v júli výstava včelárska, hydinárska, obilninárska, ovocinárska a stromková (v miestnostiach telocvičnej jednoty Orol).

Koncom augusta 1937 mal akad. sochár J. Koniarek hotový model pomníka a poslal ho do lejárne, kde v priebehu šesť týždňov mali pomník vyhotoviť. Tešila sa na to Trnava, Slovensko a výbor dostával prihlášky na oslavy aj z Čiech a Moravy. Na Bernolákov pomník prispel značnou sumou aj minister zahraničných vecí dr. K. Krofta, ktorý ako historik dobre poznal Bernolákovu dobu a situáciu Slovákov v starom Uhorsku. Verejná zbierka na Bernolákov pomník sa končila 1. septembra a do tohto termínu sa mali vrátiť všetky zbieracie hárky.

Dňa 20. augusta 1937 sa zišla komisia pre stavbu pomníka pred univerzitným kostolom v Trnave, kam dal majster Koniarek previesť model pomníka. Dr. V. Wagner z Pamiatkového ústavu v Bratislave sa zásadne postavil proti umiestneniu pomníka na tomto námestí, pretože ruší pohľad na priečelie kostola, monumentalita okolitých budov ho zahlušuje, najviac ide o miesto pomerne málo frekventované, kde by bolo škoda dielo „odložiť". Dňa 11. septembra bolo plenárne zasadanie Jubilárneho výboru a tam sa rozhodlo postaviť Bernolákov pomník pri Františkánskej bráne (iný návrh bol postaviť pomník pred Adalbertínom alebo v parku pri stanici) a tam sa aj hneď začali kopať 6 m hlboké základy a klásť železobetónová konštrukcia. Toto miesto s nerušeným pozadím sa malo po úpravách stať najkrajším miestom Trnavy.

Krátko pred oslavami uverejnila tlač tento ohlas: „Slovenky, Slováci, príďte do Trnavy 10. októbra t. r. Chcete vidieť, že nás je mnoho, že v tisícoch a stotisícoch slovenských sŕdc horí ten istý plameň rodoľubstva ako vo Vašom srdci? Príďte načerpať sily na boj proti národnej ľahostajnosti, príďte počuť, že sme národom, ktorý má svoju veľkú a slávnu minulosť." (Nové Slovensko, č. 40/ 1937, s. 4.)

Vlastné oslavy začali už v sobotu 9. októbra popoludní. Otvorilo sa osem výstav: výstava písomných a knižných pamiatok z Bernolákovej doby v Osvaldovom múzeu, výstava prác maliarov a sochárov, výstava Baťovho študijného ústavu v Zlíne, výstava obilninárska, ovocinárska, včelárska, drobného zvieratstva, výstava leteckej ligy, ľudového umenia, slovenskej keramiky.

Mesto bolo vyzdobené zástavami a večer všetky dôležité historické budovy boli slávnostne osvetlené mohutnými reflektormi. O 19.30 bol veľký koncert v aule konviktu prevažne z diel M. Schneidra-Trnavského (mužský zbor: „Bernolákovi"). Účinkoval symfonický orchester Slovenského národného divadla pod taktovkou Ladislava Holoubka, sóla spievali Helena Bartošová-Blahová a dr. Ján Blaho.

Predseda vlády dr. Milan Hodža prišiel do Trnavy v nedeľu ráno vlakom. Privítali ho krajinský prezident J. Országh a poslanec P. Teplanský a odprevadili do mesta. Na Univerzitnom námestí presadol do vyzdobeného koča a špalierom prešiel pred divadlo, kde ho na tribúne čakali minister spravodlivosti dr. I. Dérer, za ministerstvo školstva dr. Halla, poslanci Národného zhromaždenia, senátori, zástupcovia Univerzity Komenského, Matice slovenskej, Spolku sv. Vojtecha, Slovenskej ligy, rozličných národných a kultúrnych spolkov. Zaznela československá hymna, nasledovala prehliadka čestnej roty, odovzdanie kytice. Predsedu vlády privítal starosta mesta, zapísal sa do pamätnej knihy mesta a podpísal pamätný spis, vložený potom do základov Bernolákovho pomníka. Špalierom legionárov, sokolov, orlov, RTJ, Sedliackej jazdy a hasičov prešiel pred Bernolákovu bránu.

Zaznel znovu mužský zbor „Bernolákovi", poslanec P. Teplanský pripomenul celonárodný charakter Bernolákových osláv, poďakoval krajinskému prezidentovi, okresnému náčelníkovi a starostovi mesta za morálnu a finančnú podporu, slovenským mestám a obciam za pomoc pri vybudovaní tohto pomníka, „tohoto viditeľného majáka národného oduševnenia," načo s povolením protektora, predsedu vlády, dal pokyn na odhalenie pomníka. O živote a diele Antona Bernoláka prehovoril prof. dr. Štefan Zlatoš.

Slávnostný prejav predsedu vlády obsahoval niekoľko nových myšlienok: pozitívne hodnotenie práce bernolákovcov; vydanie Disertácie bolo prvým jazykovým prejavom slovenského národného prebudenia a politickej iniciatívy; zhromaždenie *všetkých Slovákov* v ustaranom dnešku okolo Bernolákovho pomníka; zapojenie skromného slovenského sveta Bernolákom do myšlienkového prúdu európskej civilizácie; uznanie Bernoláka za tvorivého predstaviteľa útleho zárodku slovenskej národnej myšlienky; Slovensko našlo so všetkými národnými záujmami plnosť života v Československej republike.

Poslanec Teplanský odovzdal pomník do opatery starostovi mesta Trnavy. Predstavitelia všetkých zúčastnených organizácií položili potom k pomníku vence. Prezidentovi republiky poslali zo slávnosti telegram: „...kde zhromaždený národ hodnotí životné dielo Bernoláka ako prípravu k národnému oslobodeniu a k založeniu samostatného československého štátu" (za všetkých podpísal poslanec Teplanský). Nasledoval slávnostný obed v Pannónii, po ňom predseda vlády vykonal prehliadku čestnej roty, navštívil výstavku dokumentov v Spolku sv. Vojtecha, výstavu diel maliarov a sochárov a odcestoval do Čeklísa, kde A. Bernolák pôsobil ako kaplán v rokoch 1787−1791.

Z titulov, ktoré vydal Jubilárny výbor Bernolákových osláv v Trnave, treba spomenúť BARTEK, Henrich: Anton Bernolák 1787−1937. Martin 1937. 62 s. i jeho menšiu brožúru Anton Bernolák a jeho dielo. Trnava 1937. 8 s. Drobnejšie články v iných periodikách[3] dokresľovali Bernolákov profil a zostali ako dokument doby, dokument prístupu i vtedajších vedomostí o jednej z najvýznamnejších osobností našich národných dejín.

Pramene a použitá literatúra

Štátny okresný archív v Trnave, Mestský úrad v Trnave, administratívne spisy r. 1937 (Bernolákove oslavy).
Nové Slovensko, 14, 1937.

Poznámky

[1] Veľmi aktívny a zaangažovaný do osláv bol miestny týždenník Nové Slovensko, nezávislý politický týždenník na slovenskom západe – ako znelo v podtitule. Vychádzal každú sobotu a v roku 1937 takmer v každom čísle venoval pozornosť príprave Bernolákových osláv širšími i kratšími správami, zoznamami darcov na pomník i niekoľkými väčšími úvahami.

[2] Jubilárny výbor Bernolákových osláv mal kanceláriu v Trnave, Roľnícky dom, II. posch. Používal vlastný hlavičkový papier i pečiatku. V čase prípravy osláv sa stal kritikom pomerov v meste, čo častejšie tlmočil starostovi. Dňa 24. sept. 1937 poslal starostovi mesta kópiu listu adresovaného Slovenskej lige, pobočke v Trnave. Píše sa v ňom: „Slovenská Pravda priniesla pred 4–5 dňami článok pod nadpisom Nedôstojné uctenie A. Bernoláka, v ktorom sa medzi inými píše toto: Potom je tu ešte jedna vec. Mesto Trnava je už azda po celej republike známe ako jedno z najšpinavších a najneusporiadanejších. Aspoň teraz pred týmito veľkolepými oslavami ho mohli dať ako-tak do poriadku. Taktiež i miestni židovskí obchodníci by mohli už raz mať na svojich firmách správne nápisy. Trnava ide oslavovať muža, ktorý horlil za slovenčinu, ale sama sa o slovenský jazyk nestará. Ačkolvek sme presvedčení o tom, že pisateľ preháňa, predsa nemožno uprieť, že má mnoho pravdy a preto sa obraciame na Vás, ako na inštitúciu, chrániacu reč slovenskú…, aby nápisy boli odstránené alebo opravené.“

[3] Nové Slovensko, 14, 1937 uverejnilo tieto úvahy: BARTEK, Henrich: Vstupujeme do slávnostného roku Bernolákovho (č. 4 z 23. jan. 1937, s. 1–2).
TEPLANSKÝ, Pavol: Pripravujeme Bernolákove oslavy (č. 13 z 27. mar. 1937, s. 1–2).
r.c.: Bernolákov duch (č. 23 z 5. júna 1937, s. 1–2).
g: Anton Bernolák ako vedec a diplomat (č. 34 z 28. aug. 1937, s. 1–2).
ZLATOŠ, Štefan: Úprimná slovenskosť Bernolákova. Slovenský národ dlho nestaval svojim synom pomníky (č. 40 z 9. okt. 1937, s. 1–2).
Jubilejné oslavy Antona Bernoláka v Trnave (č. 41 zo 16. okt. 1937, s. 1–2).
V súvislosti s bernolákovskými oslavami vyšli v Trnave ďalšie články:
ZLATOŠ, Štefan: Národná povinnosť Slovenska oproti A. Bernolákovi. Kultúra, 9, 1937, s. 142–146.
ZLATOŠ, Štefan: Životné dielo Antona Bernoláka. Slávnostná reč pri odhalení pomníka A. Bernolákovi v Trnave 10. 10. 1937. Kultúra, 9, 1937, s. 187–190.
SCHULTZ, Števo: Prívet na koncerte zo skladieb M. Schneidra-Trnavského pri príležitosti bernolákovských osláv 9. 10. 1937. Kultúra, 9, 1937, s. 190–192.
GERALDINI, Koloman: Óda na Antona Bernoláka. (Prednesené na koncerte v Trnave 9. 10. 1937.) Kultúra, 9. 1937, s. 192.

Slovo na záver

Konferencia o význame bernolákovského hnutia v našich dejinách je témou, ktorá by mohla byť zorganizovaná pri hociktorej inej jubilejnej príležitosti. Ak sme však pripravili vedeckú akciu na takúto tému práve pri 200. výročí Bernolákovej kodifikácie spisovnej slovenčiny, urobili sme tak vo vedomí, že významné dejinné etapy v živote slovenského národa sú spojené práve s riešením jazykovej otázky u Slovákov.

V epoche národného obrodenia rozhodujúcim spôsobom zasiahol do riešenia tejto otázky Anton Bernolák svojou historickou výzvou, aby Slováci písali po slovensky. Túto nástojčivú výzvu podoprel výberom spisovnej formy slovenčiny a najmä impozantným komplexným opisom jej systému.

Bernolákova kodifikácia spisovnej slovenčiny (na základe kultúrnej západnej slovenčiny) upútava predovšetkým ako čin, ktorým jeho autor utvoril precedens. Tento precedens už musel brať do úvahy každý, kto mal do činenia so spisovnou slovenčinou. A nielen so spisovnou slovenčinou, ale aj so slovenskou literatúrou, vedou a kultúrou vôbec. Od Antona Bernoláka sa začína písať kvalitatívne nové obdobie, a to nielen v dejinách spisovnej slovenčiny, lež aj v našich národných dejinách.

Prirodzene, kodifikácia spisovnej slovenčiny nevyplynula iba či predovšetkým z vnútorných jazykových zákonitostí a potrieb. Naopak. Bola zákonitým výrazom spoločenských, kultúrnych a národných požiadaviek, lebo šírenie osvety a kultúry medzi ľudom sa malo uskutočňovať vo vlastnom národnom jazyku. V ňom sa mala písať slovenská literatúra umelecká, ľudovýchovná i náučná. Slovenský spisovný jazyk sa mal takto stať mostom k všestrannému povzneseniu slovenského ľudu, k jeho novému životu v novom integrovanom spoločenstve.

A to už je vskutku téma na interdisciplinárnu rozpravu. Preto sa na príprave a priebehu našej vedeckej konferencie zúčastňovali predstavitelia viacerých vedných odborov a inštitúcií, preto naša konferencia zahŕňa nielen jazykovednú, ale aj historickú a literárnovednú problematiku. Ako vidieť z programu konferencie, vyhraňuje sa v nej niekoľko blokov, v ktorých sú síce zainteresovaní predovšetkým zástupcovia príslušného vedného odboru, ale to neznamená, že o veci mali hovoriť iba oni. Už pri otváraní konferencie sme vyslovili želanie, aby zúčastnení zástupcovia zainteresovaných vedných odborov našli spoločnú, interdisciplinárnu reč a aby sa táto spoločná reč prejavila i v referátoch.

Pre bernolákovské hnutie je charakteristické, že ho okrem Antona Bernoláka profilovali viaceré vynikajúce osobnosti. Na našej vedeckej konferencii bola z nich reč predovšetkým o Jánovi Hollom a Jurajovi Fándlym. Pravdaže, želaním usporiadateľov bolo, aby to nebola reč iba o osobnosti samej (hoci ani to nie je zanedbateľné), lež aj, ale najmä o mieste tejto osobnosti v orchestri, ktorý udával tón danému obdobiu; tak sa totiž cez časti najlepšie ukáže celok.

Pri významných historických etapách sa vždy sústreďujeme na objasňovanie ich koreňov, začiatkov a priebehu. Rovnaká pozornosť sa však žiada venovať aj druhému koncu etapy – jej vyústeniu do novej etapy, jej významu pre ďalší vývin. Ani pri bernolákovskej etape nemožno z tohto hľadiska obísť to, ako jej predstavitelia účinkovali v nových podmienkach a v nových etapách nášho národného a kultúrnopolitického vývinu, ako sa na ich diela nadväzovalo alebo nenadväzovalo, aké zrno padlo do pôdy ako základ ďalšej úrody.

Z hľadiska ďalšieho vývinu slovenského spisovného jazyka treba povedať, že to bolo veľmi plodné zrno: impulz daný Antonom Bernolákom bol taký silný, že aj Ľudovít Štúr, ktorý v značnej miere prvého kodifikátora spisovnej slovenčiny popiera, zároveň sa hlási k tomuto impulzu a pokladá sa za dovršovateľa diela A. Bernoláka. Impulz A. Bernoláka bol totiž taký silný, že sa s ním muselo rátať.

Ján Kačala

222

Personálna bibliografia Antona Bernoláka

KATARÍNA CHOVANOVÁ

Podnetom na zostavenie bibliografie Antona Bernoláka boli dve významné udalosti roku 1987, späté s menom tejto vynikajúcej osobnosti slovenských národných a kultúrnych dejín: pripomenuli sme si 200. výročie uzákonenia prvej spisovnej slovenčiny a 225. výročie narodenia jej tvorcu.

Bibliografia zachytáva literatúru do roku 1989 vrátane príspevkov prednesených na celoslovenskej vedeckej konferencii o Antonovi Bernolákovi, ktorá sa konala v dňoch 22.–24. septembra 1987, a ktoré sú zahrnuté do tejto Pamätnice.

Pri spracovaní bibliografického súpisu sme použili záznamy obsiahnuté vo fondoch Matice slovenskej, a to katalógy retrospektívnej bibliografie, zošity súbežnej SNB – Knihy a Články, ako aj údaje z bázy dát AIS SNB, doplnené informáciami z katalógov Biografického oddelenia MS a skrytými bibliografiami. Získané a zhromaždené záznamy sme zoraďovali chronologicky a v rámci chronológie abecedne podľa tematických skupín, ktoré sa bližšie uvádzajú v schéme triedenia. Recenzie uvádzame za príslušným dielom v abecednom poradí podľa mena recenzenta, respektíve podľa prvého slova názvu.

Zvolený chronologický princíp usporiadania bibliografických jednotiek poskytne používateľom plastický obraz záujmu vedcov, bádateľov a ostatnej širokej slovenskej verejnosti o život a dielo zakladateľa spisovnej slovenčiny v jednotlivých časových obdobiach.

Bibliografiu dopĺňa abecedný zoznam excerpovaných periodických prameňov. Na ľahšie vyhľadávanie literatúry uvádzame aj signatúry kníh a periodík podľa katalógov Slovenskej národnej knižnice MS v Martine.

SCHÉMA TRIEDENIA

A. TVORBA ANTONA BERNOLÁKA

1. **Knižné vydania. Recenzie**

2. **Články publikované v periodikách**

B. LITERATÚRA O ANTONOVI BERNOLÁKOVI

1. **Knižné vydania**
1.1. Štúdie a články publikované knižne. Monografie. Biografické zborníky (venované A. Bernolákovi). Recenzie
1.2. Katalógy. Sprievodcovia. Encyklopedické a slovníkové heslá. Bibliografické súpisy literatúry. Fotosúbory. Plagáty. Diplomové práce

2. **Články a štúdie publikované v časopisoch, novinách, zborníkoch a kalendároch**
2.1. Profily. Správy. Informácie. Prednášky. Oslavy…
2.2. Dedikačné básne a próza o A. Bernolákovi
2.3. Fotografie

C. NESLOVENSKÉ KNIŽNÉ VYDANIA O ANTONOVI BERNOLÁKOVI

D. ZOZNAM EXCERPOVANÝCH PRAMEŇOV

223

A. TVORBA ANTONA BERNOLÁKA

1. Knižné vydania. Recenzie

1782

1. DIVUS Rex Stephanus Magnus Hungarorum Apostolus, Dum Tyrnaviae Sub Titulo Sancti Hujus Regis Erectus Alumnatus Annuos Eidem Tutelari Suo Instauraret Honores, Panegyrica Distione Celebratus... Antonius Bernolák. (Svätý kráľ Štefan, veľký apoštol uhorský...) Tyrnaviae, Typis Regiae Universitatis Budensis. 1782. 4°. A^4-B^4-C^2 (= 10 listov). SC 43 501
Panegyrická reč Antona Bernoláka prednesená 20. 8. 1782 v Trnave pod týmto názvom v prítomnosti šľachty na výročie tohto svätého kráľa.

1785

2. NOVA Bibliotheca Theologica Selecta, Literariis et Criticis adnotationibus instructa, in qua Scriptores per omnes Theologicae eruditionis partes excellentissimi copiosissime percensentur; adnexis ad calcem praestantibus quibusdam Philosophis, et aliis Scriptoribus profanis Theologo ac Pastori animarum si non necessariis, aut utilibus, saltem non nocivis: tandem agmen claudunt libri pro Bibliotheca Alumnorum Seminarii Generalis Poseniensis de Benigno jussu Regio praescripti. (Nová vybraná bohoslovecká knižnica opatrená literárnymi a kritickými poznámkami, v ktorej sa veľmi hojne hodnotia najvynikajúcejší spisovatelia vo všetkých oblastiach bohosloveckej učenosti; ku koncu sú pripojení niektorí významní filozofi a iní svetskí spisovatelia, ak aj bohoslovci a pastieri duší nie potrební a užitoční, aspoň nie škodliví: konečne rad uzatvárajú knihy pre knižnicu chovancov generálneho seminára v Bratislave z láskavého kráľovského rozkazu predpísané.) Publicae Lucis facta. Thebis [roz. v Devíne] 1785. 8° (18,5 × 11,5 cm) 10 − 269 − (1) s. − Rkp.
Rukopis bol nájdený v Bernolákovej knižnej pozostalosti v Nových Zámkoch na jar roku 1961.

1787

3. DISSERTATIO Philologico-Critica de Literis Slavorum, de divisione illarum, nec non accentibus; cum adnexa Linguae Slavonicae per Regnum Hungariae usitatae compendiosa simul et facilis Orthographia. (Filologickokritická rozprava o slovenských písmenách...) Posonii 1787. 8°. 82 + 31 s. SD 4455
Druhá časť vyšla i samostatne pod názvom Linguae Slavonicae per Regnum Hungariae usitatae compendiosa simul et facilis Orthographia. Posonii 1787. 8°. 31 s.
Nachádza sa v Univerzitnej knižnici v Bratislave.

4. PERCEPTIONES de agrorum cultu... (Náuka o poľnohospodárstve.) 1787. 4°. 195 s. − Rkp.
Rukopis bol nájdený dr. K. Markovičom v roku 1961 v Bernolákovej knižnej pozostalosti na fare v Nových Zámkoch. Bol napísaný na základe prednášok profesora Matúša Pankla. Pravdepodobne v tomto čase vyšla v Bratislave aj ďalšia Bernolákova tlač Dissertatio de mineris Hungariae (dosiaľ neobjavená, pravdepodobne takisto zostavená z prednášok M. Pankla alebo z materiálov svojho strýka Andreja Bernoláka, profesora Trnavskej univerzity).

1790

5. GRAMMATICA slavica. (Slovenská gramatika.) Ad systema Scholarum Nationalium in Ditionibus Caesareo-Regiis introductum accomodata. Editio prima in Pannonia. Posonii 1790. 8°. 16 − 312 − 8 s. SD 12
K tejto gramatike Bernolák pripojil i zbierku slovenských prísloví, ktoré prebral z knihy svojho predchodcu Doležala. Vyšla aj v nemčine pod názvom Slowakische Grammatik. (Ofen 1817.)

6. TOTO Maličké Písmo má sa Pánovi Anti-Fándlymu do Geho wlastních Ruk odewzdať. (Trnava, na tit. l. fing.: W Hále, t. Václav Jelínek) 1790. 8°. 58 s. SD 22 757

1791

7. ETYMOLOGIA vocum Slavicarum, sistens modum multiplicandi vocabula per derivationem et compositionem ab Antonio Bernolák concinnata. Tyrnaviae 1791. 8°. 160 s. SD 172

1794

8. ŇECO o Epigrammatéch, anebožto Málorádkoch Gozefa Ignáca Bagzi, doľnodubowského Pána Farára, oprawďiwím Slovákom k Uwažowáňú predložené. Žilina 1794. 8°. 36 s. SD 6422

1795

9. O WÁŽNOSŤI a Ucťiwosťi Stawu Kňezkého Príhodná Kázeň, kteru pri Obeťe Mši Swatég od Dwogicťihodného P. Gozefa Kunsta w Kostoľe horňoorešanském Dňa 11ho Rígňa R. 1795 poprwe wibawowanég predpoweďel Mnohowelební

Pán Anton Bernolák, pri Trnawském Arcibiskupa Ostrihomského Námestňíckem Úraďe Kancelár. – In: Fándly, Juraj: Príhodné a Swátečné Kázně... (Zw. 1.) Trnawa 1795, s. 529–546.

To isté vyšlo aj v knihe Kázně Príhodné... Které pozbiral a poznowu witlačiť dal Michal Rešetka. Zwazek druhí. W Trnawe 1834, s. (181) – 194.

1796

10. KATECHIZMUS z Otázkami a Odpoweďami k Wynaučowáňú kraginskég Mládeži. Trnawa 1796.

2. vyd. vyšlo r. 1803. 157 s.

1803

11. NA SMRŤ Mnohowelebného Pána Sztocsko Gurka, w Ostrihomském Arcibiskupstwi, Nitránskég Stolici, Nowozámském Dekanském Wiďéku Šuránského Farára, Dňa 26. Listopadu Roku 1797 W Pánu usnulého Pohrebná Kázeň, kterú tehož Mesáca Dňa 28ho W Kostele Šuránském ustňe predpoweďel Dwogctihodní Pán Bernolák Szlaniczky Anton, Nowozámskí Farár, Dekan, Mestski Školní Riďitel, a Swatoswatého Umeňá bozkého Učitel. Trnawa 1803. 8°. 20 s.

1809

12. ALLOCUTIO, qua serenissimum, ac reverendissimum dominum dominum Carolum Ambrosium regni Hungariae, et Bohemiae regium haereditarium principem, archi ducem Austriae, archi episcopum strigoniensem, primatem regni Hungariae, sedis apostilicae legatum natum etc. érsek-ujvarinum die 28-va february anno 1809 hora 4 1/2 pomeridiana venientem in curia archi episcopali salutavit Anton Bernolák, parochus vice archi diaconus érsek-ujvariensis. (Reč Antona Bernoláka, farára a vicearcidekana novozámockého, ktorou pozdravil najvznešenejšieho a najctihodnejšieho pána pána Karola Ambrozia, knieža dedičných kráľovstiev Čiech a Uhorska, arcivojvodu rakúskeho, arcibiskupa ostrihomského, primása uhorského a urodzeného legáta apoštolskej stolice atď. v Nových Zámkoch 28. 2. 1809 o pol piatej večer.) Comaromii, Typis Viduae Weinmüllerianae 1809.

13. BÉ-IKTATÓ beszéd, melyet Fötisztelendö Szabó Pál úrnak, Felsö Érsek-Ujvári Vitze-Esperestnek a Tardoskeddi plébániának valóságos birtokába való bévezetésekor mondott Szlanitzky

Bernolak Antal... Komárom, t. Weinmüller 1809. 8°. 12 s.

Reč A. Bernoláka pri úvode nového farára Pavla Szabu do farského úradu v Tvrdošovciach.

14. HALLOTAS beszéd, mellyet néhai Fötisztelendö Horváth Jószef urnak, tardoskeddi plébánosnak, és Felsö Érsek-Ujvári megye vitzeesperesténnek Temetése felett Tekintetes Nemes Nittra vármegyénék Tardoskedd nevü helységében, Szent György havának huszadik napján 1808-dik esztendöben mondott Szlanitzky Bernolák Antal... Komárom, t. Weinmüller 1809. 8°. (7) s.

Pohrebná reč A. Bernoláka pri hrobe zomrelého tvrdošovského farára Jozefa Horvátha v roku 1808.

1817

15. SLOWAKISCHE Grammatik. (Slovenská gramatika). Aus dem Lateinischen ins Deutsche übersetzet und nach der in k. k. österreichischen Erbländern für die National-Schulen vorgeschriebenen Ordnung eingerichtet. Prel. Ondrej Brestyanszky. Ofen (Pešť) 1817. 8°. 380 a 12 s.

SD 1284

1825

16. SLOWÁR Slowenskí Česko-Laťinsko-Ňemecko-Uherskí: Seu Lexicon Slavicum Bohemico-Latino-Germanico-Ungaricum. Buda, n. a t. Reg. Universitatis Hungar. 1825–1827. 8°. T. 1–6. (Roku 1827 vyšiel šiesty diel tohto slovníka.)

SC 56/1-6

1827

17. REPERTORIUM lexici slavici-bohemico-latino-germanico-ungarici. Ab auctore... in lingvis ungarica, latina et germanica pro communi harum lingvarum usu confectum. Buda, t. Typ. Reg. Universitatis Hungarica 1827. 8°. Tom 6. 856 s.

SC 24 700/6

1937

18. DISSERTATIO philologico-critica de litteris Slavorum, de divisione illarum, nec non accentibus cum adnexa linguae slavonicae per regnum hungariae usitatae compendiosa simul, et facilis orthographia, ad systema scholarum nationalium in ditionibus ceasareo-regiis introductum plene accommodata in usum omnium linguae huius cultorum a patrii philologis publicae luci data. (Filologickokritická rozprava o slovenských písmenách...)

Posonii 1787. – Znovuvydanie. Martin, n. Matica slovenská, t. KÚS 1937. 8°. 16 + 82 + 31 + (11) s., 200 výtl. Vonkajšia úpr. Jozef Cincík. Pozn. od H. Barteka.
V dvoch exemplároch pôvodného diela sa našli venovania od A. Bernoláka. V tomto faksimilnom vydaní sú vytlačené. SD 4239

1964
19. GRAMATICKÉ dielo Antona Bernoláka. Na vydanie pripravil a preložil Juraj Pavelek. Úvod Eugen Pauliny. 1. vyd. Bratislava, Slovenská akadémia vied, tlač. Pravda 1964. 8°. 552 + (1) s. 900 výtl. Viaz. 41,50 Kčs. – Práce zo staršej slovanskej jazykovedy. Zv. 1. – Pozn. a vysvetl. Odkazy na lit. Text aj lat. SC 19 577

Recenzie:
20. DVONČ, Ladislav: „Gramatické dielo Antona Bernoláka." – Československý terminologický časopis, 5, 1966, č. 3, s. 189–192.

21. F. K.: Anton Bernolák súborne. – Smena, 18, 5. 1. 1965, s. 4.

22. HABOVŠTIAKOVÁ, Katarína: Dielo základného významu. – Kultúrny život, 20, 1965, č. 16, s. 5.

23. PANKL, Matúš: Náuka o poľnohospodárstve. Podľa rkp. A. Bernoláka z r. 1790. Z lat. rkp. preložil Vševlad J. Gajdoš. Predslov nap. Štefan Rajnoha. 1. vyd. Bratislava, vyd. Poľnohospodárske múzeum ÚVTI MZLVH, Nitra vo Vydav. Osveta, tlač Východoslovenské tlačiarne, Košice 1964. 8°. 223 + (3) s. 500 výtl. – Pozn. Resumé rus. a nem. Na tit. l. je chybne uvedený rok 1790. Rkp. je z roku 1787. SC 19 712

1966
24. BERNOLÁKOVSKÉ polemiky. 1. Anti-Fándly. 2. Bajzove epigramy. Edič. pripr., pozn. a vysvetl. napísal Imrich Kotvan. Úvod Ján Tibenský. 1. vyd. Bratislava, Slovenská akadémia vied, tlač Polygrafické závody 1966. 8°. 391 + (1) s. Fot. príl. 600 výtl. Viaz. 23,50 Kčs. – Korešpondencia a dokumenty. Zv. 11. – Lit. a pozn. Odkazy na lit. Vysvetl. SC 21 188

Recenzie:
25. GAŠPAREC, Ignác: Z histórie neprávom zabudnutého obdobia. – Ľud, 19. 6. 1966, s. 5.

26. ROSENBAUM, Karol: Bernolákovské polemiky. – Pravda, 47, 13. 2. 1966, s. 2.

1967
27. PREDHOVOR k Slováru z roku 1796. Úvod napísal Juraj Chovan. Martin, (Matica slovenská), b. t. 1967. 8°, s. 47–92. – Pozn. Odkazy na lit. Text lat. a slov. Resumé nem. OSC 1661

2. Články publikované v periodikách

1937
28. BAJZOVA slovenčina. – Slovenská reč, 6, 1937/38, č. 1–2, s. 33–39. Lit. a pozn. pod čiarou.
Úryvok z polemickej brožúrky určenej „Pánovi Anti-Fándlymu…", v ktorom Bernolák obhajuje Fándlyho proti Bajzovým útokom. Polemika má formu rozhovoru dvoch Bajzových protivníkov. Ukážka je v pôvodnom znení.

1962
29. PRAEFATIO ad lectores. Predhovor čitateľom. – Duchovný pastier, 37, 1962, č. 6, s. (121–122). Dat.: 7. nov. 1785. Súbež. slov. preklad.
Predhovor k Bernolákovej bibliografii Nova Bibliotheca, ktorý je doplnený informatívnymi poznámkami o súpise od V. J. Gajdoša.

30. (ZÁVET Antona Bernoláka.) – Duchovný pastier, 37, 1962, č. 9, s. 171–172. Dat. 9. 12. 1809. Záverečnú klauzulu k závetu napísal barón Imrich de Perény. Informat. pozn. k závetu nap. K. Markovič.
Doslovné znenie Bernolákovho závetu v latinčine, z ktorého sa dozvedáme o hospodárení A. Bernoláka a jeho vzťahoch k rodine Timčákovej a Intibusovej v Slanici.

1967
31. PREDHOVOR k Slováru z roku 1796. – In: Literárny archív. Martin, Matica slovenská 1967, s. 53–92.

B. LITERATÚRA O ANTONOVI BERNOLÁKOVI

1. **Knižné vydania**
1.1. **Štúdie a články publikované knižne. Monografie. Biografické zborníky (venované A. Bernolákovi). Recenzie**

1927

32. VLČEK, Jaroslav: Anton Bernolák a jeho škola. – In: GAŠPERÍK, Ján: Pamätnosti včelárstva slovenského. Bratislava, vyd. Zemské ústredie včelárskych spolkov na Slovensku 1927, s. 568–587. Pozn. a lit. pod čiarou.

1928

33. ŠKULTÉTY, Jozef: Anton Bernolák. – In: Škultéty, Jozef: O Slovákoch. 1. vyd. Martin, Matica slovenská 1928, s. 45–63. Lit. a pozn. pod čiarou.   SD 622/zv. 6.

1930

34. RAPANT, Daniel: Maďarónstvo Bernolákovo. Zvláštny odtlačok zo „Slovenského diela" 1929–30. Bratislava, n. vl., tlač Slovenská Grafia 1930. 8°. 23 s. – Lit. a pozn. pod čiarou.
                SC 1814/6

Recenzie:

35. MEŠŤANČÍK, Ján: Dr. D. Rapant: Maďarónstvo Bernolákovo. – Slovenský učiteľ, 13, 1931, č. 1, s. 45–47. V rubrike Prehľad kníh a časopisov.

36. ORMIS, Ján V.: Dr. D. Rapant: Maďarónstvo Bernolákovo. – Slovenské pohľady, 47, 1931, č. 3, s. 206–207. V rubrike Knihy a časopisy.

1932

37. MIŠKOVIČ, Alojz: Bajza proti Bernolákovi. (B. m. a n.), t. KÚS (1932). 8°. 15 – (1) s. Odtlačok zo Slovenských pohľadov, 47, 1931, č. 10, s. 624–640. Pozn. Lit.   SC 11 134

1934

38. VLČEK, Jaroslav: Anton Bernolák a jeho škola. V storočnú pamäť prvej gramatiky slovenskej. – In: VLČEK, Jaroslav – ŠKULTÉTY, Jozef: Dielo literárnohistorické. Martin, Matica slovenská 1934, s. 5–37.   SD 612/36

1937

39. BARTEK, Henrich: Anton Bernolák. 1787– 1937. Trnava, vyd. Jubilárny výbor Bernolákových osláv, tlač KÚS, Martin 1937. 8°. 62 – (1) s., 6 korún. Obsah. Obr. Príl. Na front. Hollého chválospev na Antona Bernoláka.   SC 18 297

Recenzie:

40. Dr. HENRICH Bartek: Anton Bernolák. – Slo-venská politika, 18, 10. 10. 1937, č. 232, s. 2. V rubrike Kultúra.

41. Ján C.: Dr. Henrich Bartek: Anton Bernolák. 1787–1937. – Slovenské pohľady, 53, 1937, č. 10, s. (592). V rubrike Knihy a časopisy.

42. kg. (= GERALDINI, Koloman): Dr. Henrich Bartek: Anton Bernolák. – Prameň, 2, 1937, č. 10, s. 221–222. V rubrike Knihy a časopisy.

43. KNIŽOČKU o Antonovi Bernolákovi... (inc.). – Robotnícke noviny, 34, 10. 10. 1937, č. 230, s. 6. V rubrike Kultúrny obzor.

44. FLOREK, Pavol: Pôvod, rodisko a rodný dom Antona Bernoláka. Snímky Pavol Florek. Turčiansky Sv. Martin, tlač KÚS 1937. 8°. 8 – (2) s. Pozn. a lit. Fot. Odtlačok zo Slovenských pohľadov, 53, 1937, s. 321–327.   SC 2572/8

Recenzia:

45. H.: Pavol Florek: Pôvod, rodisko a rodný dom A. Bernoláka. – In: Sborník Spolku profesorov Slovákov, 1937/38, č. 1–2, s. 30. V rubrike Referáty a recenzie.

1938

46. ŠKULTÉTY, Jozef: O Slovákoch. Anton Bernolák. Sv. 1. 2. vyd. Martin, Matica slovenská 1938, s. 45–63. Knižnica Slovenských pohľadov. Sv. 6. – Lit. a pozn. pod čiarou.   SD 4016/6/1

1941

47. STANISLAV, Ján: K jazykovednému dielu Antona Bernoláka. Kritické vydanie spisov Dissertatio a Orthographia. Bratislava, SVS, tlač KÚS, Turč. Sv. Martin 1941. 4°. 120 – (1) s.   SB 836

Recenzie:

48. J. M.: Univ. prof. dr. Ján Stanislav – K jazykovednému dielu Antona Bernoláka. Kritické vydanie spisov Dissertatio a Orthographia. – In: Sborník Matice slovenskej. Martin, Matica slovenská 1941, s. 472–473. V rubrike Jazykoveda.

49. JÓNA, Eugen: Univ. prof. Dr. Ján Stanislav – K jazykovednému dielu Antona Bernoláka. Kritické vydanie spisov Dissertatio a Orthographia. – Slovenské pohľady, 58, 1942, č. 1, s. 54–56. V rubrike Knihy a časopisy.

1944

50. BÁLENT, Boris: Prvý pokus o spisovnú slovenčinu. (Literatúra a bibliografia.) Martin, Matica slovenská 1944, s. 5, 7−8, 12. 8°. Brož. 42 Ks. Literárnohistorické príspevky. Č. 2. − Odkazy na lit. Pozn. V tiráži uved. rok vyd. 1945. SC 3240/2

1948

51. PAULINY, Eugen: Dejiny spisovnej slovenčiny 1. Od začiatkov po Ľudovíta Štúra. Bernolákovské obdobie. 1. vyd. Bratislava, SAV 1948.
SB 944/14

1954

52. VLČEK, Jaroslav: Učené slovenské tovarišstvo. Fándly − Bernolák a jeho škola. In: Kapitoly zo slovenskej literatúry. Bratislava, Slovenské vydavateľstvo krásnej literatúry 1954, s. 127−136. Aut. a red. poznámky. Men. reg. SC 4959/11

1962

53. TRYLČOVÁ, Elena: Anton Bernolák (1762 −1813). Kurucová, Oľga: Metodické pokyny k materiálu o Antonovi Bernolákovi. Obálku navrhol Anton Koppal. Martin, Matica slovenská, rotaprint 1962. 4°. (3) − 10 − (1) s. Fot. príl. 1000 výtl. Jubileá. Roč. 3. Č. 4. − Z lit. o A. Bernolákovi. SB 9016

1964

54. FLORIN, Theo H.: Oravci v slovenskej kultúre. Bernolák Anton... (inc.). − Dolný Kubín, Okresný dom osvety 1964, s. 21−24. SD 24 935

55. K POČIATKOM slovenského národného obrodenia. Sborník štúdií Historického ústavu SAV pri príležitosti 200-ročného jubilea narodenia Antona Bernoláka. Prebal a väzbu navrhol Rastislav Majdlen. 1. vyd. Bratislava, Slovenská akadémia vied, tlač Pravda, Žilina 1964. 8°. 477 + (2) s. 800 výtl. SC 19 359

1968

56. HABOVŠTIAKOVÁ, Katarína: Bernolákovo jazykovedné dielo. 1. vyd. Bratislava, Slovenská akadémia vied, tlač Polygrafické závody 1968. 8°. 443 + (2) s. 700 výtl. Viaz. Lit. a pramene. Bibliografia. Poznámky. Odkazy na lit.
SC 24 062

Recenzie:

57. DUBNÍČEK, Ján: Bernolákovo jazykovedné dielo. − Večerník, 3. 10. 1968, s. 3.

58. ma.: Jazykovedné dielo Antona Bernoláka. − Slovenská literatúra, 16, 1969, č. 2, s. 236−237.

59. ŠRÁMEK, Rudolf: Katarína Habovštiaková: Bernolákovo jazykovedné dielo. − In: Sborník prací Filosofické fakulty brněnské university, roč. 19. Brno 1970. Ř. jazykovědná, č. 18, s. 131−132.

1969

60. VYVÍJALOVÁ, Mária: Bernolákov autentický slovníček spred roku 1790. Štvorjazyčná nomenklatúra v Panklovom spise Compendium oeconomiae ruralis z roku 1790 a 1797 a jej autorstvo. 1. vyd. Bratislava, Slovenská akadémia vied, tlač Svornosť 1969. 8°. 70 + (2) s. 750 výtl. Poznámky. Odkazy na lit. Slovníček. SD 36 009

Recenzia:

61. A. K.: Bernolákov autentický slovníček podľa dôkazov dr. Márie Vyvíjalovej. − Večerník, 23. 10. 1969, s. 3.

1970

62. GAJDOŠ, Vševlad Jozef: Knižnica Antona Bernoláka. 1. vyd. Martin, Matica slovenská 1970. 59 + (1) s. 200 výtl. Edícia: Slovenská knižnica, zv. 6. SB 16 683

63. HABOVŠTIAKOVÁ, Katarína: Postoj Martina Hattalu k Antonovi Bernolákovi a k bernolákovčine. − In: Martin Hattala 1821−1903. Trstená 1970, s. 35−40. SC 27 991

1971

64. MAŤOVČÍK, Augustín: Martin Hamuljak. Bratislava, Slovenská akadémia vied 1971, s. 24, 31, 39. SD 38 405
Základné údaje o A. Bernolákovi a jeho vplyve na M. Hamuljaka.

65. PAULINY, Eugen: Dejiny spisovnej slovenčiny 1. Od začiatkov po Ľudovíta Štúra. Bernolákovské obdobie. 2. vyd. Bratislava, Slovenské pedagogické nakladateľstvo 1971, s. 90−103. Lit.
SC 28 365/1

66. SLOVENSKO. Dejiny. Počiatky slovenského národného obrodenia. Zost. J. Tibenský. Bratislava, Obzor 1971, s. 430, 431, 433−437, 439, 440, 443, 445, 446. Fot. 3. SB 17 329/1

1972

67. ANTON Bernolák (3. 10. 1762–15. 1. 1813). – In: Priekopníci našej súčasnosti. Bratislava, Osvetový ústav 1972, s. 101–104.   SD 40 910

68. HURBAN, Jozef Miloslav: Slovensko a jeho život literárny. Bratislava, Tatran 1972, s. 53, 63, 88, 116, 117, 120, 123–127, 129, 130, 135, 175.   SC 30 211
Charakteristika osobnosti a diela A. Bernoláka.

1973

69. HABOVŠTIAKOVÁ, Katarína – VYVÍJALO-VÁ, Mária – ELIÁŠ, Michal: Anton Bernolák. Život a dielo. (Prednášky zo seminára.) 1972. Úvod napísal Jozef Mesiarkin. Foto archív Okresného múzea v Nových Zámkoch. Obálku navrhol a fotokópie zhotovil Dionýz Ostrožlík. Nové Zámky, Okresné múzeum, tlač Nitrianske tlačiarne 1973. 8°. 27 + (3) s., 18 s. fot. príl. 1 000 výtl. Účelový náklad pre Okresné múzeum v Nových Zámkoch.   SC 33 471

70. ŠKULTÉTY, Jozef: Vôňa domoviny. Anton Bernolák. Bratislava, Tatran 1973, s. 9–(24). Lit. a pozn. pod čiarou.   SC 28 960/2
Článok bol prvýkrát publikovaný v Národných novinách, 1913, č. 8, 9.

71. ŠKULTÉTY, Jozef: Vôňa domoviny. Anton Bernolák. Bratislava, Tatran 1973, s. 324–(325).   SC 28 960/2
Článok bol prvýkrát publikovaný v Slovenských pohľadoch, 1907, s. 312–313.

72. ŠKULTÉTY, Jozef: Vôňa domoviny. Bernolák – Kopitar. Bratislava, Tatran 1973, s. 319–323. – Pozn. pod čiarou.   SC 28 960/2
Štúdia bola prvýkrát uverejnená v Slovenských pohľadoch, 1907, s. 117–120.

1974

73. HABOVŠTIAKOVÁ, Katarína: Vzťah Bernolá-kovej spisovnej slovenčiny k západoslovenským jazykovým tradíciám a k západoslovenským ná-rečiam. – In: Břeclav/Trnava. 1. vyd. Brno, Blok 1974, s. 140–153.   SC 35 138

74. HUČKO, Ján: Sociálne zloženie a pôvod sloven-skej obrodeneckej inteligencie. Bratislava, Slo-venská akadémia vied 1974. 232 s.   SC 33 247

1975

75. TIBENSKÝ, Ján – BOKESOVÁ-UHEROVÁ, Mária: Priekopníci slovenskej kultúry. Anton Bernolák. Bratislava, Slovenské pedagogické na-kladateľstvo 1975, s. 94–105.   SC 37 108

1977

76. ANTON Bernolák. 3. 10. 1762 – 15. 1. 1813. Dolný Kubín, Okresná knižnica, tlač Okresná knižnica 1977. 5 s. 21 cm. 80 výtl. Brož. Rozmno-ženina.   SC 41 275

1979

77. PAULINY, Eugen – In: Slovensko. Kultúra. 1. časť. Bernolákovské obdobie. Zost. Karol Rosen-baum. Bratislava, Obzor 1979, s. 108–113. Fot. 4. V kapitole Slovenský jazyk.   SB 17 329/4/1

78. ŠMATLÁK, Stanislav: In: Slovensko. Kultúra. 1. časť. Literatúra národného obrodenia (1780–1840). Osvietenstvo a proces formovania národnej ideológie v literatúre. Zost. Karol Ro-senbaum. Bratislava, Obzor 1979, s. 167–190. Fot. Mp.   SB 17 329/4/1

1980

79. BAGIN, Anton: Vybrané kapitoly zo sloven-ských cirkevných dejín. Bratislava, Cirkevné nakladateľstvo 1980, s. 35–37.   SB 30 006
Portrét Antona Bernoláka.

1981

80. ANTON Bernolák. Literatúra a revolúcia. Ro-botníctvo a kultúra 1897–1923. Bratislava, Tat-ran 1981, s. 225–227.   SC 54 398
Článok k 100. výročiu úmrtia A. Bernoláka pôvodne uverejnený v Robotníckych novinách, 23. 1. 1913.

1983

81. BUJNÁK, P.: Bernolákov význam pre literatúru slovenskú. – In: Chmel, Rudolf: Hlasy v prúdoch času. Bratislava, Tatran 1983, s. 171–177.
   SC 58 000
Celý článok bol uverejnený v časopise Prúdy, 4, 1913, č. 3, s. 136–139.

82. PAULINY, Eugen: Dejiny spisovnej slovenčiny od začiatkov po súčasnosť. 1. vyd. Bratislava. Bernolákovské obdobie. Slovenské pedagogické nakladateľstvo 1983, s. 160–174. – Lit. Fot.
   SC 59 386

1985

83. URGELA, J.: Dejiny lesníckeho školstva a vedy na Slovensku. Martin, Osveta 1985, s. 29.

SC 63 148

Štúdia sa dotýka Bernolákovho rukopisu Perceptiones de agrorum cultu (Náuka o poľnohospodárstve), ktorý sa našiel v roku 1961 na novozámockej fare. Rukopis je z r. 1787 a bol napísaný na základe prednášok profesora Matúša Pankla.

1992

84. BARTKO, L.: Bernolákovčina na východnom Slovensku. − In: Pamätnica Antona Bernoláka. Martin, Matica slovenská 1992, s. 166.

85. BLANÁR, V.: Bernolákov Slovár ako kodifikačné dielo. − In: Pamätnica Antona Bernoláka. Martin, Matica slovenská 1992, s. 110.

86. DOLNÍK, J.: Osobitnosti lexiky bernolákovského obdobia. − In: Pamätnica Antona Bernoláka. Martin, Matica slovenská 1992, s. 104.

87. FERENČÍKOVÁ, A.: Hypotaktické vyjadrovanie medzivetného časového vzťahu v bernolákovskej slovenčine. − In: Pamätnica Antona Bernoláka. Martin, Matica slovenská 1992, s. 175.

88. FORDINÁLOVÁ, E.: Vzťah romantickej generácie k bernolákovskej slovenčine. − In: Pamätnica Antona Bernoláka. Martin, Matica slovenská 1992, s. 185.

89. HABOVŠTIAK, A.: Slovná zásoba Bernolákovho Slovára a slovenské nárečia. − In: Pamätnica Antona Bernoláka. Martin, Matica slovenská 1992, s. 118.

90. HABOVŠTIAKOVÁ, K.: Bernolákovo jazykovedné dielo v kontexte slovenskej jazykovedy. − In: Pamätnica Antona Bernoláka. Martin, Matica slovenská 1992, s. 58.

91. HAYEKOVÁ, M.: Bernolákov Slovár − dôležitý medzník v slovenskej lexikografii. In: Pamätnica Antona Bernoláka. Martin, Matica slovenská 1992, s. 158.

92. HORVÁTH, P.: Ku genealógii rodiny Bernolákovcov. − In: Pamätnica Antona Bernoláka. Martin, Matica slovenská 1992, s. 15.

93. CHOVAN, J.: Bernolákov predhovor k Slováru a jeho ideovo-politický kontext. − In: Pamätnica Antona Bernoláka. Martin, Matica slovenská 1992, s. 160.

94. JÓNA, E.: Miesto A. Bernoláka vo vývine slovenskej a českej jazykovedy. In: Pamätnica Antona Bernoláka. Martin, Matica slovenská 1992, s. 65.

95. KOTULIČ, I.: Bernolákovčina a predbernolákovská kultúrna slovenčina. In: Pamätnica Antona Bernoláka. Martin, Matica slovenská 1992, s. 79.

97. KRAJČOVIČ, R.: Bernolákovská pravopisná kodifikácia ako vedecký fakt. In: Pamätnica Antona Bernoláka. Martin, Matica slovenská 1992, s. 69.

98. KRASNOVSKÁ, E.: Jozef Ignác Bajza a bernolákovci. In: Pamätnica Antona Bernoláka. Martin, Matica slovenská 1992, s. 210.

99. KRAUS, C.: Účasť bernolákovcov v dobovom literárnom kontexte. In: Pamätnica Antona Bernoláka. Martin, Matica slovenská 1992, s. 180.

100. KROŠLÁKOVÁ, E.: Frazeológia v Bernolákovom Slovári. In: Pamätnica Antona Bernoláka. Martin, Matica slovenská 1992, s. 153.

101. KUCHAR, R.: Administratívno-právna terminológia cudzieho pôvodu v Bernolákovom Slovári. In: Pamätnica Antona Bernoláka. Martin, Matica slovenská 1992, s. 123.

102. MURÁNSKY, J.: Východiská pravopisných princípov A. Bernoláka vo vývine spisovnej slovenčiny. − In: Pamätnica Antona Bernoláka. Martin, Matica slovenská 1992, s. 74.

104. ŠIMONČIČ, J.: Bernolákovské oslavy v Trnave r. 1937. In: Pamätnica Antona Bernoláka. Martin, Matica slovenská 1992, s. 218.

105. TURČÁNY, V.: Hollý a Bernolák − dvaja ľudia, jeden človek. In: Pamätnica Antona

Bernoláka. Martin, Matica slovenská 1992, s. 191.

106. VYVÍJALOVÁ, M.: Bernolákovci v kontexte európskeho osvietenstva. In: Pamätnica Antona Bernoláka. Martin, Matica slovenská 1992, s. 22.

107. ŽIGO, P.: Kategória času u Bernoláka. In: Pamätnica Antona Bernoláka. Martin, Matica slovenská 1992, s. 171.

1.2. Katalógy. Sprievodcovia. Encyklopedické a slovníkové heslá. Bibliografické súpisy literatúry. Fotosúbory. Plagáty. Diplomové práce

1929
108. RIZNER, Ľ. V.: Bibliografia písomníctva slovenského... Diel 1. Bernolák Anton (Slanický). Turčiansky Sv. Martin, Matica slovenská 1929, s. 124–125.

1957
109. KOTVAN, Imrich: Bibliografia Bernolákovcov. Úvodná štúdia Ján Tibenský. Úvod Imrich Kotvan. Res. prac. J. Kuzmík a J. Štefánik. Res. prel. Natalija Rjabinina (rus.), J. Šimko Juhás (fran., angl.) a Viliam Schwanzer (nem.). Martin, Matica slovenská, tlač Severoslovenské tlačiarne 1957. 412 s. 37,50 AH. 800 výtl.
SC 12 379
Recenzia:
110. (Bs): Kotvanova „Bibliografia bernolákovcov". – Ľud, 27. 7. 1957.

1971
111. PANORÁMA Bratislavy. Malý sprievodca po minulosti a súčasnosti Bratislavy. Oni vpisyvali svoji imena v istoriju Bratislavy. Zost. Vladimír Pospíšil. Bratislava, Obzor 1971, s. 41. Obr. 1. Medailónik Antona Bernoláka. SC 28 998

112. VOJTKO, Peter: Kultúrny odkaz. Súpis literatúry k niektorým jubileám kult.-polit. kalendára na rok 1972. Košice, Mestská knižnica 1971, s. 99–102. Rozmnoženina. SB 18 542

1972
113. KURUC, Vojtech: Anton Bernolák. Leben und Werk. (Austellungskatalog). Bezirksmuseum Nové Zámky. Bearb. von Vojtech Kuruc. (Aus dem slow. Original: Anton Bernolák. Život

a dielo.) Nové Zámky, Bezirksmuseum, t. (Západoslovenské tlačiarne) 1972. Prieč. 12°. (8) s. 2 Kčs. – Ilustr. Fot. Faks. rkp. OSE 858

114. KURUC, Vojtech: Anton Bernolák. Život a dielo. (Katalóg výstavy.) Okresné múzeum, Nové Zámky. Spracoval Vojtech Kuruc. Nové Zámky, Okresné múzeum, tlač Západoslovenské tlačiarne 1972. Prieč. 12°. (8) s. Ilustr. Fot. Faks. rkp. OSE 860

115. KURUC, Vojtech: Anton Bernolák élete és műve. (Kiállétási katalógus.) Járási Múzeum, Nové Zámky. Szövegszerkesztő: Vojtech Kuruc. (Szlov. eredetiből: Anton Bernolák. Život a dielo.) Nové Zámky, Járási Múzeum, t. (Západoslovenské tlačiarne) 1972. Prieč. 12°. (8) s. Ilustr. Fot. Faks. rkp. OSE 833

1973
116. ANTON Bernolák. 160. výr. úmrtia. Personálna bibliografia. Zost. Mária Písečná. Nové Zámky, Okresná knižnica, rozmn. ONV 1973. 4°. (1) + 13 s. 100 výtl. Bibliografické materiály. Č. 1. – Použ. lit. SB 19 166

117. ORAVSKÁ ľudová kamenárska tvorba. – Anton Bernolák. Otvorenie výstavy Slanický ostrov na Oravskej priehrade. Sobota 21. júla 1973 o 15. hod. Dolný Kubín, ONV (b. t.) 1973. Prieč. 12°. (4) s. OSE 974

1977
118. BERNOLÁK, Anton... (inc.) – In: Encyklopédia Slovenska. 1. zv. A.–D. Bratislava, Veda 1977, s. 183–184. Fot. 2. SB 26 144/1

1980
119. POTEMRA, M.: Slovenská historiografia v r. 1901–1918. Košice, Štátna vedecká knižnica 1980, s. 620. – Bibliografia článkov – 14 príspevkov o živote a diele Antona Bernoláka v slovenských novinách a časopisoch.
SD 50 459

120. VÝROČIA osobností Oravy 1981–1985. Dolný Kubín, Okresná knižnica 1980, s. 2.
SC 51 618

1982
121. BERNOLÁK, Anton... (inc.). – In: Malý slovenský biografický slovník. Generálny heslár

SBS. A–Ž. Martin, Matica slovenská 1982, s. 59.   SB 33 332

122. ELIÁŠ, Michal: Jozef Ignác Bajza, Anton Bernolák, Juraj Fándly. 1. vyd. Martin, Matica slovenská, tlač Tlačiarne SNP 1982. 52 s. Metodika a propagácia. Fotosúbor. 20 s. textu a 32 s. fot. v prebale. 3000 výtl. pre školy a osvetové zariadenia.   SC 57 512

123. GYEBNÁROVÁ, E.: Frazeológia v Slovári Antona Bernoláka. Diplomová práca. Nitra, Pedagogická fakulta 1982.

124. KURUC, Vojtech: Anton Bernolák. Život a dielo. Graf. upr. Anton Galko. Obnovené vyd. Nové Zámky, ONV 1982. 12 s. Tlač Nitrianske tlačiarne, Nové Zámky. Katalóg. Fot. Spoluvydavateľ Okresné múzeum v Nových Zámkoch. Nepradajné.   OSE 1655

1984
125. ANTON Bernolák. – In: Encyklopédia slovenských spisovateľov. 1. zv. Bratislava, Obzor 1984, s. 51–53. Fot. 1.   SC 62 244/1

1985
126. SEDLÁK, Imrich: Bernolákovci v národnom obrodení. Sprievodca po expozícii Západoslovenského múzea v Trnave. Trnava, Západoslovenské múzeum 1985, s. 24–31.   OSC 9445
Profil A. Bernoláka doplnený fotodokumentáciou.

1986
127. BERNOLÁK, Anton… (inc.). – In: Slovenský biografický slovník (od roku 1833 do roku 1990). (Zv. 1.) Martin, Matica slovenská 1986, s. 231–232.   SB 40 113/1

1987
128. HAJDUKOVÁ, Terézia: Anton Bernolák (3. 10. 1762–15. 1. 1813). Bibliografický leták. 1. vyd. Prešov, Okresná knižnica 1987. 5 s.
OSB 6827

129. LAURO, Rajmund – LAŠUT, Filip: Anton Bernolák. Scenár Juraj Chovan. Martin, Matica slovenská 1987. 1 list. Tlač Tlačiarne SNP, Martin. 67×97 cm. 3000 výtl. – Plagát. Názov zistený mimo dok.   LPA 38 730

2. Články a štúdie publikované v časopisoch, novinách, zborníkoch a kalendároch
2.1. Profily. Správy. Informácie. Prednášky. Oslavy…

1813
130. LITERÁRNÍ zprávy. – Týdenník, 2, 5. 2. 1813, č. 5, s. 89–90.
Správa o úmrtí Antona Bernoláka.

1853
131. ABECEDNÝ seznam spisovatelů slovenských. Slovenské noviny, 18. 6. 1853, č. 70, s. 267.

1861
132. SOKOLOVIČ, G.: Upomienka na Bernoláka. Priateľ Školy a Literatúry, 3, 1861, č. 20, s. 153.

1888
133. ČINNOSŤ slovenských katolíkov na poli literatúry slovenskej od 17. storočia do r. 1850. – Katolícke Noviny, 19, 1888, č. 21, s. 167.

134. POMNÍK zásluhám. Katolícke Noviny, 19, 1888, č. 5, s. 34.

1889
135. BERNOLÁKISMU počiatok a koniec. – Katolícke Noviny, 20, 1889, č. 21–22, s. 172–173.

136. OSVALD, Fr. Richard: Z medzníka meruročia do budúcnosti. – Katolícke Noviny, 20, 1889, č. 21–22, s. 165–166.
Prehľad 40-ročného trvania Katolíckych novín a v súvislosti s tým aj zásluh A. Bernoláka v slovenskej jazykovede a literatúre.

1890
137. VLČEK, J.: Anton Bernolák a jeho škola. V storočnú pamäť prvej gramatiky slovenskej. – Slovenské Pohľady, 10, 1890, s. 388–399 a 480–485.

1892
138. ill.: Učené slovenské tovaryšstvo čili tak zvaná škola Bernolacká. Soznam údov Učeného slovenského tovaryšstva. Literárne Listy, 2, 1892, č. 4, s. 61.

139. PROSBA. – Literárne Listy, 2, 1892, č. 3, s. 49.
Redakcia Literárnych listov žiada verejnosť o pomoc pri hľadaní fotografie A. Bernoláka.

1893

140. BERNOLÁK nebol farárom čeklískym. – Literárne Listy, 3, 1893, č. 5.

141. ill: Anton Bernolák (* 1762 3/10 + 1813 15/1). – In: Tovaryšstvo 1. Ružomberok 1893, s. 51−55.

142. -ill.: Spisovatelia Učeného slovenského tovaryšstva. – In: Tovaryšstvo 1. Ružomberok 1893, s. 51−55.
V závere portrétu Hollého Chválospev na Antona Bernoláka.

143. J. K.: K životopisu Antona Bernoláka. Literárne Listy, 3, 1893, č. 2, s. 18−20.

144. KOHUTH, Jozef Kyrill: Kolíska a hrob Antona Bernoláka. Literárne Listy, 3, 1893, č. 1, s. 8−9.

145. Kyrill.: Slovo k storočnej pamiatke na Učené slovenské tovaryšstvo. Literárne Listy, 3, 1893, č. 1, s. 2.

146. VŠELIČO. – Katolícke Noviny, 44, 1893, č. 1, s. 8.
Spomienka na 80. výročie smrti Antona Bernoláka.

147. -y: Historicko-literárne odrobinky. Literárne Listy, 3, 1893, s. 75−76.

1895

148. ill.: Anton Bernolák. In: Tovaryšstvo 2. Ružomberok 1895, s. 23−29.

1897

149. STARÉ Noviny – Bernolák. Slovenské Pohľady, 17, 1897, s. 552−557.

150. VLČEK, Jaroslav: Bernolák proti Bajzovi. Slovenské Pohľady, 17, 1897, s. 561−568.

1904

151. PODHRADSKÝ, J.: Slovenský Plutarch. Bernolák a Kollár. Národnie Noviny, 9. 4. a 12. 4. 1904.

1907

152. J. Š.: Príspevky a doplnky k životopisom slovenských spisovateľov. Opravy textov literárnych diel. Anton Bernolák. Slovenské Pohľady, 27, 1907, č. 5, s. 312−313.

153. J. Š.: Príspevky a doplnky k životopisom slovenských spisovateľov. Opravy textov literárnych diel. Bernolák − Kopitar. Slovenské Pohľady, 27, 1907, č. 2, s. 117−120.

154. OSVALD, Fr.: Ešte raz: či dr. Anton Bernolák bol čeklískym farárom? Literárne Listy, 17, 1907, č. 3, s. 22.

1912

155. MIŠÍK, Štefan: K storočnej pamiatke smrti Antona Bernoláka. Pripr. podľa rkp. M. Sepetnina. Slovenské Pohľady, 32, 1912, č. 7, s. 437−440.

156. OBETUJEME na pomník A. Bernoláka. Slovenské ľudové noviny, 13. 12. 1912, s. 2.

157. PAMIATKE Antona Bernoláka. Slovenské Pohľady, 32, 1912, s. 758.

158. SLOVENSKÉ jubileá r. 1913. Národný hlásnik, 20. 12. 1912, s. 6.
Spomienkový článok pri príležitosti 50. výročia založenia Matice slovenskej, 100. výročia smrti Antona Bernoláka a 100. výročia narodenia S. Tomášika.

159. STOROČNÁ pamiatka odumretia Antona Bernoláka. Národnie noviny, 8. 8. 1912.

1913

160. ANTON Bernolák. Robotnícke noviny, 10, 23. 1. 1913, č. 4, s. 2. V rubrike Besednica.

161. ANTON Bernolák. Slovenské noviny, 22. 1. 1913, s. 3.
Správa o slávnostiach na počesť 100. výročia smrti Antona Bernoláka.

162. ANTON Bernolák. Slovenský denník, 16. 1. 1913, s. 1.

163. ANTON Bernolák. Na storočnú pamäť jeho smrti. Národný hlásnik, 17. 1. 1913, s. 1−2.

164. ANTONÍN Bernolák. 1762−1813. Čas, 27, 1913, č. 12.

165. BAZOVSKÝ, Ľudovít: Námestovo! – Národné noviny, 18. 1. 1913.
O priebehu slávnosti v Slanici a v Námestove.

166. BERNOLÁKOV večierok v Ružomberku. – Slovenský týždenník, 17. 1. 1913, s. 5.; Slovenský denník, 18. 1. 1913, s. 3.

167. BERNOLÁKOVE slávnosti. – Vlasť a svet, 2. 2. 1913, s. 72.

168. BEZ poznámky. – Robotnícke noviny, 23. 1. 1913, s. 6.
Správa o poďakovaní poslanca F. Skyčáka biskupovi Párvymu, že povolil v slanickom kostole odhaliť pamätnú tabuľu A. Bernolákovi pri príležitosti 100. výročia smrti.

169. ČESI a Slováci. – Krajan, 13. 2. 1913, s. 1–2.
Článok o vývoji slovenčiny od 9. storočia po jej kodifikáciu A. Bernolákom. O príbuznosti českej a slovenskej reči.

170. I. K.: Turčiansky Sv. Martin. – Národnie noviny, 44, 21. 1. 1913, č. 8, s. (3).
List o slávnosti venovanej A. Bernolákovi pri príležitosti 100. výročia úmrtia.

171. KABINA, F.: Anton Bernolák. – Robotnícke noviny, 23. 1. 1913, s. 2–3.

172. KOHUTH, Jozef: Slanica Rodisko Antona Bernoláka. – Národnie noviny, 44, 18. 1. 1913, č. 7, s. 2.

173. LIPTOVSKO-Sv. Mikulášske Meštianske kasíno. – Národnie noviny, 16. 1. 1913.
Správa o večierku z príležitosti 100. výročia úmrtia Bernoláka.

174. MEŠŤANSKÁ beseda v Dolnom Kubíne. Národné noviny, 16. 1. 1913.; Národný hlásnik, 17. 1. 1913, s. 6.; Slovenský týždenník, 17. 1. 1913, s. 5.
Program k 100. výročiu úmrtia Antona Bernoláka.

175. NA PAMIATKU Antona Bernoláka. Robotnícke noviny, 1. 1. 1913, s. 6.
Správa o prednáške spolku Vpred na tému Význam Antona Bernoláka pre slovenskú literatúru a slovenské obrodenie.

176. NA SLÁVNOSŤ Antona Bernoláka. Národnie noviny, 18. 1. 1913.

Správa o martinskej delegácii na slávnosti A. Bernoláka v Slanici.

177. NÁRODNIE Noviny. Prúdy, 4, 1912/13, č. 4, s. 169–171.
Kritické poznámky k článku o A. Bernolákovi uverejnenom v Národných novinách č. 7–9/1913.

178. NAŠE slávnosti v Turč. Sv. Martine. Slovenský týždenník, 24. 1. 1913, s. 5.

179. OBETUJEME na pomník A. Bernoláka. Slovenské ľudové noviny, 2. 1. 1913, s. 3.

180. (Oľga): Bernolákovský večierok v Liptovskom Svätom Mikuláši. – Slovenský denník, 23. 1. 1913, s. 4.

181. OSLAVA Antona Bernoláka. Svätý Adalbert (Vojtech), 5, 1913, č. 2, s. 22.

182. OSLAVA pamiatky Antona Bernoláka. Slovenský týždenník, 10. 1. 1913, s. 5.

183. OSLAVA 100-ročného úmrtia Bernoláka-Slanického. Slovenský denník, 5. 1. 1913, s. 3.

184. PAMIATKA Antona Bernoláka. Slovenské pohľady, 23, 1913, č. 12, s. 758.

185. PAMIATKA otcov. (Slovenský Spolok v Budapešti k 100. výročiu smrti Antona Bernoláka a k 100. výročiu narodenia Samuela Tomášika.) Slovenský týždenník, 31. 1. 1913, s. 6.

186. P.B-k.: Anton Bernolák. Bernolákov význam pre literatúru slovenskú. Prúdy, 4, 1912/13, č. 3, s. 136–139.

187. PRÍTOMNÝ: Oslava Antona Bernoláka. (V Slanici a v Námestove.) Národný hlásnik, 24. 1. 1913, s. 2–3.

188. RIADITEĽSTVO: Pozvanie (na oslavy 100. výročia úmrtia Antona Bernoláka). Národnie noviny, 4. 1. 1913.; Slovenské ľudové noviny, 2. 1. 1913, s. 3 a 10. 1. 1913, s. 2.

189. (RUPELDT, F.:) Anton Bernolák. 1762–1813.
Prednáška na večierku Meštianskeho kasína

v Lipt. Sv. Mikuláši z príležitosti storočnej pamiatky smrti Antona Bernoláka, dňa 19. januára 1913. Dennica, 1913, č. 1, s. 2−5 a č. 2, s. 38−41. Fot.

190. SLÁVNOSŤ Bernolákova v Slanici. Dennica, 1913, č. 2, s. 42.

191. STOROČNÁ pamiatka smrti Antona Bernoláka. Prúdy, 4, 1912/13, č. 3, s. 106.

192. STOROČNÁ pamiatka smrti Antona Bernoláka. Živena, 1913, č. 2, s. 61.

193. ŠKULTÉTY, Jozef: Anton Bernolák. Národnie noviny, 44, 21. 1. 1913, č. 8, s. 1−2 a 23. 1. 1913, č. 9, s. 1−2.

194. ÚRYVOK (!) zo životopisu Antona Bernoláka-Slanického. Slovenské ľudové noviny, 10. 1. 1913, s. 2−3.

195. V LIPTOVSKOM Sv. Mikuláši. Národný hlásnik, 17. 1. 1913, s. 6.
Program kultúrneho večierku k 100. výročiu smrti Antona Bernoláka.

196. V RUŽOMBERKU. Národný hlásnik, 17. 1. 1913, s. 6.
Program kultúrneho večierku k 100. výročiu smrti Antona Bernoláka.

197. V SLANICI a Námestove. Národný hlásnik, 10. 1. 1913, s. 6.
Oslavy 100. výročia úmrtia Antona Bernoláka.

198. VLČEK, Jaroslav: Anton Bernolák. 2. Jubileum Bernolákovo. Prúdy, 4, 1912/13, č. 3, s. 139−143.; Národné Listy, 1913, č. 16.

199. VOJTAŠŠÁK, Ján: Bernolákov pomník. Slovenské ľudové noviny, 31. 1. 1913, s. 2.
Správa o výsledku zbierky na pamätnú tabuľu A. Bernoláka.

200. VOJTAŠŠÁK, J.: 15. januára v Slanici. Slovenské ľudové noviny, 24. 1. 1913, s. 3.
Podrobná správa o oslavách venovaných A. Bernolákovi pri príležitosti 100. výročia smrti.

201. ZAŠKRIPENIE do harmonie. Národnie noviny, 21. 1. 1913.

Z článku budapeštianskeho dopisovateľa pražských Národných listov o pripravovaných oslavách 100. výročia smrti Antona Bernoláka.

202. ZO Slovenského spolku v Pešti. Slovenský denník, 25. 1. 1913, s. 3.
Správa o zasadnutí Slovenského spolku na počesť 100. výročia smrti Antona Bernoláka.

1922
203. (ŠKULTÉTY, Jozef:) Kde sa vzali u nás Bernolákovci? Národnie noviny, 53, 1922, č. 11, s. (2).

204. VÝCHODNÁ orolská župa Antona Bernoláka. Tatranský orol, 3, 1922, č. 7−8, s. 173.

1923
205. BÁRDOŠ, Gejza: Anton Bernolák. 1762− 1813. Slovenský učiteľ, 4, 1923, č. 7, s. 161− 163. Bibliografia diela.

206. BERNOLÁKOVE slávnosti v Nových Zámkoch. Slovenský Východ, 5, 21. 6. 1923, č. 140, s. 2. V rubrike Chýrnik.

207. KOVÁČOVÁ, Margita: Odhalenie pamätnej dosky Bernolákovej a „Detský deň" v Nových Zámkoch (17. 6. 1923). Slovák, 5, 24. 6. 1923, č. 141, s. 2.

208. MIKUŠA, J.: K dejinám kolossa literatúry slovenskej. Rozvoj, 2, 1923/24, č. 4, s. 5−6; č. 5, s. 7; č. 6, s. 8−9.
Životopis a zhodnotenie diela Antona Bernoláka. Uvedené citáty z jeho diel.

209. NA pamiatku Bernoláka. Slovenský týždenník, 20, 1923, č. 26, s. 3. V rubrike Drobné zvesti.
Správa o slávnostnom odhalení pamätnej tabule A. Bernoláka v Nových Zámkoch 17. 6. 1923.

210. OSLAVA… (inc.). Národná stráž, 3, 1923, č. 21, s. 2. V rubrike Chýrnik.
Správa o pripravovanej oslave A. Bernoláka 17. 6. 1923 v Nových Zámkoch spolu s odhalením pamätnej tabule.

211. PRÍDAVOK, Anton: Anton Bernolák. 4. 10. 1762 − 15. 1. 1813. Slovenský Východ, 5, 1923, č. 15, s. 1−2. V rubrike Zápisník.

1925

212. BERNOLÁKOVA slávnosť. Slovenský Východ, 7. 8. 12. 1925, č. 280, s. 4. V rubrike Chýrnik.

213. ČO je s pomníkom Antona Bernoláka? Orava, 3, 1925, č. 28, s. 1—2.

214. HISTORICKÝ kalendár — 15. januára... (inc.). Slovenský denník, 8, 15. 1. 1925, č. 11a, s. 4. V rubrike Chýrnik.

215. KRUPIANSKY, F. G.: Anton Bernolák. Slovenské kvety, 2, 1925, č. 4, s. 123—125. Fot. 1.

216. KRUŠINSKÝ, Rudo — KOÓŠ, Števo: Postavme pamätnú tabuľu Antonovi Bernolákovi v Slanici. Orava, 3, 1925, č. 14, s. 1—2.

1926

217. NOVÉ Zámky. Národná stráž, 6, 1926, č. 36, s. 1. V rubrike Čo sa deje v župe. Kultúrna hliadka.
Správa o spomienkovej slávnosti pri hrobe Antona Bernoláka, konanej 28. 8. 1926 z iniciatívy tamojšej Osvetovej besedy.

1928

218. PRI Bernolákovom hrobe. Slovák — týždenník 10, 1928, č. 29, s. 3.

219. PRI Bernolákovom hrobe manifestujú tisícové zástupy slovenského ľudu — Nové Zámky vraďujú sa do slovenského života. Slovák, 10, 12. 7. 1928, č. 154, s. 3.

1931

220. k: Bajzovým sporem s Bernolákem a s Fándlim... Bratislava, 5, 1931, s. 892.

221. KOJS, J.: Otázka pomníka v Námestove. Orava, 3, 1931, č. 24, s. 4.

222. MIŠKOVIČ, Alojz: Bajza proti Bernolákovi. Slovenské pohľady, 47, 1931, č. 10, s. 624—640. Štúdia podrobne vykresľuje podstatu sporov medzi A. Bernolákom a J. I. Bajzom v otázkach spisovnej slovenčiny.

223. p.t.: Bernolák v Nitre v šk. r. 1930/31. Rozvoj, 9, 1931, č. 10, s. 246.

1932

224. H.: Anton Bernolák. K 170. výročiu jeho narodenia. Slovenský ľud, 12, 1932, č. 39, s. 518—519.

1933

225. ADÁMEK, Ján: Moja prvá návšteva u hrobu Antona Bernoláka. Slovenský juh, 7, 4. 2. 1933, č. 6, s. 3.
Krátka reportáž pri príležitosti 120. výročia smrti Antona Bernoláka.

226. BARÁT, Jozef: Slovák či maďarón? (K vyhláseniu Bernolákovho odnárodnenia.) Slovenský juh, 7, 14. 1. 1933, č. 3, s. 1.

227. ERCÉ (Radványi, Celestin): Anton Bernolák. (K 120. výročiu jeho smrti.) Slovenský juh, 7, 1933, č. 2, s. 1—2.; Slovenský ľud, 13, 1933, č. 4, s. 39—40.

228. FILO, Eduard: K 120. výročiu smrti Antona Bernoláka. Šafárikov kraj, 2, 1933, č. 4, s. 1—2.

229. -ov.: Anton Bernolák (4. okt. 1762 — 15. jan. 1813). Naša Orava, 1, 15. 1. 1933, č. 1, s. 1.

230. 120 ročné úmrtie Antona Bernoláka... (inc.). — Národná stráž, 13, 1933, č. 18, s. 2. V rubrike Zprávy.

231. SZIGETI, Štefan: Bernolák a ustálenie spisovnej slovenčiny. Slovenský juh, 7, 1933, č. 4, s. 4.

1934

232. 14. júla 1789 Anton Bernolák rozoslal oznámenie o založení Učeného tovaryšstva. Slovenský denník, 17, 14. 7. 1934, č. 157, s. 4. V rubrike Literárnohistorický kalendár.

1935

233. LITERÁRNO-historický kalendár. Slovenský denník, 18, 15. 1. 1935, č. 12, s. 5.
Poznámky o živote a diele Antona Bernoláka.

1936

234. BERNOLÁKOV deň v Nových Zámkoch. Slovenský denník, 19, 2. 2. 1936, č. 26, s. 6. V rubrike Z kultúrneho života.

235. BERNOLÁKOVE jubilejné oslavy v Trnave. Národné noviny, 67, 12. 11. 1936, č. 130.;

Robotnícke noviny, 33, 11. 11. 1936, č. 257, s. 3.; Slovenský denník, 19, 11. 11. 1936, č. 259, s. 2.

236. BLÁHA, (Karol): Česi a Slováci musia byť vedení k jednote ducha. Preslov miestostarostu Bláhu u hrobu Bernolákovho. Slovenský juh, 10, 1936, č. 37, s. 5.

237. DOSTANE sa uctenie k Bernolákovi. Národné noviny, 67, 21. 11. 1936, č. 134, s. 4. V rubrike Kultúra.

238. (ek): Bez Bernoláka niet Štúra. K zakľúčeniu Štúrových osláv v Nových Zámkach 6. septembra. Slovenský juh, 10, 1936, č. 36, s. 1.

239. J. E.: Jubilejné oslavy A. Bernoláka v roku 1937 v Trnave. — Slovenská politika, 17, 18. 12. 1936, č. 290, s. 2.; Slovenský týždenník, 33, 1936, č. 54, s. 4.

240. (j.k.): Po stopách Bernolákových. Deputácia zo Štúrovho kraja ovenčí v nedeľu hrob Antona Bernoláka v Nových Zámkoch. Slovenský denník, 19, 5. 9. 1936, č. 204, s. 5.

241. JUBILEJNÉ oslavy A. Bernoláka v Trnave. Robotnícke noviny, 33, 18. 12. 1936, č. 288, s. 3. V rubrike Denné zprávy.

242. MIŠKOVIČ, Alojz: Bernolákova Dissertácia a Orthographia. — In: Sborník Matice slovenskej. Martin, Matica slovenská 1936, s. 387—409. V rubrike Literárna história.

243. NÁRODNÁ manifestácia v službách štátnej myšlienky. Zakončenie Štúrových osláv u Bernolákovho hrobu. Slovenský juh, 10, 1936, č. 37, s. 1—2.

244. Nz.: Zakončenie Štúrových osláv v Nových Zámkoch. Kladenie venca na Bernolákov hrob. Slovenská politika, 17, 8. 9. 1936, č. 206, s. 2.

245. PO Štúrovi — pomník Bernolákovi. Naša Orava, 4, 1936, č. 10, s. 1.

246. POMNÍK Bernolákovi. Naša Orava, 4, 1936, č. 11, s. 1.

247. yh.: Jubilejné Štúrove oslavy... (inc.). Slovenský denník, 19, 8. 9. 1936, č. 206, s. 4. V rubrike Denné zvesti.
Správa o pietnej spomienke pri hrobe A. Bernoláka 6. 9. 1936, ktorou boli ukončené jubilejné Štúrove oslavy.

1937

248. A.K.: Nový pohľad na Bernolákovu reč. Politika, 7, 15. 10. 1937, č. 19, s. 218—219. V rubrike Veda a umenie.

249. Amič.: Už zase Bernolák kohosi straší. Nový svet, 12, 17. 4. 1937, č. 15, s. 11. V rubrike Ostrým perom.
Kritické poznámky k článku o A. Bernolákovi uverejnenom v českom časopise Čs. obce učiteľské, ktorý predstavil Bernoláka ako maďarizátora, spiatočníka a protireformátora.

250. A.R.: Poďme k Bernolákovi! Administratívny vestník, 16, 1937, s. 608—609. V rubrike Odkazy, drobné zprávy, rozličné.; Slovenský juh, 11, 14. 7. 1937, č. 33, s. 3.

251. BANÍK, Anton Aug.: Pomocníci Antona Bernoláka v rokoch 1786—1790 pri diele slovenského literárneho obrodenia. Tri epochy slovenských dejín. Kultúra, 9, 1937, č. 9—10, s. 193—203. Pozn.

252. BANÍK, Anton Augustín: Anton Bernolák medzi bratislavskou študujúcou mládežou roku 1787. — Plameň, 5, 15. 10. 1937, č. 4, s. 48—49.

253. BARTEK, Henrich: Bernolákov pravopisný systém. Slovenská reč, 5, 1937, č. 9—10, s. 246—260. Ukážka predbernolákovského a bernolákovského pravopisu.

254. BARTEK, Henrich: Bernolákov rok. Elán, 7, 1937, č. 7, s. (1)-2.

255. BERNOLÁKOV deň v Nových Zámkoch. A-Zet, 2, 3. 2. 1937, č. 29, s. 3. V rubrike Defilé, divadlo, film, literatúra.

256. BERNOLÁKOV pomník hotový. Slovenské zvesti, 2, 7. 9. 1937, č. 171, s. (4).

257. BERNOLÁKOV pomník — okrasou Nových Zámkov. Slovenská politika, 18, 1937, č. 223, s. 2.

258. BERNOLÁKOV pomník v Nových Zámkoch odhalený. Slovenský denník, 20, 14. 9. 1937, č. 210, s. 3.

259. BERNOLÁKOV pomník v Trnave pred dokončením. Ľudová politika, 13, 9. 7. 1937, č. 150, s. 3. V rubrike Denné zvesti.; Národné noviny, 68, 12. 8. 1937, č. 94, s. 6.

260. BERNOLÁKOV potomok. Ľudová politika, 13, 19. 8. 1937, č. 185, s. 3. V rubrike Denné zvesti.
Správa o učiteľke Anne Mannerovej, ktorá sa pri príležitosti jubilejných Bernolákových osláv prihlásila ako potomok Antona Bernoláka. Podľa rodného listu ide o dcéru Jána Bernoláka, ktorého otec bol rodným bratom Antona.

261. BERNOLÁKOV rok zahájený: Slováci, pracujte, tvorte a borte sa po slovensky! Skvelé Bernolákove oslavy v Nových Zámkoch. Prvý Bernolákov pomník odhalený. Hold mládeže pamiatke Bernolákovej, svojmu národu a štátu. Ľudový chýrnik, 12, 1937, č. 38, s. 7.; Ľudová politika, 13, 14. 9. 1937, č. 206, s. 2.

262. BERNOLÁKOV večierok v Kremnici (26. 11. 1937). Národnie noviny, 68, 25. 11. 1937, č. 138, s. 3. V rubrike Kronika.

263. BERNOLÁKOVA slávnosť v H. Súči. Trenčan, 14, 26. 6. 1937, č. 26, s. 4. V rubrike Chýrnik.

264. BERNOLÁKOVA socha odhalená. Slávnosť sa niesla v oficiálnom a vládnom duchu. Slovenské zvesti, 2, 12. 10. 1937, č. 196, s. (3).

265. BERNOLÁKOVA socha, odhalená v Trnave dňa 10. okt. 1937. Plameň, 5, 1. 11. 1937, č. 5, s. 62. Fot. 1.

266. BERNOLÁKOVE oslavy sa započaly. V Nových Zámkoch bol položený základný kameň k prvému Bernolákovmu pomníku. Ľudová politika, 13, 3. 8. 1937, č. 171, s. 3.; Slovenský juh, 11, 1937, č. 32, s. 2.

267. BERNOLÁKOVE oslavy v Bratislave. Národnie noviny, 68, 14. 10. 1937, č. 121, s. 3. V rubrike Kultúra.

268. BERNOLÁKOVE oslavy v Pezinku. Slovenský denník, 20, 6. 11. 1937, č. 253, s. 4. V rubrike Denné zvesti.

269. BERNOLÁKOVE oslavy v Trenčíne. Hlasy československé, 5, 1937, č. 16, s. 5. V rubrike Zo slovenských krajov.

270. BERNOLÁKOVE oslavy v Trnave a Čeklísi. Ľudová politika, 13, 12. 10. 1937, č. 229, s. 1.

271. BERNOLÁKOVE oslavy započaly. V Nových Zámkoch sa položil základný kameň k prvému Bernolákovmu pomníku. A-Zet, 2, 4. 8. 1937, č. 150, s. (8). V rubrike Slovenský juh.

272. BERNOLÁKOVE slávnosti. Gazdovské noviny, 19, 1937, č. 15, s. 7.; Podtatranský kraj, 4, 1937, č. 15, s. 7.

273. BIBLIOFILSKÉ vydanie Bernolákovej Dissertatie a Orthografie. Robotnícke noviny, 34, 3. 10. 1937, č. 224, s. 6. V rubrike Kultúrny obzor. Správa o chystanom vydaní faksimile pôvodiny z r. 1787 v 200 číslovaných výtlačkoch.

274. BIBLIOFILSKÉ vydanie Dissertatie a Orthographie. Ľudová politika, 13, 3. 10. 1937, č. 222, s. 2. V rubrike Kultúrne poznámky.
Informácia o pripravovanom faksimilnom vydaní Bernolákovej Dizertácie a Ortografie.

275. BRATISLAVSKÁ Bernolákova oslava. Robotnícke noviny, 34, 14. 10. 1937, č. 233, s. 3. V rubrike Kultúrny obzor.

276. ČERNÁK, Vladimír: Žije, žije duch slovenský! Národnie noviny, 68, 11. 9. 1937, č. 107, s. (1). Článok venovaný osobnosti Antona Bernoláka pri príležitosti odhalenia jeho pomníka v Trnave koncom septembra 1937. Autor vyzdvihuje predovšetkým jeho význam pri obrane Slovákov proti maďarizácii na prelome 18. a 19. storočia.

277. ČESKÁ inteligencia pamiatke Bernolákovej. Ľudová politika, 13, 29. 8. 1937, č. 194, s. 4. V rubrike Denné zvesti.
Správa o finančných daroch a príspevkoch, ktoré posielajú dobrovoľníci z Čiech a Moravy na Bernolákov pomník v Trnave. Menoslov darcov s výškou príspevkov.

278. (čn.): Čia myšlienka víťazí? – Robotnícke noviny, 34, 20. 10. 1937, č. 28, s. 2.
Článok obhajuje pred ľudáckou tlačou Dérerove názory na Antona Bernoláka ako kodifikátora slovenského jazyka, ktorý mal Slovákov zblížiť s českým národom, a nie postaviť ho proti nim.

279. ČUNDERLÍK, Ladislav: Anton Bernolák a Pavel Országh-Hviezdoslav. Slovenský učiteľ, 19, 1937, č. 3, s. 130–132.

280. ČUNDERLÍK, Ladislav: Oslavy Antona Bernoláka. Slovenský učiteľ, 19, 1937, č. 2, s. 119. V rubrike Rôzne správy.

281. D.: Bernolákov deň v Nových Zámkoch. Slovenská politika, 18, 1937, č. 26, s. 2. V rubrike Chýrnik.

282. DÉRER, Ivan: K Bernolákovým oslavám. Robotnícke noviny, 34, 12. 10. 1937, č. 231, s. 1–2.

283. dr: Bernolákov pomník v N. Zámkoch. A-Zet, 2, 8. 5. 1937, č. 90, s. (8).

284. Dr. H.: Vstupujeme do slávnostného roku Bernolákovho. Bernolákov jubilárny výbor ustavený. Zprávy mesta Bratislavy, 14, 25. 1. 1937, č. 4, s. 35–36.
Správa o ustanovujúcej schôdzi jubilejného výboru na usporiadanie osláv Antona Bernoláka v Trnave (15. 1. 1937). Uvedené mená prítomných a zvolených členov výboru, ako aj náčrt chystaných osláv.

285. Dr. Milan Hodža protektorom Bernolákových osláv. Slovenský týždenník, 34, 4. 3. 1937, č. 10, s. 4. V rubrike Chýrnik.

286. DVA pomníky A. Bernolákovi postavilo vďačné Slovensko. Slovenský denník, 20, 12. 10. 1937, č. 233, s. 2.
Podrobný referát z osláv A. Bernoláka v Trnave a v Čeklísi.

287. E.: Pamiatke Antona Bernoláka. Roľnícke rozhľady, 8, 1937, č. 20, s. 289–290.

288. EBRINGER, J.: Pomník A. Bernoláka v Trnave. Nové Slovensko, 14, 1937, č. 39, s. 2.

289. EBRINGER, J.: Všeličo o pomníku A. Bernoláka v Trnave. Pomník bude stáť na krásnom mieste. Slovenský denník, 20, 25. 9. 1937, č. 220, s. 5. V rubrike Z kultúrneho života.

290. (ek): Po stopäťdesiatich rokoch. Min. predseda dr. Milan Hodža odhalí Bernolákov pomník v Nov. Zámkoch. Slováci a Česi z južného Slovenska, príďte všetci v nedeľu do Nových Zámkov! Slovenský juh, 11, 1937, č. 37, s. 1.

291. (ek): Prvý Bernolákov pomník odhalený. Hold južného Slovenska Bernolákovej pamiatke. Slovenský juh, 11, 1937, č. 38, s. 3–4.

292. FAIR play. Nový svet, 12, 1937, č. 41, s. 14–15. V rubrike Ostrým perom.

293. FLOREK, Pavol: Bernolákovci v Orave. Slovensko, 3, 1937, č. 11–12, s. 201–203.

294. FLOREK, Pavol: Pôvod, rodisko a rodný dom Antona Bernoláka. Slovenské pohľady, 53, 1937, č. 6–7, s. 321–327. Obr. 5.

295. g: Anton Bernolák ako vedec-diplomat. Národnie noviny, 68, 28. 8. 1937, č. 101, s. 4. V rubrike Chýrnik.; Slovenský juh, 11, 1937, č. 35, s. 1–2.
Článok posudzuje dielo Antona Bernoláka z politického aspektu.

296. -g-: Manifestácia štátnej myšlienky a smierlivosti. Odhalenie Bernolákovho pomníka v Nových Zámkoch (12. 9. 1937). A-Zet, 2, 14. 9. 1937, č. 179, s. 8.

297. GAJDOŠ, J. Vševlad: O mníchovi, čo bol pri zakladaní „Tovaryšstva". Kultúra, 9, 1937, s. 252–254.

298. GÁL-PODDUMBIERSKY, Ján: Od Antona Bernoláka až po naše časy. (K oslavám v Trnave a v Čeklísi.) Národnie noviny, 68, 9. 10. 1937, č. 119, s. (1)-2.

299. GAŠPAR, Tido J.: O čom je reč? Nový svet, 12, 1937, č. 40, s. 3–4.
Článok o slávnosti odhalenia pomníka P. O.-Hviezdoslava v Bratislave (26. 9. 1937) a o Bernolákových oslavách v Trnave a Bernolákove (10. 10. 1937).

300. gr.: Bernolákov pomník v Trnave bude robiť akad. sochár Ján Koniarek. Národnie noviny, 68, 1. 5. 1937, č. 51, s. 4. V rubrike Kultúra.; Slovenská politika, 18, 1. 5. 1937, č. 101, s. 3.

301. gr.: Slovensko oslavuje Antona Bernoláka. Národnie noviny, 68, 15. 5. 1937, č. 57, s. 4. V rubrike Kultúra.; Slovenská politika, 18, 15. 5. 1937, č. 111, s. 2.

302. GROM, Jakub: Proti rozvratníctvu − kresťanský ideál. Gaudeamus, 2, 1937, č. 2, s. 16.
Článok k 175. výročiu narodenia Antona Bernoláka.

303. HALUŠKA, V. − PRÍDAVOK, M.: Oslavy Antona Bernoláka v Trnave a Čeklísi. Devín, 6, 1937, č. 3, s. 33−36.

304. HANULA, D.: Dve Bernolákove jubileá. Napísané pri príležitosti Bernolákových osláv v Spišskej Novej Vsi. Spišské hlasy, 4, 1937, č. 40, s. 1−2.

305. h-k.: Južné Slovensko pamiatke Martina Rázusa. − Národné noviny, 68, 20. 11. 1937, č. 136, s. 5. Pod spoločným názvom Tryzny za Martinom Rázusom.
Správa o kultúrnom večierku, ktorý poriadal 234. zbor Slovenskej ligy v Čičove 13. 11. 1937. Prejav o Antonovi Bernolákovi predniesol J. Móric, výročia černovskej tragédie sa v prednáške dotkol Š. Kuráň, o živote a diele M. Rázusa hovoril J. Janík.

306. HODŽA, Milan: Dr. Milan Hodža o príkaze doby ľuďom dobrej vôle. Z prejavu pri odhalení pomníka Antona Bernoláka v Trnave. Hlasy československé, 5, 1937, č. 41, s. 1−2.

307. HODŽA, Milan: Priateľstvo a bratstvo! Veľký prejav predsedu čs. vlády pri odhalení Bernolákovho pomníka v Trnave. Slovenský týždenník, 34, 1937, č. 42, s. 2.
Výňatok z Hodžovho vystúpenia, v ktorom vyzdvihol a kladne zhodnotil životné úsilie a jazykovedné dielo Antona Bernoláka. Analyzoval históriu a pomery Slovákov za uhorskej vlády, kladne hodnotil snahy slovenských dejateľov (Bajza, Bel...) o povznesenie Slovákov.

308. (HODŽA, Milan): „Musíme aj na terajšom Slovensku uplatniť zásadu priateľskej a bratskej súčinnosti." Slovenský denník, 20, 12. 10. 1937, č. 233, s. 1−2.
Text prejavu predneseného pri slávnostnom odhalení pomníka A. Bernoláka v Trnave 10. 10. 1937.

309. HODŽA, Milan: Treba súčinnosti všetkých ľudí dobrej vôle! Z prejavu min. predsedu na jubilejnej oslave Antona Bernoláka v Trnave. Slovenská politika, 18, 12. 10. 1937, č. 233, s. 1.

310. HOLLÝ, Ján: Anton Bernolák a my. Slovenský orol, 2, 1937, č. 6, s. 114−115.

311. HUDEC, Štefan: Veľký deň Bernoláka v Nových Zámkoch. Slovenský orol, 2, 1937, č. 10, s. 172.

312. CHÁB, Václav: Aké budú Bernolákove oslavy? Slovenské zvesti, 2, 9. 4. 1937, č. 69, s. (4).

313. IDEME do Bernolákovho roku. V Trnave bude postavený pomník Bernolákovi nákladom 160 000 Kč, v N. Zámkoch nákladom 100 000 Kč. Ministerský predseda dr. Hodža venoval 20 000 Kč. na stavbu pomníka Bernolákovi v Nových Zámkoch. Slovenský juh, 11, 1937, č. 6, s. 2.

314. IZAKOVIČ, Alexej: Bernolák-Sjednotiteľ. Sjednotil slovenčinu − sjednotil nás. Nielen české a slovenské, ale aj maďarské spolky spolupracujú. Postavíme pomník za 200 000 Kč. Prvý Bernolákov výbor rozposiela šeky. Slovenský juh, 11, 1937, č. 29, s. 1−2.

315. JÁN Kollár a Bernolák. − Slovák, 19, 1937, č. 222, s. 4.

316. JAROUŠEK, Rudolf: Anton Bernolák ako učenec a národný buditeľ. Slovenský učiteľ, 18, 1937, č. 10, s. 531−535.

317. JAROUŠEK, Rudolf: Zápisnica... (inc.). Slovenský učiteľ, 18, 1937, č. 10, s. 571−572. V rubrike Spolkové správy.
Informácia o prednáške ˙R. Jarouška na tému Bernolák, slovenský učenec a národný buditeľ, o referáte V. Lormana... na schôdzi ilavsko-púchovskej jednoty Krajinského učiteľského spolku 17. 6. 1937.

318. JASNÁ pamäť „Slovenského učeného tovariš-
stva". Uctime najskvelejšiu časť našej katolíc-
ko-národnej minulosti! Všeličo o Bernoláko-
vých oslavách. Ľudová politika, 13, 1937, č. 94,
s. 4 a č. 95, s. 2.

319. je.: Ako vznikala socha Bernoláka pre Trnavu.
Slovenský juh, 11, 1937, č. 30, s. 2.; Národnie
noviny, 68, 1937, č. 85, s. 3.

320. JEDNOTA Orla v Záblatí... (inc.). Plameň, 4,
1937, č. 11, s. 161. V rubrike Spolky katolíckej
mládeže.
Správa o priebehu oslavy Antona Bernoláka
a pietne spomienky na M. R. Štefánika 6. 5.
1937 v Záblatí.

321. J. K.: Anton Bernolák, muž čistého života,
skvelých darov ducha — hovorí zápisnica, napí-
saná na novozámockej fare pred 127 rokmi.
Slovenská politika, 18, 10. 10. 1937, č. 232, s. 4.

322. (j.k.): Najväčší pomník južného Slovenska čaká
na odhalenie. Anton Bernolák v diele sochára
Joža Pospíšila. Čo uvidíme na výstave bernolá-
kovských pamiatok v Mestskom múzeu v No-
vých Zámkoch. Slovenský juh, 11, 1937, č. 36,
s. 4.

323. jm.: Anton Bernolák. Slniečko, 11, 1937, č. 2, s.
20—21.

324. jmk.: Dôstojné oslavy Antona Bernoláka v Pú-
chove nad Váhom. Hlasy československé, 5,
1937, č. 48, s. 7. V rubrike Zo slovenských
krajov.

325. jmka.: Dôstojné oslavy Antona Bernoláka v Pú-
chove nad Váhom (27. 11. 1937). Národný
hlásnik, 3, 1937, č. 49, s. 6. V rubrike Z Púchova
a okolia.

326. jš.: Bernolákove oslavy v Lipt. Mikuláši (26. 9.
1937). Slovenská politika, 18, 3. 10. 1937, č.
226, s. 2. V rubrike Chýrnik.

327. JUBILEJNÉ oslavy Antona Bernoláka. Minis-
terský predseda dr. M. Hodža v Trnave a Čeklí-
si. Slovenská politika, 18, 12. 10. 1937, č. 233,
s. 2.

328. JUBILEJNÍ oslavy A. Bernoláka. Krajan, 6,
1937, č. 20, s. 3.

329. JUŽNÉ Slovensko opevňuje hranice. Akcie za
postavenie Bernolákovho pomníka. A-Zet, 2,
30. 6. 1937, č. 126, s. 2.

330. JUŽNÉ Slovensko už opevňuje naše hranice.
Gemer-Malohont, 19, 1937, č. 27, s. 4.; Sloven-
ský juh, 11, 1937, č. 28, s. 2.; Slovenský
týždenník, 34, 1937, č. 28, s. 2.
Správa o utvorení „Prvého Bernolákovho jubi-
lárneho výboru" so sídlom v Nových Zámkoch,
ktorý bude mať za úlohu zorganizovať postave-
nie pomníka Antona Bernoláka. Číselné údaje
o prvých príspevkoch rôznych osobností a kor-
porácií na tento účel.

331. (jv): Slanica dostane pekný Bernolákov pom-
ník. Ľudová politika, 13, 11. 8. 1937, č. 178, s. 3.
V rubrike Denné zvesti.

332. J. V.: Pôsobenie Antona Bernoláka v Čeklíse.
Nový svet, 12, 1937, č. 40, s. 6.

333. K OSLAVÁM Bernolákovým v Trnave. Česko-
slovenská vzájomnosť. Piešťanský kraj, 5, 1937,
č. 35, s. 2.; Hlasy československé, 5, 1937, č. 35,
s. 2.

334. KAČKA, Jozef: Rozpomienky na pripravované
oslavy Bernolákove roku 1893. Národnie novi-
ny, 68, 1937, č. 47, s. (1)—2.

335. KAČKA, Jozef P. Sliač: Rozpomienky na prvý
výbor k ucteniu pamiatky A. Bernoláka a „Uče-
ného slovenského Tovaryšstva". Hlasy česko-
slovenské, 5, 1937, č. 16, s. 3.

336. KADLEC, J.: Tri nápisy. Slovenský juh, 11,
1937, č. 8, s. 3. Článok o pamätných tabuliach
trom významným národným a kultúrnym deja-
teľom — A Bernolákovi, J. Majzonovi a Fr.
Kurinskému v Nových Zámkoch, ktoré odhalila
Československá osvetová jednota.

337. K. G.: Jubileum Antona Bernoláka. Pútnik, 28,
1937, č. 5, s. 3.

338. KIRIPOLSKÝ, Fr.: Bernolák sub spiece aeter-
nitatis. K 150. výročiu 21. mája — vydania

241

Disertácie. Slovenský juh, 11, 1937, č. 21, s. 1—2.

339. KOMPÁNEK, Anton: V službách národa. Nový svet, 12, 1937, č. 24, s. 10—11. V rubrike Kritika.
Komentár k Bernolákovým oslavám v Trnave v októbri 1937.

340. KORČEK, Fero: Anton Bernolák. Národnie noviny, 68, 11. 9. 1937, č. 107, s. (1)—2.

341. KREMNIČAN.: Bernolákov večierok v Kremnici. Národnie noviny, 68, 30. 11. 1937, č. 140, s. 4.

342. KRUPA, Ján: K Bernolákovým oslavám. Slovenské zvesti, 2, 10. 10. 1937, č. 195, s. 6. V rubrike Kultúrne zvesti.

343. KRUŽLIAK, Imrich: Bernolákovo jubileum. — Rozvoj, 16, 1937, č. 2, s. 34—35.

344. (ks): Trnava sa pripravuje na slávne dni Bernolákovej oslavy začiatkom októbra. A-Zet, (2), 1937, č. 54, s. 8. V rubrike Slovenský juh.

345. -ký.: V Novom Meste nad Váhom... (inc.). Národnie noviny, 68, 2. 12. 1937, č. 141, s. 2. Pod spoločným názvom Bernolákove oslavy.

346. LETZ, Belo: Prechyľovanie v Bernolákovej etymologii. Slovenská reč, 6, 1937, s. 19—25.

347. (lev.): Bernolákove oslavy v Leviciach (21. 11. 1937). Slovenská politika, 18, 23. 11. 1937, č. 267, s. 2. V rubrike Kultúra.

348. -li-: Dr. Hodža do Nových Zámkov. A-Zet, (2), 11. 9. 1937, č. 178, s. 2.
Správa o slávnosti odhalenia pomníka A. Bernoláka v Nových Zámkoch. Uvedený program oslavy.

349. -lk-: 150 rokov od založenia spisovnej slovenčiny. Roľnícka osveta, 4, 1937, č. 9, s. 141—142. V rubrike Poznámky.
Jubilejný profil Antona Bernoláka.

350. Lr.: Brezno vzdalo hold pamiatke Antona Bernoláka. Národnie noviny, 68, 2. 10. 1937, č. 116, s. 3.

Správa o oslave konanej v Brezne 28. 9. 1937 pri príležitosti 150. výročia vydania Bernolákovej Dizertácie. Uvedený výňatok z prejavu Gejzu Gazdíka.

351. ĽUDÁCI, slovenčina a Bernolák. Robotnícke noviny, 34, 6. 10. 1937, č. 226.

352. MARTÁK, Ján: Od Bernoláka k Českoslov. republike. Slovenský juh, 11, 1937, č. 41, s. 1—2.
Text prejavu predneseného 12. 10. 1937 pri odhalení pomníka Antona Bernoláka v Nových Zámkoch.

353. MAUKŠ, K.: Uctenie pamiatky Bernolákovej v Nových Zámkoch. A-Zet, 2, 8. 7. 1937, č. 131, s. 4. V rubrike Slovenský juh.

354. MINISTER dr. K. Krofta pamiatke Bernolákovej. Ľudová politika, 13, 29. 8. 1937, č. 194, s. 2. V rubrike Kultúrne poznámky.
Správa o finančnom dare, ktorý venoval dr. K. Krofta na výstavbu pomníka A. Bernoláka v Trnave.

355. MIŠKOVIČ, Alojz: Anton Bernolák, veľký syn nášho národa. Plameň, 4, 1937, č. 9, s. 125.

356. NA Bernolákovom námestí v Nových Zámkoch... (inc.). Národnie noviny, 68, 17. 7. 1937, č. 82, s. 4.
Oznam o soche Antona Bernoláka, ktorú vo veľkosti 3,6 m vyhotovil akad. sochár J. Pospíšil.

357. NAD prachom Bernolákovým... Maják slovenčiny na slovenskom juhu. — Podporte jeho výstavbu. Náš kraj, 19, 1937, č. 13, s. 1.

358. NAJPOZITÍVNEJŠIA protirevizionistická manifestácia... (inc.). — Podtatranský kraj, 4, 1937, č. 12, s. 5. V rubrike Rôzne zvesti.
Správa o prípravách na odhalenie pomníka Antona Bernoláka v Nových Zámkoch a Slanici 12. 9. 1937 pri príležitosti 150. výročia vydania jeho Dizertácie.

359. NEREGULÁRNE vypísané súťaže na pomníky A. Bernoláka v Trnave a Ľ. Štúra v Modre. Robotnícke noviny, 34, 7. 4. 1937, č. 79, s. 3. V rubrike Kultúrny obzor.

360. NIGRÍN, Karol: Dlžoba na Slovensku. Hlasy československé, 5, 1937, č. 36, s. 3.
Článok o význame stavania pomníkov významným slovenským osobnostiam ako splácanie dlhu slovenskej kultúre a návrh na postavenie pomníka J. Kollárovi v Mošovciach a P. J. Šafárikovi v Kobeliarove po zbierke na pomník Antona Bernoláka v Nových Zámkoch.

361. NOVÉ historické jubileum. Pero, 5, 1937, č. 6, s. 16.
Glosa na okraj významného kultúrno-spoločenského jubilea 150. výročia vydania prvého Bernolákovho spisu uvádza niekoľko možností, ktorých realizácia by viedla k vytvoreniu pamätníkového areálu v Trnave.

362. NOVÉ Zámky pred 150. rokmi – a dnes...
Slovenský juh, 11, 1937, č. 31, s. 4.
Úvaha o národnoobrodenskom hnutí v 18. storočí, ktorého prejavom bolo aj uzákonenie spisovnej slovenčiny. Príprava osláv.

363. NOVOTNÝ, Fero: Jedná sa O Bernolákov pohár. Čudné zachovanie ÉSE Nové Zámky. Robotnícke noviny, 34, 16. 9. 1937, č. 210, s. 6.
Správa o pláne trnavského športového klubu Rapid a Jubilárneho výboru Bernolákových osláv založiť futbalovú súťaž O Bernolákov pohár.

364. NOVOZÁMSKE mestské múzeum zahajuje Bernolákove slávnosti výstavou. Slovenský juh, 11, 1937, č. 36, s. 4.

365. Nz.: Jubilárne oslavy Bernolákove a odhalenie jeho pomníka v Nových Zámkoch. Slovenská politika, 18, 14. 9. 1937, č. 210, s. 2.

366. Nz.: Položenie základného kameňa k Bernolákovmu pomníku v Nových Zámkoch. Slovenská politika, 18, 3. 8. 1937, č. 174, s. 2.

367. O BERNOLÁKOV pomník v Trnave. Slovenský denník, 20, 11. 2. 1937, č. 34, s. 4.
Správa o podmienkach súťaže na pomník Antona Bernoláka v Trnave.

368. ODBOR Matice slovenskej z Trenčína... (inc.). Trenčan, 14, 1937, č. 49, s. 4. V rubrike Chýrnik.
Správa o návšteve MO Matice slovenskej z Trenčína u MO Matice slovenskej v Púchove 27. 11. 1937, ktorá sa niesla v znamení osláv Antona Bernoláka.

369. ODHALENIE pomníka Antona Bernoláka (v Trnave). Hlas slovenskej samosprávy, 5, 1937, č. 10, s. 92–94.

370. OROLSKÁ slávnosť na pamiatku Antona Bernoláka (15. 8. 1937 vo Vieske). Trenčan, 14, 1937, č. 34, s. 3. V rubrike Chýrnik.

371. OSLAVA A. Bernoláka v Bratislave (12. 10. 1937). Národnie noviny, 68, 9. 10. 1937, č. 119, s. 4. V rubrike Kultúra.

372. OSLAVA Antona Bernoláka v Bratislave... (inc.). Robotnícke noviny, 34, 9. 10. 1937, č. 229, s. 3. V rubrike Kultúrny obzor.
Program oslavy 12. 10. 1937.

373. OSLAVA Antona Bernoláka v Bratislave... (inc.). Slovenská politika, 18, 15. 10. 1937, č. 236, s. 2. V rubrike Kultúra.
Referát o priebehu oslavy konanej 12. 10. 1937.

374. OSLAVA Bernoláka a M. R. Štefánika v Záblatí (6. 5. 1937). Trenčan, 14, 1937, č. 20, s. 3. V rubrike Chýrnik.

375. OSLAVA Bernoláka aj v Bratislave (12. 10. 1937). Robotnícke noviny, 34, 12. 10. 1937, č. 231, s. 3. V rubrike Kultúrny obzor.

376. OSLAVA Bernoláka v Bratislave (12. 10. 1937). Bernolákova slovenčina bola bližšia k češtine ako Štúrova. Ľudová politika, 13, 14. 10. 1937, č. 231, s. 1.

377. OSLAVU A. Bernoláka... (inc.). Ľudová politika, 13, 9. 10. 1937, č. 227, s. 3. V rubrike Denné zvesti.
Oznam o oslave Antona Bernoláka v Bratislave 12. 10. 1937.

378. PAMÄTNÁ listina vložená do základného kameňa Bernolákovho pomníka v Nových Zámkoch. Slovenský juh, 11, 1937, č. 32, s. 1.

379. PAMIATKA Antona Bernoláka. Slovenský východ, 19, 1. 4. 1937, č. 74, s. 6. V rubrike Kultúra.

380. PAMIATKE A. Bernoláka. In: Sborník Spolku profesorov Slovákov, 1937/38, č. 1—2, s. 5—7. V rubrike Úvahy a články.

381. P. G. — Hlbina: Anton Bernolák. Slovenské pohľady, 53, 1937, s. 321.

382. PIŠÚT, Milan: 150 rokov od ustavenia prvej spisovnej slovenčiny Antonom Bernolákom. Slovenská politika, 18, 10. 10. 1937, č. 232, s. 2.

383. PODĎUMBIERSKY, Janko: Oslavy Antona Bernoláka pred 24 rokmi. Nový svet, 12, 1937, č. 40, s. 16.

384. POLOŽENIE základného kameňa k Bernolákovmu pomníku (1. 8. 1937 v Nových Zámkoch). Slovenský denník, 20, 3. 8. 1937, č. 174, s. 4. V rubrike Denné zvesti.

385. POMNÍK Bernolákovi v jeho rodnom kraji. Z príležitosti jeho 150 ročného jubilea. Naša Orava, 5, 1937, č. 2—6, s. 1.

366. POMNÍK Bernolákovi v Námestove. Naša Orava, 5, 1937, č. 1, s. 1.

387. POMNÍK zakladateľovi spisovnej slovenčiny. Gazdovské noviny, 19, 1937, č. 38, s. 2.; Podtatranský kraj, 4, 1937, č. 38, s. 7.

388. POTOMCI Bernolákovho rodu sa hlása. Slovenský juh, 11, 1937, č. 35, s. 3. V rubrike Denné zvesti.

389. PREDNÁŠKA dr. Barteka o Bernolákovi v Bratislave (20. 5. 1937). Slovenská politika, 18, 21. 5. 1937, č. 115, s. 2. V rubrike Kultúra.

390. PREDNÁŠKA o Bernolákovi... (inc.). Slovenský juh, 11, 1937, č. 6, s. 3.
Správa o prednáške V. H. Kurthu o Bernolákovi v Nových Zámkoch 1. 2. 1937.

391. PREDSEDA vlády dr. Milan Hodža... (inc.). Národnie noviny, 68, 2. 10. 1937, č. 116, s. 4. V rubrike Kronika.
Oznam o odhalení pomníka A. Bernolákovi v Trnave, ktoré prevedie dr. Milan Hodža 10. 10. 1937.

392. PREZIDENT republiky dr. Eduard Beneš...

(inc.). Slovenský týždenník, 37, 1937, č. 33, s. 1. V rubrike Od nedele do nedele.
Správa o finančnom dare prezidenta republiky na pomník Antona Bernoláka v Nových Zámkoch.

393. PRIPRAVUJÚ sa Bernolákove oslavy. 150. výročie vyjdenia „Dissertatie". Výzva k verejnosti. Slovenská politika, 18, 25. 3. 1937, č. 70, s. 3.

394. PRÍPRAVY k Bernolákovým oslavám v Trnave. Ľudová politika, 13, 4. 7. 1937, č. 148, s. 4.; Národné noviny, 68, 1937, č. 83, s. 3.; Robotnícke noviny, 34, 20. 1. 1937, č. 15, s. 3.; Slovenský týždenník, 34, 1937, č. 28, s. 2.

395. PRÍPRAVY pre Bernolákove oslavy v prúde. Národnie noviny, 68, 1. 5. 1937, č. 51, s. 4.

396. PRÍTOMNÍ. Južné Slovensko pamiatke našich velikášov. Slovenský juh, 11, 1937, č. 47, s. 6. V rubrike Z Komárna a okolia.
Správa o večierku na počesť A. Bernoláka a M. Rázusa, ktorý 13. 11. 1937 usporiadala v Čičove Slovenská liga.

397. PROGRAM Bernolákových jubilárnych osláv v Nových Zámkoch 12. septembra 1937. Slovenský denník, 20, 12. 9. 1937, č. 209, s. 5.

398. PRVÝ Bernolákov pomník... (inc.). Slovenský ľud, 17, 1937, č. 38, s. 532. V rubrike Drobničky.
Správa o odhalení pomníka Antona Bernoláka 12. 9. 1937 v Nových Zámkoch.

399. -re.: Bernolákov duch. Trenčan, 14, 1937, č. 23, s. 1—2.

400. RODOSTROM Antona Bernoláka. Národnie noviny, 68, 28. 8. 1937, č. 101, s. 6. V rubrike Kronika.; Slovenský juh, 11, 1937, č. 36, s. 4.; Slovenský ľud, 17, 15. 9. 1937, č. 37, s. 512.; Slovenská politika, 18, 5. 9. 1937, č. 203, s. 4.

401. RODUVERNEJ verejnosti. Gemer-Malohont, 19, 1937, č. 14, s. 1.; Náš kraj, 19, 1937, č. 8, s. 1.; Sborník Spolku profesorov Slovákov, 1936/37, č. 8, s. 125—126.; Slovenská liga, 14, 1937, č. 6, s. 162—164.; Slovensko, 3, 1937, č.

7–8, s. 138–139.; Slovenský ľud, 17, 1937, č. 4, s. 195.; Trenčan, 14, 1937, č. 13, s. 2–3.
Článok k pripravovaným oslavám 150. výročia vydania Bernolákovej Dizertácie. Výzva k morálnej a materiálnej podpore osláv.

402. RYBÁRIK, Andrej: Vzdajme úctu Bernolákovi! Administratívny vestník, 16, 1937, s. 652–653.

403. SBIERKA na Bernolákov pomník v Trnave je predĺžená do 1. sept. 1937. Robotnícke noviny, 34, 15. 7. 1937, č. 156, s. 4. V rubrike Denné zprávy.

404. S. H.: K Bernolákovej oslave. Trenčan, 14, 1937, č. 17, s. 1.

405. SCHULTZ, Štefan: Prívet na koncerte zo skladieb M. Schneidra-Trnavského z príležitosti Bernolákových osláv 9. 10. 1937 v Trnave. Kultúra, 9, 1937, s. 190–192.

406. Sk.: Protektorom Bernolákových osláv dr. Milan Hodža. Hlasy československé, 5, 1937, č. 8, s. 4.; Slovenská politika, 18, 1937, č. 47, s. 2.

407. SKELA, J. A.: Škoda tej zmeny... Slovenský juh, 11, 1937, č. 27, s. 4. V rubrike Denné zvesti. Poznámka víta iniciatívu žiakov slovenskej meštianky v Nových Zámkoch pri navštevovaní kaplnky Antona Bernoláka a zapojení sa školy do zbierky na Bernolákov pomník.

408. SKM vo Foledinciach... (inc.). Plameň, 1, 1937, č. 3, s. 67. V rubrike Spolky katolíckej mládeže. Správa o slávnosti, ktorú usporiadala miestna SKM 10. 10. 1937 pri príležitosti 150. výročia vydania Bernolákovej Dizertácie.

409. SLÁVNOSTNÉ odhalenie Bernolákovho pomníka v Nových Zámkoch (12. 9. 1937). Robotnícke noviny, 34, 14. 9. 1937, č. 208, s. 4. V rubrike Denné zprávy.

410. SLÁVNOSŤ odhalenia pomníka Antona Bernoláka v Nových Zámkoch (12. 9. 1937). Národnie noviny, 68, 14. 9. 1937, č. 108, s. 2.

411. SLOVENKY, Slováci, príďte do Trnavy dňa 10. októbra t. r. Národnie noviny, 68, 5. 10. 1937, č. 117, s. 3. V rubrike Kronika.

Pozvánka na jubilejné oslavy Antona Bernoláka.

412. SLOVENSKEJ verejnosti. Národný týždenník, 9, 1937, č. 15, s. 3.
Článok o význame Antona Bernoláka a jeho stúpencov pre slovenské národné povedomie, reč a kultúru pri príležitosti 150. výročia vydania Bernolákovej Dizertácie; stručne o oslavách tohto výročia.

413. SLOVENSKÝ hold svetlej pamiatke veľkého buditeľa Antona Bernoláka. Veľká národná slávnosť v Trnave a Čeklísi za prítomnosti ministerského predsedu dr. Milana Hodžu. Slovenský týždenník, 34, 1937, č. 42, s. 1.

414. (STANISLAV, Ján:) Bernolák pripravovateľom a budovateľom nového Slovenska. Slovenský denník, 20, 14. 10. 1937, č. 235, s. 2.
Text prejavu J. Stanislava o živote a diele Antona Bernoláka, ktorý predniesol na oslave 150. výročia vzniku spisovného jazyka (12. 10. 1937 v Trnave).

415. STREDAJŠIA schôdza zástupcov spolkov a organizácií... Slovenský juh, 11, 1937, č. 36, s. 3.
Správa o schôdzi (1. 9. 1937) zaoberajúcej sa prípravou osláv Antona Bernoláka v Nových Zámkoch.

416. SVORNÁ spolupráca okolo Bernolákovho pomníka v N. Zámkoch. Slovenský juh, 11, 1937, č. 18, s. 3.

417. ŠČEVLÍK, T.: Okolo Bernolákovho pomníka v Trnave. Národnie noviny, 68, 2. 10. 1937, č. 116, s. 2.

418. ŠEFRÁNEK, J.: O Bernolákovi pravda a báseň. Slovenské zvesti, 2, 17. 10. 1937, č. 200, s. (6). V rubrike Kultúrne zvesti.
Komentár k úsiliu slovenských nacionalistov urobiť z Antona Bernoláka bojovníka za slovenský nacionalizmus.

419. ŠKULTÉTY, Jozef: Pamiatka Antona Bernoláka. Rozvoj, 15, 1937, č. 10, s. 193–194.

420. ŠKULTÉTY, Jozef: Pamiatke Antona Bernoláka. (150 rokov od ustálenia spisovnej reči slovenskej.) Ľudová politika, 13, 1937, č. 71, s.

4.; Národnie noviny, 68, 27. 3. 1937, č. 37, s. (1)–2.; Slovenská politika, 18, 1937, č. 73, s. 4. Fot. 1.

421. -tan.: Slabé návrhy na Bernolákov plakát. A-Zet, 2, 12. 3. 1937, č. 50, s. (4).

422. TRENČÍN Antonovi Bernolákovi. Trenčan, 14, 5. 1. 1937, č. 18, s. 1–2.
Správa o oslavách 150. výročia vydania Bernolákovej Dizertácie.

423. TRI svedectvá. Slovenský týždenník, 34. 14. 10. 1937, č. 42, s. 1.
Článok analyzuje dôležité historické udalosti a osobnosti v hnutí za svojprávnosť Slovákov a uznanie spisovného jazyka (Bernolák, Hviezdoslav, černovské udalosti).

424. UCTITE si pamiatku veľkých mužov! Slovenská politika, 18, 25. 4. 1937, č. 96, s. 2. V rubrike Chýrnik.
Výzva Jubilárneho výboru Bernolákových osláv k mestám a dedinám pomenovať školy, sady, ulice Bernolákovým menom.

425. USTAVENIE jubilárneho výboru pre oslavy Bernolákove. Slovenská politika, 18, 23. 1. 1937, č. 18, s. 3.

426. V LETOŠNEJ jaseni bolo spomínané... (inc.). Zdar, 2, 1937, č. 8, s. (6–7).
Životopisný článok k 175. výročiu narodenia Antona Bernoláka.

427. V NEDEĽU boly v Nových Zámkoch... (inc.). Slovenský týždenník, 34, 1937, č. 38, s. 6. V rubrike Od nedele do nedele.
Referát o oslavách Antona Bernoláka 12. 9. 1937 v Nových Zámkoch.

428. V NEDEĽU 10. októbra... (inc.). Slovenský ľud, 17, 1937, č. 41, s. 567. V rubrike Čo nového?
Správa o odhalení pomníka Antona Bernoláka v Trnave a busty v Čeklísi.

429. V UTOROK 12. okt. o 20. hod... (inc.). Slovenský denník, 20, 10. 10. 1937, č. 232, s. 5. V rubrike Zrkadlo dňa.
Správa o pripravovanej prednáške profesora Já-

na Stanislava o diele Antona Bernoláka (v Bratislave 12. 10. 1937).

430. VÁŽNÝ, Václav: 150-ročné výročie Bernolákovho slovenského pravopisu. Slovenský denník, 20, 10. 10. 1937, č. 232, s. 2.

431. VLASTIVERNÍ synovia! Navštívte celonárodné oslavy Bernolákove v Nových Zámkoch túto nedeľu 12. sept. 1937. Program. Národná stráž, 17, 1937, č. 37, s. 1.

432. VLASTNORUČNÝ testament Bernolákov a iné pamiatky na novozámockej výstave. V nedeľu 12. septembra odhalia v Nových Zámkoch najväčší pomník južného Slovenska. Päť zvláštnych vlakov. Slovenská politika, 18, 5. 9. 1937, č. 203, s. 2.

433. vlk.: V Topoľčanoch... (inc.). Národnie noviny, 68, 2. 12. 1937, č. 141, s. 2. Pod spoločným názvom Bernolákove oslavy.
Správa o večierku usporiadanom MO Matice slovenskej v Topoľčanoch 28. 11. 1937 na oslavu Antona Bernoláka.

434. VSTUPUJEME do Bernolákovho roku. Slovák, 19, 17. 1. 1937, č. 13, s. 4.

435. VSTUPUJEME do slávnostného roku Bernolákovho. Bernolákov jubilárny výbor ustavený. Pomník zakladateľovi spisovnej slovenčiny za 160 000 Kč. Slovák, 19, 20. 1. 1937, č. 15, s. 2.

436. VÝSLEDOK súťaže na Bernolákov pomník v Trnave. Národnie noviny, 68, 1937, č. 40, s. 3. V rubrike Kultúra.

437. VYVRCHOLENIE Bernolákových osláv. Hodža o význame Bernolákovom. Robotnícke noviny, 34, 12. 10. 1937, č. 231, s. 2.

438. VYVRCHOLENIE celonárodných jubilejných osláv Antona Bernoláka v Trnave a v Čeklísi. Odhalenie Bernolákovho pomníka a slávnosti v Trnave. Národnie noviny, 68, 1937, č. 120, s. 2.

439. Z ČINNOSTI Osvetového sväzu v Bratislave. Slovenské zvesti, 2, 12. 10. 1937, č. 196, s. (2).
Správa o večierku na pamiatku A. Bernoláka (12. 10. 1937 v Bratislave).

440. Z REČI predsedu vlády dr. Milana Hodžu v Trnave. Gazdovské noviny, 19, 1937, č. 42, s. 1.; Podtatranský kraj, 4, 1937, č. 42, s. 1.
Správa o odhalení pomníka Antona Bernoláka 10. 10. 1937 v Trnave a obsah prejavu dr. M. Hodžu, ktorý predniesol pri jeho odhalení.

441. Zd.: Bernolákov večierok v Kremnici (26. 11. 1937). Slovenská politika, 18, 3. 12. 1937, č. 276, s. 2. V rubrike Kultúra.

442. ZLATOŠ, Štefan: Národná povinnosť Slovenska oproti A. Bernolákovi. Kultúra, 9, 1937, č. 7—8, s. 142—144.

443. ZLATOŠ, Štefan: Úprimná slovenskosť Bernolákova. Nové Slovensko, 14, 1937, č. 40, s. (1)—2.

444. ZLATOŠ, Štefan: Život Antona Bernoláka. Ľudová politika, 13, 1937, č. 109, s. 5.; č. 110, s. 2 a č. 111, s. 2.

445. ZLATOŠ, Štefan: Životné dielo Antona Bernoláka. Slávnostná reč univ. prof. dr. Štefana Zlatoša pri odhalení pomníka Antonovi Bernolákovi v Trnave 10. 10. 1937. Kultúra, 9, 1937, č. 9—10, s. 187—190.

446. -zm-: Nezavádzajte. Nástup, 5, 1937, č. 20, s. (205)—206.
Komentár k odhaleniu pomníka Antona Bernoláka v Trnave.

447. ZÚČASTNITE sa jubilejných osláv Bernolákových v Trnave. Ľudová politika, 13, 1. 8. 1937, č. 170, s. 4.

1938
448. BERNOLÁKOV pomník a jeho tvorca. Priateľ dietok, 13, 1938, č. 4, s. 51—52.

449. BERNOLÁKOVA aleja v Bánovskej Kese. Slovák, 20, 31. 8. 1938, č. 197, s. 6.

450. BERNOLÁKOVE oslavy v Trnave. In: Pútnik svätovojtešský. Kalendár 1939. Trnava 1938, s. 98.

451. JAROUŠEK, Rudolf: Prečo tento rok oslavujeme Bernoláka? Priateľ dietok, 13, 1938, č. 3, s. 45—46.

452. JE MILÁ naša reč slovenská... Poklona americkej delegácie Bernolákovej pamiatke v Čeklísi. Slovák — týždenník, 19, 1938, č. 28, s. 2.

453. NA Bernolákov pomník v Nových Zámkoch treba zaopatriť ešte 30 000 Kč. Slovenský juh, 12, 1938, č. 14, s. 3.

454. -Ne.-: Oslavy Antona Bernoláka na Vrútkach (14. 3. 1938). Slovák, 20, 13. 3. 1938, č. 60, s. 6. V rubrike Zvesti.

455. ODVOLANIE slávností. Slovák — týždenník, 19, 1938, č. 41, s. 4. V rubrike Zvesti.
Správa o odvolaní odhalenia pomníka A. Bernoláka z 9. 10. 1938 v Slanici na neurčitý čas pre mimoriadne pomery.

456. PANČO, Jožo J.: Slovenčina pred Bernolákom a v dobe jeho. Rozvoj, 16, 1938, č. 5, s. 116. V rubrike Kultúra.

457. PRED 125 rokmi zomrel Anton Bernolák. Slovenský hlas, 1, 1938, č. 11, s. 3. V rubrike Historický kalendár.

458. ROTT-TRNAVČAN, E.: Celonárodné oslavy Antona Bernoláka v Trnave. Priateľ dietok, 13, 1938, č. 5, s. 67.

459. SLOVENSKÉ preklady Bernolákových latinských diel. Slovák, 20, 23. 8. 1938, č. 190, s. 9.

460. SÚBEH na Bernolákov pomník v Slanici. Slovák, 20, 3. 2. 1938, č. 27, s. 4. V rubrike Kronika.

461. -š-.: SKM na Vrútkach... (inc.). Plameň, 5, 1938, č. 15, s. 213. V rubrike Spolky katolíckej mládeže.
Správa o priebehu osláv Antona Bernoláka vo Vrútkach 14. 3. 1938.

462. VRÚCNA prosba k dobrým srdciam celého Slovenska! Slanica postaví Bernolákovi pomník. Podporte ich akciu. Slovák, 20, 17. 7. 1938, č. 160, s. 6. V rubrike Zvesti; Slovenský denník, 21, 19. 7. 1938, č. 164, s. 2.; Slovenský hlas, 1, 16. 7. 1938, č. 159, s. 7.

1941
463. LETZ, B.: Bernolákova Etymologia. In: Sbor-

ník Matice slovenskej 19. Martin, Matica slovenská 1941, s. 331−355.

464. MIHÁL, J.: Bernolákov Slovár. In: Sborník Matice slovenskej 19. Martin, Matica slovenská 1941, s. 356−388.
Štúdia podrobne hodnotí Bernolákov Slovár z lingvistického a formálneho hľadiska.

1943
465. PAULINY, Eugen: Glosy k pomeru: bernolákovčina − štúrovčina. Kultúra, 15, 1943, s. 97−103.

466. PRED 130 rokmi umrel Anton Bernolák. − Slovák, 25, 12. 6. 1943.

467. rk.: Bernolák − Štúr. Rozvoj, 19, 1943, č. 10, s. 219.

1946
468. ANTON Bernolák ako „magyar író". − Sloboda, 1946, č. 163, s. 3.

469. STANISLAV, Ján: Anton Bernolák a Slovanstvo. In: Jazykovedný sborník 1−2. 1946/47, č. 1−2, s. (1)−21.

470. ŽIGO, Ján: Anton Bernolák o slovenskom pravopise. Slovenská reč, 12, 1946, s. 113−120, s. 184−190.

1947
471. KOTVAN, Imrich: Anton Bernolák (1762−1813). Nová práca, 3, 1947, s. 40−43.

472. V. Š.: Dumka pri Bernolákovej kaplnôčke. Slovenský juh, 3(15), 1947, č. 14, s. /1/.

1948
473. ANTON Bernolák, otec spisovnej reči slovenskej. Slovenský juh, 4(16), 1948, č. 2, s. 1.

474. SPIŠIAK-GERAVČAN, J.: Za Antonom Bernolákom. Národný podnikateľ, 1948, č. 2, s. 6.

475. STANISLAV, J.: Bernolákovo slovenské povedomie. Borba, 1948, č. 9, s. 5.

476. Z HISTORICKÉHO kalendára. Náš národ, 1948, č. 4, s. 5.

1949
477. ANTON Bernolák. Slovena, 1949, č. 37, s. 1.

1950
478. KAMALDULSKÝ mních, ktorý predbehol Antona Bernoláka. Katolícke noviny, 65, 1950, č. 24, s. 4.

479. SPOMÍNAME našich katolíckych činiteľov. Katolícke noviny, 65, 1950, č. 2, s. 4.

480. SURČKOVÁ, L.: Juraj Fándli a bernolákovská jazyková norma. Linguistica Slovaca 4. 1950, s. 193−208.

1952
481. -an: Revolučné úsilie Antona Bernoláka. Katolícke noviny, 67, 1952, č. 29, s. 5.

482. ANTON Bernolák − zakladateľ spisovnej slovenčiny. Pionierske noviny, 1952, č. 20, s. 4.

483. (ju): Hodnota, sila a sláva osobnosti A. Bernoláka. Katolícke noviny, 67, 1952, č. 39, s. 5.

484. (-ka): Významné výročie „Slovenského učeného tovaryšstva". Katolícke noviny, 67, 1952, č. 18, s. 4.

485. PAMIATKE Bernoláka. Sloboda, 1952, č. 37, s. 6.

486. PASIAR, Š.: Anton Bernolák. Matičné čítanie, 1952, s. 420.

487. TIBENSKÝ, Ján: Význam diela Antona Bernoláka vo vývine nášho spisovného jazyka. (190 rokov od narodenia − 4. októbra 1952.) Kultúrny život, 7, 1952, č. 40, s. 9.

488. VEĽKÝ kriesiteľ národa (Anton Bernolák). Sloboda, 1952, č. 41, s. 7.

1953
489. BOLESLAV Jablonský a Anton Bernolák. Duchovný pastier, 28, 1953, č. 39, s. 5.

490. SPOMÍNAME našich kat. činiteľov. Katolícke noviny, 68, 1953, č. 2, s. 5.
Informácia o 140. výročí smrti Antona Bernoláka.

491. (Vrch): Poľská práca o Bernolákovi a Fándlim. Ľud, 6, 1953, č. 246, s. 6. Rec.: Grabowski, Tadeusz Stanisław: 1. Vśród slowackich pionierów oświecenia i postępu. Anton Bernolák... Poznań, Inśtytut Zachodni 1952.

492. ZA uskutočnenie veľkých ideálov vzdelanosti nášho ľudu. Vzor neúnavného pracovníka a nezištného tvorcu. Katolícke noviny, 68, 1953, č. 3, s. 5.

1955
493. A.: Anton Bernolák. Život, 5, 1955, č. 46, s. 2.

1956
494. GARAJ, Ján: Vzťah Ľudovíta Štúra k Bernolákovcom. Slovenská reč, 21, 1956, č. 3—4, s. 207—218.

1957
495. BAKOŠ, Mikuláš: Prozaický spor bernolákovcov s J. I. Bajzom. Slovenská literatúra, 1957, č. 2, s. 159—172.

496. B. M.: Počiatky národného obrodenia. Ľudové čítanie, 3, 1957, č. 5, s. 121—122. Obr. 1. Profil Antona Bernoláka.

497. B. H.: Veľký osvietenec a buditeľ. (K 195. výročiu narodenia A. Bernoláka.) Hlas Nitrianskeho kraja, 9, 1957, č. 81, s. 3.

498. DUJČÍKOVÁ, Viera: Pramene Bernolákovej gramatickej terminológie. Slovenské odborné názvoslovie, 5, 1957, č. 3, s. 65—68.

499. HABOVŠTIAKOVÁ, Katarína: Bernolákovo jazykovedné dielo. Kultúrny život, 12, 1957, č. 41, s. 4.

500. MINÁRIK, Jozef: K výročiu narodenia Antona Bernoláka (1762—1813). Naša veda, 4, 1957, č. 11, s. 492—495.

501. MIŠKOVIČ, Alojz: Veľký čin našich kultúrnych dejín. (Hrsť údajov a myšlienok k 170. výročiu „Dissertatie" a „Orthographie" od Antona Bernoláka.) Duchovný pastier, 34, 1957, č. 6, s. 123—126.

1958
502. HABOVŠTIAKOVÁ, Katarína: Bernolákova spisovná slovenčina. Slovenský jazyk a literatúra v škole, 4, 1958, č. 1, s. 2—7.

503. HABOVŠTIAKOVÁ, Katarína: Niekoľko poznámok o Bernolákovej spisovnej slovenčine. Jazykovedný časopis, 9, 1958, č. 1—2, s. 70—87.

504. HAYEKOVÁ, Matilda: Slovnikárske poznámky k „Slowáru" A. Bernoláka. Slovenská reč, 23, 1958, č. 2, s. 102—116.

505. POVAŽAN, Ján: Príprava a vydanie Bernolákovho „Slovára". Jazykovedný časopis, 9, 1958, č. 1—2. s. 88—102.

506. POVAŽAN, Ján: Slowár Antona Bernoláka. (Analýza.) In: Sborník Filozofickej fakulty Univerzity Komenského. Philologica 10. Bratislava 1958, s. 120—133.

1959
507. HABOVŠTIAKOVÁ, K.: Bernolákova spisovná slovenčina v praxi. (Rozbor Bernolákovej kázne.) Jazykovedný časopis, 10, 1959, s. 151—161.

508. TIBENSKÝ, J.: K problému hodnotenia bernoláčtiny a bernolákovského hnutia. Historický časopis, 7, 1959, s. 573.

1961
509. DECHET, J.: Ako bernolákovci kázali a písali. Duchovný pastier, 36, 1961, s. 196—198.

510. POVAŽAN, J.: Anton Bernolák. Kultúrnopolitický kalendár 1962. Praha — Bratislava 1961, s. 64—65.

1962
511. (b): Emlékezés Anton Bernolákra. (Spomienka na Antona Bernoláka.) Új Szó, 3. 10. 1962, s. 5.

512. BÉDER, Ján: Anton Bernolák 1762—1787 —1813. Slovenské pohľady, 78, 1962, č. 10, s. 46—53.
Autor príspevku sa nesústredil na zásluhy osobnosti Antona Bernoláka, ale vyzdvihuje silu kolektívu, v ktorom Bernolák žil, ktorý formoval jeho osobnosť a vtlačil smer jeho celoživotnému dielu.

513. BERNOLÁK – bernolákovci a ich dielo. Katolícke noviny, 77, 1962, č. 39, s. 4.

514. Bk.: Výročie kodifikátora. (Pred 200 rokmi sa narodil Anton Bernolák.) Večerník, 2. 10. 1962, s. 3.

515. DIELO Antona Bernoláka. Duchovný pastier, 37, 1962, č. 8, s. 142–143. Obr. 2.
Názvy Bernolákových diel, ako ich uvádza Kotvanova Bibliografia bernolákovcov.

516. GAJDOŠ, Vševlad J.: Bernolákov predhovor. Duchovný pastier, 37, 1962, s. 120–(122). V rubrike Veda – literatúra – umenie.
V článku je citovaný latinský predhovor k Bernolákovej bibliografii Nova bibliotheca a jeho zodpovedajúci slovenský preklad. Tento text nebol dosiaľ publikovaný.

517. GAJDOŠ, Vševlad J.: Jazykovedné diela v Bernolákovej knižnici. Duchovný pastier, 37, 1962, č. 8, s. 156–157.

518. GAJDOŠ, Vševlad J.: Knižná pozostalosť Antona Bernoláka. Duchovný pastier, 37, 1962, č. 9, s. 179, 4. s. ob. (Pokrač.)
Článok dopĺňa latinský zoznam knižnej pozostalosti A. Bernoláka.

519. GAJDOŠ, Vševlad J.: Knižná pozostalosť Antona Bernoláka. Duchovný pastier, 37, 1962, č. 10, s. 198–200. (Dokončenie.)
Latinský zoznam kníh z knižnej pozostalosti A. Bernoláka.

520. GAJDOŠ, Vševlad J.: O Bernolákových rečových znalostiach. Duchovný pastier, 37, 1962, č. 8, s. 151–153.

521. GAJDOŠ, Vševlad J.: Zpráva o Bernolákovom bibliografickom spise (Nova bibliotheca). In: Bibliografický sborník. Martin, Matica slovenská 1962, s. 287–290.

522. GAŠPAREC, Ignác: Bernolákov význam vo vývine spisovnej slovenčiny. Duchovný pastier, 37, 1962, č. 8, s. 149–151.

523. HABOVŠTIAKOVÁ, Katarína: Anton Bernolák (1762 – 3. 10. 1962). Kultúrny život, 17, 1962, č. 40, s. 8.

524. HABOVŠTIAKOVÁ, Katarína: K charakteristike slovnej zásoby a terminológie u Bernoláka. Československý terminologický časopis, 1, 1962, č. 6, s. 321–331.
Celkové zhodnotenie Bernolákovho úsilia pri utváraní slovnej zásoby a terminológie spisovnej slovenčiny.

525. HABOVŠTIAKOVÁ, Katarína: Podiel češtiny na formovaní Bernolákovej spisovnej slovenčiny. – In: Acta Universitatis Carolinae. Philologica 3. Slavica Pragensia. Praha. Univerzita Karlova 1962, s. 551–556.

526. HABOVŠTIAKOVÁ, Katarína: Pramene Bernolákovej kodifikácie spisovnej slovenčiny. In: Studia Academiae Scientarium Hungaricae 8. Budapest 1962, s. 321–333.

527. HABOVŠTIAKOVÁ, Katarína: Význam Bernolákovho jazykovedného diela v dejinách spisovnej slovenčiny. Slovenská reč, 27, 1962, č. 6, s. 321–323.

528. HABOVŠTIAKOVÁ, Katarína: Vzťah slovnej zásoby Bernolákovho Slovára k slovenským nárečiam. Jazykovedný časopis, 13, 1962, s. 138–145.

529. (HVORKA): O spisovnom jazyku bernolákovcov. Katolícke noviny, 77, 1962, č. 41, s. 4.

530. HVORKA, J.: Pomocníci Antona Bernoláka pri jeho diele. – Katolícke noviny, 77, 1962, č. 40, s. 4.

531. JANOTA, D.: Bernolák poľnohospodárom. (Objavenie práce „De Oeconomia Rurali".) Pravda, 43, 16. 10. 1962, s. 3.

532. K. H.: Bernolákovo jazykovedné dielo. Ľud, 15, 3. 10. 1962, s. 4.

533. KOLÁRIK, Oto: Priekopnícke jazykovedné dielo Antona Bernoláka. (Na 200. výročie jeho narodenia.) – Slovenský jazyk a literatúra v škole, 9, 1962/63, č. 1–2, s. 15–17.

534. MARKOVIČ, Karol: Nové biografické údaje o A. Bernolákovi. Duchovný pastier, 37, 1962, č. 8, s. 144–148.

535. MARKOVIČ, Karol: Záveť Antona Bernoláka. Duchovný pastier, 37, 1962, č. 9, s. 170—172.
Dňa 9. decembra 1809 napísal Anton Bernolák na novozámockej fare svoj testament. Závet nám predstavuje Bernoláka ako starostlivého hospodára, ktorý až úzkostlivo dbal o správne rozdelenie hmotného majetku. Zároveň sa dozvedáme o rodinných vzťahoch, ktoré ho viazali k rodine Timčákovej a Intibusovej v Slanici na Orave. Doslovné znenie závetu je v latinčine.

536. MARKOVIČ, Karol — GAJDOŠ, Vševlad J.: Neznámy Anton Bernolák. Duchovný pastier, 37, 1962, č. 1, s. 13—17. V rubrike Veda — literatúra — umenie.

537. MAŤOVČÍK, Augustín: Anton Bernolák. Čitateľ, 14(11), 1962, č. 9, s. 315—316.

538. (ob): Kliesnil cestu národu. (K 200. výročiu narodenia A. Bernoláka.) Roľnícke noviny, 17, 2. 10. 1962, s. 4.

539. PAULINY, Eugen: K jubileu Antona Bernoláka. In: Sborník Filozofickej fakulty Univerzity Komenského. Philologica. Bratislava 1962, s. 3—6.

540. PIŠÚT, Milan: Prvý kodifikátor spisovnej slovenčiny. (Dvesto rokov od narodenia Antona Bernoláka.) Pravda, 43, 4. 10. 1962, s. 3.

541. ROSENBAUM, Karol: Dnešný pohľad na dielo Antona Bernoláka. Predvoj, 6, 1962, č. 40, s. 16.

542. ŠUMEC, A.: Prvý kodifikátor slovenčiny. (K 200. výročiu narodenia Antona Bernoláka.) Smena, 15, 2. 10. 1962, s. 4.

543. TIBENSKÝ, Ján: Bernolák v slovenských nár. dejinách. Duchovný pastier, 37, 1962, č. 8, s. /141/—142.
Tibenského úvod ku Kotvanovej Bibliografii bernolákovcov (Martin, Matica slovenská 1957).

544. TIBENSKÝ, Ján: Bernolákovo jubileum a dnešok. Vychovávateľ, 17, 1962/63, č. 2, s. 48 a 55.

545. TIBENSKÝ, Ján — MURGAŠ, E.: Po konferencii „O počiatkoch slovenského národného obrodenia". Ľud, 15, 14. 10. 1962, s. 4.

546. TRYLČOVÁ, Elena: Dvestoročné jubileum A. Bernoláka. (3. októbra 1762 — 15. januára 1813.) Východoslovenské noviny, 2. 10. 1962, s. 3.

547. VEĽKÝ kriesiteľ národa — Anton Bernolák. Domov, bulletin Československého ústavu zahraničného v Prahe, 1962, č. 9, s. 14—15.

548. VIŠŇOVSKÝ, Mikuláš: Aj rozum aj láska. Duchovný pastier, 37, 1962, č. 7, s. 159. V rubrike Veda — literatúra — umenie.
Článok si pri príležitosti 200. výročia narodenia Antona Bernoláka všíma jeho psychologický profil.

1963
549. BÁLENT, Boris: Vyšlo za Bernolákovho života druhé vydanie jeho Gramatiky? Jazykovedný časopis, 14, 1963, č. 2, s. 135—137.
Autor článku poukazuje, že 2. vydanie, ktoré vyšlo r. 1802 v Segedíne, predstavuje len tzv. titulové (nepravé) vydanie: Z časti nákladu 1. vydania z r. 1790 bol odstránený titulný list so štvorstranovým venovaním a nahradený novým titulným listom; ostatná sadzba je z roku 1790. Pripojená je faksimilová reprodukcia titulného listu tohto nepravého 2. vydania.

550. BLANÁR, V.: Slovenčina v počiatkoch slovenského národného obrodenia. Slovenská reč, 28, 1963, s. 182—185.
Správa o konferencii O počiatkoch slovenského národného obrodenia, konanej pri príležitosti 200. výročia narodenia Antona Bernoláka (1.—3. 10. 1962 v Bratislave).

551. DVONČ, L.: Z novších príspevkov k dejinám slovenskej jazykovedy. Slovenská reč, 28, 1963, č. 6, s. 362—364.
Informatívny prehľad novších prác o Antonovi Bernolákovi a P. J. Šafárikovi.

552. FEDOR, M.: Kus našich dejín. (Bernolákovské hnutie na východnom Slovensku.) Východoslovenské noviny, 16. 1. 1963, s. 3.

553. GAJDOŠ, Vševlad J.: Bernolákov rukopis o poľnohospodárstve. In: Agrikultúra 2. Zbor-

ník Poľnohospodárskeho múzea v Nitre. Bratislava 1963, s. 125—149. Res. rus. a nem. Pozn. a lit. pod čiarou. Súbež. náz. rus. a angl.
Štúdia si všíma Bernolákov rukopis o poľnohospodárstve Perceptione de agrorum cultu... zo stránky formálnej a obsahovej. V závere slovenský preklad latinského originálu.

554. GUZI, J.: Anton Bernolák, národný buditeľ a jazykovedec. (Na okraj 150. výročia smrti.) ABC pionierov, 4, 1963, č. 1, s. 6.

555. MAŤOVČÍK, Augustín: Anton Bernolák. 1762—1813. Vlastivedný časopis, 12, 1963, č. 1, s. 31—34. Obr. 7.

556. NOVOTNÝ, Jan: Konference o počátcích slovenského národního obrození (1.—3. 10. 1962 v Bratislave). Československý časopis historický, 11, 1963, č. 2, s. 285—286.

1964
557. DVONČ, L.: Z jubilejných príspevkov. Slovenská reč, 29, 1964, č. 3, s. 179—182.
Prehľad jubilejných príspevkov týkajúcich sa Matice slovenskej, Antona Bernoláka a Pavla Jozefa Šafárika.

558. FISCHEROVÁ, Irena: K ponímaniu syntaxe v Bernolákovom diele Gramatica slavica. In: Sborník Pedagogickej fakulty P. J. Šafárika v Prešove. Spoločenské vedy. Bratislava 1964, zv. 2, s. 35—43.

559. GAJDOŠ, Vševlad J.: Bernolákov rukopisný epigram. Slovenská literatúra, 11, 1964, č. 5, s. 502—503.

560. GAJDOŠ, Vševlad J.: Rukopisy Antona Bernoláka. Duchovný pastier, 39, 1964, č. 1—2, s. 29—33. Obr. 1. Lit. 7 záznamov. Bibliografia Bernolákových rkp.
Štúdia prináša zoznam a analýzu Bernolákových rukopisov podľa inventára novozámockej farskej knižnice, ktorý objavil r. 1961 dr. Karol Markovič. V inventári medzi knihami je zapísaných aj šesť Bernolákových rukopisov: 1. Preces et functiones sacrae (Modlitby a náboženské úkony); 2. Perceptiones de agrorum cultu (Náuka o poľnohospodárstve); 3. Jurisprudentiae liber unus (Kniha o práve); 4. Notitia jurisprudentiae ecclesiasticae (Poznámky o cirkevnom

práve); 5. Historia ecclesiastica (Cirkevné dejiny) a 6. Nova bibliotheca theologica selecta (Nová vybraná bohoslovecká knižnica). V závere štúdie autor informuje o Bernolákovom rukopise, ktorý sa spomína v Literárnych listoch, 3, 1893, č. 5, s. 75—76. Ide o rukopis, ktorého provizórny názov znie: De conjuge infideli facto fideli (z r. 1797). Zo spomínaných siedmich rukopisov sa zatiaľ našli len dva, a to rukopis Perceptiones de agrorum cultu (z r. 1787) a Nova bibliotheca (z r. 1785).

561. HAVOBŠTIAKOVÁ, K.: Bernolákovo jazykovedné dielo. In: K počiatkom slovenského národného obrodenia. Bratislava, SAV 1964, s. 143—170. Lit. a pozn.

562. HOLOTÍK, Ľudovít: Bernolákovské hnutie v slovenskom národnom obrodení. In: K počiatkom slovenského národného obrodenia. Bratislava, SAV 1964, s. 5—8.

563. JÓNA, E.: Vplyv bernolákovčiny a bernolákovcov na štúrovskú spisovnú normu. In: K počiatkom slovenského národného obrodenia. Bratislava, SAV 1964, s. 459—477.

564. J. T.: Vševlad J. Gajdoš. Bernolákov rukopis o poľnohospodárstve, Agrikultúra, č. 2, Bratislava 1963. Historický časopis, 12, 1964, č. 3, s. 440—441.
Príspevok sa dotýka štúdie V. J. Gajdoša v zborníku Agrikultúra 2, v ktorej podrobuje analýze Bernolákov rukopis Perceptiones de agrorum cultu. V závere avizuje vydanie tohto spisu Poľnohospodárskym múzeom v Nitre (vo vydavateľstve Osveta).

565. MAŤOVČÍK, A.: Anton Bernolák. Život a dielo. In: K počiatkom slovenského národného obrodenia. Bratislava, SAV 1964, s. 113—142. Lit. a pozn.

566. MIŠKOVIČ, Alojz: Oni a on. Duchovný pastier, 39, 1964, č. 7, s. 166—167.
Článok prináša údaje o tom, ako sa na Antona Bernoláka dívali jeho súčasníci a nasledovníci (J. Jungmann, J. Hollý, J. Kollár, A. Rudnay, J. Palkovič. Ľ. Štúr).

567. NOVOTNÝ, Jan: Ke vzájemnému vztahu českých buditelů a bernolákovců v období národní-

ho obrození. In: K počiatkom slovenského národného obrodenia. Bratislava, SAV 1964, s. 381–406.

568. ŠÁŠKY, Ladislav: Bratislavský generálny seminár a bernolákovské hnutie. In: K počiatkom slovenského národného obrodenia. Bratislava, SAV 1964, s. 97–112.

569. ŠIMONČIČ, J.: Trnava a počiatky bernolákovského hnutia. In: K počiatkom slovenského národného obrodenia. Bratislava, SAV 1964, s. 201–212.

570. TIBENSKÝ, Ján: Bernolák's influence and the origins of the Slovak awakening. (Bernolákov vplyv a začiatky slovenského prebudenia.) Prel. J. Šimo. In: Studia historica slovaca 2. Bratislava 1964, s. 140–189. Lit. 125 zázn.

571. TIBENSKÝ, Ján: Historická podmienenosť a spoločenská báza vzniku bernolákovského hnutia. In: K počiatkom slovenského národného obrodenia. Bratislava, SAV 1964, s. 55–56.

1966
572. TIBENSKÝ, J.: K starším i novším názorom na A. Bernoláka, bernolákovské hnutie a slovenské národné obrodenie. Historický časopis, 14, 1966, č. 3, s. 329–371.

1967
573. GAJDOŠ, Vševlad J.: Anton Bernolák v Čeklísi. Duchovný pastier, 42, 1967, č. 10, s. 243–246.

574. HABOVŠTIAKOVÁ, Katarína: Bernolákov jazykovedný odkaz dnešku. Kultúra slova, 1, 1967, č. 10, s. 321–324.

575. KUTLÍK, F.: Anton Bernolák. (Spomienka k 205. výročiu narodenia.) Hlas ľudu, 6. 10. 1967, s. 4.

576. KUTLÍK, F.: Bernolák a bernolákovci. Ľud, 20, 7. 10. 1967, s. 3.

577. OTTINGER, A.: Prečo sa sťahuje Bernolák? (Neopodstatnené poplašné chýry /v súvislosti s premiestnením Bernolákovej sochy na námestí v Nových Zámkoch/.) – Pravda, 48, 27. 2. 1967, s. 2.

578. RUŽIČKA, Jozef: Anton Bernolák – význačný jazykovedec. Slovenská reč, 32, 1967, č. 6, s. 325–328.

1968
579. HABOVŠTIAKOVÁ, Katarína: Slovník slovenského jazyka a Slowár Slovenskí, Česko-Latinsko-Ňemecko-Uherskí. Slovenská reč, 33, 1968, č. 1, s. 3–7. Lit. 3 zázn.

580. (HRADNÝ): Anton Bernolák – uzákoniteľ prvej spisovnej slovenčiny, zakladateľ Slovenského učeného tovarišstva. Katolícke noviny, 83, 1968, č. 2, s. 4.

581. CHOVAN, Juraj: K diskusii o národnom profile Antona Bernoláka. Slovenská literatúra, 15, 1968, č. 4, s 406–410.

582. KARABA, E.: Sľuby a Bernolák. Pravda, 49, 15. 8. 1968, s. 4.
Odpoveď na kritickú glosu A. Ottingera v Pravde zo dňa 27. 5. 1968.

583. KOCIAN, Štefan: Zrod Bernolákovho múzea. Sloboda, 23, 1968, č. 8, s. 4.

584. MAŤOVČÍK, A.: Bernolákovo kodifikátorské dielo. Matičné čítanie, 1, 1968, č. 3, s. 4.

585. OTTINGER, A.: Sľuby a Bernolák. Pravda, 49, 27. 5. 1968, s. 1.

586. SLIZINSKIJ, Jerzy: Anton Bernolák v Poľsku. (Spomienka na slovenského reformátora.) Pravda, 49, 2. 2. 1968, s. 2.

587. VYVÍJALOVÁ, M.: Novšie poznatky k Bernolákovmu Slováru a jeho predhovoru z roku 1796 a 1826. Historický časopis, 16, 1968, č. 4, s. 475–522.

1969
588. A. P.: Bernolákovo jazykovedné dielo 1823–1894. Sloboda, 24, 1969, č. 4, s. 5.

589. J. Hr.: Anton Bernolák. Sloboda, 24, 1969, č. 8, s. 5.

590. RAPANT, Daniel: Hic argumenta nil Opitulantur. Historický časopis, 17, 1969, č. 3, s. 420–426.

Diskusia k článku Márie Vyvíjalovej Novšie poznatky k Bernolákovmu Slováru a jeho predhovoru z roku 1796 a 1826 (Historický časopis, 16, 1968, č. 4, s. 475—522).

591. -VaM-: Spomienka na A. Bernoláka. Matičné čítanie, 2, 17. 2. 1969.

1970

592. HABOVŠTIAKOVÁ, Katarína: Almanach Zora z jazykovedného hľadiska. In: Biografické štúdie 1. Martin, Matica slovenská 1970, s. 95—106.
Analýza Bernolákovej kodifikácie spisovnej slovenčiny.

593. HABOVŠTIAKOVÁ, Katarína: Ján Hollý a Bernolákova kodifikácia spisovnej slovenčiny. In: Letopis Pamätníka slovenskej literatúry 1970. Martin, Matica slovenská 1970b, s. 53—59.

594. KTO to bol? Katolícke noviny, 85, 12. 7. 1970.

1972

595. A.H.: K 210. výročiu A. Bernoláka v Trnave. Matičné čítanie, 5, 1972, č. 22, s. 11.

596. (A.H.): Pocta Bernolákovi. Trnavský hlas, 20, 1972, č. 42, s. 5.
Správa o slávnostnom večere usporiadanom pri príležitosti 210. výročia narodenia Antona Bernoláka MO Matice slovenskej a Okresnou knižnicou v Trnave.

597. ANTON Bernolák medzi nami. — Trnavský hlas, 20, 1972, č. 40, s. 2.
Správa o spomienkovom večere, ktorý usporiadal MO Matice slovenskej a Okresná knižnica v Trnave pri príležitosti 210. výročia narodenia Antona Bernoláka.

598. -d-: Tri slovenské októbrové jubileá (Timrava, Bernolák a Moyses). Duchovný pastier, 15, 1972, č. 3, s. 372—374.

599. HRABINEC, A.: A. Bernolák, prvý kodifikátor spisovnej slovenčiny. Katolícke noviny, 87, 1972, č. 39, s. 4.

600. -IL-: Bernolákovo jubileum. Matičné čítanie, 5, 1972, č. 20, s. 5.

601. (iris): Spomienka na Bernoláka. Pravda, 53, 16. 5. 1972, s. 3.
Výstava o živote a diele Antona Bernoláka v Nových Zámkoch.

602. JANEK, J.: Po Bernolákových stopách. Ľud, 25, 30. 9. 1972, č. 230, s. 5.

603. JÓNA, E.: S pochodňou reči — matky. (Z galérie významných postáv našej minulosti.) Práca, 27, 30. 9. 1972, č. 231, s. 7.

604. KARABA, Emil: Pri kolíske jazyka. (K 210. výročiu narodenia Antona Bernoláka.) Smena, 25, 4. 10. 1972, č. 234, s. 4.

605. KRIŽEK, Štefan: Žije v našej reči. Javisko, 4, 1972, č. 10, s. 311.

606. KUTLÍK, F.: Anton Bernolák. Hlas ľudu, 17, 5. 10. 1972, č. 234, s. 2.

607. TIBENSKÝ, Ján: Dejiny vedy a techniky na Slovensku (17). Začiatky slovenskej národnej vedy. Svet vedy, 19, 1972, č. 7, s. 375—383.
Zoznam jazyk. prác A. Bernoláka.

608. VÝROČIA — január 1973. Osvetová práca, 22, 1972, č. 23, s. 27.

609. VÝROČIA — október 1972. Osvetová práca, 22, 1972, č. 17, s. 29.

1973

610. -d-: 160 rokov od smrti Antona Bernoláka — kňaza a vedca. Duchovný pastier, 48, 1973, č. 6, s. 273—275.

611. ELIÁŠ, Michal: Vydavateľská a organizačná činnosť Slovenského učeného tovarišstva. In: HABOVŠTIAKOVÁ, Katarína — VYVÍJALOVÁ, Mária — ELIÁŠ, Michal: Anton Bernolák. Život a dielo. Nové Zámky, Okresné múzeum 1973, s. 13—17.

612. HABOVŠTIAKOVÁ, Katarína: Anton Bernolák, prvý kodifikátor spisovnej slovenčiny. — HABOVŠTIAKOVÁ, Katarína — VYVÍJALOVÁ, Mária — ELIÁŠ, Michal: Anton Bernolák. Život a dielo. Nové Zámky, Okresné múzeum 1973, s. 5—11. V úvode citát z predhovoru Bernolákovej knihy Grammatica slavica z r. 1790.

613. HABOVŠTIAKOVÁ, Katarína: Domácke podoby krstných mien v Bernolákových jazykovedných prácach. In: Štvrtá slovenská onomastická konferencia. Bratislava 1973, s. 103–119.

614. HABOVŠTIAKOVÁ, Katarína: Práca pre svoj ľud. (160 rokov od smrti kodifikátora prvej spisovnej slovenčiny Antona Bernoláka.) Večerník, 18, 16. 1. 1973, s. 5.

615. KARABA, Emil: Anton Bernolák. Nové slovo, 15, 1973, č. 3, s. 10.

616. KARABA, Emil: Bol prvý. Učiteľské noviny, 23, 1973, č. 1, s. 8.

617. ORLOVSKÝ, Dezider: Ľudia, roky, udalosti. (Portrét Antona Bernoláka.) Historický kalendár na rok 1973. Bratislava, Obzor 1973.

618. PISARČÍK, Viktor: Oživené tóny na Ostrove umenia. Matičné čítanie, 6, 1. 10. 1973.

619. ŠMATLÁK, St.: Prvý kodifikátor spisovnej slovenčiny. Pravda, 54, 13. 1. 1973, č. 11, s. 5.

620. VYVÍJALOVÁ, Mária: Bernolákovčina v kontexte slovenského národného obrodenia. In: HABOVŠTIAKOVÁ, Katarína – VYVÍJALOVÁ, Mária – ELIÁŠ, Michal: Anton Bernolák. Život a dielo. Nové Zámky, Okresné múzeum 1973, s. 19–27.

1975
621. ŚLIZIŃSKI, Jerzy: Hodnota Bernolákovej tvorby v Poľsku. Slavica Slovaca, 10, 1975, č. 2, s. 212–214.

1977
622. -jr-: „Tu máte slovo moje…" Ľud, 30, 1. 10. 1977, s. 5.

623. 3. októbra 1762… (inc.). Nové slovo, 19, 1977, č. 40, s. 19.

624. -vsl-: Miloval svoju materčinu. (Pripomíname si 215. výročie narodenia Antona Bernoláka.) Smer, 29, 3. 10. 1977, s. 3.

1978
625. BAGIN, Anton: Bernolákovo jazykovedné dielo. Katolícke noviny, 93, 1978, č. 3, s. (5).

626. BÁLENT, Boris: Bernolákova prvotina (Oslavná reč z r. 1782 Divus Rex Stephanus Magnus Hungarorum Apostolus…). Objav v Matici slovenskej. Práca, 33, 15. 4. 1978, č. 89, s. 6.

627. HABOVŠTIAKOVÁ, Katarína: Anton Bernolák. In: Biografické štúdie 7. Martin, Matica slovenská 1978, s. 149–166. Pripojená bibliografia diela A. Bernoláka.

628. -ík-: Bernolákov odkaz. Ľud, 30, 14. 1. 1978, č. 12, s. 5.

629. JANEK, Jozef: Bernolákove pamätníky. (K 165. výročiu smrti A. Bernoláka.) Sloboda, 33, 13. 1. 1978, č. 3, s. 4.

630. Špánik, Július: Rodoľub Anton Bernolák. Slovenský jazyk a literatúra v škole, 24, 1978, č. 5, s. 147–148.

1980
631. HLAVIČKA, František: O Bernolákovom „Slovári". Slovenský jazyk a literatúra v škole, 27, 1980/81, č. 2, s. 60–61.

632. VYVÍJALOVÁ, Mária: Anton Bernolák a osvietenstvo. Historický časopis, 28, 1980, č. 1, s. 75–111.

1981
633. CHRIAŠTEĽOVÁ, Ľ.: Pamätníky Antona Bernoláka. Snímka Ľ. Chriašteľová. Kamarát, 14, 1981, č. 3, s. 5.

634. JÁNSKY, Ladislav: Uzákonenie slovenčiny v hradných múroch. Večerník, 26, 14. 8. 1981, č. 159, s. 8–9. Pod spoločným názvom Literárnohistorické pohľady na Bratislavu (6).

635. SPIŠSKÝ, H.: Bernolákovci v dnešnej košickej diecéze. Katolícke noviny, 96, 1981, č. 13, s. 4.

1982
636. ČUNDERLÍK, Alexander: Pripomíname si… (220. výročie narodenia Antona Bernoláka.) Učiteľské noviny, 32, 1982, č. 40, s. (8).

637. GAŠPARÍK, Mikuláš: Príchod nového princípu. Slovenský jazyk a literatúra v škole, 29, 1982/83, č. 2, s. 54–55.

638. GAŠPARÍK, Mikuláš: Reč ľudu je hlas duše. Príroda a spoločnosť, 31, 1982, č. 21, s. 51—53.

639. HAVERLA, M.: K 220. výročiu narodenia Antona Bernoláka. In: Castrum Novum. Zborník Okresného múzea v Nových Zámkoch. Nové Zámky 1982, s. 99—103.

640. CHOVAN, Juraj: Diferenciačné prvky národného obrodenia a bernolákovské polemiky. In: Literárnomúzejný letopis 16. Martin, Matica slovenská 1982, s. 7—54.
Štúdia prináša nové pohľady na problematiku slovenského národného obrodenia. Reviduje niektoré zastarané stanoviská týkajúce sa bernolákovského hnutia. Upozorňuje na doteraz nepovšimnuté súvislosti celkovej koncepcie obrodenských myšlienok.

641. (PMK): Prvý kodifikátor slovenčiny. Po stopách Boženy Slančíkovej-Timravy a Antona Bernoláka v našom kraji. Smer, 34, 6. 10. 1982, č. 237, s. /4/.

642. PODRIMAVSKÝ, Milan: Pri zrode našej spisovnej reči. Historický význam diela Antona Bernoláka. Práca, 37, 2. 10. 1982, č. 234, s. 7.

643. PRED 220 rokmi... (inc.). — Slovensko, 6, 1982, č. 10, s. 2.

644. PRVÝ kodifikátor slovenčiny. Smer, 34, 6. 10. 1982, č. 237, s. 4.

645. SLAVKOVSKÁ, E.: Prvý kodifikátor spisovnej slovenčiny. Bernolákov prínos pre národnú kultúru. Ľud, 35, 2. 10. 1982, č. 234, s. 4.

1983
646. HABOVŠTIAKOVÁ, Katarína: Bratislava — kolíska Bernolákovej spisovnej slovenčiny. Večerník, 28, 21. 1. 1983, č. 15, s. 7. Obr. 1.

647. HRNKO, Anton: Významná osobnosť slovenských dejín. 170. výročie úmrtia Antona Bernoláka. Ľud, 36, 19. 1. 1983, č. 15, s. 5.

648. REZNÍK, Jaroslav: Prvý kodifikátor spisovného jazyka. Sloboda, 38, 1983, č. 5, s. 11.

649. RV: Anton Bernolák v dielach výtvarných umelcov. Katolícke noviny, 98, 1983, č. 5, s. 5.

650. ZOBORSKÝ, Laco: Bernolákovec sa nechystá oddychovať. Snímky Martina Prochaczková a Jozef Mesiarkin. Život, 33, 1983, č. 3, s. 54—/55/.

651. ZRUBEC, Laco: Kde je pochovaný Bernolák? Život, 33, 1983, č. 51, s. 54—55.

1984
652. GAŠPARÍK, Mikuláš: Osvietenské časy strieborného veku. Príroda a spoločnosť, 33, 1984, č. 12, s. 55—57. Fot. 2.

653. HABOVŠTIAKOVÁ, Katarína: Bernolákovčina ako spisovný jazyk. In: Literárnomúzejný letopis 18. Martin, Matica slovenská 1984, s. 85—100. Lit. 45 zázn. v slov., čes., franc. a lat.
Referát odznel na seminári v Nových Zámkoch 6. 10. 1982, ktorý sa uskutočnil pri príležitosti 220. výročia narodenia Antona Bernoláka.

654. CHOVAN, Juraj: Obrodenecké minireflexie a reminiscencie. (K 220. výročiu narodenia Antona Bernoláka.) In: Literárnomúzejný letopis 18. Martin, Matica slovenská 1984, s. 67—84. Lit. 18 zázn. v slov. a lat.
Referát prednesený na seminári venovanom 220. výročiu narodenia Antona Bernoláka, ktorý sa uskutočnil v októbri 1982 v Nových Zámkoch.

655. JUNAS, Ján: Lekári bernolákovci. Zdravie, 40, 1984, č. 12, s. 6—7. Obr. 2.

1985
656. MARTINEC, Alojz: Vo svetle vzájomnosti. Duchovný pastier, 66, 1985, č. 3, s. 110—112.

1986
657. MAŤOVČÍK, Augustín: Doklady o podobizni Antona Bernoláka. In: Literárnomúzejný letopis 20. Martin, Matica slovenská 1986, s. 119—124.
Pripojené sú listy J. Černáka a O. Cabana Martinovi Hamuljakovi o hodnovernosti portrétu Antona Bernoláka.

658. TKÁČIKOVÁ, Eva: Anton Bernolák. — In: Kultúrnopolitický kalendár 1987. Bratislava, Obzor 1986, s. 306—307. Fot. 1.

659. ZRUBEC, Laco: Bernolákova sťažnosť. Život, 36, 1986, č. 46, s. 53. Obr. 3.

1987

660. BLANÁR, Vincent: Kodifikácia v dejinách slovenčiny. Kultúra slova, 21, 1987, č. 8, s. 257—265.
Štúdia venovaná 200. výročiu kodifikácie slovenčiny Antonom Bernolákom.

660a. DORUĽA, Ján: Jazyk a národné dedičstvo. (Dvesto rokov od kodifikácie prvého slovenského spisovného jazyka.) Smena, 40, 23. 9. 1987, č. 223, s. 3.

661. (Gal): Mojej matky reč. Roľnícke noviny, 42, 1987, č. 225, s. 3.
Správa o uskutočnení akadémie k 225. výročiu narodenia Antona Bernoláka v Nových Zámkoch pod názvom Mojej matky reč. Súčasťou osláv bola aj výstava o živote a diele A. Bernoláka.

662. HORVÁTH, Pavel: O výskume života a diela Antona Bernoláka. 1762—1813. (K 200. výročiu vydania jeho Dizertácie.) Vlastivedný časopis, 36, 1987, č. 4, s. 163—168. Fot. 7. Lit. 7 zázn. v slov.

663. KENDERA, R.: Anton Bernolák. Pred 225 rokmi sa narodil obranca spisovnej slovenčiny. Smer, 39, 2. 10. 1987, č. 231, s. /12/. V rubrike Prechádzky naším krajom.

664. KOTULIČ, Izidor: Bernolákovská spisovná slovenčina a kultúrna západná slovenčina. Kultúra slova, 21, 1987, č. 8, s. 265—271.

665. KOVALČÍKOVÁ, Elena: Tvorca prvej spisovnej slovenčiny. Roľnícke noviny, 42, 1987, č. 230, s. 5.

666. KUCHAR, Rudolf: Administratívno-právna terminológia v predspisovnom období a jej spracovanie v Bernolákovom Slovári. Slovenská reč, 52, 1987, č. 5, s. 289—295.

667. MARTINEC, Alojz: Na slovíčko k „slovu o reči našej". Duchovný pastier, 68, 1987, č. 4, s. 176—177.
Profil Antona Bernoláka.

668. MLACEK, Jozef: O frazeológii v Bernolákovom Slovári. Slovenská reč, 52, 1987, č. 5, s. 259—269.

669. MLACEK, Jozef: Variantnosť frazém u Bernoláka a v súčasnom jazyku. Kultúra slova, 21, 1987, č. 8, s. 272—279.

670. (ur): V Múzeu P. Jilemnického… (inc.). Smena, 40, 18. 6. 1987.
Informácia o spomienkovom popoludní k 195. výročiu založenia Tovarišstva, 200. výročiu uzákonenia spisovnej slovenčiny a 225. výročiu narodenia Antona Bernoláka.

671. SPOMIENKA na Antona Bernoláka. Slovenské pohľady, 103, 1987, č. 9, s. 158—159.
Správa o spomienkovom popoludní konanom pri príležitosti 225. výročia narodenia Antona Bernoláka v Jure pri Bratislave.

672. VETEROMONTANUS, G. I.: Anton Bernolák — prvý kodifikátor spisovnej slovenčiny. Katolícke noviny, 102, 1987, č. 42, s. 5.

673. VYVÍJALOVÁ, Mária: Stánok vzdelanosti a národného uvedomenia bernolákovcov v Bratislave. — Vlastivedný časopis, 36, 1987, č. 4, s. 168—176. Obr. 14.

1988

674. (E): Národovci južného Slovenska. — Katolícke noviny, 103, 1988, č. 3, s. 5.

675. FORDINÁLOVÁ, Eva: „Škola Bernolákova" v literárnohistorickom hodnotení Jaroslava Vlčka. Slovenská literatúra, 35, 1988, č. 5, s. 403—416. V rubrike Štúdie. Lit. 28 zázn. v slov. a češ.

676. KUPECKÝ, Milan: Novozámočania nezabúdajú. Život, 38, 1988, č. 10, s. 38.
Informácia o soche Antona Bernoláka na okraji mestského parku v Nových Zámkoch.

677. TEREMOVÁ, Zuzana: Literárne pásmo o A. Bernolákovi. Smer, 40, 10. 3. 1988, č. 58, s. (1).
Informácia o kultúrno-výchovnom podujatí Rodostrom slovenčiny. Program podujatia zachytáva aj videokazeta, ktorá sa uchováva vo fonde Matice slovenskej.

678. TURČÁNY, Viliam: Hollý a Bernolák. Romboid, 1988, č. 6, s. 38—41.

1989
679. MESIARKIN, Jozef: Oheň je zlý pán. Život, 39, 1989, č. 2, s. 53. V rubrike Dokument z trezoru.
Informácia o Bernolákovom rukopise nachádzajúcom sa v Matici slovenskej, v ktorom jeho pôvodca podáva do Trnavy informáciu o príčinách a dôsledkoch veľkého požiaru v Nových Zámkoch 9. mája 1810.

2.2. Dedikačné básne a próza o Antonovi Bernolákovi.

1893
680. HOLLÝ, Gan: Chwálospev na Antoňa Bernoláka. Literárne Listy, 3, 1893, č. 6, s. 83—86. Verše doplnené pozn. F. Richarda Osvalda; Tovaryšstvo 1. Ružomberok 1893, s. 55—58. Báseň bola pôvodne publikovaná v knihe Básne Gana Hollého... Budín 1841, s. 89—95.

1913
681. HVIEZDOSLAV: Prolog k storočnej pamiatke smrti Antona Bernoláka, zasvätenej v N. Kubíne 19. januára 1913. Dennica, 1913, č. 1, s. 1; Národnie noviny, 44, 21. 1. 1913, č. 8, s. 1.

682. ORLOV, I. Gr.: Pamätajme... — Slovenské ľudové noviny, 10. 1. 1913, s. 1.

683. VAJANSKÝ, Svetozár Hurban: Odkliata Zlatovláska. Prológ. Na storočnú pamiatku umrtia Antona Bernoláka. Národnie noviny, 44, 18. 1. 1913, č. 7(3), s. 1—2.

1937
684. DILONG, Rudolf: Anton Bernolák. Slovenský orol, 2, 1937, č. 7, s. 142—143. V rubrike Zo žúp a jednôt.

685. GERALDINI, Koloman K.: Óda na Antona Bernoláka. (Prednesená na koncerte v Trnave 9. 10. 1937.) Kultúra, 9, 1937, s. 192.

686. HOLLÝ, Ján: Chválospev na Antona Bernoláka. Rozvoj, 16, 1937, č. 1, s. 2.

687. KRČMÉRY, Štefan: Spev o Bernolákovi. Národnie noviny, 68, 1937, č. 57, s. 5.

1962
688. HOLLÝ, Ján: Z Hollého Chválospevu na A.

Bernoláka. Z pôvodného rkp. prepísal Ján Mallý. Duchovný pastier, 37, 1962, č. 8, 2. s. ob.
Niekoľko veršov z Hollého Chválospevu, ktorý oceňuje Bernolákov kultúrny počin.

1982
698. REZNÍK, Jaroslav: Povesť o podobe Bratislavského hradu alebo — čo nemohol predvídať Anton Bernolák. Ľud, 35, 2. 9. 1982, č. 208, s. 10. V rubrike Poézia—próza—poézia.

2.3. Fotografie

1931
690. HROBKA Antona Bernoláka v Nových Zámkoch. Vesna, 5, 1931, č. 12, s. 275.

1933
691. ANTON Bernolák. Naša Orava, 1, 1. 2. 1933, č. 2, s. 1.
Fotografia Antona Bernoláka. Zároveň je uvedený text nápisu na pamätnej doske v Slanici od I. Grebáča-Orlova.

1937
692. ANTON Bernolák... (inc.). Slovenská politika, 18, 10. 10. 1937, č. 232, s. /1/. Fot. 1.

693. BERNOLÁKOV pomník v Trnave. Elán, 8, 1937, č. 3, s. 1.
Fotografia pomníka Antona Bernoláka v Trnave od akad. sochára J. Koniarka.

694. BERNOLÁKOV pomník v Trnave. Slovensko, 4, 1937/38, č. 2, s. 5.
Fotografia sochy Antona Bernoláka od J. Koniarka.

695. BERNOLÁKOV pomník v Trnave... (inc.). Slovenský týždenník, 34, 1937, č. 44, s. 6. Fot. 1.
Reprodukcia fotografie Bernolákovho pomníka počas jeho odhalenia. Pomník je dielom akad. sochára J. Koniarka.

696. BERNOLÁKOVE oslavy na Slovensku. Nový svet, 12, 1937, č. 33, s. 4. Fot. 4; Ľudový chýrnik, 13, 11. 8. 1937, č. 178, s. 3.
Fotografia Bernolákovho rodného domu v Slanici a jej námestia; Bernolákovej kaplnky v Nových Zámkoch, kde odpočívajú jeho telesné pozostatky a pohľad na námestie, kde v sept. 1937 odhalia Bernolákovu sochu.

697. BERNOLÁKOVE oslavy vyvrcholili 10. októbra 1937 po celom Slovensku. Nový svet, 12, 1937, č. 41, s. 13.
Fotografická reportáž z osláv Antona Bernoláka v Trnave a Bernolákove.

698. ČASŤ pomníka, ktorý bude odhalený 10. okt. t. r. (1937) v Trnave národnému buditeľovi a tvorcovi spisovnej slovenčiny, Antonovi Bernolákovi. Nový svet, 12, 1937, č. 34, s. 7.

699. PAMÄTNÍK A. Bernoláka pri jeho hrobe. Slovenský orol, 2, 1937, č. 7, s. 143. V rubrike Zo žúp a jednôt.

700. PODOLAY, J. V.: Návrhy na pomník Antona Bernoláka, pôvodcu odluky v Trnave. Nový svet, 12, 1937, č. 17, s. 16. Fot. 4.
Fotografická reportáž o postavení sochy Antona Bernoláka v Trnave. Na fotografiách návrhy sochárov J. Koniarka, J. A. Vítka a L. Majerského.

701. POPRSIE A. Bernoláka... (inc.). Slovenská politika, 18, 29. 6. 1937, č. 147, s. 3.
Fotografia sochy Antona Bernoláka od sochára J. Pospíšila.

702. SOCHA Antona Bernoláka. Slovenská politika, 18, 17. 1. 1937, č. 13, s. 2.
Fotografia sochy Antona Bernoláka od sochára Jozefa Pospíšila.

703. STAVANIE Bernolákovho pomníka v Nových Zámkoch. Slovenská politika, 18, 5. 9. 1937, č. 203, s. 3. Fot. 1.

704. V RÁMCI Bernolákových osláv bude postavená Bernolákovi socha v Trnave. Nový svet, 12, 1937, č. 29, s. 7.
Na fotografii sadrový odliatok sochy Bernoláka od akademického sochára J. Koniarka.

705. V RODISKU Antona Bernoláka, v Slanici, bude na jeseň tohoto roku odhalený pomník tohoto modelu, ktorý je dielom mladého akademického sochára Mikuláša Machalu z Trnavy. Nový svet, 12, 1937, č. 29, s. 4.

1972
706. PORTRÉT A. Bernoláka. Práca, 27, 1972, č. 231. s. 7.

707. PRIBLÍŽIŤ Bernoláka dnešku. – Naše novosti, 12a, 1972, č. 17, s. 1.
Fotoreprodukcia busty Antona Bernoláka a fotozáber účastníkov otvárania výstavy o živote a diele A. Bernoláka v Nových Zámkoch.

C. NESLOVENSKÉ KNIŽNÉ VYDANIA O ANTONOVI BERNOLÁKOVI

1922
708. PRAŽÁK, Albert: Dějiny spisovné slovenštiny po dobu Štúrovu. Nákl. Gustava Voleského, tlač Knihtiskárna J. B. Zápotočného, Praha 1922. 476+/8/ s.   SD 2098

1943
709. ÚRHEGYI, Emilie: Un chapitre de l'histoire du langage littéraire slovaque. Antoine Bernolak: Sa viet et sa mission. Paris, Les presses universitaires de Francè, t. Athenaeum, Budapest (1943). 8°. 28 s.   SC 18 835

1962
710. KIRSCHBAUM, Jozef M.: Anton Bernolák. The First Codifier of the Slovak Language. (Prvý kodifikátor slovenského jazyka.) (1762 –1813.) An Address to the Annual Meeting of the Canadian Association of Slavists on June 15-th, 1962, at the McMaster University, Hamilton, Ont. Cleveland, Slovak Institute, t. Jednota, Middletown 1962. 8°. 48 s. Slavica. No 52.   SC 26 076

1964
711. HABOVŠTIAKOVÁ, K.: Zur Frage der Würdigung von A. Bernoláks sprachwissen-schaftlichem Werk. Beiträge zur Geschichte der Slawistik. Berlin 1964, s. 208–225.
Autorka podáva pre zahraničných čitateľov celkové zhodnotenie Bernolákovho jazykovedného diela opierajúc sa o vlastné štúdium Bernolákových jazykovedných prác a Bernolákovej jazykovednej praxe.

1965
712. SMIRNOV, L. N.: Anton Bernolák. Moskva, Nauka (b.t.) 1965, s. /1/, 138–146.
Odtlačok zo Slavjanskoje istočnikovedenije.
                SC 49 598

713. SMIRNOV, L. N.: U istokov slovackogo litera-

turnogo jazyka. (Obzor novejšej literatury o jazykovoj dejateľnosti A. Bernolaka.) – Istorija slavjanskich literaturnych jazykov. Moskva, Nauka (b.t.) 1965, s. 85–94. SB 30 073

1973
714. PORTRÉTY významných Slovákov. In: Portréty významných Čechů, Slováků a Poláků. Výročí roku 1973. Karviná, Okresní knihovna 1973, s. 20–21.

D. ZOZNAM EXCERPOVANÝCH PRAMEŇOV

Do zoznamu nie sú zahrnuté zborníky, ktoré sú zachytené v časti B podtrieda 1.1.

ABC pionierov	ČSB 1338
Acta Universitatis Carolinae. Philologica 3	ČC 2488
Administratívny vestník	ČSC 164
Agrikultúra 2. Sborník Poľnohospodárskeho múzea v Nitre 1963	ČSC 1058/1963
A-Zet	ČSA 198
Bibliografický zborník	ČSC 722
Biografické štúdie	ČSC 1528
Borba	ČSA 263
Bratislava	ČSB 2525
Castrum Novum. Zborník Okresného múzea v Nových Zámkoch	ČSC 2965
Cirkevné listy	ČSB 33
Čas	ČSA 232
Čitateľ	ČSD 131
Československá vzájomnosť. Piešťanský kraj	ČSA 552
Československý časopis historický	ČC 808
Československý terminologický časopis	ČSC 1079
Dennica	ČSC 138
Devín	ČSC 334
Domov, bulletin Československého ústavu zahraničního v Praze	ČB 2739
Duchovný pastier	ČSB 100
Elán	ČSA 117
Gaudeamus	ČS 2868
Gazdovské noviny	ČSA 50
Gemer-Malohot	ČSA 40
Historický časopis	ČSC 514
Historický kalendár na rok 1973	SE 5190/1973
Hlas ľudu	ČSB 1438
Hlas nitrianskeho kraja	ČSA 281
Hlas slovenskej samosprávy	ČSB 1069
Hlasy československé	ČSA 194
Javisko	ČSC 1504
Jazykovedný časopis	ČSC 492
Jazykovedný zborník	ČSC 492
Kamarát	ČSB 1826
Katolícke noviny	ČSA 182
Krajan	ČSA 9
Kultúra	ČSB 121
Kultúra slova	ČSC 1241
Kultúrnopolitický kalendár 1962	ČSC 735/1962
Kultúrny život	ČSA 243
Letopis Pamätníka slovenskej literatúry	ČSC 1446
Linguistica slovaca	ČSB 277
Literárne listy	ČSB 91
Literárnomúzejný letopis	ČSC 1446
Ľud	ČSA 278
Ľudová politika	ČSA 54
Ľudové čítanie	ČSB 1052
Ľudový chýrnik	ČSA 56
Matičné čítanie (1. ročník vyšiel r. 1946)	ČSB 417
Matičné čítanie (1. ročník vyšiel r. 1968)	ČSA 797
Národná stráž	ČSA 68
Národnie noviny	ČSA 1
Národný hlásnik	ČSA 165
Národný podnikateľ	ČSA 272
Národný týždenník	ČSA 77
Nástup	ČSB 208
Náš kraj	ČSA 46
Náš národ	ČSA 266
Naša veda	ČSB 830
Naša Orava	ČSA 610
Naše novosti	ČSA 614
Nová práca	ČSB 361
Nové Slovensko	ČSA 69
Nové slovo	ČSA 798
Nový svet	ČSB 172
Orava	ČSA 29
Osvetová práca	ČSB 1712
Pero	ČSB 175
Pionierske noviny	ČSA 294
Plameň	ČSB 222
Podtatranský kraj	ČSA 122
Politika	ČSB 160
Práca	ČSA 239

ZOZNAM AUTOROV PRÍSPEVKOV PAMÄTNICE

BAGIN Anton, nar. 10. 9. 1923 v Ilave; ThDr., profesor Cyrilometodskej bohosloveckej fakulty v Bratislave; Kapitulská 26, 814 58 Bratislava

BARTKO Ladislav, nar. 1. 7. 1934 v Trstenej pri Hornáde; PhDr., CSc.; docent Filozofickej fakulty Univerzity P. J. Šafárika v Prešove; Grešova 16, 080 78 Prešov

BLANÁR Vincent, nar. 1. 12. 1920 v Húle; PhDr., DrSc.; vedecký pracovník Jazykovedného ústavu Ľ. Štúra SAV v Bratislave; Červenej armády 67, 811 09 Bratislava

ČIČAJ Viliam, nar. 15. 2. 1949 v Bratislave; PhDr., CSc.; vedecký pracovník Historického ústavu SAV v Bratislave; Kempelenova 13, 841 01 Bratislava

DOLNÍK Juraj, nar. 20. 8. 1942 v Irse; PhDr., DrSc.; docent Katedry slovenského jazyka Filozofickej fakulty UK v Bratislave; Veterná 16, 931 01 Šamorín

FERENČÍKOVÁ Adriana, nar. 5. 1. 1940 v Ležiachove; PhDr., CSc.; vedecká pracovníčka Jazykovedného ústavu Ľ. Štúra v Bratislave; Panská 26, 811 01 Bratislava

FORDINÁLOVÁ Eva, nar. 17. 12. 1941 v Bor. Mikuláši; PhDr., CSc.; vedecká pracovníčka Literárnovedného ústavu SAV v Bratislave; Clementisova 41, 909 01 Skalica

HABOVŠTIAK Anton, nar. 22. 9. 1924 v Krivej; PhDr., CSc.; vedecký pracovník Jazykovedného ústavu Ľ. Štúra SAV v Bratislave; Hroboňova 5, 811 04 Bratislava

HABOVŠTIAKOVÁ Katarína, nar. 18. 5. 1929 v Jasovskom Podzámku; PhDr., CSc.; docentka Pedagogickej fakulty v Nitre; Hroboňova 5, 811 04 Bratislava

HAYEKOVÁ Matilda, nar. 6. 4. 1922 vo Vrútkach; PhDr., CSc.; odbor. asistentka na Katedre západných filológií Pedagogickej fakulty UK v Trnave v. v.; Novomeského 23, 841 04 Bratislava

HORVÁTH Pavel, nar. 10. 10. 1926 v Šišove; PhDr., CSc.; vedecký pracovník Historického ústavu SAV v. v.; Žižkova 24, 811 02 Bratislava

CHOVAN-REHÁK Juraj, nar. 3. 1. 1931 v Hubovej; PhDr., CSc.; vedecký pracovník Matice slovenskej – riaditeľ Pamätníka slovenskej literatúry v Martine; Hubová 326, 034 91 Ľubochňa

CHOVANOVÁ Katarína, nar. 25. 4. 1962 v Ružomberku; bibliografická pracovníčka Matice slovenskej v Martine; Nováková 6, 036 01 Martin

JÓNA Eugen, nar. 20. 2. 1909 v Hrnčiarskej Vsi; PhDr., CSc.; vedecký pracovník Jazykovedného ústavu Ľ. Štúra SAV v Bratislave v. v.; Rajská 6, 811 08 Bratislava

KAČALA Ján, nar. 8. 4. 1937 v Dobšinej; člen korešpondent SAV; riaditeľ Jazykovedného ústavu Ľ. Štúra SAV v Bratislave; Bagarova 4, 841 01 Bratislava

KOTULIČ Izidor, nar. 5. 1. 1927 v Sedliciach; PhDr., CSc.; vedecký pracovník Jazykovedného ústavu Ľ. Štúra v Bratislave v. v.; Riazanská 68, 831 03 Bratislava

KOWALSKÁ Eva, nar. 17. 8. 1955 v Bratislave; PhDr., CSc.; vedecká pracovníčka Historického ústavu SAV; Furdekova 5, 851 04 Bratislava

KRAJČOVIČ Rudolf, nar. 22. 7. 1927 v Trakoviciach, PhDr., DrSc.; profesor Katedry slovenského jazyka Filozofickej fakulty UK v Bratislave; Račianska 19, 831 04 Bratislava

KRASNOVSKÁ Elena, nar. 30. 4. 1943 v Banskej Bystrici; PhDr., CSc.; odborná pracovníčka Jazykovedného ústavu Ľ. Štúra v Bratislave; Panská 26, 811 01 Bratislava

KRAUS Cyril, nar. 3. 7. 1928 v Tisovci; PhDr., CSc.; vedecký pracovník Literárnovedného ústavu SAV v Bratislave; Rokosovského 14, 851 01 Bratislava

KUCHAR Rudolf, nar. 9. 9. 1937 v Šuranoch; PhDr., CSc.; vedecký pracovník Jazykovedného ústavu Ľ. Štúra SAV v Bratislave; Panská 26, 811 01 Bratislava

KROŠLÁKOVÁ Ema, nar. 21. 3. 1936 v Marcelovej; PhDr., CSc., doc., vedúca Katedry slovenského jazyka Pedagogickej fakulty v Nitre; Odbojárov 3, 949 01 Nitra

MAJTÁN Milan, nar. 3. 5. 1934 vo Vrútkach; PhDr., CSc.; vedecký pracovník Jazykovedného ústavu Ľ. Štúra SAV v Bratislave; Panská 26, 811 01 Bratislava

MAJTÁNOVÁ Marie, nar. 4. 2. 1936 v Plzni; PhDr., CSc.; vedecká pracovníčka Jazykovedného ústavu Ľ. Štúra SAV v Bratislave; Panská 26, 811 01 Bratislava

MIKULA Valér, nar. 2. 11. 1949 v Levoči; PhDr., CSc.; odborný asistent na Katedre Slovenskej literatúry a literárnej vedy Filozofickej fakulty UK v Bratislave; Hrobákova 15, 851 02 Bratislava

MURÁNSKY Jozef, nar. 2. 3. 1928 v Podbieli; PhDr., CSc.; docent Pedagogickej fakulty Univerzity P. J. Šafárika v Prešove, umrel.

NIŽNANSKÝ Jozef, nar. 3. 7. 1925 v Brestovanoch; PhDr., CSc.; vedecký pracovník Jazykovedného ústavu Ľ. Štúra SAV v Bratislave; Panská 26, 811 01 Bratislava

PALKOVIČ Konštantín, nar. 12. 10. 1919 v Brodskom; PhDr., CSc.; odborný asistent na Katedre slovenského jazyka Filozofickej fakulty UK v Bratislave; Schiffelova 22, 821 09 Bratislava

POVAŽAN Ján, nar. 29. 8. 1933 v Ružomberku; PhDr.; šéfredaktor Vydavateľstva Osveta v Martine; ul. Róberta Dúbravca, 023 01 Ružomberok

RIPKA Ivor, nar. 7. 9. 1937 v Bratislave; PhDr., CSc.; vedecký pracovník Jazykovedného ústavu Ľ. Štúra SAV v Bratislave; Panská 26, 811 01 Bratislava

SEDLÁK Imrich, nar. 21. 1. 1933 v Červenici pri Prešove; PhDr., CSc., doc.; vedecký pracovník Matice slovenskej – Pamätníka slovenskej literatúry v Martine; Koceľova 7, 036 01 Martin

SKLADANÁ Jana, nar. 27. 2. 1942 v Banskej Bystrici; PhDr., CSc.; vedecká pracovníčka Jazykovedného ústavu Ľ. Štúra v Bratislave; Panská 26, 811 01 Bratislava

ŠIMONČIČ Jozef, nar. 18. 6. 1928 v Dechticiach; PhDr., CSc.; riaditeľ Štátneho okresného archívu v Trnave; Vajanského 30, 917 01 Trnava

TURČÁNY Viliam, nar. 24. 2. 1928 v Suchej nad Parnou; PhDr., CSc.; básnik, zaslúžilý umelec, vedecký pracovník Literárnovedného ústavu SAV v Bratislave v. v.; Rauchova 4, 831 02 Bratislava

VYVÍJALOVÁ Mária, nar. 22. 5. 1921 v Mojzesove; PhDr., CSc.; vedecká pracovníčka Historického ústavu SAV v Bratislave v. v.; Kominárska 6/321, 831 04 Bratislava

ŽIGO P., nar. 25. 4. 1953 v Lučenci; PhDr., CSc.; docent Filozofickej fakulty UK v Bratislave, Gondova 2, 818 01 Bratislava

269

OBRAZOVÁ PRÍLOHA

1/ Portrét Antona Bernoláka (ako frontispice)

2/ Rodný dom A. Bernoláka v zatopenej obci Slanica s jazerom Oravskej priehrady

3/ Oravská priehrada so zvyškom obce Slanica – kostolom a cintorínom

4/ Bratislavský hrad – sídlo generálneho seminára podľa dobovej oceľorytiny

5/ Heslo Slanica s dátumom narodenia Antona Bernoláka s predpokladanou zámenou číslovky 1 za 4, typograficky veľmi blízku

6/ Obraz ľudovíta Antona Muratoriho – ideového vzoru A. Bernoláka a iniciátora zakladania učených spoločností v Európe

7/ Obraz Zakladanie Slovenského učeného tovarišstva od A. Kováčika – s hlavnými predstaviteľmi bernolákovského hnutia

8/ Titulná a posledná strana bulletinu Rodostrom slovenčiny hudobno-recitačného pásma k dvojstému výročiu spisovnej slovenčiny

9/ Účinkujúci v programe Rodostrom slovenčiny

10/ Záber z programu Rodostrom slovenčiny v Nových Zámkoch 24. 9. 1987

11/ Z bernolákovských osláv v Nových Zámkoch 24. 9. 1987

12/ Prejav predstaviteľa mesta Nové Zámky pred Bernolákovým pomníkom na slávnostnom zhromaždení pri 225. výročí narodenia A. Bernoláka a 200. výročí kodifikácie spisovnej slovenčiny

13/ Kaplnka v Nových Zámkoch – miesto posledného odpočinku A. Bernoláka

14/ Kaplnka s Bernolákovými pozostatkami počas osláv v Nových Zámkoch 24. 9. 1987

15/ Záber z predsedníckeho stola konferencie k 200. výročiu vydania Bernolákovej Dizertácie a 225. výročiu narodenia A. Bernoláka

16/ Pohľad na účastníkov konferencie k 200. výročiu vydania Dizertácie a 225. výročiu narodenia Bernoláka v Bratislavskom Dome odborov v dňoch 23.–24. 9. 1987

17/–18/ Zábery z výstavy k oslavám prvej kodifikácie slovenského národného spisovného jazyka – V zápasoch o národný spisovný jazyk

19/ Plagát, ktorý vydala Matica slovenská k oslavám 200. výročia prvej kodifikácie spisovnej slovenčiny

20/ Titulná strana Bernolákovho Slovára z roku 1825

21/ Titulná strana Dizertácie a Ortografie z roku 1787

22/ Titulná strana Bernolákovej gramatiky a etymológie slovenských slov

23/ Bernolákov pomník v Trnave, dielo A. Kováčika, odhalený 10. 10. 1937 predsedom vlády Milanom Hodžom

24a–24b–24c–24d/ Bernolákov testament s kontroverzným 3. bodom o úhrade prostriedkov za opravu cirkevných budov

OBSAH

Obrazová príloha

PAMÄTNICA ANTONA BERNOLÁKA

Zostavil PhDr. Juraj Chovan, CSc.
v spolupráci s PhDr. Milanom Majtánom, CSc.

Vydanie prvé

Edícia: Teória a výskum
Séria: Vedecké zborníky

Vedúci Vydavateľstva MS Peter Martinka
Zodpovedný redaktor František Laššuth
Jazyková redaktorka Elena Hanzelová
Obálku navrhol a technicky pripravil Pavol Menich
Fotografie Filip Lašut

Vydala Matica slovenská v Martine roku 1992
Zadané do tlače 9. 11. 1990
Vytlačila Tlačiareň Neografia, š. p., Martin
Náklad 1500 výtlačkov
Počet strán 292

ISBN   80-7090-224-8

1/ Portrét Antona Bernoláka (ako frontispice)

2/ Rodný dom A. Bernoláka v zatopenej obci Slanica
s jazerom Oravskej priehrady

3/ Oravská priehrada so zvyškom obce Slanica
– kostolom a cintorínom

4/ Bratislavský hrad − sídlo generálneho seminára
podľa dobovej oceľorytiny

Slaňica , e , f. szlanícza , sali-
villa, salipolis, *Possessio Pro-
vinciae Arvensis, in qua natus
est Antonius Bernolák , die
4. Octobris An. 1762. et a*

5/ Heslo Slanica s dátumom narodenia Antona Bernoláka
s predpokladanou zámenou číslovky 1 za 4, typograficky veľmi blízku

LUDOVICUS ANTONIUS
MURATORIUS,
Præpositus Ecclesiæ Parochialis S. Mariæ de Pomposia,
Bibliothecæ et Tabulario Serenissimi Ducis Mutinensis
Præfectus, Societatum Literariū Londinensis et Italica-
rum plurarumque membrum.
Nat. Aº MDCLXXII. d. XXI. Octobr.

Dec. II.

6/ Obraz Ľudovíta Antona Muratoriho – ideového vzoru A. Bernoláka
a iniciátora zakladania učených spoločností v Európe

7/ Obraz Zakladanie Slovenského učeného tovarišstva od A. Kováčika
— s hlavnými predstaviteľmi bernolákovského hnutia

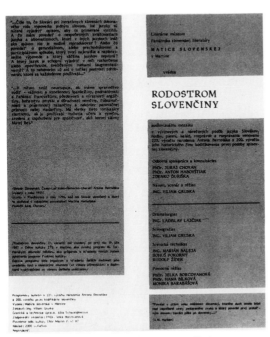

8/ Titulná a posledná strana bulletinu
Rodostrom slovenčiny
hudobno-recitačného pásma k dvojstému
výročiu spisovnej slovenčiny

9/ Účinkujúci v programe Rodostrom slovenčiny

10/ Záber z programu Rodostrom slovenčiny v Nových Zámkoch 24. 9. 1987

11/ Z bernolákovských osláv v Nových Zámkoch 24. 9. 1987

12/ Prejav predstaviteľa mesta Nové Zámky
pred Bernolákovým pomníkom na slávnostnom
zhromaždení pri 225. výročí narodenia A. Bernoláka
a 200. výročí kodifikácie spisovnej slovenčiny

13/ Kaplnka v Nových Zámkoch − miesto
posledného odpočinku A. Bernoláka

14/ Kaplnka s Bernolákovými pozostatkami počas osláv
v Nových Zámkoch 24. 9. 1987

15/ Záber z predsedníckeho stola konferencie k 200. výročiu
vydania Bernolákovej Dizertácie a 225. výročiu narodenia A. Bernoláka

16/ Pohľad na účastníkov konferencie k 200. výročiu vydania Dizertácie
a 225. výročiu narodenia Bernoláka v Bratislavskom Dome odborov v dňoch 23.–24. 9. 1987

17/−18/ Zábery z výstavy k oslavám prvej kodifikácie slovenského národného
spisovného jazyka − V zápasoch o národný spisovný jazyk

19/ Plagát, ktorý vydala Matica slovenská k oslavám 200. výročia
prvej kodifikácie spisovnej slovenčiny

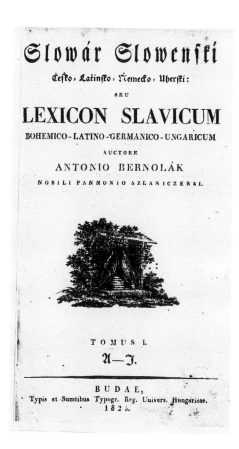

Slowár Slowenskí
Česko-Latinsko-Německo-Uherskí:
SEU
LEXICON SLAVICUM
BOHEMICO-LATINO-GERMANICO-UNGARICUM

AUCTORE
ANTONIO BERNOLÁK
NOBILI PANNONIO SZLANICZENSI.

TOMUS I.
A—J.

BUDAE,
Typis et Sumtibus Typogr. Reg. Univers. Hungaricae.
1825.

DISSERTATIO
PHILOLOGICO - CRITICA
DE
LITERIS SLAVORUM,
DE DIVISIONE ILLARUM,
NEC NON
ACCENTIBUS,
CUM ADNEXA
LINGVÆ SLAVONICÆ
PER
REGNUM HUNGARIÆ
USITATÆ
COMPENDIOSA SIMUL, ET FACILI
ORTHOGRAPHIA,
Ad systema Scholarum Nationalium in Ditionibus Cæsareo-Regiis introductum plene accommodata,
IN USUM OMNIUM
LINGVÆ HUJUS CULTORUM
A PATRIIS PHILOLOGIS
PUBLICÆ LUCI DATA.

POSONII,
TYPIS JOANNIS MICHAELIS LANDERER,
PERPETUI IN FUSKUT.
1787.

20/ Titulná strana Bernolákovho Slovára z roku 1825

21/ Titulná strana Dizertácie a Ortografie z roku 1787

ETYMOLOGIA
VOCUM
SLAVICARUM,
sistens
MODUM MULTIPLICANDI
VOCABULA
PER
DERIVATIONEM & COMPOSITIONEM,

AB
ANTONIO BERNOLÁK
CONCINNATA.

TYRNAVIÆ,
Typis WENCESLAI JELINEK 1791.

◀ 22/ Titulná strana Bernolákovej gramatiky a etymológie slovenských slov

23/ Bernolákov pomník v Trnave, dielo A. Kováčika,
odhalený 10. 10. 1937 predsedom vlády Milanom Hodžom

In Nomine S[anctissi]mæ & Individuæ Trinitatis Patris, & Filii, & Spiritus Sancti. Amen.

Cum Mors sit certa, hora autem ejus incerta, quemadmo-
"dum summopere conor, ne me Venturus filius homi-
"nis relate ad Animam imparatum inveniat: ita quo
"ad res temporales meas (propria alioquin industria
omnes acquisitas) sequentem facio ultimam te[sta]-
"mentariam Dispositionem

1° Lego Cassæ Archi-Dioecesanæ 5 f[l]
fundo Seminaristico 5 f[l] Instituto Emeritor[um]
parochor 5 fl. V[enerabili] Officialiali 5 fl. In summa — 20 f[l]

2° Pro Sacris perpetuis per successo-
res meos in Beneficio Ujkerienso quandocumque
& ubicumque ad intentionem meam celebrandis
fixo duobus pro vivis & defunctis afro Phy-
ca lego: ut Syndicus Ecclesiæ inde a 5 pro
Centuali Censu 30 xr, & a pro Centuali
unum Rhenensem florenum tractat. — 50 f[l]

3° Nepoti meo Mathiæ Aloysio Bernolák
lego Arundineum Baculum cum nodo aureo
post Episcopum Nittriensem Antonium Révay in me
derivatum. Dein e duobus aureis horologiis Sac-
calibus unum ad Selectum. Tandem totale æstima-
"tionale pretium pro ædificiis Alodialibus & hor-
"tensibus per me in conformitate Statuti particu-
"laris Alcens[is] Dathariæ Visitationis de 1779°
peractæ meis propriis ære positis a Successore
meo vi justitiæ exigendum & reponendum. Signan-
"ter pro tota Officiolari Domo, Camera & Culina
per me a fundamentis erecta Area cum fenestris, &
Orcitibus servatis Domo boaria, Mobili Aria Currali
ibidem a fundamentis cum tecto erecto, prout &

24a—24b—24c—24d/ Bernolákov testament s kontroverzným 3. bodom
o úhrade prostriedkov za opravu cirkevných budov

Caula Ovium Nova Superaddita, qvoad omnia Materialia,
dein Horreo, qvoad tectum ed integro in lignis
& stramine qvoad duas Portas cum ferramentis
& qvoad duos trasieress Unum Versus Paulis,
alium Versus Prohaszka Emericum a fundamentis
integros qvoad Portam Alodii "Altiorem adfila"
Alam, & reface ad fontem per Michaelem Egger
& tegulis meis Junis pecuniis a Dominio Emjestis
constructum. Deniqs in Horreo Curralis Porta una
cum Columnis duabus, in fonte maqua trabi, cum
Clavi ferrei, & in Domo Horreälni duarum No-
"varum feniestrarum & Arundinei tecti Æstimatio
"nalis pretium. Reliqius Instrumentis Cujuscunque
Speciei ad Masam Hæredum Universalium Spe=
ctantibus ideoq relinquendis — At Arch: Effus
horum Ædificior destructionem, conservationem, &
reparationem vissitationaliter Parocho Elijvariensi
huicosuit & me primum hoc Onus betiglt, utut eas_
dem apud Cardinalem a Batthyan humillimé per=
Orahtem. Successores qvoqs mei eidem Oneri qvoad
"meas Expensas Praesentim, Necessario subjecti esse
debent.

          Hæc eises dilece Frater Mathia donec
tibi pro his Omnibus vel Ultimum deposuerint
Æstimationalem Obellium.

          7= Sorori mea Juliane Bernolak dono
pro libera dispositione Domum Sculcetialem cum
fundis appertinentiis & qvibusvis juribus in pos-
"sessione Flui meis Are comparatam; ita:
ut hinc ost Mortem illius Appolonia qvoqs filia
Oqvolem cum Ceteris, si volluerit, pharcell habere
debeat.

          5= Fest mea Appolonia ed eadem Sorore
Juliana lego Scrinidlu cum reciprocis fonulis Seu
Scublot & Rosen & Arce, Lectum Unum ad Gselactum
& Lectisternia Omnia.

6° Ex Consobrina mea Catharina Tursik avunculi
Mei filiastre Nobili Georgio Sutioni Serenissimi Principis
Esterházy Ischatseh. Testamentario progenitae Rest: fran=
cisca Rejs duos Marcos Cantharos Argenteos pro
Coffea, & Caese, ac Argenteam pro Saccaro thidedem.

7° Reliqua mea Substantia persolutis persol.
vendis in 4 partes dividatur: prima cedat Sorori
mea Iuliane: Secunda filie Ejus Appolonie:
tertia Nepti Iuliane Sutibus: Quarta: ibidem
Nepti Francisco Sutibus.

Si aliqua ex his Haeredibus Universalibus
legata sibi parte non contentaretur, obtingens
illius inter Reliquas Sorte aequali dividatur.

Inam meam Ultimam testamentalem Dispo.
sitionem per Gratiosam quoq meam Superioratu=
tem benigne Ratihaberi Remisse peto, & pro
Ejusdem executione praeter legatarios praefati=
catos Superiorij districtus Elljvariensis V. Archidiacon
pro illo tempore futurum Constituo erga Dierna cum
Consensu legatariod Meorum determinanda, & persci.
piunda.

Sig Elljvár die 9a Xbris 1809.   Antonius Pernlak
                                          Par. Vid. Orph. Ypron

Anno 1809. die 9ᵃ 9bris Nobis infrascriptis qua testibus Convocatis inter uno eodemque momento Coram Testatore Constitutis, Admodum Reverendus Dominus Antonius Bernolak Parochus et Vice-Archi Diaconus Érsek-Ujváriensis hancce Chylizam Exhibuit, in eaque ultimam Suam voluntatem Seu testamentariam dispositionem Contionei declaravit. Cujus rei ad Solemnitatem Sacramenti requisitae Testes fuimus.

Horváth Michael Cooperator
Érsek-Ujváriensis mp.

Rettig Ambrosius mp.
1ᵘˢ Pr. Eljub Professor.

Josephus Mikosz
organista Érsek Ujvar mp.

Philippus Szomolany
Professor Er-sujvar mp.

Martinus Delgi
Professor Érsek Ujváriensis mp.

Josephus Laukoczÿ
Professor Érsek Ujváriensis mp.

Praesentem testamentariam dispositionem denati parochi et Vicediaconi Érsek Ujvar Antonii Bernolák authoritate Ordinarii Solius Sphi[?] iu linea per transversⁱ ducenti caffatÿ teverihy, velut Sanus confraternitaty Dioecefanq et legi patria conformal ... quod qui in fundo alieno aedificat non sibi sed alteri aedificat — in reliquo illesa ceri; habemus ac confirmamus, ejusq executionem cuja documentorum ranionq a ... exhibendum Honorabilibus Daulo Szabo pro Jvestladingh et Daulo Lolefanszky Snislenz ... impedios, alteri per priorem sibi deligend con Disfiumali parocho comedam ... Tyrnaviae die 18ᵈⁱ Januarii 1810. ... Comes de Perenyi Strigon mp.